改訂・携帯版

日本妖怪大事典

水木しげる＝画
村上健司＝編著

角川文庫
19075

改訂・携帯版
日本妖怪大事典

協力　水木プロダクション
編集協力　フォルスタッフ
（梅沢一孔・今村恵子）

凡例

●この事典は日本の文献（民俗資料、怪談集、随筆、その他）に見える妖怪を50音順に並べ、極力原典を元にした解説を付したものである。固有名詞のあるものが中心だが、名前がないものについては、千葉幹夫氏の『全国妖怪事典』にならい、「○○ノカイ」というように統一させた。また、「目だらけの化け物」のような説明的な名称も、便宜上固有名詞として扱った。

●資料はでき得る限り原典に拠ったが、入手困難なものについては二次資料を使用した。

●水木しげるの妖怪画は原則としてその妖怪の解説文の前後、もしくは解説文中に置いた。また、妖怪画の妖怪名について、水木しげるの妖怪名と解説文の妖怪名が異なる場合は、「水木しげるの妖怪名（解説文の妖怪名）」とした。

●文中の古い地名は、原則的に底本となる『日本妖怪大事典』発行当時（平成17年7月）の地名をカッコ内に示した。不明のものについては、資料にあるとおりの地名を載せた。

●参考資料は妖怪項目ごとに記した。書籍は『　』、雑誌に掲載された論文などは「　」を用い、引用した部分は【　】で示した。参考資料の掲載順については、とくに意味を持たせてはいない。

●引用文、解説文のなかには、現代の観点から見て、人間を不当に差別したり、好ましからざる表現もあるが、編著者にはそのような意図はなく、原典に則ったままの表現にした。

あ

アイヌカイセイ　アイヌの人々に伝わる妖怪。空家や古家に現れ、ぼろぼろのアットゥシ（木の皮の繊維で作った着物）を着ており、眠っている者の胸や首を押しつけて襲う。『遠野のザシキワラシとオシラサマ』では、座敷わらしと関連があるのではないかとしている。

ちなみにアイヌ語でアイヌは人間を意味し、カイセイは死骸という意味。要は死霊という意味になるのだろうか。

㊜座敷わらし

『人類学雑誌』吉田巌編　『全国妖怪事典』千葉幹夫編　『遠野のザシキワラシとオシラサマ』佐々木喜善

アエノコト　石川県の輪島市、珠洲市、内浦町、穴水町、門前町、能都町、柳田村といった奥能登の農家で見られる豊作祈願の民俗行事。アエとは饗応、コトとは祭りのことで、アエノコトとは神を家に迎えて飲食を共にするという意味

アエノコト

合いがある。

家ごとに細かな違いがあるが、一般的には12月5日に田から田の神を迎え入れ、翌年の2月9日にはまた田へと帰ってもらう。その際、祭りを取り仕切る家長は、紋付き袴など正装をし、田から田の神を迎えたり、食事を勧めたりと、そこに本当に神がいるかのようにもてなす。

㊜田の神

『民俗学辞典』民俗学研究所編　『民間信仰辞典』桜井徳太郎編

青行灯〔あおあんどう〕　鳥山石燕の『今昔百鬼拾遺』に描かれた妖怪。同書には【灯きえんとして又あきらかに、影憧々としてくらき時、青行灯といへるものあらはるる事ありと云。むかしより百物語をなすものは、青き紙にて行灯をはる也。昏夜に鬼を談ずる事なかれ。鬼を談ずれば、怪にいたるといへり】と記されている。

百物語とは怪談会のことで、百本の灯芯を灯して一つの話が終わるごとに一本消し、最後の一本が消えたときに怪異が起こるといわれていた。石燕の時代（江戸中期～後期）には、行灯《あんどん》に青い紙を張る作法があったようである。

百物語は江戸時代から明治時代にかけて、かなり頻繁に開かれたようで、多くの資料に様々な場所で行われた記録が残っている。しかし、具体的に青行灯という妖怪が出現したという記録はほとんどない。青行灯という妖怪そのものがいるのではなく、「鬼を談ずれば、怪にいたるといへり」という古い言い伝えのように、百物語の後に現れる怪異のことを指しているようである。

『鳥山石燕　画図百鬼夜行』高田衛監修・稲田篤信・田中直日編

青鷺火〔あおさぎのひ〕　夜間などに青鷺が青白く光って見えることをいう。鳥山石燕の『今昔画図続百鬼』には、【青鷺の年を経しは、夜飛ときはかならず其羽ひかるもの也。目の光に映じ、觜とがりてすさまじきと也】とある。

桜川慈悲成の『変化物春遊』にも、大和国（奈良県）で青鷺が光るのを見たという話が載っている。『絵本百物語 桃山人夜話』にある五位の光も、同じものといえる。

この他にも、五位鷺や山鳥、雉《きじ》、鴨などの鳥は、夜飛ぶときに羽が光ることがあるといわれ、更科公護の「光る鳥・人魂・火柱」には、青白く光る五位鷺や青鷺の目撃談が数多く紹介されている。

『鳥山石燕 画図百鬼夜行』高田衛監修・稲田篤信・田中直日編 『竹原春泉 絵本百物語 桃山人夜話』多田克己編 『怪し火・ばかされ探訪』角田義治 『自然の怪異』角田義治 『茨城の民俗』20号「光る鳥・人魂・火柱」更科公護

青女房〔あおにょうぼう〕 鳥山石燕の『今昔画図続百鬼』に描かれた妖怪。【荒たる古御所には青女房とて女官のかたちせし妖怪、ぼうぼうまゆに鉄漿《かね》くろぐろとつけて、立まふ人をうかがふとかや】とある。

青女房とは若くて官位の低い女官のことで、『吾妻鏡』『源平盛衰記』『明月記』などの古典にも見える言葉である。そうした女官の妖怪として石燕が創作したものなのだろう。

『鳥山石燕 画図百鬼夜行』高田衛監修・稲田篤信・田中直日編

青坊主〔あおぼうず〕 岡山県邑久郡地方でいう妖怪。衣服もしくは身体が青い色をした大坊主で、空家などに現れるという。

また、鳥山石燕の『画図百鬼夜行』にも、一つ目の法師姿の青坊主が描かれているが、こちらには説明がないためどのような妖怪かは不明。石燕が描いた青坊主の姿は、『百怪図巻』や『化物づくし』といった絵巻物にも見え、こちらは目一つ坊などとあって、青坊主とは記されていない。目一つ坊とは一つ目小僧の別名である。

『現行全国妖怪辞典』佐藤清明 『鳥山石燕 画図百鬼夜行』高田衛監修・稲田篤信・田中直日編 『日本怪談集 妖怪篇』今野円輔編著

赤頭と小僧の妖怪〔あかあたまとこぞうのようかい〕 赤頭は鳥取県西伯郡名和村（名和町）にいた怪力の男で、梯子《はしご》に米俵12俵を載せて運

青女房

ぶほどの力持ちだった。あるとき観音堂の柱に素手で釘を抜き差しする怪しい小僧と出会い、赤頭もやってみようと試したが、とてもできるものではなかったという。

この小僧の正体は分かっておらず、妖怪っぽいのだが、赤頭とよばれた男も死後に怪しい存在とされた。赤頭が死んでしばらくすると、村の若者たちは赤頭に力を授けてもらうといって、その墓前で一晩過ごすことがあった。夜中になると、何者かが背中に重石《おもし》を乗せるように押しつけてきて、とても我慢できなくなるというのである。これによって力を授けられたと若者たちは思いこんだのだろうが、それが赤頭の霊によるものかどうか、資料である『因伯伝説集』には、なにも記されていないので分からない。

『因伯伝説集』荻原直正

赤えいの魚〔あかえいのうお〕

『絵本百物語　桃山人夜話』にある巨大な赤えい。安房国野島ヶ崎（千葉県白浜町）の船乗りたちが暴風により漂流したとき、島と思って上陸したものが巨大な赤えいだったという。その大きさは三里（約12㎞）以上。背に砂がたまると、これを落とそうとして海上に浮かんでくるが、そのとき島だと思って船を寄せれば、えいは水底に沈んでいく。巨大な魚体が沈むことで波が荒くなり、そのために船が壊れてしまうという。このような巨大なえいの妖怪は他に類を見ない。

『竹原春泉 絵本百物語 桃山人夜話』多田克己編

赤城山の百足神〔あかぎやまのむかでがみ〕

→大百足

赤子〔あかご〕 長野県大町市木崎湖でいう妖怪。水中にいる11歳～12歳くらいの子供のようなもので、色は赤ん坊みたいに赤く、猩々《しょうじょう》のように髪を垂らしている。とくに害があるわけではなく、水中に隠れているところを、ときおり漁師が見かけるくらいだという。河童のようなものだろうか。

㊫河童

『松本と安曇の話』安筑郷土誌料刊行会編

『綜合日本民俗語彙』民俗学研究所編

赤子の怪〔あかごのかい〕『蕪村妖怪絵巻』にあるもの。小笠原某という者の座敷に、林一角という法師が泊まったときのことである。夜ふけに隣の部屋で数百の人が踊っているような足音が聞こえたので、襖を開けて覗いて見た。すると裸の赤子が集まって、足音をたてて踊っている。一角法師はうるさくて仕方なかったが、そのうち静かになって、明け方には姿がなかったという。

『蕪村妖怪絵巻解説』乾猷平 『別冊太陽 日本の妖怪』

赤舌〔あかした〕 鳥山石燕の『画図百鬼夜行』に描かれた妖怪。石燕による解説はなく、水門の上に黒雲をまとった姿で描かれているだけである。水門の番をしている妖怪とよくいわれるが、絵柄からの想像にすぎない。

山田野理夫の『東北怪談の旅』には、青森県津軽の農村での水争いにおいて、赤舌が水門を開いて、水に不自由していた村の田畑を潤したという話がある。しかしこれは、もともとそうした水争いの話があって、そこに赤舌という妖怪を付け足したものと思われる。

『広辞苑』によれば、赤舌神《しゃくぜつじん》とは陰陽道で太歳《たいさい》の西門を守る番神、ないし三番目の羅刹《らせつ》神で、極悪、忿怒《ふんぬ》、衆生《しゅじょう》を悩乱させる神とある。また、暦注《れきちゅう》の一つに赤舌日というものがあり、公事《くじ》や起訴、契約などに凶の日であるという。つまり赤舌は羅刹神の一種といえる。ただし、赤舌（神）そのものが現れたという記録や説話は見つからない。

『鳥山石燕　画図百鬼夜行』高田衛監修・稲田篤信・田中直日編　『東北怪談の旅』山田野理夫

赤シャグマ〔あかしゃぐま〕　愛媛県新居郡西条町（西条市）・神戸村（西条市）でいう子供のような妖怪。人が寝静まると座敷で騒ぎだし、台所にある食物を食べてしまう。

徳島県にある金比羅宮《こんぴらぐう》の奥の院あたりの家に

赤舌

もいたといわれ、夜になると仏壇から出てきて家人をくすぐるなどの悪戯《いたずら》をしたという。
赤シャグマの名前は、髪の毛が赤く、まるで赤熊《しゃぐま》の毛をかぶったような髪形からきているらしい。赤熊とはヤク（インド北部からチベットにかけて棲息するウシ科の獣）の毛を赤く染めたもので、仏具の払子《ほっす》などを作るときに用いるが、それに似た髪の毛という意味もある。おそらくは赤い毛のおかっぱ頭のような髪形なのだろう。
㊜座敷わらし
『遠野のザシキワラシとオシラサマ』佐々木喜善『民族と歴史』8巻1号「伊予の赤シャグマ」松風村雨楼

赤殿中〔あかでんちゅう〕 徳島県鳴門市大麻町大谷でいう化け狸。夜、赤い殿中（袖なし羽織。殿中羽織の略）を着た子供に化けて、道行人に背負ってくれとせがむ。背負ってやると、背中で足をばたばたさせながらキャッキャッと喜んだという。大麻町の大谷川新橋近くには、赤殿中を祀る小さな祠がある。
㊜狸
『阿波の狸の話』笠井新也『酒買い狸の誕生』赤塚盛彦

垢取り貸せうぇー〔あかとりかせうぇー〕
→杓子《しゃくし》くれ

アカナー 沖縄の昔話や童謡に出てくる子供。その名前は赤い顔という意味がある。月の兎のように、月の中に見える影はアカナーという子供が桶を担いだ姿で立っているとされた。
『旅と伝説』通巻17号「琉球の伝説」金城朝永

垢嘗め〔あかなめ〕 鳥山石燕の『画図百鬼夜行』に描かれた妖怪。石燕による解説は一切ないが、『古今百物語評判』には「垢ねぶりの事」という項があり、これが垢嘗めのことであると思われる。『古今百物語評判』によれば、垢ねぶりというものは古い風呂屋や荒れた屋敷に棲む化け物で、塵《ちり》や垢の積もったところから化けて出たものだとしている。

あかなめ（垢嘗め）

『鳥山石燕　画図百鬼夜行』高田衛監修・稲田篤信・田中直日編『江戸怪談集（下）』高田衛編／校注『続百物語怪談集成』太刀川清校訂・高田衛・原道生編

垢ねぶり［あかねぶり］
↓垢嘗め

アカマター　沖縄でいう斑蛇《まだらへび》のこと。山原《ヤンバル》地方でいう毒を持たない蛇で、美しい男に化けては女を誘惑し、子供を産ませたり殺してしまったりする。

昔、名護町東江と城との境にあるアナダ橋のたもとに、鬱蒼としたガジュマルの大木があった。ある人がそこで挙動不審の女を見つけ、よく見るとその下でアカマターがしきりに尻尾《しっぽ》を振って文字を書いていた。女はここで美男子と待ち合わせをしているといってゲラゲラ笑う。そこでその人は女を自分の家に連れて帰り、すぐさま一人でガジュマルの下まで戻ると、アカマターの文字を消した。その瞬間に女は正気を取り戻し、自分がなぜ知らない人の家にいるのか不思議がったという。

この話から、アカマターは尻尾で地面に文字を書くことで人を化かす能力があることが分かる。化けるのではなく、化かすのである。

『山原の土俗』島袋源七『日本妖怪変化語彙』日野巌・日野綏彦

明かりなし蕎麦〔あかりなしそば〕江戸本所七不思議の一つ。本所南割下水に毎晩出ていたという明かりもなく人もいない蕎麦の屋台。誰かが明かりを消したのかと、行灯《あんどん》に火を入れてみても、すぐに消えてしまう。そうこうして帰宅すると、その家には必ず不幸があるといわれた。

これとは逆に、「消えずの行灯」という蕎麦屋もあり、これは人影もないのに一晩中明かりがついているものだという。

『すみだむかしばなし』東京都墨田区広報室編『両国・錦糸町むかし話』岡崎柾男

アカングヮーマジムン 沖縄の妖怪。赤ん坊の死霊で、これに股を潜《くぐ》られると死んでしまうという。アカングヮーは赤ん坊、マジムンは魔物という意味。

股を潜られると死ぬという妖怪は沖縄を含む南西諸島によく見られる。奄美大島や徳之島、沖縄では子豚の妖怪がその代表のようである。

『日本妖怪変化語彙』日野巌・日野綏彦『郷土研究』5巻2号「琉球妖怪変化種目（一）」金城朝永

秋葉山三尺坊〔あきばさんさんしゃくぼう〕遠州秋葉山（静岡県周智郡と磐田郡の境）に祀られる天狗。静岡県の秋葉山一帯には、天狗にまつわる伝説が多く残っており、その天狗たちの親分がこの三尺坊となる。

もともとは人間だったといわれ、『信濃名僧略伝集』によれば、信濃国下高井郡穂高村（長野県木島平村）の出身で、信州戸隠山や、越後守門岳の麓《ふもと》で荒行をし、生きながらにして天狗になった。そのとき、どこからともなく白狐が現れ、この霊狐に乗って止まったところを常住の地に定めようと、行きついたところが遠州秋

三尺坊《さんじやくぼう》(秋葉山三尺坊)

葉山だったという。

㊂天狗

『天狗考　上』知切光歳　『図集天狗列伝　東日本編』知切光歳　『神話伝説辞典』朝倉治彦・井之口章次・岡野弘彦・松前健編

悪四郎妖怪〔あくしろうようかい〕

↓石川悪四郎

悪禅師の風〔あくぜんじのかぜ〕　駿河国(静岡県中東部)でいう風の怪異。褐色の袴をはいた人間の姿をした神で、突然暴風を起こす。『斉諧俗談』によれば、これは三重県桑名の一目連と同じようなものだという。

㊂一目連

『日本妖怪変化語彙』日野巌・日野綏彦　『随筆辞典　奇談異聞編』柴田宵曲編

アグトネブリ　岩手県九戸地方でいう妖怪。闇夜を歩いていると後ろからつけてきて、踵《かかと》を嘗めるものという。アグトは踵のこと。

『現行全国妖怪辞典』佐藤清明

アクドポッカリ

↓アクドボッポリ

アクドボッポリ　岩手県二戸郡浄法寺町でいう妖怪。アクドポッカリとも。

夜、墓地や大木の下、人気のない寂しい場所を通ると、何者かが足の踵《かかと》にまとわりつくというもの。踵をかじる、進行方向の土が盛り上がったかと思うと今度は後ろで盛り上がる、後ろからついてくる、といったこともアクドボッポリのしわざとされた。

アクドとは踵のことで、ボッポリとは足にまとわりつくときの擬音のようである。九戸郡九戸村長興寺では、同様の妖怪をアドポップリとよんでいる。

『浄法寺町昔話集』野村純一編

アク坊主〔あくぼうず〕　秋田県仙北郡や雄勝郡などで、囲炉裏《いろり》の灰を掘ると出てくるという妖怪。アク坊主のアクとは灰のことを意味しているようだ。

岩手県九戸郡では、一膳飯（一般的に一膳飯は仏様と同じだから不吉とされた）を食べると坊主（化け物一般のことをいう語彙）が出るとか、裸で便所に入ったり、風呂に2回入ると坊主に会うなどという。この坊主はアク坊主ともいう。

さらに同郡では、炉の灰の中にいる妖怪を天《あま》邪鬼《のじゃく》ともいうそうである。

秋田県にしろ岩手県にしろ、実際に出たという話はないため、教訓的な妖怪と思われる。

『綜合日本民俗語彙』民俗学研究所編

悪魔ヶ風〔あくまがかぜ〕　三重県志摩郡片田村（志摩町）でいう怪異。この風にあたると病気になってしまうという。

㊜風

『民間伝承』通巻82号「志摩の俗信」関敬吾

『綜合日本民俗語彙』民俗学研究所編

悪路王〔あくろおう〕　岩手県西磐井郡平泉町を中心とした北東北地方に伝わる伝説の鬼。たくさんの子分を従えた鬼の首領である。達谷《たつこくの》窟《いわや》に砦を築き、近隣を荒し回っていたが、坂上《さかのうえ》田村麿《のたむらまろ》に退治された。その首の木彫りは鹿島神宮で見られる。

鬼とされてはいるが、大和朝廷にまつろわぬ民の首長だったと思われる。

『悪路王伝説』定村忠士

悪路神の火〔あくろじんのひ〕『閑窓瑣談』に引かれた安部友之進の『採薬記』にある怪火。伊勢国田丸領間弓村（三重県度会郡玉城町）の唐津谷というところに猪草ヶ淵という難所があり、十間（約18m）幅の川があった。谷底までは十間もあるのに、杉の丸木橋があるだけだった。また、周囲の道には山蛭《やまひる》が多く、道行く人を難儀させた。このような悪路に現れたのが悪路神の火である。

雨の晩には多く出現し、まるで人の持つ提灯のように往来する。これに出会った場合、すぐに逃げ出すと、火が近づいて、たちまち病気になってしまうが、身を縮めて俯《うつむ》いていると、火は何事もなく通り過ぎるという。

『随筆辞典 奇談異聞編』柴田宵曲編 『日本随筆大成 巻7』日本随筆大成編集部編

悪路神の火

麻桶の毛〔あさおけのけ〕 徳島県三好郡賀茂村字猪乃内谷（三加茂町）でいう怪異。弥都波《みつは》能売《のめ》神社の御神体は麻桶に入れられた一筋の毛とされ、神の心が穏やかでないときにはその毛が長く伸び、しかも一筋がいくつにも裂き分かれて、麻桶の蓋《ふた》を突き上げて伸び続けるという。

昔、井内谷（井川町）の山賊が、近隣から強奪した財宝の分配を弥都波能売神社でしていたところ、この一筋の毛が山賊の人数分に裂け、たちまち山賊を締め上げてしまい、一味は翌日、追っ手に捕まえられたという伝説が伝わっている。

これは『阿州奇事雑話』にあるものだが、毛を御神体とする風習は各地に見られ、埼玉県草加市新里町毛長神社では、長い髪の毛を箱に納めていたが、いつの頃か不浄の物として大水のときに流してしまったそうである。

昔、この神社の裏に6mも髪を伸ばした娘が住んでいたが、人々の暮らしが上向きになるよう祈願し、毛長沼に入水した。その毛髪を御神

麻桶毛《まゆげ》（麻桶《あさおけ》の毛《け》）

体としたのが、毛長神社であるという。

似たような話が群馬県多野郡上野村大字新羽にもあり、こちらは神流川を流れていた栗野権現（橋姫とも）の陰毛を祭祀している。

『日本伝説叢書　阿波の巻』藤沢衛彦　『大語園』巌谷小波編　『旅と伝説』通巻8号「七難の揃毛」中山太郎

浅茅ヶ原の鬼婆〔あさじがはらのおにばば〕東京都台東区花川戸に伝わる伝説で、一つ家の鬼婆ともいう。

ある老婆と娘が浅茅ヶ原のあばら屋に住んでいた。辺りに家がないので、あばら屋でも、夜になると旅人が宿を求めてやってくる。老婆はそういう者を殺害し、身ぐるみを剥いで生計を立てていたのだった。娘は老婆の凶行を悲しんで諫めるが、聞き入れられることはなかった。

あるとき、一人旅をしている幼い稚児《ちご》がこの家を訪れたが、そのときにも老婆はためらうことなく殺した。しかしその死体を見ると、稚児だと思ったのは身代わりとなった自分の愛娘《まなむすめ》だった。老婆が自分の非を悔いていると、そこへ先の稚児が現れた。稚児は浅草寺《せんそうじ》の観音様の化身だったのである。老婆に人の道を説いた観音様は、娘の死骸を抱いて消えた。その後の老婆は、近くの池に身を投げたとも、仏門に入ったとも伝わっている。

老婆が身を投げたという池は現在の花川戸公園辺りだといわれ、また旅人を殺害する際に使った石の枕が浅草2丁目の妙音院に寺宝として伝わっている。

㊀鬼女
『上野浅草むかし話』末武芳一　『魑魅魍魎の世界』中右瑛

浅間ヶ嶽金平坊〔あさまがたけこんぺいぼう〕長野県にそびえる浅間山の天狗で、密教系の祈禱秘経『天狗経』にある全国代表四十八天狗の一つ。
㊀天狗
『天狗考　上』知切光歳　『図集天狗列伝　東日本編』知切光歳

足洗い屋敷〔あしあらいやしき〕 本所七不思議の一つとして数えられている。本所三笠町（東京都墨田区亀沢）の旗本屋敷での怪異とされ、この旗本は小宮山左膳、あるいは味野某と伝えられている。

夜中、天井からバリバリという音がして、巨大な足が下りてくるというもので、足は泥や血に染まっており、洗ってやると消え失せる。その足を少しでもおろそかに扱うと、家屋敷を壊さんばかりに暴れ出すといわれた。

この巨大な足の正体は不明だが、一説には次のような狸のしわざとする話がある。

ある日、若い衆に半殺しにされていた狸を小宮山左膳が助けた。その夜、狸は人間に化けて左膳の枕元に現れ、礼とともに、「あなたが雇っている下働きの女が御命《おいのち》を狙っている。気をつけなさい」といい残して消えた。

実際に女は男と組んで小宮山家を乗っ取る計画を立てており、狸の忠告も空しく、左膳はその男に殺されてしまった。しかしその後、左膳の息子が狸の加勢を得て父の仇を討ち、小宮山家の存続は守られた。以来、屋敷によくないことが起きそうになると、狸が天井から大きな人間の足を出現させて、「足を洗えっ」と叫んで知らせるようになったという。

『すみだむかしばなし』東京都墨田区広報室編

『両国・錦糸町むかし話』岡崎柾男

足長手長〔あしながてなが〕

→手長足長

足まがり〔あしまがり〕 香川県高松市でいう妖怪。道を歩いていると綿のようなものが絡みついて通行の邪魔をする。正体は見せないが狸のしわざとされている。

まがるとは、香川県や徳島県、淡路島などでは通行の邪魔になるという意味の方言なので、足まがりとは通行の邪魔という意味のようである。

『讃州高松叢誌』宮武省三 『妖怪談義』柳田国男

アズイ洗い〔あずいあらい〕

→小豆洗い

足まがり

小豆洗い〔あずきあらい〕　川や井戸などの水辺で小豆を洗うような音をたてる妖怪。ほぼ全国に分布しており、アズイ洗い（岡山県久米郡）、小豆洗い狐（岡山県赤磐《あかいわ》郡）、小豆あらいど（東京都西多摩郡檜原《ひのはら》村）、小豆こし（鳥取県因幡地方）、小豆ごしゃごしゃ（長野県長野市）、小豆さらさら（岡山県阿哲郡）、小豆摺り（岡山県都窪《つくぼ》郡）、小豆そぎ（山梨県北巨摩《きたこま》郡）、小豆とぎ（広島県世良郡、山口県宇部市・美弥《みね》郡）、小豆とげ（岩手県岩手郡）、小豆やら（香川県坂出市）などと、その呼称もさまざまにある。

　水辺であればどこでも出るというわけではなく、出るとされる場所は決まっている。ただし例外もあり、島根県出雲地方では、寂しい町外れの森から現れて人を取るといわれる。

　また、小豆の音だけではなく、歌を歌うという地方もある。長野県南佐久郡では小豆磨《と》ぎとよび、「小豆磨ぎやしょか人取って食いやしょか、しょきしょき」などと歌う。

　新潟県三条市本成寺では、雨の降る日などに

小豆洗い

「小豆磨ごうか人とって噛もうか」と歌うといわれ、広島県東部地方の農山村では川獺《かわうそ》が「いっしょう、にしょう、ごしょうごしょう」といって人を惑わすという。

狐狸などの動物が小豆洗いの正体だとする地方も多く、広島県の川獺の他、長野県東筑摩郡では貉《むじな》が、秋田県雄勝郡では蝦蟇《がま》が化けるものとし、福島では蝦蟇が背中を擦り合わせてそのような音をたてるのだといわれる。

この妖怪は江戸時代の随筆にもよく取り上げられている。根岸鎮衛の『耳嚢』には小豆洗いの正体は蝦蟇だとあり、津村淙庵の『譚海』には貉のしわざだと記されている。さらに『絵本百物語　桃山人夜話』には、小豆洗いの絵とともにその物語も記されている。

昔、越後国高田（新潟県上越市）に法華宗の寺があり、そこの日顕という和尚が身体に障害のある小僧を弟子として育てていた。小僧は物の数を数えることに優れ、小豆の数を一合でも一升でもピタリといい当てた。和尚は、いずれこの小僧に住職の座を譲ろうと可愛がっていたが、これを妬《ねた》んだ円海という悪僧により、小僧は井戸の中に投げ込まれて殺されてしまった。以来、夜な夜な小僧の霊が出ては雨戸に小豆を投げつけ、夕暮れ時には流れの近くで小豆を洗ってその数を数えていた。その後、円海は死罪となったが、今度は井戸の中で円海と小僧が一晩中争うようになって、ついに寺は廃寺となったという。

小豆洗いの怪の由来を物語として伝える地方も少なくなく、東京都西多摩郡檜原村には、姑《しゅうとめ》が小豆のことで嫁をいじめ、嫁が川に身を投げると、その場所から小豆を磨ぐ音が聞こえるようになったという話が伝わっている。

民俗学の解釈によれば、小豆は祝祭日、神祭用の特別な食品であり、祭礼の直前に守られる厳粛な物忌《ものい》みの趣旨が忘れ去られて、恐ろしいものが出る期間と思われるようになったための産物が小豆洗いの怪である、というようなことが『日本民俗事典』にあり、共同幻聴のようなものだとしている。

また、柳田国男は、水辺に集まる動物がせわしく土砂を掻《か》く音がその正体かもしれないとした。他の地方では、米を磨ぐ音、洗濯の音ともいっているため、必ずしもこのような音の妖怪に小豆が関わるわけではない。小豆を磨ぐような音、つまり聞く者にとり、それが米を磨いでいるようにも、洗濯の音にも聞こえるというように、もともとはそういう正体不明の音が実際に聞こえたのではなかろうか。

㊜小豆婆、米かし、洗濯狐

『綜合日本民俗語彙』民俗学研究所編　『日本民俗事典』大塚民俗学会編　『妖怪談義』柳田国男　『越後三條南郷談』外山暦郎　『民間伝承』通巻95号「小豆とぎ」大藤時彦　『自然と文化』一九八四秋季号「山陽路の妖怪」平川林木　『竹原春泉　絵本百物語　桃山人夜話』多田克己編　『随筆辞典　奇談異聞編』柴田宵曲編

小豆洗い狐〔あずきあらいぎつね〕

→小豆洗い、洗濯狐

小豆あらいど〔あずきあらいど〕

→小豆洗い

小豆洗い婆〔あずきあらいばばあ〕

→小豆婆

小豆こし〔あずきこし〕

→小豆洗い

小豆ごしゃごしゃ〔あずきごしゃごしゃ〕

→小豆洗い

小豆さらさら〔あずきさらさら〕

→小豆洗い

小豆摺り〔あずきすり〕

→小豆洗い

小豆そぎ〔あずきそぎ〕

→小豆洗い

小豆そぎ婆〔あずきそぎばあ〕

→小豆婆

小豆磨ぎ〔あずきとぎ〕

→小豆洗い

小豆磨ぎ婆さん〔あずきとぎばあさん〕

→小豆婆

小豆とげ〔あずきとげ〕

→小豆洗い

小豆計り〔あずきはかり〕『怪談老の杖』に見える音のみの妖怪。江戸・麻布のとある武士の家に起こった怪異で、夜寝ていると、天井をどしどしと踏むような音が聞こえ、次に「はらりはらり」と小豆を撒《ま》くような音が聞こえる。小豆の音はだんだんと大きくなり、しまいには一斗ほどの小豆をばら撒くような音になる。また、庭先では飛び石を下駄で歩くような音や、手水《ちょうず》鉢《ばち》から水をさっと掛けるような音が聞こえたりする。音だけでなにも悪いことはしないが、ときおり天井から紙屑や土埃《つちぼこり》を落とすことがあったという。

小豆計りの資料は他にはないようだが、妖怪というよりは、いわゆるポルターガイスト（騒霊）に近いようである。

『随筆辞典　奇談異聞編』柴田宵曲編

小豆婆〔あずきばばあ〕　埼玉県さいたま市大

小豆はかり（小豆計り）

宮・入間市・川越市・比企郡・児玉郡・大里郡でいう小豆洗いと同様の妖怪。

川越市下小坂では、西光寺（現在の下小坂公民館辺りにあった）という新義真言宗智山派の廃寺跡に現れたといわれ、雨の降りそうな夕方にギショギショ、ザクザクと小豆を磨《と》ぐ音をたてたという。

この地方では、いうことをきかない子供を脅しつけるのに、「小豆婆にさらわれてしまうぞ」などといって、子供を食べてしまう妖怪のように語っていたという。

小豆洗いの音をたてる正体を老婆とする土地は埼玉県以外にもあり、宮城県黒川郡富谷町西成田でいう小豆洗い婆は、日暮れの小川で小豆を洗う婆だという。

小豆洗いの妖怪は姿を見せないものが多いが、この地方では婆の姿を確認でき、狐が化けたものとされている。

栃木県芳賀郡では、小豆磨ぎ婆様といって、小豆を洗う音をたてる。

群馬県高崎市でいう小豆磨ぎ婆さんは、高崎城跡の堀端で小豆を磨ぐ音をたて、「小豆磨ぎやしょか、人取って食いやしょか、しょきしょき」と歌ったという。通ろうとすると、周囲が明るい光に包まれてしまうが、親指を握って、気を静めるとその光は消えるという。

神奈川県横浜市都筑区川和町では、子脅しの妖怪として語られ、小豆婆とも小豆磨ぎ婆ともよばれていた。

山梨県北巨摩《きたこま》郡清春村中丸柿木平（長坂町）では小豆そぎ婆とよび、諏訪神社の近くのアマンドウ（柿渋を取る豆柿）の大木の上にいたという。毎夜ザアザアと音をたて、「小豆おあんなすって」と通行人をよび止め、うろたえる者を大きなざるですくい上げてしまう。木の上にいて、ざるで人をすくいあげるなど、釣瓶《つるべ》落としとの関連もあるようである。

(参)小豆洗い

『埼玉県伝説集成　下』韮塚一三郎編著　『埼玉県の民話と伝説　川越編』新井博編著　『民間伝承』通巻12号「会員通信　小豆婆あ」福田圭一　『陸前の伝説』三崎一夫　『北巨摩郡口碑伝説集』北巨摩郡教育会編　『民間伝承』通巻95号「小豆とぎ」大藤時彦　『高崎の名所と伝説』田島武夫　『日本妖怪変化語彙』日野巌・日野綏彦

小豆やら〔あずきやら〕

→小豆洗い

アスコココ　熊本県八代市の松井家に伝わる『百鬼夜行絵巻』に描かれているもの。火炎のようなものの中に、複数の化け物の顔がある。どのようなものかは不明。

『別冊太陽　日本の妖怪』

アゼハシリ　佐賀県佐賀市周辺でいう憑き物。巫女《みこ》などが稲荷や死霊を下ろしていると、まったく位《くらい》のない狐狸が出てくることをいう。畔《あぜ》を走りまわる動物という意味だろうか。

『憑物』「諸国憑物雑話」宮武省三

安宅丸〔あたけまる〕　安宅丸の表記の他に、阿宅丸、阿武丸とも書く。

アゼハシリ

北条氏直あるいは豊臣秀吉が造った巨大軍艦で、志の低い者や罪人が乗り込もうとすると、唸り声をあげて乗船拒否をしたという。

後に、徳川家康によって江戸に置かれたが、ある嵐の際に「伊豆へ行こう、伊豆へ行こう」と声を出して自ら航行し、神奈川県の三浦三崎で捕らえられ、その後、廃船処理された。

『新著聞集』には、このとき出た船材を購入した者が、穴蔵の蓋《ふた》としたところ、その者の女房に安宅丸の霊が憑き、精神に異常をきたしたという話がある。

また、安宅丸の魂を鎮めるために、本所深川の安宅町（江東区）に塚を築いて供養したというが、現在は面影すらない。

伊豆は安宅丸が造船されたところで（相模国三浦での建造船であるといって、向かったのは三浦半島方面だったともいう）、現在も安宅丸を建造するときに伐採された楠の跡地が伊東市の春日神社に残る。

『江戸文学俗信辞典』石川一郎編 『大語園』

巌谷小波編

愛宕山太郎坊〔あたごやまたろうぼう〕京都市の愛宕山に祀られる天狗。密教系の祈禱秘経『天狗経』にある全国代表四十八天狗の一つ。栄術太郎ともいわれ、多くの眷属《けんぞく》を従えた日本一の天狗と崇められた。

㊂天狗

『天狗考　上』知切光歳　『図集天狗列伝　西日本編』知切光歳

安達ヶ原の鬼婆〔あだちがはらのおにばば〕福島県二本松市安達ヶ原に伝わる伝説の妖怪。『黒塚』『安達ヶ原』などの古典芸能で知られるが、意外と古くから伝説として語られていたようで、「みちのくの安達ヶ原の黒塚に鬼こもれりときくはまことか」と平兼盛が詠んでいるという。

京都の公家屋敷に奉公する岩手という乳母が、環の宮という姫の病気を治すには妊婦の腹にある赤子の生き肝が効くと知り、放浪した後に奥州安達ヶ原の岩屋に住みついた。

あるとき産気づいた女が宿を求め、岩手はよい機会とばかりに女の腹を裂いて赤子を取り出すが、その女は岩手の実の娘だった。岩手は気がおかしくなり、その後、岩屋に宿を求めて来る旅人を殺してその血をすすり、肉を食う本物の鬼婆となってしまった。

そんなある日、紀州熊野の東光坊祐慶という僧が岩屋に宿を求めた。祐慶は岩手の餌食《えじき》になる寸前で逃げ出すが、岩手は逃がすまいと包丁を持って追い掛けた。絶体絶命の祐慶が背負っていた如意輪観音に加護を求めると、突然、雷鳴が鳴り響き、岩手は雷に打たれて死んでしまう。祐慶は岩手の骸《むくろ》を埋めてその霊を弔い、近くに観音を祀る寺を建てた。これが今、安達ヶ原にある観世寺なのだという。

安達ヶ原の鬼婆と同じ話は、大和国の足立（奈良県宇陀郡榛原町）、豊前国企救郡足立村（福岡県北九州市）など各地に伝わっており、江戸の浅草を舞台にした浅茅《あさじ》ヶ原の鬼婆もほぼ同じ内容といえる。

埼玉県さいたま市には東光寺という東光坊祐

慶開基の寺があるが、ここにも同様の話が伝わり、黒塚の鬼婆とよばれている。東光寺のある土地はかつて足立ヶ原とよばれていたそうで、『諸国里人談』にはこちらが黒塚の本家だと記されている。

㊀浅茅ヶ原の鬼婆、鬼女

『白真弓観世音物語』観世寺編 『日本伝説叢書 北武蔵の巻』藤沢衛彦 『埼玉県伝説集成下』韮塚一三郎編著 『日本随筆大成』第24巻（2期）日本随筆大成編集部編 『鳥山石燕 画図百鬼夜行』高田衛監修・稲田篤信・田中直日編

悪鬼〔あっき〕 鬼のこと。古代日本では病気や災厄は鬼がもたらすと信じられていたようで、単体あるいは集団で現れたとする記事がいくつかの古典に見える。

詳細は鬼や疫病神の項目を参照のこと。

アドイコロカムイ

↓オキナ

後追い小僧〔あとおいこぞう〕 神奈川県丹沢

悪鬼

地方でいう妖怪で、山霊ともいう。

山道を歩いていると、何者かが跡をつけてくるが、振り返っても木や岩の陰に隠れてしまい、姿を見極められない。これは後追い小僧のしわざで、とくに害はないといわれる。

何度も同じことを繰り返す場合は、何か食べ物を置いておくとよいという。道案内をするかのように前を歩く場合もある。夜よりも昼、とくに午後に多く現れ、夜間には提灯のような火を灯して人の前後に現れるという。

『山の怪奇・百物語』「丹沢の山霊　あとおいこぞう」佐藤芝明

アドシカスマカムイ

↓オキナ

鐙口〔あぶみくち〕　鳥山石燕の『画図百器徒然袋』に描かれたもので、絵解きとして創作された妖怪。【膝の口をのぶかにいさせてあぶみを越しておりたたんとすれども、なんぎの手なればと、おなじくうたふと、夢心におぼへぬ】とある。鐙とは馬具の一種。

鐙口

『鳥山石燕　画図百鬼夜行』高田衛監修・稲田篤信・田中直日編

油赤子〔あぶらあかご〕　鳥山石燕の『今昔画図続百鬼』に描かれた妖怪。【近江国大津の八町に、玉のごとくの火飛行する事あり。土人云「むかし志賀の里に油うるものあり。夜毎に大津辻の地蔵の油をぬすみけるが、その者死て魂魄炎となりて、今に迷いの火となれる」とぞ。しからば油をなむる赤子は此ものの再生せしにや】と記されている。

石燕が引いている【むかし志賀（滋賀）の】の部分は、『諸国里人談』や『本朝故事因縁集』にある油盗みの火のことである。

油盗みの火とは、昔、夜毎に大津辻の地蔵の油を盗んで売っていた油売りがいたが、死後は火の玉となり、近江大津（滋賀県大津市）の八町を縦横に飛行してまわったというもの。石燕はこの怪火をヒントに、油を嘗める赤ん坊を創作したようである。

『鳥山石燕　画図百鬼夜行』高田衛監修・稲田篤信・田中直日編『一冊で日本怪異文学100冊を読む』檜谷昭彦監修『日本随筆大成』日本随筆大成編集部編

油返し〔あぶらがえし〕　兵庫県伊丹市昆陽でいう怪火。初夏の闇夜の晩や寒い冬の晩に、昆陽池の北堤あたりに現れる。

また、中山寺（宝塚市）の油を盗んだ者の魂が火となったとする伝説があり、池の南にある千僧の墓より出て、昆陽池や瑞ヶ池の堤を通り、天神川のほとりから中山寺に行くともいう。油返しは【パッパッパッパッとつくと、オチャオチャオチャオチャと話し聲がしトボトボトボトボとセングリセングリと後ろへかへらずにせいてとぼる（原文を引用）】ので、北堤にいる狐の嫁入りとも、千僧の墓にいる狼が灯す火ともいわれている。

『民間伝承』通巻53号「妖怪名彙に寄す」辰井隆

油ずまし〔あぶらずまし〕　熊本県天草郡栖本村字河内（栖本町）と下浦村（本渡市）を結ぶ

油すまし（油ずまし）

草隅越という峠道に現れた妖怪。

昔、ここを通りかかった孫連れの老婆が、油ずましという妖怪がいたことを思いだして「ここにゃむかし、油瓶さげたとん出よらいたちゅぞ」と孫にいうと、「今もー出るーぞー」といって現れたという。

一次資料である『天草島民俗誌』にはこれ以上のことは記されていないので、どのような姿の妖怪かは想像できない。

また、柳田国男の『妖怪談義』などには油すましとあるが、正しくは油ずましである。

『天草島民俗誌』浜田隆一『日本怪談集　妖怪篇』今野円輔編著『妖怪談義』柳田国男

油取り〔あぶらとり〕東北地方一帯でいう人さらいのようなもの。子供をさらっては人間の油を搾《しぼ》り取るという。
山形県西置賜《にしおきたま》郡小国町では、明治のはじめに油取りの噂が広がり、よそ者には注意をはらって、子供に夕方は早々に帰るようきつくいい聞かせたという。とくに女の子は、きれいな油が取れるから狙われやすいといわれた。

また、明治維新の頃、岩手県遠野の村々に油取りが来るという噂が広まって、大騒ぎになったという。油取りは紺の脚絆《きゃはん》に同色の手差しをかけた者で、それが現れると戦争がはじまると、まことしやかに話す老婆もいたと「遠野物語拾遺」にある。

『遠野物語拾遺』柳田国男 『羽前小国郷の伝承』佐藤義則編 『日本妖怪変化語彙』日野巌・日野綏彦

油盗みの火〔あぶらぬすみのひ〕
↓油赤子

油坊〔あぶらぼう〕 滋賀県野洲郡欲賀村（守山市欲賀町）でいう怪火。晩春から夏にかけての夜に現れるという。火炎中に多くの僧形が見えるのでこの名前がある。比叡山の灯油料を盗んだ僧の亡魂が化したものという。

また、比叡山の西麓に夏の夜に飛ぶ怪火も油坊というと、『諸国里人談』にある。

『妖怪談義』柳田国男 『日本随筆大成』日本随筆大成編集部編

アマオナグ
↓アモレオナグ

アマグシャグメ
↓天邪鬼

アマゲハギ
↓アマメハギ

海御前〔あまごぜん〕 福岡県宗像郡東郷村（宗像市）、北九州市門司区大積でいう河童の女親分。平家の大将能登守教経の母、もしくは奥方が、壇ノ浦で河童となって、福岡の地に泳ぎ着いたものという。

ふだんは河童を支配しているが、毎年5月5日は河童を自由に放してやり、蕎麦《そば》の花が咲かないうちに戻ってこいといって送りだす。

海御前は源氏の旗印の白を恐れており、そのため蕎麦の白い花を嫌うという。蕎麦の花が咲く頃は、住処《すみか》から一歩も出ずに震えて過ごす。平家出身なので、人を襲う場合も、源氏以外には手を出さなかったといわれる。

（参）河童
『綜合日本民俗語彙』民俗学研究所編　『かっぱ物語』山中登

甘酒婆〔あまざけばばあ〕　青森県、長野県飯田市でいう妖怪。青森県では、夜中に甘酒はござらんかといって、家毎に戸を叩くという。そのとき、甘酒の有無のいずれを答えても病気になってしまう。この甘酒婆の訪問を防ぐには、戸に杉の葉を吊せばよいという。

長野県飯田市では声だけの妖怪とされており、冬の寒い真夜中に戸を叩いて甘酒を売って歩く声が聞こえるという。

『旅と伝説』通巻150号「奥の民俗ノート」中市謙三『自然と文化』一九八四秋季号「信州の妖怪」倉石忠彦『綜合日本民俗語彙』民俗学研究所編

アマツキツネ
→天狗

アマネサク　岩手県二戸市でいう妖怪。炉の灰の中にいるもので、灰を弄《もてあそ》ぶ者を灰中に引き入れて食ってしまうという。

アマネサクとは天邪鬼《あまのじゃく》という意味であろう。囲炉裏《いろり》の灰を弄ぶと出現する妖怪は東北地方に多いようで、岩手県遠野地方ではボコ、秋田県仙北郡地方ではアク坊主とよばれている。

（参）天邪鬼
『日本妖怪変化語彙』日野巌・日野綏彦

アマネジャク
→天邪鬼

天岩船檀特坊〔あまのいわふねだんとくぼう〕　密教系の祈禱秘経『天狗経』にある全国代表四十八天狗の一つ。現在では、どこに祀られていたものか不明。『図集天狗列伝　西日本編』では、断言できないとしながら、大阪府北河内郡田原村（四條畷市）の岩船神祠のある山中ではないかとしている。

（参）天狗
『天狗考　上』知切光歳　『図集天狗列伝　西日本編』知切光歳

アマノサカオ

↓天逆毎《あまのざこ》

天逆毎〔あまのざこ〕　天狗や天邪鬼《あまのじゃく》の祖先とされる。『先代旧事本紀』の記述を引いた『和漢三才図会』によれば、天逆毎は素戔嗚尊《すさのおのみこと》の胸や腹に溜まった猛気が吐物となって口外に出て化した女神であるとしている。

　身体は人間だが、首から上は獣で、鼻が高く、耳も長くて牙も長い。自分の意のままにならないと荒れ狂い、どんな大力の神でも鼻にかけて千里の彼方へ跳ね飛ばし、強固な刀矛でも噛んで壊してしまう。何事も穏やかにすることができず、左にあるものは、逆に右であるといい、前にあるものは後ろにあるという。天の逆気を呑んでは、ひとり妊《はら》んで子供を産み、その子供を天魔雄神と名づけた。

　天魔雄神は天尊の命に従わず、諸事をなすにもよきことを成さない。八百万《やおよろずの》神々などはことごとくもてあましたが、天祖は赦《ゆる》して天魔雄神を九天の王とし、荒ぶる神、逆らう神はみなこれに属した。彼らは人の心中に取り憑いて心を

天逆毎

乱し、聡い者をたかぶらせ、愚かなる者を迷わせる、などとある。

鳥山石燕は『今昔画図続百鬼』にて、天逆毎、天魔雄神親子を描き、先の『和漢三才図会』「治鳥付天狗天摩雄」を引いている。

㊫天邪鬼

『和漢三才図会』寺島良安編・島田勇雄・竹島淳夫・樋口元巳訳注『鳥山石燕　画図百鬼夜行』高田衛監修・稲田篤信・田中直日編

アマノシャグ

→天邪鬼《あまのじゃく》

天邪鬼〔あまのじゃく〕　アマネジャク（長野県東筑摩郡）、アマノシャグ（山形県西置賜《にしおきたま》郡小国町）、アマンジャク（神奈川県箱根、新潟県柏崎、群馬県館林市、岡山県久米郡）、アマグシャグメ（長崎県壱岐）、アマンシャグメ（長崎県壱岐）、アマンジャコ（岡山県南部、兵庫県多可郡）ともいう。

昔話や伝説の他、神話や仏教説話などにも登場する小鬼のような妖怪。寺門の仁王像や毘沙《びしゃ》

天邪鬼

門天《もんてん》の像に踏みつけられている小鬼も天邪鬼とされる。神話や仏教の世界では、神の正しさを示すための格下の悪役というような役割として登場するが、民間説話での性質は地方により異なってくる。

一般的には、人の意に逆らい、他人の心中を察する能力に優れ、口真似や物真似をして人をからかう妖怪とされる。しかし、秋田県平鹿郡、茨城県稲敷郡、群馬県邑楽《おうら》郡、静岡県田方郡などでは、口真似をするところから山中の山彦《やまびこ》と同一視され、同じように山中に棲む妖怪としてか、栃木県芳賀郡、富山県西礪波郡、岐阜県加茂郡などでは、天邪鬼といえば、山姥のことをさす。

また、神奈川県箱根や静岡県伊豆の天邪鬼は、富士山を崩そうとして失敗し、その運び出した土がこぼれて伊豆大島ができたなどと、巨人のようなものとして語られている。

山上に自然石がゴロゴロあるところや、誰が造ったものかわからない石垣がある土地では、天邪鬼が造ったものとされる場合が多い。

例えば、岡山県久米郡中央町の天邪鬼は、二上山を高くしようと石を積み上げ、兵庫県多可郡では、山と山の間に橋を造ろうとするが、ともに完成間近のところで夜が明けて失敗するといった伝説が伝わる。

さらに岩手県九戸郡では、炉の灰の中にいる妖怪だとし、秋田県仙北郡角館では、茶たて虫のことだとしている。

天邪鬼はもともと天稚彦神話に登場する天探《あまのさぐ》女《め》がモデルだとされている。天探女は葦原の中《なか》国《つくに》に遣わされた天稚彦に仕える女神で、天神が偵察のために放った雉《きじ》の声を聞き分けて、天稚彦に射させたという。

事典類には、この女神が後に魔女視されるようになり、天邪鬼へと転化したとあるが、その変遷の過程は明らかでない。人の意に反抗する性質は、『先代旧事本紀』の天逆毎《あまのざこ》や天魔雄神がモデルとなっているともいえる。

㊜天逆毎

アマビエ

『綜合日本民俗語彙』民俗学研究所編　『民俗学辞典』民俗学研究所編　『日本昔話事典』稲田浩二・大島建彦・川端豊彦・福田晃・三原幸久編

アマノハギ
↓アマメハギ

アマビエ　弘化3年（一八四六年）4月中旬と記された瓦版に書かれているもの。

　肥後国（熊本県）の海中に毎夜光るものがあるので、ある役人が行ってみたところ、アマビエと名乗る化け物が現れて、「当年より6ヵ年は豊作となるが、もし流行病《はやりやまい》が流行《はや》ったら人々に私の写しを見せるように」といって、再び海中に没したという。

　この瓦版には、髪の毛が長く、くちばしを持った人魚のようなアマビエの姿が描かれ、肥後の役人が写したとある。

　湯本豪一の『明治妖怪新聞』によれば、アマビエはアマビコのことではないかという。アマビコは瓦版や絵入り新聞に見える妖怪で、あま彦、天彦、天日子などと書かれる。件《くだん》やクダ部、神社姫といった、病気や豊凶の予言をし、その絵姿を持っていれば難から逃れられるという妖怪とほぼ同じものといえる。

アマビコの記事を別の瓦版に写す際、間違えてアマビエと記してしまったのだというのが湯本説である。

『明治妖怪新聞』湯本豪一 『妖怪展 現代に蘇る百鬼夜行』川崎市市民ミュージアム編

アマビト 青森県西津軽に伝わる怪異。死ぬ間際の短い時間に魂が抜けだして、戸を開けるような音をたてたり、別の場所にふだんと変わらぬ姿を現すという。似たような話が各地に伝わっている。

㊂オマク、面影

『綜合日本民俗語彙』民俗学研究所編

アマミハギ

→アマメハギ

アマミヘギ

→アマメハギ

アマメオドシ

→アマメハギ

アマメハギ 石川県能登半島で、年替わりの晩(大晦日や正月7日、小正月、節分などといった暦の日数以外に年が替わるという意味をもった期日)に、異形の者が家々を訪れる民俗行事、あるいは異形の者のこと。

アマゲハギ、アマノハギ、アマミハギ、アマミヘギ、アマメオドシ、アマメン様、面様《めんさま》ともいわれる。

門前町皆月では、天狗、ガチャ(鼻ペチャ面を被り、鑿《のみ》と細工槌を持つ)、猿(大きな布袋を担いでいる)の3人1組で家々をまわり、迎える家では餅を3つ差し出すのが習わしになっていた。青年たちの仮装によるアマメハギは、無言のまま家に入ると、まず天狗が神棚の下へと進み修祓《しゅばつ》をする。そして、ガチャと猿は、「いうことを聞かんとこの袋に入れるぞ」「勉強するか、しないか」などと子供を脅しつける。ここでのアマメハギは、年越しの晩に厄落としと子供の怠惰を戒めるためのものとされている。
『信仰と民俗』小倉学　『綜合日本民俗語彙』民俗学研究所編

アマメン様〔あまめんさま〕
↓アマメハギ

アマンジャク
↓天邪鬼《あまのじやく》

アマンシャグメ
↓天邪鬼《あまのじやく》

アマンジャコ
↓天邪鬼《あまのじやく》

網剪〔あみきり〕　鳥山石燕の『画図百鬼夜行』に描かれた妖怪。石燕による解説はなく、どのような妖怪かは、描かれたその姿から想像するしかない。
　海老のような身体で蟹《かに》の鋏《はさみ》のような手をした妖怪を石燕は描いているが、多田克己の「絵解き　画図百鬼夜行の妖怪」によれば、これは網とアミ（海老に似たアミ科の節足動物。釣餌《つりえさ》や佃煮などに使われる）とをかけて創作したもの

網切《あみきり》（網剪）

雨降り小僧

としている。

また、山田野理夫の『東北怪談の旅』には、山形県荘内地方の漁村に網をズタズタに切ってしまう妖怪として登場するが、これは創作された話であろう。

『鳥山石燕 画図百鬼夜行』高田衛監修・稲田篤信・田中直日編 『怪』1号「絵解き 画図百鬼夜行の妖怪」多田克己

雨女〔あめおんな〕 鳥山石燕の『今昔百鬼拾遺』に描かれた妖怪。【もろこし巫山の神女は、朝には雲となり、夕には雨となるとかや。雨女もかかる類のものなりや】と記されている。とくに雨を司るなどの記載もなく、何をするとも書かれていない。

『鳥山石燕 画図百鬼夜行』高田衛監修・稲田篤信・田中直日編

雨降り小僧〔あめふりこぞう〕 鳥山石燕の『今昔画図続百鬼』に描かれた妖怪で、【雨のかみを雨師という。雨降り小僧といへるものは、めしつかはるる待童にや】とある。

雨師《うし》とは、中国でいう雨の神のことだが、雨降り小僧は雨師に仕えているというだけで、どのような妖怪かは不明である。

『鳥山石燕 画図百鬼夜行』高田衛監修・稲田篤信・田中直日編

飴屋の幽霊〔あめやのゆうれい〕

↓子育て幽霊

アモレオナグ 鹿児島県奄美大島でいう天女で、天下り女、天の女、天降女、阿母礼女などと表記される。ハゴロモマンジョ（羽衣美女）ともいって、羽衣天女と同じ説話が語られる一方で、天から異性を求めてやって来る妖女ともされる。妖女としてのアモレオナグは、白い風呂敷包みを背負って天から下りてくるが、その際には、どんなに天気がよくても小雨が降る。男を見ると、ニヤニヤと笑って艶《なま》めかしく誘惑し、これに負けた男は命を取られてしまうので、そういうときは、じっと睨みつけて根負《こんま》けさせればよいという。

水が入った柄杓《ひしやく》を持っていることがあり、柄杓を持つ掌が上に向いて、柄を支えるようにしている場合は、その水を飲んでも大丈夫だが、そうでないときの水を飲んだ者は命を取られ、魂を天上に持っていかれるという。

『旅と伝説』通巻1号「奄美大島に伝はる『あもれをなぐ』の伝説（一）」昇曙夢『旅と伝説』通巻2号「奄美大島に伝はる『あもれをなぐ』の伝説（二）」昇曙夢『旅と伝説』通巻193号「阿母礼女」金久正『綜合日本民俗語彙』民俗学研究所編

アモロオナグ

↓アモレオナグ

アヤカシ 海上での怪異の総称のようで、長崎県では海上の怪火のことをアヤカシとよび、山口県、佐賀県では船幽霊のことをそうよぶ。『怪談老の杖』には、磯女《いそおんな》の類と思われる怪女をアヤカシとよんでいる例が見える。

ある船人が千葉県長生郡大東崎に水を求めて上陸すると、美しい女が井戸で水を汲んでいた。女に水を汲んでもらい、船に戻ってそのことを

あやかし（アヤカシ）

話すと、船頭はそんなところに井戸はないはずだ、その女はアヤカシだといって、急いで船を出した。すると、例の女が海に飛び込んで追いかけてきたので、船に齧《かじ》りついたところを櫓《ろ》で打ちつけ、なんとか無事に逃げることができたという話である。

また、鳥山石燕は『今昔百鬼拾遺』に海蛇のようなアヤカシの絵を描き、【西国の海上に船のかかり居る時、ながきもの船をこえて二三日もやまざる事あり。油の出る事おびただし。船人力をきはめて此油をくみほせば害なし。しからざれば船沈む。是アヤカシのつきたる也】と記しているが、これはイクチのことをいっているようである。

㊫イクチ

『鳥山石燕 画図百鬼夜行』高田衛監修・稲田篤信・田中直日編『日本怪談集 妖怪篇』今野円輔編著

粟搗き音〔あわつきおと〕 アイヌ民族に伝わる音の怪異。炉端で寝ているとき、地中より粟を搗《つ》く音が聞こえてくることがあり、そういう年は豊作だといわれる。

この音は、戸外から聞こえてくる場合もあり、臼に綿を入れて搗くようであれば、その年は豊作、空臼《からうす》を搗くような音のときは冷害で不作になるという。

栃木県芳賀郡益子町でも同様の怪異が語られ、こちらは静か餅とよばれている。

㊜静か餅

『えぞおばけ列伝』知里真志保編訳

安珍清姫〔あんちんきよひめ〕

↓清姫

アンモ　岩手県北上山地方でいう妖怪。正月15日の月夜に太平洋から飛んできて家々を訪れ、脛《すね》に火《ひ》がたがあるような怠け者の子供には罰を与え、脛の皮を剝いでいく。どのような姿のものかは誰も見たことがないという。

ナマハゲなどの類かと思われるが、病弱な子供がアンモを拝むと平癒するなどと、他の小正月の訪問者にはない特徴がある。

アンモ

また、村人が面や蓑などで仮装して各戸を訪問するといった習俗もないようである。

九戸《くのへ》郡普代村にはアンモを祀る神社があり、黒崎灯台のある浜はアンモ浦とよばれているという。青森県、岩手県、福島県では、アンモとは妖怪を意味する児童語とされる。

『自然と文化』一九八四秋季号「陸中の妖怪」菊池敬一 『全国幼児語辞典』友定賢治編

い

醫王島光徳坊〔いおうがしまこうとくぼう〕鹿児島県硫黄島の天狗で、密教系の祈禱秘経『天狗経』にある全国代表四十八天狗の一つ。
知切光歳によれば、現在の硫黄島には光徳坊なる天狗は祀られておらず、ミエビ山王、ホダラ山王という二神が天狗とされているそうである。
㊂天狗
『天狗考 上』知切光歳 『図集天狗列伝 西日本編』知切光歳

イガラボシ
↓河童

イキアイ
↓行き逢い神

いきすだま
↓生霊《いきりょう》

イキマブリ
↓イチジャマ

生霊〔いきりょう〕 生きている人間の霊が他の者にとり憑いて苦しめるもので、いきすだまともいう。

古くから人の霊（魂）は自由に身体から抜け出すものと信じられ、平安時代には、霊がふらふらと身体から抜け出ることを「あくがる」といったが、これは「あこがれる」の語源になったものだという。

想いを寄せるあまりに心ここにあらずの状態を、平安朝の人々は霊が抜け出て意中の人のもとへ行っていると考えたのだろう。相手は恋人とは限らず、殺してやりたいほど憎む相手の場

生霊憑き（生霊）

合にも生霊は発生する。むしろ憎悪の念による場合のほうが生霊譚としては多い。

六条御息所《ろくじょうみやすどころ》の生霊が葵の上を苦しめる『源氏物語』「葵」は、生霊を語る上でもっとも有名な話である。

葵の上が苦しんでいるとき、六条御息所は自分の意思とは別に魂が離れ出て、葵の上に向かって、いじめたり打ちすえたりしている夢を見ていたと述懐している。

夢というのは、その人の霊なり魂が身体から抜け出し、遊び歩いているときに見ているものだとされていた。

例えば『曾呂利物語』には、「女の妄念迷い歩く事」という話がある。

ある男が夜明け頃の路上で、女の首がさまよっているのを見つけ、追いかけていくと、ある家の中に入った。すると、家の中から女の声が聞こえ、「ああ怖い夢を見た。今、夢で外を歩いていたら、男が私を斬ろうと追っかけてきた」と、家の者に話していたという。これなども生霊譚の一つと考えられる。

『日本の幽霊』池田弥三郎『江戸怪談集（中）』高田衛編／校注『日本怪談集 幽霊篇』今野円輔編著

生霊憑き〔いきりょうつき〕
→生霊《いきりょう》

伊草の袈裟坊〔いぐさのけさぼう〕 埼玉県比企郡川島町でいう河童の親分。周辺の河童たちは、毎年、中元として人間のはらわたを袈裟坊に献上するのだという。『日本妖怪変化語彙』には宮城県柴田郡の河童とあるが、これは誤りだろう。

埼玉県川越市あたりには、伊草の袈裟坊の他にも、小沼のかじ坊、名細の小次郎といった名物河童がいて、この3匹が伊勢参りに行くという昔話も伝わっている。

『山の怪奇・百物語』「奥武蔵越生地方の妖怪ばなし」新井良輔『日本妖怪変化語彙』日野巖・日野綏彦『川越の伝説』川越市教育委員会編

イクジ
→イクチ

イクチ 『譚海』や『耳嚢』にある海の妖怪。

『譚海』には次のようにある。

常陸《ひたち》（茨城県）の外海にいる鰻《うなぎ》のようなもので、これが船に入ると沈んでしまう。太さはそれほどでもないが、長さは計りきれないほど長く、これが船をまたいで通過するのに十二刻かかる。イクチが船を通過するとき、大量のねばねばした油を船内にこぼすので、船人はただ無言で油を汲み出すという。

『耳嚢』にはイクジとして記されている。

西海、南海（九州、近畿）の海にときおり現れ、船の舳先《へさき》などへかかることがある。色は鰻のようで、その身体の長さは計りきれない。舳先にかかると、通り過ぎるのに2日〜3日はかかってしまう。いくじなき（いくじなし）という俗諺《ぞくげん》はこれから出たことであろう。

ある人が語るには、「豆州《ずしゅう》・八丈の海辺などには、このイクジの小さいものと思われるものがいる。輪になる鰻みたいなもので、目や口はなく、ただ動いている。だから船の舳先にかかるものも、長く伸びて動くのではなく、丸く回っているのだ」という。本当かどうかは分からない。もちろん、船の害になるものではないという、などと記されている。

鳥山石燕が『今昔百鬼拾遺』に描いたアヤカシという妖怪は、このイクチ、イクジのことをいっているようである。

『耳囊』根岸鎮衛・長谷川強校注 『譚海』津村淙庵『随筆辞典 奇談異聞編』柴田宵曲編

池袋の女〔いけぶくろのおんな〕 江戸末期の俗信。池袋出身の女を雇うと、その屋敷に石や瀬戸物、瓦などが降ったり、行灯《あんどん》、臼、火鉢が踊り出す怪異が起こるというもの。

『十方庵遊歴雑記』には、文政3年(一八二〇年)3月、小石川上水端の旗本高坂鍋五郎が池袋出身の下働きの女に手をつけて以来、雨戸や屋根に激しく石を投げつけられることが相次ぎ、祈禱も効験を示さないところ、例の池袋出身の女が怪しいということで暇を出したら、怪事はピタリと止んだという話がある。

池袋に限らず、中野区沼袋や世田谷区池尻出身の女にも同様の怪異が語られており、産土神《うぶすながみ》が他へ移る氏子《うじこ》を惜しんで怪異を起こすなどと信じられていた。

一方で、「石投げをしてぼろの出る池袋」「瀬戸物屋土瓶がみんな池袋」などの川柳があるように、下働きの自作自演による狂言だともされていた。

『江戸文学俗信辞典』石川一郎編 『耳囊』根岸鎮衛・長谷川強校注

囲碁の精〔いごのせい〕 『玉箒木』にあるもの。江戸牛込に住む清水昨庵という碁の好きな人が、柏木村(新宿付近)の円照寺の前で、色の黒い者と、色の白い者の2人と馴染《なじ》みになった。その名前を聞くと、色黒の者は山に住むもので知玄、色白の者は海辺の者で知白というものだ、というやいなや、姿を消してしまった。これは囲碁の精だったという。

『越佐の伝説』にも「碁老人」という話がある。岩船郡関谷に囲碁好きな庄屋がいたが、新発田《しばた》へ出かける途中、雪に降られて投宿することになり、同宿の老人と暇つぶしに碁を打っているうちにめきめきと腕が上達した。この老人は囲碁の精だったという話である。

『日本妖怪変化史』江馬務　『越佐の伝説』小山直嗣

生笹〔いささ〕

↓猪笹王《いざさおう》

猪笹王〔いざさおう〕

奈良県吉野山中、とくに吉野郡川上村伯母ヶ峰でいう妖怪。一本足、一本だたら、為笹王《いざさおう》、熊笹王、生笹《いささ》などとよび名が多い。

昔、天ヶ瀬に射馬兵庫という猟師がいて、あるとき伯母ヶ峰の奥深くで、背中に熊笹の生えた大猪を撃ち倒した。

それから数日後、紀州湯の峰の温泉に、足に傷を負った野武士が湯治にきた。野武士は自分の寝ている部屋は絶対に見るなと宿の主人にい

囲碁の精

っておいたが、主人はその約束を破って覗いてしまった。そこには、背中に熊笹の生えた怪物が座敷いっぱいに寝ていた。

驚いた主人に、怪物は「自分は伯母ヶ峰に棲む猪笹王だが、射馬兵庫という猟師に撃たれて、いまは亡霊となってしまった。恨みを晴らしたいから、奴の鉄砲と犬をどうにかしてくれ」という。

猪笹王を恐れた土地の役人は、兵庫と交渉したが、兵庫は聞き入れず、ついにそのままになった。やがて猪笹王の亡霊は一本足の鬼となり、伯母ヶ峰で旅人を襲うようになったので、東熊野街道は廃道同様になった。

その後、丹誠上人が伯母ヶ峰の地蔵尊を勧請《かんじょう》してこの鬼神を封じてからは、旅人も安心して通れるようになった。ただし、封じ込める際に、毎年12月20日だけは鬼が自由にふるまえるという条件をつけたので、「果ての二十日」だけは伯母ヶ峰の厄日《やくび》とされたという。

この話は吉野山中で広く知られており、類話も多い。なかでも川上村柏木では、一本足とよび、その前身は古猫だったとしている。

また、吉野郡中龍門村（吉野町）では、節分の日に、焼いたイワシの頭をとげのある小枝に刺して玄関に掲げるのは、一本足を防ぐためだといわれている。

㊂一本足、一本だたら

『大和の伝説』高田十郎編　『日本怪談集　妖怪篇』今野円輔編著

石川悪四郎〔いしかわあくしろう〕　広島の真定山（未詳）に巣食っていたという妖怪。

『耳嚢』の著者が芸州（広島県）浅野家の家臣・某五太夫から聞いたとする話を要約すると、次の通りである。

五太夫は若い頃、真定山に巣食う石川悪四郎なる妖怪を見に行こうと同僚の某三左衛門に誘われ、山で一夜を過ごして帰宅した。それ以降、家には妖怪が頻繁に現れるようになった。しかし、五太夫は豪胆な性格だったため、それに屈せずにいると、化け物の大将である石川悪四郎が現れ、使途不明のねじ棒を置いていった、という話である。

これは話者である某五太夫の体験談とされているが、広島県三次《みよし》市の比熊山を舞台にした『稲生物怪録《いのうもののけろく》』とほぼ同じ内容のようである。聞き書きをした根岸鎮衛の誤記、あるいは五太夫が郷土では有名な『稲生物怪録』の話を脚色して根岸に語ったものであろうか。

『耳嚢』根岸鎮衛・長谷川強校注

イジコ　津軽を中心に青森県全域でいう妖怪。エンツコ、エジコ、イチコ、イズコともいう。イジコとは嬰児籠《えいじかご》のことで、赤ん坊を入れておく籠のようなもの。この嬰児籠が木の上から真っ赤に燃えて下がってくるのだという。

浪岡町から青森市に向かう途中のある村の中学校のそばには、たくさんの木が茂っていたが、そこを小雨の降る夜ふけに通ると、男の苦しげな呻《うめ》き声が聞こえるので、見上げるとアカシアのてっぺんに、真っ赤な火の玉のようなイジコがぶら下がったものだという。

イジコ

また、南津軽郡常盤村の某家の庭には、樹木好きな主人が植えた檜《ひのき》がたくさんあり、なぜかその主人が病気になると、檜林の樹木がギシッギシッと音を立てて揺れたり、庭石がうんうんと唸ったりした。

そして、夜中になると檜の頂上からイジコが下がり、中で赤ん坊が泣いていたという。ある人がその赤ん坊を助けようと木に登ると、赤ん坊はにっこり笑い、たちまちものすごい形相の化け物となって、長い真っ赤な舌でその人の顔を嘗《な》めたという。

常盤村の話では、樹木好きの主人とイジコの関係がよく分からないのだが、イジコが下がる場所は、必ず木があるところなので、木そのものと関係があるようである。木から下りる火炎状の妖怪には釣瓶火《つるべび》（釣瓶下《つるべお》ろし）があるが、同じようなものなのかもしれない。

㊜釣瓶下ろし

『青森県の怪談』北彰介　『津軽口碑集』内田邦彦

石槌山法起坊〔いしづちざんほうきぼう〕愛媛県石槌山の天狗で、密教系の祈禱秘経である『天狗経』に載る全国代表四十八天狗の一つ。天狗嶽に止宿し、多数の眷属《けんぞく》とともに山の護法に任じているという。

㊜天狗

『天狗考　上』知切光歳　『図集天狗列伝　西日本編』知切光歳

石投げんじょ〔いしなげんじょ〕長崎県西彼杵《にしそのぎ》郡江島の近海でいう怪異。五月霾《つきもや》のかかる晩に漁をしていると、突然大きな岩が崩れるような音が聞こえる。翌日、その場所にいってみても何も変わったことはないという。

『綜合日本民俗語彙』では、これを磯女や海姫などの類としているが、なぜ女の妖怪としているのかは不明である。

石投げん女というように、「じょ」を女の字に当てれば理解できなくもないが、『広辞苑』では「じょ」に尉の字を当てて、「海で石を投げる老翁」という説明をしている。音だけの怪異なので、女か老翁かなど、その正体はわからないはずだが、そのような記述をしている資料があるのだろうか。

『綜合日本民俗語彙』民俗学研究所編　『妖怪談義』柳田国男

イジャロコロガシ　長野県南佐久郡南牧村海ノ口でいう妖怪。夜遅く、荒れた堂の前を通ると、いじゃろ（ざる）のような形をしたものが転がってきて、人の前に来ると人間の形になった。多くは子供が驚かされたという。

『南佐久郡口碑伝説集』南佐久教育会編

異獣〔いじゅう〕『北越雪譜』にある得体《えたい》のしれない獣。ある縮《ちぢみ》問屋が越後十日町（新潟県十日町市）から堀内（北魚沼郡堀之内町）に届けものをするために山中を通り、弁当を広げていると、猿に似て頭の毛を背に長く垂らした大きな獣が現れた。弁当の焼飯《やきめし》が欲しいそぶりをするので分け与えると、荷物を担いで手伝ってくれた。やがて麓の池谷村（十日町市）に近づくと、異獣は荷物を置いて風のように去っていっ

イジャロコロガシ

た。

　山稼ぎをするものはしばしばこの異獣を見たそうで、池谷村でも目撃されており、ときおり食べ物をねだって家々を訪れたという。

　また、『玖珠郡志』には「異獣之事」として、此山上（万年山。大分県玖珠郡玖珠町）で見つけた干涸《ひか》らびた猿のような怪物の話が記されている。その怪物はミイラ化しており、背丈は一尺三寸（約40㎝）くらい、ところどころ毛を生じ、頭は異常に長く大きい。見つけた者が森町柏屋何某に見せたところ、何某は石子と名付けてその頭を割って粉にし、瘧病《おこりやまい》の薬とした。不思議とよく効いたという。

『北越雪譜』鈴木牧之編撰・岡田武松校訂
『大分の民話〈伝説〉』土屋北彦

イズコ
↓イジコ

磯女子〔いそおなご〕
↓磯女

磯女〔いそおんな〕　磯や浜辺にいる女の妖怪

磯女

で、沿岸地方に広く分布する。磯女という呼称は、長崎県、熊本県など九州西部でのもの。磯姫、磯女子《いそおなご》、海女、海姫、海女房、濡れ女、濡れ女子《おなご》、ヨロヅナセノなどともよばれ、その特徴も多少異なる。

上半身は髪の長い絶世の美女だが、下半身が幽霊のようにぼやけているもの、同じく下半身が龍や蛇のようになっているもの、また、後ろから見るとただの岩であるともいわれる。普通の女性の姿をしているものも多い。

長崎県南高来郡西郷（瑞穂町）では、砂浜に現れる怪女を磯女とよび、長い黒髪を持った若い女であるという。浜辺で沖合いを見つめているので、声をかけようとすると、鼓膜を刺すような鋭い声で叫び、その間に髪の毛が伸びてきて声をかけようとした者の身体に巻きつき、毛を伝って血を吸ってしまう。

熊本県天草郡深海村の磯女は夜中に艫綱《ともづな》を伝って船に侵入し、寝ている人に髪の毛をかぶせて毛先より血を吸い、吸われた者は死んでしまうという。そのため九州の沿岸では、知らぬ土地で碇泊するときは、艫綱を取らず、錨《いかり》だけ下ろしておくようになった。島原の小浜では、苫の毛（藁？）を3本、着物の上に載せて寝ると血を吸われないといわれた。

熊本県天草郡御所浦島では、磯女が白髪の翁に化けて漁師の昼飯をねだった話があり、変身能力があるとも信じられていたようだ。

㊂濡れ女

『旅と伝説』通巻56号「船幽霊など」桜田勝徳　『民間信仰辞典』桜井徳太郎編　『民俗学辞典』民俗学研究所編　『綜合日本民俗語彙』民俗学研究所編

磯餓鬼〔いそがき〕　伊豆諸島の利島《としま》でいう憑き物。餓鬼憑きの類。海岸におり、憑かれると、急に腹が減って倒れてしまう。芋などを腰籠《こしかご》に入れておけば憑かれないという。

㊂餓鬼

『綜合日本民俗語彙』民俗学研究所編

いそがし　熊本県八代市の松井家に伝わってい

いそがし

る『百鬼夜行絵巻』にある妖怪。とくに解説はなく、名前と絵があるだけである。
『別冊太陽　日本の妖怪』

礒撫〔いそなで〕『絵本百物語　桃山人夜話』にあるもの。肥前松浦（長崎県、佐賀県）の沖に、北風が強く吹くとき現れる怪魚。通りかかる船があれば、その針が逆さに生えたような尾ひれで乗員を撫で、海中に落として食ってしまうという。
『竹原春泉　絵本百物語　桃山人夜話』多田克己編

磯姫〔いそひめ〕　鹿児島県出水《いずみ》郡長島町でいう妖怪。磯女の類。美しい女の姿で磯にいるもので、人間を見れば血を吸う。磯姫の顔を見ただけでも死んでしまうという。
㊜磯女
『綜合日本民俗語彙』民俗学研究所編　『現代民話考　三　偽汽車・船・自動車の笑いと怪談』松谷みよ子

イタコ　東北地方、とくに青森県でいう女性の宗教者。オシラ様の祭祀や、死者の魂をよび寄せる口寄せなど、生者と死者、あるいは神霊との媒介を務める。

鼬〔いたち〕 全国でさまざまな怪異を起こすものとして妖怪視される。『和漢三才図会』によれば、鼬が群れて鳴くと不吉の前兆であるとし、群れて火柱を起こし、それが倒れたところには必ず火災があるとしている。

鼬と火災についての俗信は、「鼬の一声は火に祟る」「鼬の一声火の用心」などとほぼ全国でいわれ、愛知県東部では、鼬の声によって吉凶を占う風習がかつてあったそうで、一声鳴きはやはり凶事の前兆とされていた。

狐狸と同様に鼬も変化すると信じられており、群馬県利根郡水上町では、上越線が開通した頃に鼬が大入道に化けて現れたり、狐のように人を化かして夜道を迷わすといわれた。

各地でいう小坊主の姿をした妖怪や、見越《みこ》し入道のような妖怪は、鼬がその正体とされているケースも少なくない。

『和漢三才図会』寺島良安編・島田勇雄・竹島淳夫・樋口元巳訳注 『水上町の民俗』群馬県教育委員会編 『三州横山話』早川孝太郎 『日本俗信辞典』鈴木棠三

鼬の陸搗き〔いたちのおかづき〕 新潟県三条市でいう音の怪異。深夜、鼬のような動物が、家の中で米を搗《つ》く音をたてることをいう。裏口から入って米搗きをするのは吉、表口から入って来るのは凶兆だという。

(参)鼬

『越後三條南郷談』外山暦郎

鼬の一つ火〔いたちのひとつび〕 滋賀県高島郡でいう怪異。火の怪異ではなく、前兆として恐れられたもの。鼬が「ケチ」と一つ火を打つと、火の用心が悪いという。「ケチ」とは鳴き声で、「一つ火を打つ」とは一度だけ鳴くことをいう。

(参)鼬

『郷土研究』4巻8号 『綜合日本民俗語彙』民俗学研究所編

鼬の六人搗き〔いたちのろくにんづき〕新潟県でいう怪異。鼬が集まり騒ぐ音が、六人搗《づ》きのときの音に似ており、臼で何かを搗く音に混じって歌声も入るという。行ってみると、その音は止まる。その音は家が衰える、または栄える、どちらかの兆しであるという。

(参)鼬

『綜合日本民俗語彙』民俗学研究所編

鼬寄せ〔いたちよせ〕福島県南会津郡檜枝岐《ひのえまた》村でいう卜占《ぼくせん》の一種。鼬の霊力を借りて行う占いで、依《よ》り代《しろ》となる者に鼬の霊を憑かせ、天候や作柄、病気が平癒するかなどを占った。

参加者は男性に限られていたという。鼬は寄せるのは簡単だが、離すのは難しいともいわれる。もともとは法印（山伏、祈禱師）が来て占っていたが、やがて来なくなり、村人がやるようになった。しかし、信心を込めても鼬が寄らなくなり、廃れてしまったという。

(参)鼬

『日本民俗文化資料集成　七　憑きもの』「福島県南会津檜枝岐」今野円輔

板の鬼〔いたのおに〕『今昔物語集』にあるもの。ある人に仕える侍たちが宿直《とのい》の役にあたっていたときのこと。話などをして夜を過ごしていた2人の侍は、東の建物の上に怪しい板が突き出ているのに気づいた。不思議に思って見ていると、やがてひらひらと飛ぶようにこちらに向かって来た。来たら斬りつけるつもりでいたが、板は格子の隙間から他の侍たちが寝ている部屋に入ってしまった。

やがてその部屋から呻《うめ》き声が聞こえたので、2人の侍が駆けつけてみると、寝ていた侍たちが押しつぶされるようにして死んでいた。これは鬼が板に変化したものという。

平安時代でいう鬼とは、広い意味で妖怪の総称的な使われ方がなされた。この殺人板も鬼のしわざだとされたのであろう。現代の我々が想像する鬼とは、少し違うようである。

『今昔物語集』馬淵和夫・国東文麿・今野達校注／訳『動物妖怪譚』日野巌

板鬼《いたおに》（板の鬼）

イチジャマ　沖縄県でいう生霊、もしくは呪法のこと。生邪魔と表記される。

憎いと思った相手にイチジャマを憑けて苦しめるという。人間だけではなく、家畜にまで憑くと信じられている。イチジャマをする者は、イチジャマブトキイ（生邪魔仏）というものを持っており、それに祈ることで相手にイチジャマを憑けることができるという。

また、そのようなものを使わずに、憎いと思っただけで憑くともいう。

イチジャマに憑かれると病気となり、治すにはユタという巫女《みこ》に祈禱してもらうしかない。ユタは病人の親指を縛って釘を打つ真似をし、イチジャマを相手方に送り返すという。

ちなみに沖縄では、生霊のことをイキマブリ、イチマブイなどともいう。マブリ、マブイとは魂のことである。

㊜生霊《いきりょう》

『憑物』「古琉球の憑物と巫祝」佐喜真興英
『山原の土俗』島袋源七　『日本の憑きもの』石

塚尊俊『日本民俗事典』大塚民俗学会編

イチマブイ

→イチジャマ

一目入道〔いちもくにゅうどう〕

→一つ目入道

一目龍〔いちもくりゅう〕

→一目連

一目連〔いちもくれん〕　三重県桑名市でいう暴風の神。多度神社の摂社として祀られ、一目龍社または多度権現とよばれている。暴風神、雷雨神としての性質から、その出現時に激烈なる暴風雨を伴うと、人々から恐れられていた。『笈埃随筆』には次のようにある。

多度権現の摂社の一目龍社は、扉もなくただ簾《すだれ》がかかっているだけの小さな社である。この神が外出する際には、大雨が降り雷がしきりに鳴って、黒い雲が屋根すれすれのところを通って行く。土地の者は、この神が外出すると颪はおさまり、海上も穏やかになるといって喜ぶが、他国では田畑が荒れ、何もかも飛ばされてしま

一目連

うと非常に迷惑がるという。

毎年7月~8月頃に暴風雨が訪れると、土地の者は「この風は一目連が出かけるのだから止みはしない」とか、「もう出かけた後だから風は止む」といったりする。一目連の名は一目龍のことであろう、などと記されている。

『勢陽五鈴遺響』では、一目連は天目一箇命のことだとし、鍛冶の神であるとしている。

㊜悪禅師の風

『随筆辞典　奇談異聞編』柴田宵曲編　『鍛冶屋の母』谷川健一

一貫小僧〔いっかんこぞう〕　鳥取と岡山の県境にあたる蒜山《ひるぜん》高原でいう妖怪。袈裟《けさ》を着た小さな坊主で、手には数珠《じゅず》を持っている。登山者の前に経文を唱えながら現れ、言葉を一言交わすと消えてしまうという。

『幻想世界の住人たち　日本編』多田克己
『自然と文化』一九八五秋季号「中国地方の巨人と小人」平川林木

縊鬼〔いつき〕　『反古のうらがき』にみえる妖怪。江戸麹町《こうじまち》（東京都千代田区）の某組頭の屋敷で酒宴が開かれたとき、よく酒を飲んでは落語を披露する同心が、約束していたのにもかかわらず姿を見せない。やがてその同心はやってきたが、「今日は急用があるので断りにきた。喰違門《くいちがいもん》に人を待たせているからこれにて」といって、去ろうとする。

組頭が「御頭衆の寄り合いで約束を破るとは何事か。訳を話せ」というと、男は「首を括《くく》る約束をした」などといい出す。そこで、とりあえず男に酒を飲ませて落ち着かせると、そこに、喰違門で首吊り自殺があったという知らせがあった。組頭は再度、男に訳を尋ねると、男は「夢のようでよく覚えていないが」と前置きし、次のように語った。

夕方に喰違門のところまできたら、誰かにここで首を括れといわれた。拒否できない気持ちになり、今日はお頭のもとに行く約束をしているので、一言断ってからにしたいというと、その人は組頭の門のところまでついてきて、早く

縊鬼《くびれおに》（縊鬼《いつき》）

行ってこいといった。それで断りにきたのだという。その何者かの命令は絶対に守らなければいけないと思い、まったく疑問は感じなかったと、男は淡々と語った。

「今は首を括る気があるか」ときかれた男は、自分で首を括る真似をして、「あな、おそろしや」といったという。

縊鬼は名前が示す通りに、首を括らせようとする一種の霊のようなものなのだろう。同心は組頭の機転で命が助かったが、その身代わりとして他の者が首を括ったようである。

『随筆辞典　奇談異聞編』柴田宵曲編

厳島三鬼坊〔いつくしまさんきぼう〕　広島県宮島の弥山《みせん》に祀られる天狗で、密教系の祈禱秘経『天狗経』にある全国代表四十八天狗の一つ。三鬼とは仏法でいう時眉鬼神、追帳鬼神、魔羅鬼神のことであるという。

㊟天狗

『天狗考　上』知切光歳　『図集天狗列伝　西日本編』知切光歳

イッシャ 鹿児島県の徳之島でいう妖怪。母間集落の辺りでは、夜になると犬田布岳からイッシャという異様な小人が降りてくると信じられていた。

イッシャは破れ傘をさして、短い蓑を着ており、片足でひょこひょこ飛んで走り、人に出会うと、「お前は誰だ」と尋ねてくる。そのときは、トウモロコシの茎などを尻尾のように振ってみせて、イッシャの姿を真似ると、簡単に自分の仲間だと信じこませることができる。うまくおだてると、気をよくしていろいろと仕事を手伝ってくれる。とくに、漁を手伝ってもらうと、おもしろいように魚が捕れるという。ただ、イッシャは魚の片目だけを食べてしまうので、捕れた魚はすべて片目になっているといわれる。

人を誑《たぶら》かすこともあり、山中を何日間もさまよわせたり、海辺に連れていって海水を飲ますことなどは朝飯前だという。

沖縄のキジムナーや奄美諸島のケンムンにも、漁の手伝いをしたり、魚の片目だけを食べると

イッシャ

いう同じ特徴が語られている。

『旅と伝説』通巻7号「南西諸島の伝説　上」

茂野幽考

一反木綿〔いったんもめん〕　大隅半島にある鹿児島県肝属郡高山町でいう妖怪。約一反（長さ約10ｍ60㎝、幅約30㎝）ほどの布がひらひらと飛び、夜間に人を襲うという。
『綜合日本民俗語彙』民俗学研究所編　『妖怪談義』柳田国男

飯綱〔いづな〕　北海道、東北から関東でいう憑き物。エヅナ、イジナともいわれる。

　飯綱とは、飯綱大権現のことで、本地は荼枳《だき》尼天《にてん》とされる。長野県長野市飯綱山を中心に各地に分社があり、長野県では戸隠山、東北では宮城県仙台市の飯綱山、関東では東京都八王子市の高尾山が有名である。

　飯綱大権現を信奉する行者は、管狐《くだぎつね》という鼠のような狐を駆使して不思議な法を行った。それら行者は飯綱使いとよばれ、妖術使いとして畏怖された。管狐は本来、行者の管理下にある

一反木綿

狐だが、単独で人に憑くことがあり、それをも飯綱とよんでいたようである。

『憑物』「飯綱考」窪坂豊『日本民俗事典』大塚民俗学会編『江戸文学俗信辞典』石川一郎編

飯綱三郎〔いづなさぶろう〕長野県長野市飯綱山でいう天狗で、密教系の祈禱秘経『天狗経』にある全国代表四十八天狗の一つ。

天狗の研究家・知切光歳によれば、飯綱三郎は東日本の代表的な天狗で、眷属《けんぞく》数や知名度においては、富士山の富士太郎天狗を凌ぐものだとしている。

また、飯綱大権現を祀る長野市飯綱山を飯綱太郎、戸隠山を飯綱次郎、宮城県仙台市の飯綱山を飯綱三郎とする説もある。

㊜天狗

『天狗考 上』知切光歳『図集天狗列伝 東日本編』知切光歳『江戸文学俗信辞典』石川一郎編

一本足〔いっぽんあし〕各地でいう妖怪。静岡県磐田郡川上の黒手の山では、降雪の翌日に片足の足跡を見ることがあり、一本足という妖怪のしわざとしている。誤って片足を斧で切って死んだ杣《そま》の怨念だといわれている。

徳島県海部郡の一本足は、秋の夜の引き潮のとき、または大波のあった朝、波打ち際より四尺〜五尺のところに足跡を残すという。海岸べりに足跡を残しているが、山にいる怪物だと伝えられている。

愛知県北設楽《きたしたら》郡振草村粟代（設楽町）では、大雪の晩に山小屋のまわりでドスンドスンという音がして、翌日になってみると差渡し二尺（約60㎝）ほどの巨大な片方だけの足跡があった、などという話がある。

また、足跡ではなく、そういう化け物がいたという話も少なくない。「遠野物語拾遺」には、貞任山には一つ目一本足の怪物がいて、狩人に退治されたという話が見える。

奈良県吉野郡には、猪笹王《いざさおう》という妖怪が一本足の鬼と化した話があり、これも一本足とよばれている。
　こうした一本足の妖怪の多くは山中でいわれるもので、これは山の神が一本足であるということと関わりがあるものとされている。
㊢一本だたら、猪笹王、一つ足
『旅と伝説』通巻10号「月の大欅」早川孝太郎『民族』3巻1号「参遠山村手記」早川孝太郎「遠野物語拾遺」柳田国男『民間信仰辞典』桜井徳太郎編『綜合日本民俗語彙』民俗学研究所編

一本だたら〔いっぽんだたら〕一つだたらともいう。奈良県、和歌山県の県境を東西に連なる果無《はてなし》山脈を中心に、紀伊半島の山中でいう妖怪。果無山では、一本足で目が皿のような妖怪とし、12月の20日だけ出現するという。そのためこのあたりでは「果ての二十日」といって厄日としている。この日は人通りがないから、果無山という名がついたという。

　奈良県吉野郡川上村の伯母ヶ峰にも一本だたらがいて、やはり12月の20日に山へ行くと出くわすとして、その日は絶対に山入りしない。こちらの一本だたらは電信柱に目鼻をつけたような姿で、くるくると宙返りをしながら、雪の多い日に一本足の足跡を残すという。

　堀田吉雄の「伊勢の妖怪」によれば、伯母ヶ峰の一本だたらは人に害を与えることのないのが特徴だとしている。

　しかし、伯母ヶ峰付近でいう一本だたらは、猪の霊（猪笹王《いざさおう》）が化けた一本足という鬼神のことをいう場合もあり、「果ての二十日」とは、その日に山へ入ると一本足に襲われるからという伝説によるものである。すると、一本だたらと、一本だたらとよばれることもある猪笹王の化けた一本足は、同じ名前、同じ日に現れるという共通した特徴を持ちながらも、違う妖怪ということになるのだろうか。

　実のところ、紀伊半島の山中で語られる妖怪は錯綜した関係にあり、とても一言では説明できない。

　例えば、和歌山県西牟婁《にしむろ》郡では、ゴーライと

一本ダタラ（一本だたら）

いう河童が山に入るとカシャンボという山童《やまわろ》の一種になるといわれ、このカシャンボのことを一つだたらともいっている。一つだたらは一つ目一本足の妖怪で、よく山中で相撲を挑んでくるものだという。

同じ妖怪が、土地によって多少特徴が違っているのはよくあることだが、紀伊半島の場合は、このようにまったく違ったものとして語られている。そこで、紀伊半島でいう一本だたら、一つだたら、一本足をまとめると、1．雪上に片足だけの足跡を残すもの。これは紀伊半島に限らず、各地で一本足の特徴を持つ妖怪のしわざとされている。2．大猪の霊（古猫、馬の場合もある）が一本足の鬼神と化して、人間を襲うもの。3．柱状の姿で、くるくると宙返りをする。これは高知県のたてくり返しや、手杵返《てぎのがえ》しなどと同じものと思われる。4．その他。西牟婁郡の河童のようなものなど、という4種に大別できるようである。

『綜合日本民俗語彙』民俗学研究所編　『自然

と文化』一九八四秋季号「伊勢の妖怪」堀田吉雄『紀州おばけ話』和田寛『民間伝承』通巻125・126合併号「狼其他の話」真砂光男

以津真天〔いつまで〕鳥山石燕の『今昔画図続百鬼』に描かれた妖怪で、【広有、いつまでいつまでと鳴し怪鳥を射し事、太平記に委し】とあるが、これは『太平記』「広有射怪鳥事」による。

建武元年（一三三四年）の秋、夜になると紫《し》宸殿《しんでん》の上空に怪鳥が現れ、「いつまでも、いつまでも」と鳴いた。不吉に思った公卿たちは、鵺《ぬえ》を退治した源頼政にちなんで弓の名手に退治させようと考え、隠岐次郎左衛門広有を抜擢した。広有は鏑矢《かぶらや》を放ち、みごとに怪鳥を射止めた。落ちた怪鳥を見ると、その顔は人面で、くちばしは曲がり、鋸のような歯が並んでいた。身体は蛇のようで、両足には長く剣のような鋭い爪がある。羽を伸ばすと一丈六尺（約4ｍ80㎝）もあったとある。

『太平記』には怪鳥としかないが、石燕はその

以津真天《いつまでん》（以津真天《いつまで》）

鳴き声を名前にして、怪鳥の妖怪を描いたようである。

『鳥山石燕　画図百鬼夜行』高田衛監修・稲田篤信・田中直日編『日本未確認生物事典』笹間良彦『太平記』長谷川端校注／訳

イドヌキ　徳島県美馬郡でいう河童。イドとは中国、四国、九州でいう尻の方言で、イドヌキは尻抜きという意味である。

㊫河童

『方言』4巻2号『綜合日本民俗語彙』民俗学研究所編

井戸の神〔いどのかみ〕　井戸に祭祀される水の神。やたらと井戸を覗き込んではいけないとか、夜中に水を汲むときは必ず手を叩いてからにするなど、他の水神に比べると禁忌が多く、また、祟りやすい神様ともされていたようである。井戸を潰して、その上に家を建てたり、井戸の蓋《ふた》の上を土足で歩いたりして祟られたという話は、民俗資料に多くみることができる。

『日本の神様読み解き事典』川口謙二編著

イナダ貸せ〔いなだかせ〕

↓杓子《しゃくし》くれ

稲荷神〔いなりがみ〕　稲荷は五穀を司る倉稲魂（保食神、大宜都比売神、豊宇気毘売神と同神といわれる）を祭神とし、農業に限らず各種産業の守護神として信仰された。

和銅4年（七一一年）、秦公伊呂具という者が山城国紀伊郡深草村に稲荷神を祀ったのが我が国最初の稲荷神社（今の伏見稲荷）だといわれ、その信仰は江戸時代に最も流行した。江戸では、俗に「伊勢屋、稲荷に犬の糞」といわれたほど稲荷祠が多くあったという。

狐が稲荷の眷属《けんぞく》となったのは、インドの教典中にある荼枳尼天《だきにてん》（ダキーニ）という女性の悪鬼を、稲荷と同一視した仏教の影響によるといわれている。荼枳尼天は6ヵ月前に人の死を知り、その心臓を食う恐ろしい鬼女で、荼枳尼天法を修する者は自らの心臓と引き換えに自在の力を得るとされた。

稲荷神を農業神としてだけではなく、諸願成就の神とみなしたのは、しかるべく供養すれば、その魔力で諸願を叶え、財福をもたらすと信じられた荼枳尼天信仰の影響だろう。

また、荼枳尼天は狐に乗った姿で表されるため、そこから稲荷のお使いは狐とされるに至ったようなのだが、荼枳尼天の乗る狐は、実は今の我々が想像する狐ではない。もともと荼枳尼天はジャッカル(西南アジアやアフリカに棲息するイヌ科の哺乳類)に乗るものとされていたらしく、ジャッカルが棲息しない日本では、それを射干とか野干《やかん》と書き表し、狐に当てはめて理解したようだ。

『民間信仰辞典』桜井徳太郎編 『日本の神様読み解き事典』川口謙二編著

イニンビー
→遺念火

犬神〔いぬがみ〕 中国、四国、九州の農村地帯でいう憑き物。中国地方では犬外道、九州、沖縄ではインガメというように、名前や性質は地方ごとでさまざまに伝えられている。

犬神には人の身体に突然憑く場合と、代々家系に憑く犬神持ちとがあり、狐憑きとほぼ同じような特徴が語られる。

その正体は鼠のような小動物、白黒斑《ぶち》の鼬《いたち》のような動物、赤と黒の斑がある掌にのるほどの犬などといわれ、飢えた犬の首を刎《は》ねて、その怨霊、あるいは首そのものを祀ったものともいわれる。

犬神に憑かれると、さまざまな病気となり、発作を起こして犬の真似をするなどという。これは医者では治らず、呪術者に頼んで犬神を落としてもらう。

徳島県では、犬神に憑かれた者は驚くほど飯を食うようになり、死ぬとその身体に犬の歯形がついているという。

また、人間だけでなく、牛馬に憑いたりもする。鋸《のこぎり》に憑いて、使い物にならなくさせることもある。

犬神持ち、筋とは、犬神がついた家系のことをいう。愛媛県では、犬神持ちの家には常に家

犬神

族の人数と同じ数の犬神がいるとし、家族が増えれば犬神の数も増えると思われている。嫁に出た場合には、犬神がその嫁ぎ先にまでついてゆき、婚家までがたちまち実家の犬神と同じ数になるという。犬神持ちの家人が他家の物を欲しいと思っただけで、犬神はたちまちその家に行って品物を奪ったり、あるいはその家の者に憑いて病気にさせる。

愛媛県周桑《しゅうそう》郡での犬神は鼠のようなもので、犬神筋の家族にはその姿が見えるが、他人にはまったく見えないという。犬神は不従順な性格をしており、ときによっては、家族の者に嚙みつくこともあるという。

犬神の由来を説く伝説も多く、源頼政が退治した鵺《ぬえ》は、身体が4つに分かれて飛び散り、その落ちた土地に犬神が生じたとか、弘法大師が猪除けに描いた絵の犬が飛び出て犬神になったともいう。

また、犬神を作り出す方法もあり、餓えた犬を頭だけ出して土中に埋め、餓死しそうな頃に食物を犬の前に置き、犬がこれを食べようと首を伸ばしたところを、刀で首を斬り落として祀る方法、または多くの獰猛な犬を闘わせ、勝ち残った1頭に魚を与え、その犬の頭を切り落として、残った魚を食べる、という方法などがある。

これらは、いずれも室町時代まであったという、蛙、蜘蛛《くも》、蛇などを使って行った巫蠱《ふこ》術(蠱道《こどう》)の手法と酷似している。巫蠱術は中国より渡ってきたもので、犬の霊を使う呪術もあるという。少なからずとも、犬神は巫蠱術の影響を受けているといわれている。

犬神の絵では、鳥山石燕の『画図百鬼夜行』の中に、白児というよく分からない子供の妖怪とともに描かれている。

『日本の憑きもの』石塚尊俊　『日本の憑きもの』吉田禎吾　『民俗学辞典』民俗学研究所編　『綜合日本民俗語彙』民俗学研究所編　『大語園』巌谷小波編　『日本伝説集』高木敏雄　『鳥山石燕　画図百鬼夜行』高田衛監修・稲田篤信・田中直日編

隠神刑部狸〔いぬがみぎょうぶだぬき〕　愛媛県松山市でいう化け狸。四国八百八家の子分を従える親分狸で、八百八狸ともよばれる。

古くから久万山に棲み着き、松山城の守護神として、上下身分に関係なく崇敬を受けていた。しかしあるとき、松平隠岐守の御家騒動に巻き込まれ、謀反を企てる者たちに利用されて、御家乗っ取り計画を阻止する正義派たちに一族郎党ともども久万山の洞窟に封じ込められてしまった。後に許されて洞窟より解放されたそうだが、そのとき封じ込められた場所は、現在では山口霊神という小さな堂になっていて、松山市久谷中組に残っている。

一説に、隠神刑部狸たちを洞窟に封じ込めたのは、『稲生物怪録《いのうもののけろく》』の主人公として知られる豪傑・稲生武太夫《いのうぶだゆう》だといわれ、山本《さんもと》五郎左衛門という魔王より授かった木槌で狸を懲らしめたという。松山城のお家騒動の物語はいくつかのバリエーションがあり、必ずしも稲生武太夫が出るわけではないようである。
(参)狸
『妖怪学入門』阿部主計『伝説と奇談　五
四国・山陽』山田実編

イヌガメ
↓犬神

犬外道〔いぬげどう〕
↓犬神

犬の経立《ふったち》〔いぬのふったち〕
↓経立《ふったち》

犬鳳凰〔いぬほうおう〕
↓波山《ばさん》

遺念火〔いねんび〕　沖縄県でいう怪火。沖縄では亡霊を遺念《いねん》とよび、遺念が火となって一定の場所を往復するのを遺念火という。
よく知られるのは首里市（那覇市）の南、識名坂の遺念火である。識名に仲のよい夫婦がいて、妻は毎日遅くまで首里の町で芋の行商をしていた。夫は妻の帰りが遅いので、識名坂から金城橋というところまで迎えに出て、行ったり

隠神刑部狸

遺念火《いんねんび》（遺念火《いねんび》）

来たりしていた。

すると、2人の仲を嫉妬した男が「お前の妻は首里で若い侍たちと遊びほうけている」と嘘をいい、怒った夫は生き恥をさらすよりはと安里川に身を投げて死んでしまった。行商より帰ってきた妻も、夫の死を知って夫と同じ場所に身を投げた。以来、識名坂の上から川のほうへ、2つの火の玉がもつれ合いながら行き来するようになったという。

このように、遺念火のほとんどは色恋のもつれから非業の死を遂げた男女の霊とされ、男女2つの火が連れ立って現れるという。

『山原の土俗』島袋源七　『不思議な世界を考える会　会報』5号「おきなわの妖怪　二」新城真恵　『綜合日本民俗語彙』民俗学研究所編　『沖縄の怪談』西原松生編著

猪笹王〔いのささおう〕
→猪笹王《いざさおう》

茨木童子〔いばらきどうじ〕　酒呑童子《しゅてんどうじ》の配下の鬼。歌舞伎『茨木』では、羅城門《らじょうもん》で渡辺綱に腕を斬られ、その腕を綱の伯母に化けて取り返しにくる鬼が茨木童子とされている。『茨木』は明治に謡曲『羅生門《らしようもん》』の続きとして作られたもので、そもそもは『平家物語』「剣の巻」にある一条戻橋《いちじようもどりばし》の鬼に題材を求めたものである。渡辺綱が一条戻橋で鬼に出会い、その腕を斬り落とすところまでを『羅生門』とし、伯母に化けて腕を取り戻しにくるのを『茨木』として創作したものといえる。

この流れでいえば、羅生門の鬼とよばれる鬼は茨木童子となるが、『羅生門』と『茨木』は別々の作品なので、羅生門の鬼イコール茨木童子ということはできないようである。

また、本来の茨木童子とよばれるものが大阪府茨木市に伝わっている。茨木のある農民夫婦の間に、髪は肩まで垂れて歯も生え揃っている鬼子《おにこ》として生まれ、鬼子の宿命で捨てられるが、運よく床屋に拾われて育てられた。

成長して床屋修業に励むが、あるとき過って客の頬を剃刀《かみそり》で切ってしまう。血を拭って嘗《な》めたら美味だったので、味をしめてわざと客の顔を切るようになり、とうとう本物の鬼になってしまったという。後に京都に行って、酒呑童子の子分になったなどと伝わっている。

㊜酒呑童子、羅生門の鬼

『日本「鬼」総覧』「羅生門の鬼」高橋秀雄

『日本伝奇伝説大事典』乾克己・小池正胤・志村有広・高橋貢・鳥越文蔵編 『茨木童子』大橋忠雄

今にも坂（いまにもさか）

↓うそ峠

井守の怪（いもりのかい）『北陸奇談』にあるもの。佐渡国（新潟県）見付島の儀左衛門という長者が、堀を巡らせた荒地を手に入れ、妾《めかけ》と娘、下働きの者の数人で住むことにした。ところが、健康だった娘が突然にして病に倒れてしまった。南光院というところで占ってもらうと、屋敷に怪しいものがいて祟りをなしているという。そこで娘を本家に戻すと、みるみる健康になったが、その代わりに今度は妾が化け物に襲われるようになった。真夜中になると大坊主が現れ、臭い息を吹きかけて妾を前後不覚にするのである。

それを聞いた隅田小太郎という郷士が、退治しようと屋敷で待ち伏せすると、背丈が一丈(約3m)もある黒い大坊主が6人も現れ、小太郎の顔を見るなり襲ってきた。しかし、儀左衛門の家来が鉄砲を撃つと、大坊主たちは驚いて逃げていった。

小太郎は大坊主が泥臭かったことを思い出し、堀の中が怪しいと、若者数十人で堀をさらった。すると、堀の中に動くものがあったので、鯨を突く銛《もり》で突きまくると、長さ六尺(約1m80cm)もの井守が、6匹も仕留められた。6人の黒い大坊主は、この大井守が化けたものだったのである。

他にも『北越奇談』には、蒲原郡旭村より五《ご》泉《せん》(五泉市)のほうへいったところの三五郎池に1m20cmもの大井守がいて、夏の晴天時には必ず水上に浮かび出るという記述がある。

怪井《かいい》守《もり》(井守の怪)

また『信濃奇勝録』には、千曲川の支流で1m50cmもの大井守に襲われた男の話があり、尖った柳の切り株で頭を突き刺したものの、大井守は死なずに逃げてしまったという。

『北陸奇談』度江山人　『北越奇談』崑崙橘茂世『イモリと山椒魚の博物誌』碓井益雄

嫌味〔いやみ〕

↓否哉

否哉〔いやや〕　鳥山石燕の『今昔百鬼拾遺』に描かれている妖怪。後ろ姿は水辺に佇《たたず》む若い女だが、水面に映った顔は爺か婆のよう。【むかし、漢の東方朔《とうぼうさく》（博識ぶりを買われて漢の武帝に重んぜられた人物）、あやしき虫をみて怪哉と名づけためしあり。今、この否哉もこれにならひて名付たるべし】とあるだけで、石燕はどういう妖怪かは書いていない。本文から察するに、石燕の創作妖怪であろう。

石燕の妖怪画を模写した鍋田玉英の『怪物画本』では、どういうわけかこの妖怪にイヤミと名前をつけている。藤沢衛彦の『妖怪画談全集　日本篇　上』では、このイヤミの絵を紹介し、異爺味という字を当てて【すべての肉体は女にして面相のみいやみな爺相の怪】という解説をつけているが、これは絵から想像しただけの解説のようだ。

また、『東北怪談の旅』には仙台城下に現れたイヤミの話が記されているが、これも石燕の否哉をモデルにした創作、もしくはもともとあった話に否哉のイメージを重ねて脚色した話のようである。

『鳥山石燕　画図百鬼夜行』高田衛監修・稲田篤信・田中直日編　『妖怪画談全集　日本篇上』藤沢衛彦　『東北怪談の旅』山田野理夫

岩魚坊主〔いわなぼうず〕　福島県、東京都、岐阜県などでいう妖怪。深山の川で毒を流して魚をとっていると、見知らぬ坊主がきて殺生をやめろという。そこで食べ物をたくさん食べさせて体《てい》よく帰らせ、再び毒流しで漁をしていると、大きな岩魚が浮かぶ。その腹を割《さ》いてみると、先ほどの坊主に食わせた物がぎっしり詰ま

岩魚坊主

っていた、というのが大体の筋。

『想山著聞奇集』には次のようにある。

美濃（岐阜県）恵那郡の川上、付知、加子母では昔から岩魚は坊主に化けるといわれているが、これは事実である。これは私（著者三好想山）の知人中川某がその村に行き、たしかに聞いたことである。信州御嶽山の前後には、四尺～五尺（約1m20cm～1m50cm）の岩魚もときどきはいるという、などとある。

魚族が人間に化けて毒流し漁をやめさせる話は岩魚に限らず、山女《やまめ》や鰻《うなぎ》、沿岸地方では海水魚の鱈《たら》が人間に化けている。魚の齢《とし》を経たものが正体であることが多いようである。

『日本庶民生活史料集成　十六』森銑三・鈴木棠三編　『日本怪談集　妖怪篇』今野円輔編著

陰火〔いんか〕　夜間、寂しい場所などで青白く光る火。『和漢三才図会』によれば、陽火は草木に触れるとこれを焼き、湿気によって弱まり、水によって消滅する。陰火は逆で、草木を焼かず、金石《きんせき》を流す。湿気によって燃え、水をかけるとますます燃え盛り、天に至り、やっと止む。

つまり、陰火は水気があるとよく燃えるとされ、雨のそぼ降る夜に現れるのはこのためだと考えられた。

『和漢三才図会』寺島良安編・島田勇雄・竹島淳夫・樋口元巳訳注

インガミ
↓犬神

インガメ
↓犬神

インガラボシ
↓河童

因縁〔いんねん〕 長崎県福江市、南松浦郡でいう憑き物。人格的な霊、つまり人間の死霊や生霊《いきりょう》、狐や河童、神仏などが人にとり憑き、心身に異常（精神の異常や内臓疾患、皮膚病など）を生じさせる。それらの霊は、当事者の血縁者や家に関係した者の霊、家周辺にいる定かならぬ霊、動物霊などとされ、供養不足や障《さわ》り、知らせなど、当事者になんらかの要求があるものという。

因縁に憑かれた場合は、ホウニンとよばれる呪術者に祓《はら》ってもらう。

『聖と呪力』佐々木宏幹

う

ウゥメ
↓ウーメ

ウーメ 長崎県壱岐地方でいう妖怪。ウゥメ、ウンメンともよばれ、難産で死んだ女の霊が青い火の玉となって、空を波形を描いて飛び回るという。これは産女《うぶめ》のことだと思われる。
㊫産女
『日本民俗誌大系 二』「壱岐民間伝承採訪記」折口信夫『日本妖怪変化語彙』日野巌・日野綏彦

上野妙義坊〔うえのみょうぎぼう〕 群馬県の妙義山でいう天狗で、密教系祈禱秘経『天狗経』に載る全国代表四十八天狗の一つ。
㊫天狗

『天狗考 上』知切光歳 『図集天狗列伝 東日本編』知切光歳

浮きもの〔うきもの〕 新潟県岩船郡粟島でいう海の怪異。5月〜6月の花曇りのような日、海上数里の沖に、大きな魚あるいは陸地のようなものが浮動して見えることがある。現れる場所はほぼ決まっており、魚群や海鳥の群れだともいわれているが、近づくと見えなくなってしまうので、正体は不明である。

『綜合日本民俗語彙』民俗学研究所編

ウグメ 九州一帯でいう妖怪。長崎県平戸では、ウグメが船に憑くと船が動かなくなるといい、また、見知らぬ船が風もないのにものすごい勢いで追いかけてくることがある。これはウグメのしわざで、そういう場合は海に灰を放り込むと消えてしまうという。

熊本県天草郡御所浦島では、ウグメに憑かれて船が動かないときには、錨《いかり》を入れるという。そのとき、錨を入れるぞ、といいながら石を投げ込み、それから錨を放り込むという。そうすると船は動くそうである。

ウグメの名前は産女《うぶめ》からきているものと思われるが、九州では主に海の妖怪、それも怪火や船幽霊のことを意味しているようである。

㊜産女

『現代民話考 三 偽汽車・船・自動車の笑いと怪談』松谷みよ子 『日本妖怪変化語彙』日野巌・日野綏彦

兎狸〔うさぎたぬき〕 徳島県三好郡昼間村(三好町)と辻町(井川町)の間、吉野川沿いの高岡という小さな丘にいた化け狸。兎に化けてそろそろと走るので、見た人は捕まえやすい獲物と思って追いかける。そうして高岡を何度も走りまわらせて化かすという。

㊜狸

『阿波の狸の話』笠井新也

牛々入道〔うしうしにゅうどう〕

→牛打ち坊

牛打ち坊〔うしうちぼう〕 徳島県北部でいう牛に害をなす妖怪。牛々入道、牛飼い坊ともよ

牛打ち坊

ばれ、板野郡ではその正体を狸のような黒い動物のようなものとしている。

牛打ち坊が伝わる地方では、七夕を過ぎた頃に子供たちが粗末な小屋を作り、7月14日の未明に焼き払った。この小屋は牛打ち坊の盆小屋と称し、燃やすことで牛打ち坊を焼き殺す呪いとしたのである。

小屋の材料は家々をまわり歩いて集めるのだが、寄付してくれない家があると、子供たちは「牛打ち坊を追いかけ、お蚕《かいこ》べったり　味噌べったり」と呪詛《じゅそ》めいた悪口をいう。そして、小屋を燃やしたときの炎で茄子《なす》を焼き、寄付してくれなかった家の廏《うまや》にその焼き茄子を投げ込む。投げ込まれた家の牛馬は3日以内に死んでしまうというので、村人は盆小屋への協力は惜しまなかったという。

『日本伝説叢書　阿波の巻』藤沢衛彦　『綜合日本民俗語彙』民俗学研究所編

牛鬼［うしおに］　近畿、中国、四国、九州でいう妖怪。ギュウキ、ゴキとも読み、その姿は頭が牛で身体は鬼、あるいはその逆、さらに身体は土蜘蛛《つちぐも》などと伝えられている。

性質は極めて凶暴で、人畜に害をなすものがほとんどだが、例外として和歌山県三尾川谷では人を助けた牛鬼の話がある。沿岸部や山間部に伝承が残っており、とくに山間でいう牛鬼は淵に出現するケースが目立つ。

四国や近畿地方には、牛鬼淵あるいは牛鬼滝という牛鬼にまつわる淵や滝が数多くあり、和歌山の牛鬼淵に出る牛鬼は、出会うだけで人を病気にさせたり、人の影を嘗《な》めることで食い殺したりするという。

山陰や北九州あたりの沿岸では、牛鬼は海中から出現するものとされ、濡れ女や磯女といった女の妖怪とセットで現れることがある。

はじめは赤子を抱いた女の姿で現れ、赤子を抱いてくれとか食べ物をくれとかいう。そうこうしていると赤子が石のように重くなって逃げられなくなり、そこへ牛鬼が登場して襲うという。あるいは牛鬼は美しい女に化けるといわれるので、セットというよりは牛鬼が変化したものかもしれない。

瀬戸内海側でも牛鬼は海の妖怪とされ、地名由来に関わっている場合もあり、岡山県邑久《おく》郡牛窓町、山口県光市の牛島などは牛鬼が出たことに由来するという。

愛媛県宇和島一帯では牛鬼の作り物が出る祭りがあり、とくに和霊《われい》神社の大祭は有名である。この起源については、伊予の藤内図書が蔵喜兵衛ノ尉という弓術者とともに牛鬼を退治したという話、徳島県海部郡の牛鬼を伊予の人が退治したという話、あるいは豊臣秀吉の朝鮮出兵の折、加藤清正が朝鮮の虎を脅すためにこの作りものを作ったという話など、諸説あって定まらない。

また、新潟県や滋賀県でいう蓑火《みのび》の類としての牛鬼もある。『異説まちまち』には、出雲の国（島根県北東部）で雨降り続きのときなどに、身体にまとわりついてくる白い光がある。これを「牛鬼にあった」といい、火であぶれば消え

牛鬼

るなどとある。同様の怪火は鳥取県鳥取市や気高郡気高町《けたか》でもいわれる。
『怪談』今野円輔　『日本怪談集　妖怪篇』今野円輔編著『綜合日本民俗語彙』民俗学研究所編『岡山の伝説』立石憲利『長門周防の伝説』松岡利夫『暮しの中の妖怪たち』岩井宏實『紀州おばけ話』和田寛『ふるさとの伝説四　鬼・妖怪』伊藤清司監修・宮田登編『旅と伝説』通巻54号「宇和島の牛鬼其他」和田義一

牛飼い坊〔うしかいぼう〕
↓牛打ち坊

牛御前〔うしごぜん〕『吾妻鏡』『新編武蔵風土記稿』『十方庵遊歴雑記』などに見える怪異。『吾妻鏡』には次のようにある。

建長3年（一二五一年）3月6日、墨田川の対岸の武蔵国浅草（台東区）に、牛のような妖怪が不意に出現して、浅草寺《せんそうじ》に走り込んだ。ちょうど食堂に集まっていた僧侶50人ほどのうち、7人が毒気をあびて即死、24人が昏倒して病の床に臥せたという。

また『新編武蔵風土記稿』には、その牛の妖怪が浅草の対岸の牛御前社《うしごぜん》に飛び込み社壇に現在の社宝の牛玉を落としていったとある。牛御前社は墨田区で最古の神社とされる牛島神社のことで、素戔嗚尊《すさのおのみこと》を主神としている。

素戔嗚尊は牛頭天王《ごずてんのう》とよばれ、疫病除けの神として知られるが、その反面、荒々しい性格の祟り神として恐れられた。おそらくは浅草寺を襲った牛の妖怪は、素戔嗚尊の化身であり、浅草寺襲撃事件の背景には宗教的な対立があるようである。

『日本未確認生物事典』笹間良彦 『山東民譚集』柳田国男

丑寅ミサキ〔うしとらみさき〕
↓温羅《うら》

丑の刻参り〔うしのときまいり〕 草木も眠る丑の刻（午前2時頃）に神仏に参拝し、藁《わら》人形などの形代《かたしろ》を神木に釘で打ちつけて相手を呪詛《じゅそ》するもので、とくに女性が行ったものらしい。

その方法は諸説あるが、一般的には次のようなものである。

まず、髪を解き放って白衣を着、頭に五徳《ごとく》（囲炉裏《いろり》などに薬缶《やかん》などを載せるための金具）を逆さにしたものを載せ、その五徳の足の部分に3本の蠟燭《ろうそく》を灯す。胸に鏡を下げ、一本歯の高下駄か素足で、手には五寸釘と金槌《かなづち》を持ち、呪う相手の形代（藁人形）を用意する。深夜2時に神社の神木などに形代を釘で打ちつけ、それを21日間、誰にも見つからないで行うと、願いが成就するという。

本来は夜参りの一種にすぎなかったものだが、その時刻から、人に見られなければ願いが叶うといわれるようになり、そこから邪《よこしま》な願い、つまり、呪いなどの呪詛へ転じていったようである。

『江戸文学俗信辞典』石川一郎編 『民間信仰辞典』桜井徳太郎編 『日本伝奇伝説大事典』乾克己・小池正胤・志村有広・高橋貢・鳥越文蔵編

丑の刻参り

牛マジムン〔うしまじむん〕 沖縄県でいう妖怪。読谷村では大きな真っ黒い牛のようだといい、島尻地方では棺桶を入れる籠《かご》が牛に化けるという。
『日本妖怪変化語彙』日野巌・日野綏彦 『郷土研究』5巻3号「琉球妖怪変化種目 二」金城朝永

後神〔うしろがみ〕 鳥山石燕の『今昔百鬼拾遺』に描かれたもので、**【**うしろ神は臆病神につきたる神也。前にあるかとすれば、忽焉として後にありて、人のうしろがみをひくといへり**】**とある。

『鳥山石燕 画図百鬼夜行』には、『西鶴織留』「諸国の人を見しるは伊勢」に後神を祀る宮のことがあるとし、親が子供を勘当しようとするときに、後ろで親の気持ちをなだめる神と説明している。

　しかし、石燕の後神は、枯れ木から飛び出す一つ目の姿で描かれており、もっと妖怪っぽいものとしているようである。「後ろ髪を引かれる」の後ろ髪と妖怪としての後神は、単なる語呂合わせのようで、おそらくは石燕の創作妖怪だと思われる。

『鳥山石燕 画図百鬼夜行』高田衛監修・稲田篤信・田中直日編

臼負い子〔うすおいこ〕

→座敷わらし

臼負い婆〔うすおいばばあ〕『佐渡怪談藻塩草』にあるもの。新潟県佐渡郡小木町大字宿根木にいたある侍が、仲間とともに「あかえの京」とよばれる海で釣りをしているとき、海底深くから白いものが浮かんでくるのを見た。海面に現れ出たその化け物はまるで老婆のようで、両手を背中にまわして臼を背負いながらしきりに泳ぎまわっている。やがて、化け物はこちらを睨《にら》んだかと思うと、再び海底へ沈んだ。仲間のいうことには、あれは2年～3年に一度姿を見せる臼負い婆というもので、あかえの京で見かけた者は昔から多い。別に心配はいらない、ということだった。

臼負い婆

佐渡郡小木町宿根木は、現在は小木海中公園があるところで、佐渡島の南端部にあたる。

『日本伝説叢書　佐渡の巻』藤沢衛彦

うそ峠〔うそとうげ〕熊本県天草郡一町田村益田（河浦町）でいう怪異。

昔、2人の旅人が夜遅く、うそ峠を通りかかり、「昔はここに血のついた人間の手が落ちてきたそうだ」と一人がいうと、「今もー」という声とともに血の滴《したた》った手が坂から転げ落ちてきた。2人は逃げ出し、落ち着いたところで、「ここには生首が落ちてきたそうだ」というと、すぐにまた上のほうから「今ああ……も」という声がして、生首が転げ落ちてきた。旅人はたまらず逃げ出したという。

熊本県下益城郡豊野村下郷小畑にも同様の話がある。ここには「今にも坂」という坂があるが、昔、ここに大入道が現れて通行人を驚かせた。以来、人がその話をしながらこの坂を通ると、「今にも」という声がして、その大入道が現れるという。

㊜油ずまし
『天草島民俗誌』浜田隆一『日本怪談集　妖怪篇』今野円輔編著『下益城郡誌』熊本県下益城郡教育支会編『日本伝説名彙』柳田国男監修・日本放送出版協会編

鰻男〔うなぎおとこ〕岩手県岩手郡雫石《しずくいし》村に伝わる伝説。昔、雫石村に美しい娘がいて、年頃になるとどこからか美男の若者が毎晩訪れるようになった。娘がどこの者かと訊《たず》ねても一切返事をしない。

そんなある晩、娘の親が、家の軒下で何者かが囁《ささや》いているのを聞いた。「長年の望みが叶って、やっと人間の体内に子種を下《おろ》した」という声に、別の声が「しかしお前の素性がばれて、五月節供《たんごのせっく》の五色の薬草を飲まれたら、腹の子供は流れてしまうぞ」といっている。

さっそく親は娘に薬草を飲ませた。おかげで娘の身には何事もなかった。毎晩通った男は、近くの沼に棲む古鰻《ふるうなぎ》で、後で戸の桟《さん》を見たら鰻の脂《あぶら》がこびりついていたという。

『聴耳草子』佐々木喜善

姥火〔うばがび〕『河内鑑名所記』『諸国里人談』や『古今百物語評判』にある怪火。『諸国里人談』には次のようにある。

雨の晩に、河内国（大阪府）枚岡《ひらおか》神社に現れる火で、一尺（約30㎝）ほどの火の玉が近くの村まで飛びまわる。枚岡神社の灯油を毎晩盗んでいた老婆が、死後にこの火になったという。あるとき、人の前に姥火が落ちてきたことがあり、よく見れば鶏に似た鳥で、遠くに飛び立った姿を見ると、まさしく火の玉に見えた、などと記されている。

『古今百物語評判』には、丹波（京都府北部）に伝わる姥火のことが記されている。昔、亀山（亀岡市）に人買いの老婆がいて、子供を人に斡旋するといって生みの親から金銀を受け取ると、斡旋などせずに子供は保津川に流していた。やがて、日頃のふるまいの天罰か、老婆はある洪水のときに溺死した。以後、保津川では夜毎、火の玉が見られるようになり、これを姥火とよ

姥火

んだ、などとある。

　鳥山石燕の『画図百鬼夜行』にある姥火は枚岡神社でのもの。

『日本随筆大成』日本随筆大成編集部編　『随筆辞典　奇談異聞編』柴田宵曲編　『江戸怪談集（下）』高田衛編／校注　『鳥山石燕　画図百鬼夜行』高田衛監修・稲田篤信・田中直日編

ウバメ
↓産女《うぶめ》

ウバメトリ　茨城県でいう妖怪。夜に子供の着物を干すと、ウバメトリが自分の子供の着物だと思って、その着物に目印として自分の乳を搾《しぼ》る。その乳には毒があるといわれる。

　このウバメトリは中国の姑獲鳥《うぶめ》のことらしく、『慶長見聞集』『本草啓蒙』『本草記聞』『本草綱目』といった中国や日本の古書には、姑獲鳥は鬼神の一種であって、よく人の生命を奪うとある。夜間飛行して幼児を害する怪鳥で、鳴く声は幼児のよう。中国の荊州《けいしゅう》に多く棲息し、毛を着ると鳥に変身し、毛を脱ぐと女性の姿になるという。他人の子供を奪って自分の子とする習性があり、子供や夜干しされた子供の着物を発見すると血で印をつける。つけられた子供はたちまち魂を奪われ病気となるが、これを無辜疳《むこかん》というそうである。

　中国の姑獲鳥の情報を茨城県に持ち込んだ知識人の影響があるように思われる。

㊫産女
『綜合日本民俗語彙』民俗学研究所編　『和漢三才図会』寺島良安編・島田勇雄・竹島淳夫・樋口元巳訳注

ウバリヨン
↓バリヨン

ウブ
↓オボ

産女〔うぶめ〕　説話、怪談、随筆や各地の民俗資料に見える妖怪。地方や文献によって形態はさまざまに伝わるが、一般的には難産で死んだ女の霊が妖怪化したもので、夜の道端や川べりで子供を抱いて泣いており、通りかかった者

産女

に子を抱いてくれるようせがむ。

　赤ん坊を抱かせる理由にもいろいろとあり、成仏するために念仏を百万遍唱えたいからその間に抱いていてくれとか、便所に行きたいからといったほのぼのとしたものまである。

　説話での初見とされる『今昔物語集』にも、源頼光の四天王である平（卜部《うらべ》）季武《すえたけ》が、肝試しの最中に川中で産女から赤ん坊を受け取るというくだりがあるので、古くからいわれていることなのだろう。

　産女の赤ん坊を受け取ると、離そうにも離れず、どんどん重くなって、ついには殺されてしまうとか、赤ん坊と思っていたものが石や藁打《わらうち》槌《づち》、木の葉だったりする。

　また、赤ん坊を受け取ることにより、大力を授かるとする伝承もある。長崎県島原半島では、この大力は代々女子に受け継がれていくといわれ、秋田県では、こうして授かった力をオボウヂカラなどとよび、この力を授けられた者は、他の人が見ると、手足が各4本ずつあるように見えるという。
各地の民俗資料を見ると、同じ妖怪とは思えないほどにさまざまな形態が伝わっている。例えば九州では海上の怪火をウグメ、ウーメなどとよび、船幽霊のようなものまでもそうよんでいる。

また、産女を鳥とする伝承もあり、茨城県ではウバメトリとよんで、子供に害する魔女のような存在として伝わっている。ウバメトリや長崎県壱岐のウンメドリ、三宅島のオゴメなどのように、その正体を鳥とするものは、中国の姑《う》獲鳥《ぶめ》（夜行遊女、天帝少女などともいう）に由来するもののようである。

民俗学的な見地からすれば、産女は生活経験としての現象ではなく、口承文芸より派生した産物にすぎないものだとされている。

(参)ウバメトリ

『図説日本民俗学全集』藤沢衛彦　『日本昔話名彙』柳田国男監修・日本放送出版協会編　『土佐の怪談』市原麟一郎　『民間信仰辞典』桜井徳太郎編　『日本民俗事典』大塚民俗学会編　『日本怪談集　幽霊篇』今野円輔編著

馬鹿〔うましか〕熊本県八代市の松井家に伝わる『百鬼夜行絵巻』に、角のある一つ目の馬の姿として描かれている。絵巻には解説がないので、詳しいことはわからない。

『別冊太陽　日本の妖怪』

馬憑き〔うまつき〕『新著聞集』『因果物語』などにある怪異。『因果物語』には、馬を殺した者にとり憑いて苦しめる話がある。

馬に憑かれた男は、馬屋に入って馬のようにいななき、雑水を呑み干して、ついには死んでしまったという。

(参)塩の長司

『因果物語』鈴木正三・饗庭篁村校訂　『大語園』巌谷小波編

馬の足〔うまのあし〕福岡県、山口県でいう妖怪。福岡では、夜、古塀から枝が出ているようなところを通るとき、馬の足がぶら下がっていることがあり、知らずに下を通ると蹴飛ばされてしまうという。

久留米市原古賀に、夜中に3mもの馬の足がぶら下がる大きな榎があったそうで、狸のしわざとされていた。榎の下を通る者に、樹上から砂を降らせてよく驚かせていたという。

また、山口県岩国の怪談を集めた『岩邑怪談録』には、「安達氏・粟屋氏宅、妖怪出る事」と題して【安達氏宅は従前より門の左右の囲ひ、皆カン竹の垣なりし。世人言ふに、雨降て暗き夜には此垣の破れより馬の足、突然と出るなり】とある。これは出現場所が垣根のため、上から下がっていたわけではないだろうが、ほぼ同じものであろう。

『筑紫野民譚集』及川儀右衛門 『岩邑怪談録』広瀬喜尚 『民間伝承』通巻43号「妖怪名彙」水野葉舟

馬のクツ〔うまのくつ〕

↓馬の首

馬の首〔うまのくび〕 馬の首だけが木からぶら下がったり、坂から転がってきたりするという怪異は各地に伝わっている。

鹿児島県では、馬の首と書いてウマノクツと読ませ、大きい木に馬の首がぶら下がるものという。岡山県の下《さ》がりや、熊本県の馬の首の怪に似ているが、詳細は不明。

また、東京都三宅島首山には、馬の首が飛び回るという首様《こうべさま》の話が伝わり、摂津豊能郡桜井谷村柴原（大阪府豊中市）から刀根山にいく途中にある馬坂という坂では、夜に通ると馬の首が転がってくるなどという。

馬の身体の部位だけの怪異は各地にあるが、なぜ馬なのかはよく分からない。

『現行全国妖怪辞典』佐藤清明 『日本妖怪変化語彙』日野巌・日野綏彦 『民間伝承』通巻53号「妖怪名彙に寄す」辰井隆

厩神〔うまやがみ〕 厩に祭祀される神。農家にとって大切な労働力である馬の健康や安全を見守る守護神として祀られた。かつては厩祭りといって、毎年、決まった期日に魔除けの祈禱をし、猿回しの芸人が家々を訪ねて、厩で芸を披露することが広く行われた。猿は馬の魔を除いてくれるということなのか、猿が馬を牽《ひき》いる絵馬を廏に掲げたり、岡山県などでは猿の頭蓋骨を廏神として祀っていた。

　猿が馬を牽《ひ》くということは、河童が馬を水中に引き込むことにも関係していると、石田英一郎は『河童駒引考』の中で述べている。

『日本民俗事典』大塚民俗学会編

海和尚〔うみおしょう〕『海島逸志』にあるもの。海坊主の一種。いつも大海にいるわけではないが、現れると颶風《ぐふう》が起きて必ず災害をもたらす。姿形は人間に似ているが、口が大きく耳元まで裂けていて、人を見て呵々《かか》と笑う。これを見る者は、海和尚が不吉であることを知っていて、現れると必ず暴風になるので恐れている、と記されている。
　また、『和漢三才図会』『斉諧俗談』には、海和尚と同じものと思われる和尚魚《おしょううお》のことが記されている。『和漢三才図会』は中国の『三才図会』を引いて、東洋の大海中に紅赤色のすっぽ

海和尚

んのような形をした和尚魚というものがいて、潮に従ってやってくるものと記し、次のように続けている。

思うに、西海の大洋の中に海坊主というものがいる。身体はすっぽんで、顔は人面、頭に毛はなく、大きいものは五尺〜六尺（約1m50㎝〜1m80㎝）である。漁師がこれを見るとよくないことが起こるといわれている。魚網も役にたたない。これを捕えて殺そうとすると、両手を組んで涙を流しながら助けを乞う。そこで、「お前の命は救けてやろう。その代わりに今後私の漁に仇《あだ》をしてはいけないよ」というと、西に向かって天を仰ぐ。これは承知しましたということである。そこで放してやるのだ。これが和尚魚である、などとある。

海和尚、和尚魚とよばれる亀形の海坊主は、おそらく海亀のことを指していると思われる。

㊜海坊主

『動物妖怪譚』日野巌『日本未確認生物事典』笹間良彦『和漢三才図会』寺島良安編・島田勇雄・竹島淳夫・樋口元巳訳注『随筆辞典 奇談異聞編』柴田宵曲編

海蜘蛛〔うみぐも〕『中陵漫録』にあるもの。筑紫（福岡県）の漁師に伝わるところでは、嵐のために南海で漂流したとき、ある小島に寄った。すると、大きな蜘蛛が海岸より現れ、白い綿のようなものを船に投げて、縄で引くより強い力で引っ張りはじめた。漁師たちは刀で切り払い、やっと脱出したという。

『随筆辞典 奇談異聞編』柴田宵曲編

海御前〔うみごぜん〕

↓海御前《あまごぜん》

海小僧〔うみこぞう〕 静岡県賀茂郡南崎村（南伊豆町）でいう妖怪。ある人が大瀬の下流のケイカイバの仏島で釣りをしていると、垂らしていた釣り糸をたぐって、目の際《きわ》まで毛をかぶった小僧が海から上がり、にっこり笑った。恐ろしくなったその人は、後でタカンバというところに地蔵尊を建てたという。

㊜河童

海座頭

『綜合日本民俗語彙』民俗学研究所編　『日本怪談集　妖怪篇』今野円輔編著

海座頭〔うみざとう〕　鳥山石燕の『画図百鬼夜行』に描かれた妖怪。琵琶と杖を持った座頭が、海上にボーッと立っている姿が描かれているが、石燕による解説はない。海坊主の類だと思われるが、海坊主の中でも座頭や坊主のような人間型のものをいうのだろうか。

(参)海坊主

『鳥山石燕　画図百鬼夜行』高田衛監修・稲田篤信・田中直日編

海鳴り小坊主〔うみなりこぼうず〕　石川県羽咋市でいう妖怪。昔、上杉謙信に追いつめられた僧兵たちが、海に飛び込んで死んでしまった。その僧兵の亡魂が、気多《けた》神社（石川県）の森を鳴らすのだといわれている。

『綜合日本民俗語彙』民俗学研究所編

海女房〔うみにょうぼう〕　島根県出雲地方の沿岸でいう妖怪。島根県平田市十六島《うっぷるい》では、牛《うし》方山姥《かたやまうば》系の昔話によくにた口碑がある。あらすじは次の通りである。

　ある漁師の家では、鯖《さば》がたくさんとれたので保存のために樽で塩漬けにしておいた。あるとき、留守番をしていた老人が、明かり取り窓に怪しい眼が光っているのに気づき、ただならぬ気配を感じて、屋根裏に隠れた。息を殺して様子をうかがっていると、赤子を抱いた化け物が入ってきた。化け物は赤子を抱いたまま桶の重《おも》石《し》を軽々と取りのけ、自分も食いながら赤子にも鯖を食わせた。

　やがて腹いっぱいになると、「じじいはどこへいった。口直しに取って食ってやろうと思ったのに」といいながら出ていったという。

『大和本草』には、海夫人、和名海女房、俗にこれを人魚というとあるが、『大和本草』の海女房は出雲の海女房とは別物であろう。

『綜合日本民俗語彙』民俗学研究所編　『日本怪談集　妖怪篇』今野円輔編著　『日本未確認生物事典』笹間良彦

海塞ぎ〔うみふさぎ〕　鹿児島県奄美大島でい

海女房

う海の怪異。山塞がりともいう。島影も見えない沖合いで船を漕いでいると、いつの間にか前方に山が現れる。慌てず目を閉じ、念仏を唱えると消えるという。

『自然と文化』一九八四秋季号「奄美大島の妖怪」恵原義盛

海坊主〔うみぼうず〕　各地の沿岸部でいわれる海の妖怪。土地ごとの民俗資料にはもちろんのこと、江戸時代を中心とした随筆にも数多く見ることができる。

　海上でそれを見ることは不吉であるとか、船を沈没させる、人を海中に引き込むなどといわれ、さらに、「柄杓《ひしゃく》を貸せ」といって現れるものなどさまざまである。

『閑窓自語』に記された海坊主は、和泉貝塚（大阪府貝塚市）の浜辺に現れ、3日ほどたつと沖に帰っていく。身体は漆《うるし》のように黒く、半身だけを海上に現すのだという。

『本朝俗諺志』には、阿波（徳島県）と土佐（高知県）の国境いの沖合に現れた海坊主の記述がある。高さは十丈（約30ｍ）で、上部は細く、下部が広く、あたかも大仏のようで、頭と思われる部分はあるが、はっきりとは分からないと記されている。

『雨窓閑話』には、落語風にオチをつけた話がある。桑名の徳蔵という有名な船乗りが、月末には船に乗ってはいけないという禁忌を破って、一人で船に乗っていると、背の高さ一丈（約3ｍ）ほどの大入道が出た。大入道は「俺の姿は恐ろしいか」と訊《き》くが、徳蔵が「世を渡ること以外に恐ろしいものはない」と答えると、姿を消してしまったという。

　近代の民俗資料にある海坊主も、江戸の随筆にみえる海坊主の特徴とさほど変わりはなく、真っ黒い入道のようなもので、目があったりなかったり、髪の毛があるとか、口を開けて笑ったとかさまざまである。『雨窓閑話』のように、月末や盆、大晦日などに海へ出ると海坊主に出会うという地方も少なくない。

　変化能力を持つ海坊主もあり、愛媛県宇和島

海坊主

市下波では、海坊主が按摩《あんま》に化けて漁師の妻を殺したとか、宮城県本吉郡の大島（気仙沼市）辺りでは、海坊主が美女に化けて競泳を挑んだという話もある。

また、愛媛県温泉郡中島町では、他の地方とは反対に、海坊主を見ると長寿になると伝わっている。

㊜船幽霊

『随筆辞典　奇談異聞編』柴田宵曲編　『現代民話考　三　偽汽車・船・自動車の笑いと怪談』松谷みよ子　『日本怪談集　妖怪篇』今野円輔編著　『海村生活の研究』柳田国男　『綜合日本民俗語彙』民俗学研究所編　『動物妖怪譚』日野巌　『日本未確認生物事典』笹間良彦　『日本民俗事典』大塚民俗学会編

温羅〔うら〕　岡山県総社市鬼城山にいたという鬼。吉備津彦《きびつひこ》に退治され、首を刎《は》ねられたが、その首は13年間も唸り声を発し続けた。

後に、吉備津《きびつ》神社の釜殿に祀られ、釜鳴りの神事によって人々に託宣を下す神となった。丑《うし》虎《とら》ミサキともいう。

『吉備津神社』藤井駿

ウヮーグヮーマジムン　沖縄県でいう妖怪。夜道などに現れる豚の化け物で、しきりに人の股を潜《くぐ》ろうとする。潜られるとマブィ（魂）を抜かれて死んでしまうという。

また、毛遊び（夜の野で、蛇皮線《じゃびせん》などを弾いて若い男女が遊ぶこと）に見知らぬ人が飛び入りしたとき、人間か豚の変化《へんげ》かを識別するため、「ウヮーンタ（豚武太）、グーグーンタ（グーグー武太）」と囃《はや》す。豚の変化ならば逃げ出すという。沖縄の豚は、女にも男にも化けるといわれている。

『郷土研究』5巻2号「琉球妖怪変化種目一」金城朝永　『日本怪談集　妖怪篇』今野円輔編著

うわん　鳥山石燕の『画図百鬼夜行』に描かれた妖怪。石燕による解説はない。同じ妖怪は『化物づくし』などの絵本にもあるが、やはり絵のみで、どのような妖怪かは不明。

山田野理夫の『東北怪談の旅』には、青森のある屋敷で「うわん」という声だけを響かせた話があるが、おそらく創作だと思われる。

また、佐藤有文の『日本妖怪図鑑』には、うわんは墓場の主で、「うわん」と呼びかけられたら、すぐに「うわん」と答えないと棺桶に引きずり込まれるなどの記述があるが、これも創作されたものであろう。

『鳥山石燕　画図百鬼夜行』高田衛監修・稲田篤信・田中直日編　『東北怪談の旅』山田野理夫　『日本妖怪図鑑』佐藤有文

雲外鏡〔うんがいきょう〕　鳥山石燕『画図百器徒然袋』に描かれた妖怪。【照魔鏡《しょうまきょう》と言へるは、もろもろの怪しき物の形をうつすよしなれば、その影のうつれるにやとおもひしに、動き出るままに、此かがみの妖怪なりと、夢の中におもひぬ】とあり、照魔鏡をモデルとして描かれたことが分かる。照魔鏡とは化け物の正体を明らかにする鏡のことである。

子供向けの妖怪本には、狸のような姿で腹の

雲外鏡

部分に何でも映せる鏡をつけた妖怪として描かれることがある。これは昭和43年（一九六八年）に公開された大映の『妖怪大戦争』という映画によるもので、まったくの創作である。『鳥山石燕　画図百鬼夜行』高田衛監修・稲田篤信・田中直日編

海牛〔うんむし〕　鹿児島県垂水《たるみず》市の湾沿いでいう妖怪。角の生えた黒い牛の姿をした化け物で、恐ろしい咆哮《ほうこう》とともに海から現れるという。盆の後の27日が現れる日と決まっており、その日は人々は海に出ないそうである。『民俗神の系譜』小野重朗

ウンメ
↓ウーメ

ウンメン
↓ウーメ

え

エーコ
↓猿猴《えんこう》

疫病神〔えきびょうがみ〕
↓疫病神《やくびょうがみ》

越中立山縄垂坊〔えっちゅうたてやまじょうすいぼう〕　富山県立山に棲むという天狗。密教系の祈禱秘経『天狗経』にある全国代表四十八天狗の一つに数えられている。
㊂天狗
『天狗考　上』知切光歳　『図集天狗列伝　西日本編』知切光歳

柄長くれ〔えながくれ〕
↓杓子《しゃくし》くれ

絵馬の精〔えまのせい〕　『御伽空穂猿』にあるもの。浅草の駒形道安という医師が、本業の片手間に絵馬の研究をしていた。あるとき出先で雨にあい、ある堂で雨をしのいでいると、一人の老人が現れて、絵馬の製作上の秘法を伝授してくれた。その老人こそ絵馬の精だったという。

これと似たような話は『伽婢子』「絵馬の妬み」にもみられる。都の七条通に奈良と京都を行き来している商人がいた。用を終えて京へ帰る途中、日が暮れてしまったので、やむをえず御香《ごこう》の宮（御香宮神社）に泊まった。

その夜、誰かの呼ぶ声で目を覚ますと、直衣《のうし》姿の男がいて、「今から貴いお方がここで遊ばれるので、脇に退いて休んでほしい」という。見れば、美しい女が侍女を連れて立っていた。すぐに酒や肴《さかな》が並び、女は東琴を鳴らし、美しい声で歌いはじめた。商人は勧められるまま酒を飲み、いい気持ちで楽しんだ。あまりの楽しさに、手持ちの白銀花形の手箱を女に渡し、侍女にはべっ甲の琴爪《ことづめ》を贈り、そっと手を握った。すると、侍女はにっこり笑って握り返してきた。それを見ていた女は怒って盃を侍女に投げつけた。商人がオロオロして立ち上がると、2人の姿は消えていた。

やがて夜も明けて、商人が辺りを見まわすと、掛け並べられた絵馬の中に夢うつつのうちに会った女と侍女、直衣の男そっくりの絵馬があった。しかも、盃を投げつけられた侍女の額には傷痕《きずあと》があったという。

『日本妖怪変化史』江馬務『怪談名作集』日本名著全集刊行会編

襟立衣〔えりたてごろも〕鳥山石燕の『画図百器徒然袋』に描かれた妖怪で、【彦山の豊前坊、白峰の相模坊、大山の伯耆坊、いづなの三郎、富士太郎、その外《ほか》木の葉天狗まで、羽団扇《はねうちわ》の風にしたがひなびくくらまの山の僧正坊のゑり立衣なるべしと、夢心におもひぬ】とある。

本来の襟立衣とは、後頭部が隠れるほど襟《えり》が突き出ている衣で、高僧が身に着けるものである。天狗の多くは山伏や僧の姿をしており、鞍馬山の僧正坊（魔王大僧正）も例外ではない。石燕はこの僧正坊が着ていたものが、襟立衣という妖怪なのだといっている。

『鳥山石燕 画図百鬼夜行』高田衛監修・稲田篤信・田中直日編

煙々羅〔えんえんら〕鳥山石燕の『今昔百鬼拾遺』に描かれた妖怪で、【しずか家のいぶせき蚊遣《かやり》の煙むすぼれて、あやしきかたちをな

煙羅《えんら》煙羅《えんら》（煙々羅）

せり。まことに羅の風にやぶれやすきがごとくなるすがたなれば、烟々羅とは名づけたらん】とある。

羅とは薄い織物のことで、煙がたなびく様を羅が風にたなびいている状態に見立てたものという。この他、煙の妖怪というのは例がなく、珍しいものといえる。

『鳥山石燕 画図百鬼夜行』高田衛監修・稲田篤信・田中直日編

エンコ

→猿猴

猿猴《えんこう》〔えんこう〕 中国、四国でいう妖怪。エンコ、エーコともいう。河童の類。とくに広島県、山口県、高知県に色濃い分布が見られる。金物や蓼《たで》、人間の唾などを嫌う、腕が伸縮する、牛馬に悪戯《いたずら》する、人を襲って尻を抜く、といった河童と同じような性質が語られ、主に河川や池などにいるものとされるが、沿岸部の村では海にいるものとしている。

文久3年（一八六三年）、土佐（高知県）幡《は》多《た》郡間崎の漁師たちが生け捕ったという猿猴は、1歳くらいの童子のようだったという。鰻《うなぎ》のようにぬめぬめした肌を持ち、顔と手の形は猿、指には長い爪があり、両足は人間に似ているが足首には爪が4つある。頭には長い毛が生え、顔の色は赤熊《しゃぐま》のようで、鯛《たい》をやると引き裂いて食ったそうである。

桂井和雄の「土佐の山村の『妖物と怪異』」には、同じ土佐での変わった事例が見える。

高知県長岡郡吉野川流域で、夜に漁《いさ》り火をつけて川底の鰻などを捕っていると、市松人形（女の子の人形）が流れてきて、これを金突きで突くとにっこり笑ったという。この突いた者は猿猴が化けたものとされる。

河童と同じように、猿猴は好んで女性を犯す。猿猴の子供は頭に皿があり、歯が1本生えて生まれてくるといい、こうした子供は焼き殺すとされている。

土佐には猿猴と同じく河童の類としてシバテンという妖怪が伝わっているが、土佐郡土佐山

エンコウ(猿猴)

村ではシバテンが旧暦6月7日の祇園の日に川に入って猿猴になるといわれており、この日には川に好物の胡瓜《きゅうり》を流すという。

また、山口県萩市大島では、タキワロウという、山に3年川に3年棲む妖怪がいて、これが海に入るとエンコになるとされている。ここではエンコはよく唄を歌うといわれる。

広島県広島市内には猿猴川という川が流れているが、ここの猿猴は老婆や若い女に化けて男を誑《たぶら》かすという。この川に河童に似た妖怪が出たことから、この妖怪を猿猴とよぶようになったという説もある。

(参)河童

『日本民俗誌大系 十』「長門六島村見聞記」桜田勝徳 『日本怪談集 妖怪篇』今野円輔編著 『土佐奇談実話集』小島徳治 『旅と伝説』通巻174号「土佐の山村の『妖物と怪異』」桂井和雄 『土佐の怪談』市原麟一郎

槐の邪神［えんじゅのじゃしん］『太平百物語』の「大森の邪神往来を悩ませし事」に記さ

れた不思議な樹木。甲州（山梨県）の身延山《みのぶ》の槐の大木に邪神が棲みつき、前を通る者にさまざまな祟りを及ぼしたといわれている。

『百物語怪談集成』太刀川清校訂・高田衛・原道生編

エンツコ

↓イジコ

お

覆い掛かり〔おいがかり〕 広島県比婆《ひば》郡でいう妖怪。歩いていると後ろから覆いかかってくるという。

『綜合日本民俗語彙』民俗学研究所編 『妖怪談義』柳田国男

オイツキ様〔おいつきさま〕

↓ヤッティ様

置いてけ堀〔おいてけぼり〕 本所七不思議の一つ。よく魚が釣れる堀があり、そこで釣りをしていると、どこからともなく「置いてけ、置いてけ」という声がする。空耳かと思い、そのまま帰ると、必ず足がすくみ、釣った魚がいつのまにかなくなってしまうという。

本所とは現在の東京都墨田区南部辺りのことで、置いてけ堀は錦糸町駅前の江東楽天地辺りだとか、横網の辺りだとかいわれているが定かではない。

同様の話が東京都では足立区、台東区に伝わっている。足立区では東武伊勢崎線堀切駅近くにかつて池があり、置いてけ堀とよばれていた。千住七不思議の一つとされ、釣った魚を3匹戻せば無事に帰ることができるが、1匹も返さないでいると、葦の草原に迷いこんで帰れなくなったり、魚籠《びく》をひっくり返されて魚をすべて取られてしまうという。

台東区では蔵前1丁目の榊神社付近に置いてけ堀とよばれる溜《た》め池があり、そこで河童の皿を釣り上げた農民に、河童が皿を返してほしくて「置いてけ」といったそうである。

また埼玉県川越では、小畔川の堀になった場所の話として、置いてけ堀伝説が伝わっている。

置行堀《おいてけぼり》（置いてけ堀）

山形県西置賜《にしおきたま》郡小国町には、瀬見付近の河原を釣り人が通ると、「置いてげ、置いてげ」とよぶ淵があったそうで、カワワラス（河童）が同族の魚を返せと叫ぶのだという。

置いてけ堀の正体は、河童、川獺《かわうそ》、狸、狢《むじな》などさまざまにいわれ、変わったところではギバチという鯰《なまず》の一種だとか、追い剝ぎだったという説もある。

『すみだむかしばなし』東京都墨田区広報室編　『両国錦糸町むかし話』岡崎柾男　『上野浅草むかし話』末武芳一　『羽前小国郷の伝承』佐藤義則編　『埼玉県の民話と伝説　川越編』新井博編著

笈の化物〔おいのばけもの〕『本朝続述異記』『絵本武者備考』にあるもの。笈とは行脚僧や山伏などが仏具や衣服などを入れる背負い箱のこと。この笈に顔と足がついた妖怪が、足利直《ただ》義《よし》の館の寝室に現れたという。

『日本妖怪変化史』江馬務

お岩〔おいわ〕四世鶴屋南北の歌舞伎台本

『東海道四谷怪談』で知られるようになった幽霊。江戸四谷左門町に実在した田宮家の岩、伊右衛門を素材に、怪談仕立てにしたもの。

『東海道四谷怪談』は、『四谷雑談集』や『模文画今怪談』などにあるお岩の怪談をモデルに、当時世間を騒がせた猟奇事件をミックスして創作したもので、実際にあった怪談ではない。実在のお岩は貞女の鑑《かがみ》とうたわれたと伝わり、現在11代に続く田宮家は、お岩とお岩が信仰していた稲荷を祭祀する田宮稲荷を今も守っている。

『四谷怪談360年目の真実』釣洋一　『東海道四谷怪談』郡司正勝校注

応声虫〔おうせいちゅう〕『斎諧俗談』『塩尻』『新著聞集』『閑田次筆』などの文献にみえる奇病。腹部にできる出来物《できもの》で、日が経つに連れてそれが顔のようになり、その口から食べ物を食べたり、罵詈《ばり》雑言《ぞうごん》を叫ぶようになる。そこで医者があらゆる薬をその口に飲ませ、嫌がって飲まない薬を選んで無理やり飲ませると、やがて怪しい虫が尻から出てきたというのが共通する内容となっている。

『閑田次筆』には次のような話がある。元文3年（一七三八年）頃、京都の四条某門（蛸薬師通）油小路東入ルに見世物業者がいて、奥丹波の農家の妻が応声虫に憑かれているという噂を耳にはさむや、ぜひとも見世物にしようと思って商談に訪れた。

確かに、その妻は応声虫に罹《かか》っているようで、腹から声を出している。農民は、「昨年、本願寺参りをしたとき、腹の声を茶店の人が聞いて大騒ぎになり、たいそう恥ずかしかった」と語り、そんな見世物に出るのは無理な話だと断った。見世物業者の思惑はみごとに外れてしまった、という話である。

もともと応声虫は中国産のもので、先述の『閑田次筆』を除けば、ほとんどが『朝野検載』『古今医統』といった中国の文献を翻訳脚色したものと思われる。

㊫人面瘡《じんめんそう》

『大語園』巌谷小波編『随筆辞典 奇談異聞編』柴田宵曲編『洛中洛外怪異ばなし』京都新聞社編

苧うに〔おうに〕 鳥山石燕『画図百鬼夜行』に描かれた妖怪。全身が毛に覆われたような老婆の姿が描かれているだけで解説はない。

苧《お》とは麻や苧の茎の皮の繊維から作った糸のことをいうが、この苧に関する伝説に山姥《やまうば》が苧を績《う》む話があり、各地に伝わっている。例えば長野県北安曇《きたあずみ》郡南小谷村千国区にはこんな話がある。ある女が夜に苧を績んでいると、山姥が訪れて一夜の宿を乞う。そして女が居眠りしながら仕事をしているのを見た山姥は、「俺が績んでやるから、2、3把《わ》寄越せ」といって、女から苧を受け取った。

すると山姥はすべて炉に焼《く》べ、「どの苧《お》桶《おけ》に績むのか」と尋《き》くので、女はいつも使っている大きな苧桶を手渡した。やがて山姥は炉の灰を舐《な》めては口から引き出して糸にして、またたく間に麻を1桶績んでしまったという。

苧うに

石燕の活躍した江戸時代でもこのような話はあったはずで、苧うにもそのような山姥のことを描いたものだと思われる。

『鳥山石燕　画図百鬼夜行』高田衛監修・稲田篤信・田中直日編『北安曇郡郷土誌稿』長野県信濃教育会北安曇部会編

逢魔時〔おうまがとき〕夕方の薄暗い時、黄昏《たそがれ》のことだが、もとは大禍時《おおまがとき》の転訛《てんか》という。つまり、夕暮れ時は魔の蠢《うごめ》く時間帯であり、禍《わざわ》いの起きやすい時間帯とされたのである。

黄昏という言葉も、誰《たれ》そ彼《かれ》時、彼《か》は誰時からきているもので、通り過ぎた人の顔が確認できぬほど薄暗い時間帯のことをいう。

鳥山石燕は『今昔画図続百鬼』で、魔が雲の形となって現れた様を描いている。

『妖怪談義』柳田国男『鳥山石燕　画図百鬼夜行』高田衛監修・稲田篤信・田中直日編

大蟹〔おおがに〕
↓蟹坊主

大禿〔おおかぶろ〕鳥山石燕の『今昔画図続百鬼』にある妖怪で、【伝へ聞、彭祖《ほうそ》は七百歳にして猶《なお》慈《じ》童《どう》と称す。是大禿にあらずや。日本にても那智高野には頭禿に歯豁なる大禿ありと云。しからば男禿ならんか】とある。

石燕は菊の絵柄の振り袖を着た禿頭《かむろあたま》の妖怪を描いているが、付された解説だけではどのようなものかは分からない。しかし石燕が描いた多くの妖怪は、今日イメージされている《昔の人たちが信じていた妖怪の図鑑》的なものではなく、社会風刺や遊びを盛り込んだ、いわば絵解き遊びである可能性が高い。

多田克己の「絵解き　画図百鬼夜行の妖怪」によれば、石燕の解説中にある彭祖とは、男女の性交による長寿法の大家で、仙人となった人物であり、慈童はその幼名だったという。

慈童には、菊の露を飲んで不老不死になったという伝説があり、そのため菊慈童ともよばれた。菊慈童が周の穆王に寵愛《ちょうあい》を受けていたということ、吉原に男色専門の茶屋があり、その対象となった少年は少女のような恰好《かっこう》をして禿頭だったこと、さらに肛門や男色を示す隠語である菊などを引っ掛けて、石燕は大禿という妖怪を創作した。従って、大禿は男色を象徴した創作妖怪であり、同時に男色の破壊僧を風刺したものだとしている。

また、水木しげる著『日本妖怪大全』などには、大かむろという妖怪があるが、これは『小夜時雨』にある「古狸人を驚す」によるもので、石燕の大禿とは別物である。

『鳥山石燕　画図百鬼夜行』高田衛監修・稲田篤信・田中直日編『怪』第4号「絵解き画図百鬼夜行の妖怪」多田克己

大蝦蟇〔おおがま〕『絵本百物語　桃山人夜話』『北越奇談』などにある蝦蟇の怪異。

『絵本百物語　桃山人夜話』には岩国（山口県岩国市）の山奥に八尺（約2m40㎝）もの大きな蝦蟇がいて、口から虹のような気を吐いては、虫や鳥、蛇までもがその口に吸い込まれたという話が絵とともに見える。

『北越奇談』にはさらに巨大な蝦蟇の話があり、村松（新潟県中蒲原郡村松町）に住む侍が、河内谷の渓流で3畳ほどの大きさの岩の上で釣りをしていたが、その岩と思ったものは、実は蝦蟇だったという。

比叡山の伝説にも、ある男が比叡山に登って岩の上で煙草《たばこ》をふかしていると、急に地震が起こり、よくよく注意して見ると、岩だと思っていたのは大蝦蟇だったという話もある。

山蛭《やまひる》、山ミミズといった山中に棲息する生物は、家の周囲や里で見るものに比べると、やたらと巨大で、蝦蟇もときおり小さな岩ほどのものを見かけることがある。

㊂蝦蟇

『竹原春泉　絵本百物語　桃山人夜話』多田克己編『北越奇談』崑崙橘茂世『日本伝説集』高木敏雄

大煙管〔おおぎせる〕徳島県三好郡三庄村大字毛田村（三加茂町）でいう化け狸。吉野川の青石瀬という難所に臨時で碇泊する舟があると、夜更《よふ》けに大きな煙管《きせる》をぬっと岸から舟に突きだし、「煙草《たばこ》をくれ」という。これに煙草を目一杯詰め込んでやれば何事もないが、もし煙草を差し出さないと、舟を沈められたり、さまざまな怪異が起こる。

しかし、その煙管が馬鹿でかく、四十匁《もんめ》の袋を10個も入れないと一杯にはならないため、地元の船頭はここでの碇泊を避けたという。

㊜狸

『阿波の狸の話』笠井新也

大首〔おおくび〕　鳥山石燕の『今昔画図続百鬼』に描かれた妖怪で、【大凡《おおよそ》物の大なるもの皆おそるべし。いはんや雨夜の星明りに鉄漿《かね》くろぐろとつけたる女の首おそろし。なんともおろかなり】とあり、お歯黒をつけた巨大な顔が描かれている。

大首という名前での妖怪出現記録は見当たらないが、石燕のいた江戸時代には、女の大きな顔だけの妖怪に出会ったという人が何人もいるらしく、随筆集や怪談集にいくつかの話をみることができる。

大首

例えば、山口県岩国の怪談を集めた『岩邑怪談録』は、「古城の化物の事」として次のような話を収めている。

上口というところのある家の下働きの女は、御城山という古城跡で毎朝ワラビを採るのを日課としていた。ある日の早朝、いつものように御城山に登ったところ、どこからともなく一丈（約3m）ばかりもの女の首が現れ、古城の台の上から女を見ながら笑いかけた。女は転がりながら帰り、以後その山には近づかなかったという。

『鳥山石燕　画図百鬼夜行』高田衛監修・稲田篤信・田中直日編　『お化け図絵』粕三平　『岩邑怪談録』広瀬喜尚

大蜘蛛〔おおぐも〕『狗張子』『諸皐記』『耳嚢』『宿直草』といった随筆、怪談集や、各地の民俗資料にみえる妖怪。大きな蜘蛛がさまざまな怪異を起こす。

『狗張子』には、覚円という山伏が京都の五条烏丸あたりの大善院に泊まったとき、天井から

大蜘蛛

毛だらけの手が延びてきたので、これを斬り落とし、翌朝見てみれば、仏壇のそばに二尺八寸（約84㎝）はあろうかという大蜘蛛が死んでいたという話がある。

『信濃奇勝録』には、大蜘蛛が信濃（長野県）のある農民の生気を吸って病気にさせる話があり、『曾呂利物語』には、大蜘蛛が60歳ばかりの老女に化けて、侍に足を斬られる話がある。

このように、齢《とし》を経た大蜘蛛は怪しい能力を持つものとされていたらしい。

㊜女郎蜘蛛

『江戸怪談集（中）』高田衛編／校注　『狗張子』釈了意著・神郡周校注　『大語園』巌谷小波編

大鯉〔おおごい〕　河川や湖沼の主とされる。

奈良県五條市では、二見御霊神社の崖下にある曲淵に大きな緋鯉《ひごい》が棲むといわれる。もしその姿を見せることがあると、この淵で死者が出るといわれ、そもそも大台ヶ原に棲んでいたものが吉野川を下ってきたものだという。

また、東京都台東区の竜宝寺は鯉寺ともよばれ、鯉塚なるものがある。嘉永6年（一八五三年）に、竜宝寺前の新堀川で四尺（約1m20㎝）ほどの鯉があげられたが、これを鯉こくにして食べた者はことごとく苦しみ、鯉を捕まえた男たちは真っ先に死んでしまった。鯉塚は祟りを恐れた者たちが築いたものという。齢《とし》を経た大きな鯉には、見るからに主《ぬし》といった風格が感じられる。

『大和の伝説』高田十郎編　『上野浅草むかし話』末武芳一

大座頭〔おおざとう〕　鳥山石燕の『今昔百鬼拾遺』に描かれた妖怪で、【大座頭はやれたる袴を穿、足に木履《ぼくり》をつけ、手に杖をつきて、風雨の夜ごとに大道を徘徊す。ある人これに問て曰《いわく》、「いづくんかゆく」答ていはく、「いつも倡家《しょうか》に三絃を弄す」と】などとある。他には資料がなく、詳しいことは分からない。

『鳥山石燕　画図百鬼夜行』高田衛監修・稲田篤信・田中直日編

大入道〔おおにゅうどう〕　全国各地でいう妖

怪で、大きさやふるまいはさまざまに伝わる。名前は大きな僧形をしたものという意味だが、大きな真っ黒い影だったり、単に巨人のことをいう場合もある。

嘉永年間（一八四八年〜一八五四年）、北海道支笏《しこつ》湖畔にある不風死岳付近のアイヌ集落に現れた大入道は、人間を見ると大きな目玉で睨《にら》みつけた。睨まれた者は気が触れたようになり、卒倒したそうである。

越中（富山県）下新川郡黒部峡谷の鐘釣温泉での大入道は、五丈〜六丈（約15m〜18m）もの大きさで、美しい七彩の後光とともに16体も現れて、湯治客を驚かせたという。

阿波国名西郡高川原村字城（徳島県名西《みょうざい》郡石井町）を流れる小川の水車には、二丈八尺（約8m50cm）あまりの大入道が現れ、その水車を踏むという。米などを置いておくと、水車を踏んで、それを搗《つ》いておいてくれるが、姿を見ようとすると脅かされてしまうという。

このように、一般に大入道には人間を驚かせたり、姿を見た者が病気になるといういい伝えが多い。正体は狐狸や石塔が化けたものとされることもあるが、多くは不明とされる。

また、人間の霊が大入道となって現れたとするケースもある。日中戦争中の昭和12年（一九三七年）には、召集令状を配りに行った人が、赤羽駅（東京都北区）近くの八幡神社踏切りで兵隊姿の大入道に襲われたという話がある。怪事の噂が広まる中、その人は4日後に遭遇現場で変死した。

大入道の正体は自殺した工兵隊新兵の霊だとか、剣を失《な》くして上官に撲殺された兵隊の霊だとかいわれ、不思議なことに大入道が現れた辺りでは、召集令状を受け取った人は誰もいなかったという。

㊫見越し入道、大坊主

『大語園』巌谷小波編　『北海道伝説集　アイヌ篇』更科源蔵　『日本伝説叢書　阿波の巻』藤沢衛彦　『日本怪談集　幽霊篇』今野円輔編著

大入道

オーバコ　山形県飽海《あくみ》郡飛島でいう海の妖怪。船幽霊の類。これに憑かれると、真っ先に柄杓《ひしゃく》をくれなどといわれる。

オーバコを追い払うには、船に刃渡り三寸～六寸（約9cm～18cm）ほどの短刀を用意し、これをふだんから船の尻に結びつけて流すと逃げていくという。

㊜船幽霊

『民間伝承』通巻152号「羽後飛島に於ける信仰的習俗に就いて」萱原兵明

大原住吉剣坊〔おおはらすみよしつるぎぼう〕鳥取県の伯耆《ほうき》大山《だいせん》剣ヶ峯に棲むという天狗。剣工の守護として信仰されていたという。密教系の祈禱秘経『天狗経』にある全国代表四十八天狗の一つに数えられている。

㊜天狗

『天狗考　上』知切光歳　『図集天狗列伝　西日本編』知切光歳

大人〔おおひと〕　各地の山間部でいう妖怪。山男。青森県の岩木山赤倉岳には古くから鬼が棲むといわれ、ときおり里に下りてきたという。その背丈は相撲取りよりも高く、一目見ただけで病気になるといわれた。

一方で、大人《おおひと》に酒や肴《さかな》を与えれば里人の農耕の手伝いをしたり、山仕事の手助けをしてくれたりもした。岩木山麓の鬼神社は、農耕を手伝ってくれた鬼を祀ったものだという。この鬼を大人《おおひと》ともよんだのである。

また、島根県邑智《おおち》郡井原村（石見町）の大人《おおひと》は、矢上の原山から井原まで飛んできたことがあり、そのとき日向の地に足跡を残し、一里半離れた断魚渓に手跡を残したという。

『綜合日本民俗語彙』民俗学研究所編　『旅と伝説』通巻12号「郷土の伝説より」久長興仁

大坊主［おおぼうず］各地の民俗資料や古い文献などに見える、大きな坊主姿をした妖怪で、大入道と同じ意味で使われる。

『新著聞集』には薩州（鹿児島県）の竹内市助という者が出会った大坊主の話がある。

江戸参勤交代の送別の酒宴が終わり、市助が

大坊主

ぼんやりと座敷に座っていると、半分ほど開いた座敷の戸から三尺（約90cm）ほどの顔をした大坊主がぬっと現れた。箕《み》のような大きな手で肩をつかんでくるので、市助は刀を抜いてずたずたに斬ったが、まるで手ごたえがなく、綿を切るような心地がした。大声で「怪物を仕留めた」と叫ぶと、大坊主はたちまち姿を消して見えなくなったという。

静岡県榛原《はいばら》郡上川根村（本川根町）には、ある人がこじりくぼ（墓地近くの昼なお暗い杉林）を通りかかると、見上げるような大坊主が背中に負《お》ぶさってきたという話がある。とても重く、ようやく近くの大日様のところまできて、大日様に一生懸命お願いすると、大坊主が取れたという。

また、大坊主が相撲を挑んでくる話が長野県にある。長野県上田から長太郎という者が別所に木挽《こび》きにきていたところ、仕事小屋に毎夜、大坊主が現れて、「相撲をとろう」とせがむ。長太郎が相撲をとるふりをして、大坊主の腰に大鉞《おおまさかり》を打ちつけると、さしもの大坊主も逃げていった。翌日、話を聞いた木挽きたちが血の跡をたどってみると、大明神岳の頂《いただき》の石宝倉につながっていたという。

㊫大入道

『静岡県伝説昔話集』静岡県女子師範学校郷土研究会編　『大語園』巌谷小波編　『小県郡民譚集』小山真夫

オオマガドキ

↓逢魔時《おうまがとき》

大百足〔おおむかで〕　各地の伝説で語られる巨大百足。有名なものとしては近江国（滋賀県）三上山《みかみやま》に巣食っていた大百足がある。

大蛇が横臥《おうが》するので誰も通れなかった瀬田の唐橋を、大胆にも俵（藤原）藤太秀郷《とうたひでさと》は大蛇をまたいで通った。その豪胆さと勇気が大蛇に認められ、俵藤太は三上山に巣食う大百足退治を依頼される。大蛇は琵琶湖の湖中にある竜宮の王であり、大百足の襲撃に困って、助太刀《すけだち》に強い人間を探していたのである。俵藤太は琵琶湖

赤城山の百足神（大百足）

中の竜宮で大百足を迎え撃ち、唾《つば》をつけた矢で射殺した。

これがだいたいの内容である。このような百足と蛇との因縁の対決は、『今昔物語集』にも見ることができる。

加賀国（石川県）の漁師7人が嵐に遭って、ある島に着いた。上品な若者が迎えにきて、「向こうの島の主《ぬし》がこの島を征服しようとしているのだが、勝ち目がないので助けてもらいたくて、嵐を起こしてお連れした」という。

漁師たちが承諾したその夜、向こうからは大きな百足が、こちらの島からは大蛇が海へと出てきて戦いはじめた。しかし、たくさんの手がある分、百足のほうが有利だった。そこで漁師たちが弓と刀とで助太刀し、ついに百足を倒した。やがて傷ついた若者が現れ、助力の礼をいい、漁師たちにこの島で暮らすよう頼んだ。そこで7人の漁師たちは、故郷《くに》の妻子を連れてきてこの島で暮らしたという。

群馬県の赤城山と栃木県の日光の神が戦った

伝説でも、赤城は百足、日光は蛇の姿をした神とされ、日光の蛇神は弓の名手の助太刀を得て、百足神を追い払う話になっている。日光の景勝地・戦場ヶ原は、この神々が戦った場所なのだという。

このように蛇と百足は対立する関係にあるようで、説話のほとんどは百足のほうが優位にあるようである。蛇が百足に弱いということは、もともと中国でいわれていたことらしく、『五雑組』という明《みん》時代の古書には、百足が一尺（約30cm）にもなるとよく空を飛び、龍はこれを恐れて雷で打ち落とす、などとある。同じ長《なが》虫《むし》の類でも、百足は足が多く、その点で蛇は不利だと想像されたのであろうか。

『和漢三才図会』寺島良安編・島田勇雄・竹島淳夫・樋口元巳訳注『妖異博物館』柴田宵曲著『日本未確認生物事典』笹間良彦『ふるさとの伝説 二 英雄・豪傑』伊藤清司監修・遠藤庄治編

御釜踊り〔おかまおどり〕明治維新以前に、各地の子供が行った占い遊戯の一種。4人～5人の子供が手をつないで輪をつくり、その真ん中に1人の子供が入る。まわりの者が手を振って踊りながら、「青山葉山羽黒の権現ならびに豊川大明神あとさきいわずに中は窪んだ御釜の神様」と唱えると、真ん中の子供は自分の意思とは無関係に、一緒になって躍り上がる。この状態になるのは、ある怪物が子供に憑依するからだといわれていた。

『妖怪学』井上円了『井上円了妖怪学講義』平野威馬雄編著

於菊虫〔おきくむし〕お菊という娘の怨念が虫と化したもの。最もよく知られているのは怪談『播州皿屋敷』でお菊が投げ込まれたという井戸から発生した於菊虫である。

寛政7年（一七九五年）、姫路城二ノ丸にあるお菊井戸の周辺から、女が後ろ手に縛られて、吊り下げられたような形をした虫が大量発生した。城下の人々は於菊虫とよび、お菊の怨霊が年忌ごとに現れるのだと恐れたという。

皿屋敷の怪談は全国に分布するが、それら怪談に附随するものとして於菊虫が発生したケースは、姫路城、尼崎、大阪府岸和田、滋賀県彦根市馬場町に見られる。

これ以外にも、お菊という女性にまつわる虫の伝説があり、例えば奈良県では、蛍のような虫を於菊虫とする話がある。

昔、大和国北葛城郡磐城村竹ノ内（当麻町竹内）の貧しい櫛屋《くしや》にお菊という娘がいた。お菊はあるとき米を盗もうと郷倉《ごうぐら》に忍び入ったが、村人に見つかって、近くの榧《かや》の木の中に逃げたところで突き殺された。以来、毎年春先になると、殺された場所から川下にかけて蛍のように光を放つ虫が現れるようになった。その虫は於菊虫とよばれ、櫛のような形なので櫛屋の妄念だといわれたという。

奈良県以外でいう於菊虫の正体は、ジャコウアゲハのサナギのことだといわれている。細い糸で胸の辺りを枝に縛りつけているような形で、今野円輔編著『日本怪談集　妖怪篇』によれば、【姫路では昭和の初めころまで一匹十五銭くらいの土産物として売っていた】そうである。土産物として売られては、於菊虫もたまったものではなかったろう。

㊫皿数え、皿屋敷

『耳嚢』根岸鎮衛・長谷川強校注　『日本怪談集　幽霊篇』今野円輔編著　『大和の伝説』高田十郎編　『動物たちの霊力』中村禎里

オキナ　鯨を呑み込んでしまう北海道の巨大魚。春夏は南へ行き、秋から北海に戻るといわれ、漁師がときおりこれを見たという。

海が荒れて空は雷のように轟《とどろ》き、鯨が東西に逃げるときは必ずオキナが現れるという。その姿は3つの大きな島のようで、全体を見た者はいないという。『夷諺俗話』『松前志』『唐太話』といった江戸時代の文献には、アイヌの人々はオキナのことを、アドイコロカムイ、アドシカスマカムイ、チカイタチベ、ヤツインゲとよぶこともあると記されている。

『新北海道伝説考』脇哲

於菊虫

オギャア泣キ〔おぎゃあなき〕
↓ゴギャ泣キ

沖幽霊〔おきゆうれい〕
↓船幽霊

オグメ　長崎県諫早《いさはや》辺りでいう怪火。3度手を叩くと、山の峰より飛んでくるという。
　九州でいうウグメ、ウーメなどの妖怪名は、本来は産女《うぶめ》のことである。壱岐では難産で死んだ女の霊が火の玉となって現れるなどと産女の性質が残されているものの、他の地域では船幽霊や海の怪火といった海の怪異をもウブメとよんでいる。
㊫産女
『日本妖怪変化語彙』日野巌・日野綏彦

オクラボッコ
↓蔵ボッコ

送り鼬〔おくりいたち〕　静岡県伊豆半島北部、埼玉県戸田市でいう妖怪。伊豆北部では夜道を行く者の後をついてくるが、草履《ぞうり》を投げつけるとついてこなくなるという。

戸田市では、竹藪の脇などを通ったとき、ガサガサと音をたて、人が立ち止まると音は止む。歩きはじめると、またガサガサと音をたてる。これに出会うと身体がゾーッとしてくるという。気が弱い人なら引っ張り込もうとしてついてくるものだといわれている。

㊜送り犬、送り狼

『郷土研究』2号7巻「伊豆の送り鼬」三田久太郎　『妖怪談義』柳田国男　『新曾上戸田の民俗』戸田市史編纂室編

送り犬〔おくりいぬ〕　長野県、兵庫県加東郡の山間部でいう妖怪。狼、山犬ともいう。

『小県郡民譚集』には、次のような話がある。塩田（長野県上田市）に嫁にきた女が、出産で里方に帰る途中、山中で急に産気づき、赤ん坊を一人で産みおとした。

やがて夜になり、産婦のまわりに送り犬が何匹も集まってきた。「おれを食うなら食ってしまってくれろ」と女はいって恐れていたが、送り犬は襲おうとはせず、むしろ狼から守ってくれているように思えた。そのうち、送り犬のうち2匹が、女の亭主の住む家までやってきて、亭主の着物をくわえて、女のところまで引っ張ってきた。おかげで、女と赤ん坊は亭主に発見され、家に戻った亭主は送り犬に赤飯をこしらえて振る舞ったという。

ここでいう送り犬は狼の仲間ではあるが、残忍性のないものだという。

長野県南佐久郡小海町では、山犬には送り犬と迎え犬の2種類がおり、送り犬は悪さをせず、人を守ってくれるものといい、迎え犬は高いところで待っていて襲ってくるものだという。長野県伊那郡での迎え犬も、深夜の山中で人を待ち伏せ、通り過ぎたところを頭上を飛び越えていくものといっている。

『妖怪談義』や『綜合日本民俗語彙』によれば、送り犬は送り狼と同じものだという。送り狼とは、山道などで人が転ぶのを待ちながらあとをつけてくるもので、転べばその人を飛び越えて嚙みついてくるが、そのとき、さも何事もなかったかのように煙草《たばこ》をふかすか、何か声をかければ襲わないといわれる。
　家まで無事に帰ることができたときには、「御苦労さん」などと声をかけ、好物である塩や小豆飯《あずきめし》、草鞋《わらじ》（草鞋に染みついた人間の塩分を好んだものか）を供える、などということが各地でいわれている。
㊂送り狼
『妖怪談義』柳田国男　『綜合日本民俗語彙』民俗学研究所編　『佐久口碑伝説集　北佐久編』佐久教育会歴史委員会編　『小県郡民譚集』小山真夫

送り狼〔おくりおおかみ〕　神奈川県、岐阜県、長野県、静岡県、和歌山県、京都府、奈良県、兵庫県、高知県、他の山間部などでいう妖怪。『本朝食鑑』には、人が善をもって狼に接すれば狼も善でこたえるものだとして、次のように記されている。
　山野の寂しい夜道を歩いていると、後ろを列をなしてついてくることがある。俗にこれを送

送り犬

り狼といい、手向かおうとせずに助命を請えば、狼は首を低くして伏せ、逆に山猫や狐、狸の害から守ってくれる、などとある。

『和漢三才図会』にも送り狼の記述がある。狼は火縄の匂いを嗅げば遠くに逃げていく。夜間、歩いている人がいれば、その頭上を何回も飛び越すが、もしこれを恐れて転倒するとたちまち食いつく。狼を恐れず、手向かわなければ害はない。ゆえに、山野を行く人は常に火縄を持っている、などと記されている。

送り狼は人の後ろをついて群狼や魔物から守護してくれるものと、人が倒れると襲いかかって食うものの2種類いるとか、道で倒れなければ家まで送ってくれるが、転んだりすると襲って食らう、とかいう。もし倒れても、慌《あわ》てずに煙草《たばこ》をふかすとか、何か声をかけると襲われないといわれ、無事に家まで送ってもらえたら、好物の塩や小豆飯《あずきめし》、草鞋《わらじ》の片方だけを与えると、満足して帰って行くという。

高知県には、ある人が大田口から高知までの峠越えをしているときに狼に出会い、狼が伏せろというような仕草をするのでそれに従うと、山道を山賊のような群れが通り過ぎ、無事に麓《ふもと》の村近くまで送ってもらえたという話がある。このときは携えていた弁当を食べさせて礼をいったそうである。

夜間の峠道などを行く旅人たちが恐れた妖怪ではあるが、その対処方法さえ知っていれば、逆に山の魔物や変化《へんげ》から守ってくれる守護神のような存在でもあった。送り狼が人間を守護するという性格は、山犬（狼）信仰に関係するものと考えられる。

例えば埼玉県の三峰神社では、山犬（狼）は大口真神とよばれ、現在でも神使として厚く信仰されている。

㊜送り犬

『妖怪談義』柳田国男『綜合日本民俗語彙』民俗学研究所編『現代民話考　十　狼・山犬・猫』松谷みよ子『和漢三才図会』寺島良安編・島田勇雄・竹島淳夫・樋口元巳訳注『日本俗

信辞典』鈴木棠三

送り雀〔おくりすずめ〕 和歌山県、奈良県吉野郡東吉野村などでいう怪異。夜の山道を行くとき、チチチチと鳴いて前後を飛びまわる鳥だという。

和歌山県では、送り雀が鳴くと、狼や送り狼がついているといわれ、転ぶとすぐ襲われるので、転ばぬように注意して歩いたという。

㊂送り狼、袂雀《たもとすずめ》、夜雀《よすずめ》

『妖怪談義』柳田国男 『紀州有田民俗誌』笠松彬雄 『綜合日本民俗語彙』民俗学研究所編

送り提灯〔おくりちょうちん〕 本所七不思議の一つ。提灯を持たない人の前に灯《あかり》だけが現れ、ついたり消えたりを繰り返しながら、どこまで追っても追いつかないという怪火。一つ提灯ともよばれる。

『両国・錦糸町むかし話』岡崎柾男

送り拍子木〔おくりひょうしぎ〕 本所七不思議の一つ。「火の用心」の声を上げながら江戸の本所割下水辺りを行く夜回りが体験した怪で、

送り提灯

拍子木を打ち終わった後に、どこからか別の拍子木が聞こえてくるというもの。
『すみだむかしばなし』東京都墨田区広報室編

オケツ　岡山県でいう妖怪。鬼子ともいう。お産のときに注意しないと、オケツというものが生まれるといわれ、形は亀に似て、背に蓑毛があり、胎内から出ると、すぐ縁の下に駆け込もうとする。早く殺してしまえばよいが、殺し損ねて産褥《さんじょく》の真下にくると、産婦は死んでしまうといわれている。
(参)血塊《けっかい》
『綜合日本民俗語彙』民俗学研究所編

オケン
→キムナイヌ

オゴメ　東京都三宅島でいう妖怪。山の怪で、姿は見えないが、樹木上で赤ん坊のような声を出して泣き、また、オゴメ笑いと称する奇妙な高笑いをするそうである。
　大間知篤三の『神津の花正月』によれば、オゴメは三宅島山中で笑い声をたてる怪鳥だと記

オケツ

している。
ウブメの類は下半身を血に染めて川辺などに現れる産女《うぶめ》系と、中国伝来の姑獲鳥《うぶめ》という鳥系のものに大別できるが、オゴメは後者に属するものだろうか。姑獲鳥は夜間飛行して幼児を害する魔女とされ、幼児のような声で鳴くという。
㊫産女
『綜合日本民俗語彙』民俗学研究所編

長壁〔おさかべ〕兵庫県姫路市の姫路城天守閣にいるとされる妖怪。『甲子夜話』『耳嚢』『老媼茶話』『諸国百物語』などの江戸期の随筆、怪談集にみられ、名称表記は長壁姫、刑部姫、小刑部姫などがある。鳥山石燕も『今昔画図続百鬼』でその姿を描いている。

『甲子夜話』によれば、天守櫓《てんしゅやぐら》の上層に久しく棲むもので、そこに人が入ることを嫌い、年に一度だけ城主に対面するという。その姿は老婆のようで、城内では長壁とはよばずに八天堂《はってんどう》とよぶ、などとある。

『老媼茶話』では、森田図書《もりたずしょ》という小姓が、天守閣の7階まで登れるかという賭けをしたとき、この長壁姫と遭遇している。

そのときの長壁姫は、緋《ひ》の袴に十二単《じゅうにひとえ》の神々しいほどの気高さを感じさせる女性で、書物を読みふけっていた。そして「お前は何をしにやってきたのか」というので、図書は正直に「肝試しにきました」というと、肝試しの証拠として兜の錣《しころ》をくれたという。

さらに井原西鶴の『西鶴諸国ばなし』では、身体は人間のようで、800匹の眷属《けんぞく》を使い、世間の眉毛《びもう》を思うままに読み解いて、人をなぶることも自由自在だと、妖怪っぽさを強調した説明をしている。

長壁姫の正体については、天武天皇の息子である刑部親王の娘として生まれた富姫（小刑部姫）、伏見天皇の寵愛《ちょうあい》を受けた小刑部という女房の霊などと諸説あるが、一般的には老狐とされているようである。おもしろい説としては、姫路から備前にかけて蛇のことをサカフとよび、オサカベとは蛇神のことではないかという説が

長壁

『綜合日本民俗語彙』にある。

『日本伝説叢書 播磨の巻』藤沢衛彦 『民俗怪異篇』礒清 『随筆辞典 奇談異聞編』柴田宵曲編 『日本未確認生物事典』笹間良彦 『江戸文学俗信辞典』石川一郎編 『綜合日本民俗語彙』民俗学研究所編 『鳥山石燕 画図百鬼夜行』高田衛監修・稲田篤信・田中直日編

オサキ 埼玉県、東京都奥多摩、群馬県、栃木県、茨城県、新潟県、長野県などでいう憑き物。漢字ではお先、尾裂きなどと表記され、オーサキ、オサキ狐ともいう。

憑かれた者は、発熱、異常な興奮状態、精神の異常、大食、おかしな行動をとるといった、いわゆる狐憑きと同じような状態になる。

また、個人ではなく家に憑く場合もあり、この場合はオサキ持ち、オサキ屋、オサキ使いなどとよばれる。オサキが憑いた家は次第に裕福になるが、その反面、周囲の家には迷惑がかかるという。オサキ持ちの者が他家の物を欲しがったり、憎悪の念を抱いたりすると、オサキがそれを感じ取って物を奪ってきたり、憎く思っていた相手を病気にしたりすると信じられていたからである。

　オサキの家から嫁をもらうと、迎え入れた家もオサキ持ちになるというので、婚姻関係ではしばしば社会的緊張を生んだ。

　個人に憑いたオサキは、祈禱師《きとうし》などの術によって落とすことができるが、家に憑いたオサキは離すことができないとされる。

　オサキの正体については、鼬《いたち》と鼠、梟《ふくろう》と鼠の雑種、二十日鼠《はつかねずみ》よりやや大きい小動物、オコジョのことだとかいわれ、色は斑《まだら》色、橙《だいだい》色、茶と灰の混合色とさまざまで、頭から尾まで一直線に黒い線があるとか、尾が裂けている、人間に似た耳で、鼻の先だけが白い、四角い口をしている、ふだんは目に見えないなど、土地や文献で違った特徴が語られている。

　文献上では江戸時代中期頃から見えはじめ、『梅翁随筆』『曲亭雑記』『兎園小説』『善庵随筆』といった随筆類にその記述がある。

　江戸にオサキがいないのは戸田川（荒川）を渡れないからだとか、関東八州の狐の親分である王子稲荷があるから入ってこられない、那須の原に散った九尾の狐の尾が落ちた場所からオサキが発生した等、江戸の文人たちはオサキをいろいろと詮索していたようである。

㊜狐
『民間信仰辞典』桜井徳太郎編『日本の憑きもの』石塚尊俊『日本の憑きもの』吉田禎吾『日本民俗文化資料集成　七　憑きもの』谷川健一編『随筆辞典　奇談異聞編』柴田宵曲編

長冠〔おさこうぶり〕　鳥山石燕の『画図百器徒然袋』に載る妖怪で、【東都の城門にかけて世をのがれし賢人の冠にはあらで、このてがしはのふたおもてありし佞人《ねいじん》のおもかげならんかしと、夢ごころにおもひぬ】とある。
　石燕の『画図百器徒然袋』の妖怪のほとんどは、兼好法師の『徒然草』や多くの漢籍などからヒントを得て創作したもので、この長冠も例外ではない。

『鳥山石燕 画図百鬼夜行』高田衛監修・稲田篤信・田中直日編

おさん狐〔おさんきつね〕主に西日本でいう化け狐。とくに中国地方に多く伝わり、美しい女に化けて男を誑《たぶら》かす。

鳥取県では、八上郡小河内（八頭《やず》郡河原町）から神馬に行く途中にガラガラという場所があり、そこにおさん狐が棲んでいたという。

与惣平という農民が美女に化けたおさん狐を火で炙《あぶ》って正体を暴き、二度と悪さをせずにここから去ることを条件に逃がしてやった。

数年後、小河内の者がお伊勢参りをしたとき、伊賀山中で出会った一人の娘が、「与惣平はまだ生きているか」と尋ねるので、生きていると答えたところ、その娘は「やれ、恐ろしや」といって逃げていったという。

広島市中区江波のおさん狐は、皿山公園のあたりに棲んでいて、海路で京詣りをしたり、伏見に位《くらい》をもらいに行ったりと、風格のある狐だったという。おさん狐の子孫といわれる狐が、終戦頃まで町の人たちから食べ物をもらっていたそうで、現在は江波東2丁目の丸子山不動院で小さな祠《ほこら》に祀られている。

大阪府北河内郡門真村（門真市）では、お三狐として、野川の石橋の下に棲んでいるものとしている。「お三門真の昼狐《ひるぎつね》」ともよばれることがある。昼狐とは昼間に化ける狐で、執念深く、人を騙《だま》すものだという。

㊂狐

『憑物』喜田貞吉編 『広島の伝説』若林慧・村岡浅夫 『因伯伝説集』荻原直正

オシッコ様〔おしっこさま〕青森県北津軽郡金木町でいう妖怪、あるいは水神。詳細は水虎を参照のこと。

㊂水虎

『河童の世界』石川純一郎 『河童』大島建彦編 「水虎信仰」河上一雄

和尚魚〔おしょうお〕

↓海和尚

オシラ様〔おしらさま〕オシラ仏、オシンメ様、オコナイ様、カバカワ様などともよばれる。主に東北地方に見られる信仰で、家の守護神、養蚕の神、農業の神として屋内に祀られる。ご神体は馬と人間の顔を象《かたど》った2本の棒状のものが多い。

オシラ様は年に数回、巫女《みこ》によって祭りが行われる。普通は巫女が家々をまわって祭事をするが、青森県弘前市にある久渡寺のオシラ講では、参拝者が自宅や地域のオシラ様を持ち寄り、巫女に祭りをしてもらう。毎年久渡寺にお参りすることで、オシラ様の位《くらい》が上がると信じられている。

オシラ様は祟りやすい神様とされていたようで、柳田国男の『遠野物語』には、オシラ様の不思議な話がいくつも記されている。

『遠野物語』柳田国男　『日本の神様読み解き事典』川口謙二編著

白粉婆〔おしろいばばあ〕　奈良県吉野郡十津川流域、石川県能登半島でいう妖怪。十津川の流域では白粉婆さんといい、鏡をじゃらじゃら

オシラ様

と引きずってくる老婆だという。『図説日本民俗学全集』によれば、能登の白粉婆は大きな笠をかぶって、雪の夜に酒を買いにいく妖怪で、雪女に近いものだという。

また、民間に伝わるものかどうかは分からないが、鳥山石燕は『今昔百鬼拾遺』に白粉婆の姿を描いており、【紅おしろいの神を脂粉仙女と云。おしろいばばは此神の待女なるべし。おそろしきもの、しはす（師走）の月夜女のけはい（化粧）とむかしよりいへり】と解説している。

山中の妖怪である山姥《やまうば》や山女の類には、酒を買いに麓《ふもと》に現れたり、旅人に白粉をねだったりする話がある。白粉婆が白粉をねだった記述はどこにも見当たらないが、山姥や山女と少なからず関係しているように思える。

『図説日本民俗学全集』藤沢衛彦　『綜合日本民俗語彙』民俗学研究所編　『鳥山石燕　画図百鬼夜行』高田衛監修・稲田篤信・田中直日編

恐山の幽霊〔おそれざんのゆうれい〕　青森県むつ市にある恐山菩提寺での怪異。

恐山の霊（恐山の幽霊）

恐山は貞観4年（八六二年）、天台宗の僧である慈覚大師円仁《えんにん》が開いたという霊場で、この地方の人たちは「死んだらお山へ行く」といって、霊の集まる山と信じていた。そのため、恐山には幽霊の話が数多く伝わっている。

例えば、境内には温泉が湧いているが、温泉小屋にはこんな話がある。

温泉に浸《つ》かりながら、死んでしまった愛しい人を思い出していると、窓の外をその人が通り過ぎることがある。すぐにでも飛び出して声をかけたくなるが、そういうときはけっして声をかけてはならない。もしその禁を破れば、きっと恐ろしい目にあうという。

ある男が死んだ妻のことを思い出していると、窓の外をその妻が歩いて行くのが見えた。男は湯から飛び出て、窓から声をかけた。すると、妻は後ずさりしながら近寄って、すぐ手前まできたとき、キッと振り向いた。

その顔は生前のものではなく、化け物のような恐ろしい顔をしていた。男は驚いて目を閉じ、しばらくしてから目を開けたが、もうそこには誰もいなかった。

このことがあってから男は、あの凄《すさ》まじい妻の顔が目に焼きついて何も手につかなくなり、ついには死んでしまったという。

『青森県の怪談』北彰介

おっかむろ

↓大禿《おおかぶろ》

オッケオヤシ

↓オッケルイペ

オッケルイペ　オッケオヤシともよばれる樺太《からふと》アイヌに伝わる妖怪。オッケ（屁をする）・ルイ（猛烈すぎる）・ペ（者）、オッケ（屁をする）・オヤシ（お化け）という意味。

囲炉裏端《いろりばた》で屁のような音と匂いを漂わせるといわれ、あっちでポア、こっちでポアと、きりがなく、臭くてたまらないという。

これを除けるには、こちらも屁をするか、「ポア」と、屁の口真似をすると、恐れ入って退散するそうである。

『えぞおばけ列伝』を著した知里真志保によれば、オッケオヤシは樺太アイヌの説話などによく登場するそうで、同書には放屁で船を破壊するオッケオヤシの昔話が収められている。そこでのオッケオヤシは若い男の姿で、黒狐がその正体とされている。

『えぞおばけ列伝』知里真志保編訳

オッパショ石〔おっぱしょいし〕 徳島市城南町2丁目と西二軒屋町2丁目の境の無縁墓地にある怪石。名のある力士の供養塔で、夜、この石の前を通る者に「オッパショ、オッパショ（背負ってくれ）」と声をかけたという。

ある力士がこれを背負ったが、あまりに重くて落としてしまった。以来、2つに割れたままに置かれて、石もオッパショとはいわなくなったという。現在はセメントで繋《つな》がれて、路傍を見下ろす場所に置かれている。

また、阿南市柳島大出には、おっぱしょうの地蔵さんという伝説がある。ある者が夜遊びに行った帰りに柳島大出を通ると、地蔵が「おっ

オッパショ石

ぱしょ」とよぶ。背負ってやるとあまりにも重たいので、カギガネドウの石橋から新用水に投げ込んだという。これなどもおっぱしょ石といえるだろう。

『日本伝説叢書 阿波の巻』藤沢衛彦 『妖怪談義』柳田国男 『日本昔話通観 21 徳島・香川』稲田浩二・小沢俊夫編

音坊鯰〔おとぼうなまず〕 長野県上伊那郡中箕輪町木ノ下（箕輪町）から南箕輪村の久保へいく途中にあった音坊池の主《ぬし》。

この池から鯰《なまず》を捕って持ち帰ろうとすると、主である大鯰が「おとぼうさらばよさらばよ」と声をあげた。以来、この池は音坊池とよばれるようになったという。

『綜合日本民俗語彙』民俗学研究所編

おとら狐〔おとらぎつね〕 愛知県南設楽《みなみしたら》郡八名郡でいう、人に憑く狐。

まれに健康な人に憑くこともあるが、憑くのは主に病人であるという。憑かれた者は左の目から目やにを出し、左足の痛みを訴えるそうだが、これはおとら狐が片目片足だということに起因するらしい。

おとら狐は憑いた者の口を借りて長篠合戦の物語をよく語り、自分の身の上話をする。

それによれば、もともとおとら狐は長篠城の鎮守森《ちんじゅのもり》の稲荷だったが、長篠合戦の見物をしていたときに流れ弾で左目が傷つき、その後、信州（長野県）犀《さい》川の岸で昼寝をしているときに左足を狩人に狙撃された。そのため片目片足になってしまったのだという。

おとら狐に憑かれた者は、通常ならば行者に頼んで憑きもの落としをしてもらうが、それでもどうしても離れないときは、遠州磐田郡水窪町（静岡県水窪町）にある山住神社より山住さん（お犬）を迎えれば、必ず離れるものだと伝えられている。

『おとら狐の話』柳田国男・早川孝太郎 『日本伝奇伝説大事典』乾克己・小池正胤・志村有広・高橋貢・鳥越文蔵編

おとろし 鳥山石燕の『画図百鬼夜行』に描か

おとろし

れた妖怪だが、解説は一切ない。その毛むくじゃらの姿は、作者不詳の『化物づくし』にも描かれており、こちらは「おどろおどろ」という名になっている。

どのようなふるまいをする妖怪かは不明だが、その名前はおどろおどろしい（気味が悪い、恐ろしい）、おどろ（草木が乱れ繁ること）、おどろ髪（乱れた髪の毛のこと）などの意味が込められていることは確かであろう。

山田野理夫の『東北怪談の旅』には、福島で不信心な者が寺の山門を潜《くぐ》ろうとしたら、いきなり太い腕でつかみ上げられたという、おとろしの話を載せているが、これは創作されたものと思われる。

また、不信心な者が神社の鳥居を潜ろうとしたり、神社に悪戯《いたずら》をしたとき、突然上から落ちてくる妖怪、という説明も児童書を中心に見られるが、これは絵からの想像に過ぎないようである。

『鳥山石燕 画図百鬼夜行』高田衛監修・稲田

篤信・田中直日編『東北怪談の旅』山田野理夫

鬼〔おに〕 古今を通じてよく知られる鬼だが、昔話の鬼、伝説の鬼、信仰の鬼、地獄の鬼、物語の鬼、舞台の鬼などと、一言では説明できない複雑な性質を持っている。

江戸時代ではすでに現在と同じような姿、つまり頭に牛の角をいただき、腰に虎の皮をまとった鬼（牛の角と虎皮の腰巻きは、鬼は丑寅《うしとら》の方角より侵入するということによる）が想像されており、実体のある化け物と考えられたが、時代を遡《さかのぼ》っていくと、鬼という言葉はもっと広い意味を持っていたのである。

極端に醜い者や辺境の蛮人、異邦人、強盗集団や体制離脱集団、形がなく、恐ろしく感覚的な力や気配、神話世界の神々と並ぶ力をもつ邪神なども鬼とよばれた。

日本初の漢和辞書『倭名類聚鈔』によると、平安時代の頃は鬼をオニともモノともよんでいたようで、オニは実体の感じられる霊的な存在、

鬼

モノは実体を伴わない感覚的な霊的存在のことをいっていた。オニはもともと隠《おん》が訛《なま》って伝わったものといわれ、人前に姿を見せない超自然的な存在とされてきたのである。

中国では鬼をキとよぶ。人には魂魄《こんぱく》があり、死後それが2つに分かれ、魂は天上へ、魄《はく》は鬼となって地に帰るとされた。「鬼は帰すなり」の言葉はこれを端的に表している。

ところが、自殺したり、この世に未練を残したまま死んだりすると、魄は幽霊となって姿を見せるといわれ、そのときは普通の人間のように振る舞うことができるという。中国ではこのような幽霊を鬼《き》とよんでいた。

日本の鬼は中国で使われていた鬼という字を使い、その意味は仏教思想の中に現れる悪神（羅刹《らせつ》、夜叉《やしゃ》など）や、中国で信じられた霊的存在、日本古来の邪神、悪霊、山中の異人などが複雑に関係しあったものといえよう。

『鬼の研究』知切光歳　『民間信仰辞典』桜井徳太郎編　『幻想世界の住人たち　日本編』多田克己　『江戸文学俗信辞典』石川一郎編　『日本昔話と古代医術』槙佐知子　『鬼趣談義』澤田瑞穂

鬼熊〔おにくま〕『絵本百物語　桃山人夜話』にあるもの。木曾（長野県）では齢《とし》を経た熊を鬼熊とよび、夜更《よふ》けてから村の牛馬などを襲って食ってしまうという。鬼熊は猿ぐらいなら手で押しただけで殺してしまい、人が何十人かかっても動かない巨石をいとも簡単に谷底へ落とす。あるとき狩人が鬼熊を捕らえたことがあり、その皮を広げてみると、畳6畳以上もあった、などと記されている。

齢を経た熊がこの妖怪になるというのだが、昔の人たちは猿や犬、猫、狐などの動物も、長生きすると怪しい能力を持つと信じていた。東北ではこのような妖怪を経立《ふったち》とよび、猿の経立、犬の経立などといって恐れたという。

㊫経立

『竹原春泉　絵本百物語　桃山人夜話』多田克己編

鬼火

鬼火〔おにび〕　各地でいわれる怪火。『和漢三才図会』では粦をオニビと読ませ、『本草綱目』を引いて次のように記している。

田野に現れる燐火《りんか》は、土に染み込んだ戦死者や牛馬の血が、歳月を経て変化したもので、みな精霊の極みである。色は青く、形は松明《たいまつ》の火のようで、散っては集まり、人に近づいて精気を吸う。馬の鐙《あぶみ》を打ち合わせた音をたてると消滅する、などとあって、同じ霊のしわざである人魂《ひとだま》や陰火《いんか》とは区別している。

また、燐光は小雨降る闇夜、人のいないときに現れ、炎はなく青色をしているともある。

今日の辞書類でも、鬼火は青い光を放つとあるので、一般に鬼火というのは青い火のことをいうのだろう。しかし例外もあるようで、『反古のうらがき』には長さ三尺（約90㎝）ほどの糸のような赤い火が、ひらひらと燃えているのを見たという話があり、これを鬼火としている。他にも赤くメラメラ燃える火を鬼火という場合もあるので、色や炎の状態についてはさまざまにあるといえる。その正体も燐が燃えるだけではなく、人の怨念が火となって現れた場合も鬼火とよぶことがある。

『和漢三才図会』寺島良安編・島田勇雄・竹島淳夫・樋口元巳訳注『随筆辞典 奇談異聞編』柴田宵曲編 『不知火・人魂・狐火』神田左京

鬼一口〔おにひとくち〕 鳥山石燕が『今昔百鬼拾遺』に描いたもので、【在原業平二条の后《きさき》をぬすみいでて、あばら屋にやどれる鬼に、一口にくひけるよし、いせ物がたりに見えたり。しら玉か何ぞと人のとひし時露とこたへてきえなましものを】などと記されている。

ある女のもとに幾年も通いつづけた男が、やっとのことでその女を盗み出し、途中で雷雨に見舞われたために、戸締まりのない蔵に避難した。女を奥に入れて、男は入口で番をして夜明けを待っていたが、夜明けとともに女の姿が消えていた。蔵には鬼が棲んでいて食われてしまったのである。

これは『伊勢物語』にある話で、石燕はこの話をもとに、《鬼が人を一口に食ってしまう》様を鬼一口として描いた。

また、石燕は在原業平《ありわらのなりひら》の逸話として描いているようだが、『伊勢物語』にはただある男と女としかなく、これを在原業平、藤原高子の男女とし、藤原基経らが藤原高子を連れ戻す話とするのは、俗解《ぞっかい》であるとされている。

鬼が人を襲って一口に食ってしまう話は、『今昔物語集』や『日本霊異記』にも見える。

『鳥山石燕 画図百鬼夜行』高田衛監修・稲田篤信・田中直日編『日本怪談集 妖怪篇』今野円輔編著『日本の幽霊』池田弥三郎『動物妖怪譚』日野巌

お歯黒べったり〔おはぐろべったり〕
→歯黒べったり

オハチスエ 樺太《からふと》アイヌ民族に伝わる妖怪。空《あき》家《や》の番人という意味で、人の住まない家に勝手に棲み込むといわれる。毛だらけの爺《じじい》で、魚皮で作った衣服をまとっている。性格は狂暴で、よく切れる刀で多くの人畜を殺傷したといわれる。

『えぞおばけ列伝』知里真志保編訳

オボ　群馬県利根郡利根村でいう妖怪。鼬《いたち》の化けたようなもので、山中で赤ん坊のような泣き声で盛んに泣いたり、山道を行く人の足にまとわりついて歩行の邪魔をする。そんなときは刀の下げ緒、着物の小褄《こづま》を切って与えると、足に絡まないと伝えられている。

同じ名前の妖怪は、新潟県や福島県にも伝わっている。福島県南会津郡檜枝岐《ひのえまた》村でいうオボは産女《うぶめ》の類で、番屋集落から約5㎞ほど麓《ふもと》に下りた川の傍ら、鳴滝ヘツリという場所の桂の木（オボ桂とよばれた）にいたという。

難産で死んだ女の霊だとか、現世で子供を産めなかった妊婦が、あの世でお産をしてオボに化けたものだとかいわれ、通行人に赤ん坊を抱かせておいて、その間にオボ自身は念仏を唱えて成仏し、どこかへいってしまう。

オボの赤ん坊を普通に抱くと、喉笛に食いつかれるので、抱くときには必ず自分の側と反対

オハチスエ

に、向こうを向けて抱くようにする。

オボに出会ったら、男なら鉈《なた》につけた紐《ひも》を切って与え、女ならば、かぶっている御高祖《おこそ》（頭部を全部包んで目だけを出した婦人用の頭巾）や手拭いの切れはし、湯巻きの紐など、身につけている布片《ぬのきれ》を投げ、オボがその紐を解いている隙に逃げ出すといいとされている。

新潟県南魚沼郡でいうオボは、新しい墓を暴き、死体の脳味噌を食うという怪獣である。『綜合日本民俗語彙』には、山犬のことのようだが、神秘的な獣らしいとある。

また佐渡島では、嬰児の死んだものや堕胎されて捨てられた子供の霊がウブになるといわれ、大きな蜘蛛《くも》の形で赤ん坊のように泣き、追いすがってきて命を奪う。これを避けるには、履いている草履《ぞうり》の片方を肩越しに投げて、「おまえの母はこれだ」といえばよいという。

オボ、ウブとは生まれて間もない赤ん坊のことをいう方言で、赤ん坊に着せるものを産着《うぶぎ》といったり、産まれたときの声を産声《うぶごえ》というが、これと同じ意味である。

佐渡や利根には、草履や刀の下げ緒を投げるとオボが去っていくという伝承があるが、これは子供の葬儀と関係があるようだ。

子供に宿っている霊は、常に不安定な状態にあり、身体から抜け出しやすいと考えられていた。そのため、ささいなことでも死んでしまうと信じられ、一人前の人間として認められるのは、7歳からというのが一般的だった。全国的にいわれる「7歳までは神のうち」という言葉が、それをよくいい表している。

現在でもこの考え方は受け継がれており、子供が7歳になると、地元の神社に氏子《うじこ》入りをする。これが七五三である。

まだ神のうちである7歳まで生きていられなかった子供は、簡単な葬儀で済まされ、墓も大人とは別の場所に設けられ、子墓とかワラビ（童）墓という特別な墓に埋められた。

これは子供だから簡単に済ますということではなく、大人のように霊をあの世に送ってしま

オボ

ったりはせずに、子供の霊を家の近くで休ませて、すぐにでも転生、回生してくれることを願ったためである。

しかし、転生、回生を望まないこともあり、その場合は霊が家に帰ってこないように、肉親の履いていた草履の鼻緒や乳《ち》（小さい輪のこと）をちぎって、棺に入れておくという。

幼くして死んだ子供の霊は、家に帰る道が分からないため、履物の霊力に頼って帰ろうとする。履物の緒や乳が切れていると、履物としての役が立たずに、家へは帰れない。そのため、さまよった子供の霊は妖怪化し、道行く人に草履などをねだるのだという。

草履の緒は刀の下げ緒にも通じ、これにより福島県檜枝岐での例のように、手拭いや紐というものに変じていったのであろう。

また、佐渡での例に、草履を投げて、「おまえの母はこれだ」という話があるが、これは草履の乳《ちち》が母親の乳に通じることから、草履の緒と相俟《あいま》って伝えられたと考えられる。

同じことは、四国のノツゴにもいえることで、こちらもその正体は幼児の霊としている。

『消え残る山村の風俗と暮し』都丸十九一『綜合日本民俗語彙』民俗学研究所編『檜枝岐民俗誌』今野円輔『日本怪談集 妖怪篇』今野円輔編著

オボサリテイ

↓バリヨン

朧車〔おぼろぐるま〕 鳥山石燕の『今昔百鬼拾遺』に牛車《ぎっしゃ》の妖怪として描かれたもので、【むかし賀茂の大路をおぼろ夜に車のきしる音しけり。出てみれば異形のもの也。車争の遺恨にや】とある。

車争いとは、祭礼の場などで、見物の牛車が場所を取り合うことをいう。その車争いの遺恨が妖怪となって、車輪のきしむ音をたてながら賀茂の大路を通ったというのだろう。

『宇治拾遺物語』には、ある男が一条桟敷屋で遊女と寝ているとき、賀茂の大路を「諸行無常」と詠ずる馬の頭をした鬼を目撃した話がある。

朧車

これは百鬼夜行の類だが、京の都で鬼の行列を見たという話は、あちこちの古典資料に見ることができる。石燕はそれら百鬼夜行の類として朧車を描いたのだろうか。
『鳥山石燕 画図百鬼夜行』高田衛監修・稲田篤信・田中直日編

オマク 岩手県遠野でいう怪異。生者や死者の思いが凝縮した結果、出て歩く姿が、幻になって人の目に見えることをいうもので、「遠野物語拾遺」には多数の類話が見える。

例えば以下のような話がある。火事で燃えてしまった土淵村（岩手県遠野市）光岸寺の再建現場で、40人～50人いた大工たちが昼休みをしていると、そこに美しい娘がやってきた。その娘は棟梁の隣人の娘で、病でとても外出できる状態ではないはずだった。棟梁がとうとう死ぬのかと思っていると、はたして彼女はその翌日に死んだという。

また、遠野の裏町のある家の子供が病で死にかけていたとき、その子を可愛がっていた某という人のもとへ、病床にいるはずの子供がひょっこり現れた。某は早く帰りなさいといって子供を帰したが、気になってその子の家を見舞うと、病人は先刻息を引き取ったのだが、今また生き返ったというので大騒ぎしているところだった、という話もある。

似たような話は全国で聞かれる。とくに戦中など、遠く離れた地で死んだ者が肉親のもとへ挨拶にくるような話が多いようである。

㊜アマビト、面影

「遠野物語拾遺」柳田国男『綜合日本民俗語彙』民俗学研究所編

お見越し〔おみこし〕 静岡県庵原《いはら》郡両河内村（静岡市）でいう妖怪。見越し入道の類。道の途中でやさしい人が話しかけてきて、話の様子によって大きくなって見せるという。

ある人が橋から鮎を取っていると、それを見ていた小坊主が、「どれだけ取れたか」といって大きくなった。どんどん大きくなるので、「見越したぞ」というと、小さくなって消えてしまった。お見越しを上まで見ると、気絶してしまうという。

㊂見越し入道

『日本の俗信』井之口章次　『全国妖怪事典』千葉幹夫編

面影〔おもかげ〕秋田県鹿角《かづの》でいう怪異。死の直前、その人の魂が本人そのものの姿となって知人のもとを訪れたり、下駄の音だけをさせたりするという。

岩手県遠野でいうオマク、青森県西津軽のアマビトなどと同じような怪異で、同じ現象は全国的に見ることができる。

日清、日露、太平洋戦争のときなどに、遠く離れた戦地にいるはずの人が、肉親や知人の前に姿を現すが、ちょうどその頃、その人は戦死していたという話は多く伝えられている。

㊂アマビト、オマク

『綜合日本民俗語彙』民俗学研究所編

オヤウ

→ホヤウ

オラビソウケ　肥前東松浦郡（長崎県北部～佐賀県北西部）の山間でいう怪異で、オラビソウテとも。福岡県八女郡では山オラビという。

山でこの怪物に遭い、おらびかけるとおらび返すという。オラブとは大声に叫ぶことだが、ソウケの意味は不明。山の反響である山彦とは違い、こちらは山響《やまびこ》きといっている。

㊂山オラビ、山彦

『妖怪談義』柳田国男　『綜合日本民俗語彙』民俗学研究所編

陰摩羅鬼〔おんもらき〕鳥山石燕の『今昔画図続百鬼』には【蔵経の中に、「初て新なる屍の気変じて陰摩羅鬼となる」と云へり。「そのかたち鶴の如くして、色くろく目の光ともしびのごとく羽をふるひて鳴声たかし」と『清尊録』にあり】などとある。

『清尊録』とは中国の古書で、次のような宋《そう》の時代の陰摩羅鬼の話が見える。

鄭州《ていしゅう》の崔嗣復という者が、都の外にある寺の法堂の上で寝ていると、自分を叱りつける声で目が覚めた。驚いて起き上がってみると、色の黒い鶴のような鳥が、羽をふるわせて甲高い鳴き声を発していた。その目は灯火のように光っていた。崔が恐れて廊下に逃げると、怪鳥は姿を消してしまった。

翌朝、そのことを寺の僧に話すと、僧は「ここにはそのような化物はいない。しかし10日ほど前に死人を運んできて、仮に置いているが、もしやそれだろうか」という。崔が都に帰って開宝寺の僧にこのことを話すと、「新しい死体の気が変化してそのようになる。これを陰摩羅鬼という」といったという。

似たような話が『太平百物語』にもある。山城国（京都府）西の京に住む宅兵衛という者が近くの寺でうたた寝していた夏の夜、「宅兵衛、宅兵衛」と呼ぶ声で目覚めると、鷺《さぎ》に似て色黒く、目が灯火のように光り、羽をはばたかせ、鳴く声が人のような鳥がいた。

このことを聞いた長者は、「最近、寺に死人

陰摩羅鬼

が持ち込まれ、仮置きしてある。おそらくそれが原因であろう。新しい屍の気が変じて陰摩羅鬼というものになると『蔵経』にある」などと語ったという。『太平百物語』の話は、『清尊録』の翻案と思われる。

『鳥山石燕　画図百鬼夜行』高田衛監修・稲田篤信・田中直日編『怪談名作集』日本名著全集刊行会編『百物語怪談集成』太刀川清校訂・高田衛・原道生編

か

カーカンバ
↓河童

カーカンビ
↓河童

カーカンベ
↓河童

カーカンボ
↓河童

カアコゾー
↓河童

カース
↓河童

カースッパ
↓河童

ガースッパ
↓河童

ガーダラ
↓河童

ガータロ
↓河童

ガーッパ
↓河童

ガーッポ
↓河童

ガーナー森〔がーなーむい〕沖縄県那覇市に伝わる伝説の森。那覇空港から那覇大橋に向かう橋の手前右側にある小高い森のこと。
昔は漫湖《まんこ》に浮かぶ小島で、意志を持って動きまわる化け物だったという。土地の神がガーナー森の尻尾《しっぽ》に大岩を置いて動きを封じたという伝説が伝わっている。
『沖縄の怪談』西原松生編著

カーバコ
↓河童

ガーラ
↓河童

カーラボーズ
↓河童、ガメ

カーランベ
↓河童

ガーロ
↓河童

怪イモリ〔かいいもり〕
↓井《い》守《もり》の怪

骸骨〔がいこつ〕　鳥取県東伯郡赤崎町箟津（琴浦町）に伝わる怪異。丑三《うしみ》つ時（午前2時頃）に道を歩いていると、骸骨がたくさん出てきて歩くのに困ることがあったという。
『赤崎の民俗』東京教育大学民俗学研究会編

海人

海人〔かいじん〕『大和本草』『長崎聞見録』にあるもの。海に棲むもので、頭髪、鬚《あごひげ》、眉があり、指には水掻《みずか》きがある。腰の部分に肉の皮が、ちょうど袴のようにひらひらしている。その他は人間と変わらないが、言葉は喋れず、与えられた食べ物は一切口にしない。陸地にいると数日で死んでしまうという。
『日本未確認生物事典』笹間良彦　『日本妖怪変化語彙』日野巌・日野綏彦

ガイタル
↓河童

カイダルボーズ
↓河童

貝児〔かいちご〕　鳥山石燕の『画図百器徒然袋』に描かれたもので、【貝おけ這子《ほうこ》など言へるは、やんごとなき御かたの調度にして、しばらくもはなるること無ければ、この貝児は這子の兄弟にやと、おぼつかなく夢心に思ひぬ】と記されている。
貝桶《かいおけ》は貝合わせ、貝覆《かいおおい》という遊戯に使う貝を

貝児

入れておく桶で、八角形や印籠形《いんろうがた》のものが多かったそうである。

貝合わせは複数の人数で遊ぶ。360個の蛤《はまぐり》の貝殻を左（出し貝）と右（地貝）とに分け、1つずつ出し貝を出して、これの対《つい》となる地貝をたくさん取った者を勝ちとする。

また、這子とは、幼児が四つん這いになった姿の人形のことで、幼児のお守りとされたという。この這子の兄弟として、石燕は貝児を創作したようである。

『鳥山石燕 画図百鬼夜行』高田衛監修・稲田篤信・田中直日編

カイナデ 京都府でいう妖怪。カイナゼともいう。節分の夜に便所へ行くとカイナデに撫でられるといい、これを避けるには、「赤い紙やろうか、白い紙やろうか」という呪文を唱えればよいという。

昭和17年（一九四二年）頃の大阪市立木川小学校では、女子便所に入ると、どこからともなく「赤い紙やろか、白い紙やろか」と声が聞こえてくる。返事をしなければ何事もないが、返事をすると、尻を舐《な》められたり撫でられたりするという怪談があったという。

いわゆる学校の怪談というものだが、類話は各地に見られる。カイナデのような家庭内でいわれた怪異が、学校という公共の場に持ち込まれたものと思われる。普通は夜の学校の便所を使うことはないだろうから、節分の夜という条件が消失してしまったのだろう。

しかし、この節分の夜ということは、実に重要なキーワードなのである。

節分の夜とは、古くは年越しの意味があり、年越しに便所神を祭るという風習は各地に見ることができる。その起源は中国に求められるようで、中国には、紫姑神《しこじん》という便所神の由来を説く次のような伝説がある。

寿陽県の李景という県知事が、何媚《かび》（何麗卿《かれいきょう》とも）という女性を迎えたが、本妻がそれを妬み、旧暦正月15日に便所で何媚を殺害した。やがて便所で怪異が起こるようになり、それをきっかけに本妻の犯行が明るみに出た。後に、何媚を哀れんだ人々は、正月に何媚を便所の神として祭祀するようになったという（この紫姑神は日本の便所神だけではなく、花子さんや紫《むらさき》婆《ばばあ》などの学校の怪談に登場する妖怪にも影響を与えている）。

紫姑神だけを日本の便所神のルーツとするのは安易だが、影響を受けていることは確かであろう。このような便所神祭祀の意味が忘れられ、その記憶の断片化が進むと、カイナデのような妖怪が生まれてくるようである。

新潟県柏崎では、大晦日に便所神の祭りを行うが、便所に上げた灯明《とうみょう》がともっている間は決して便所に入ってはいけないといわれる。

このケースは便所神に対する信仰がまだ生きているが、便所神の存在が忘れられた例が山田野理夫の『怪談の世界』に見える。

同書では、便所の中で「紙くれ紙くれ」と女の声がしたときは、理由は分からなくとも「正月までまだ遠い」と答えればよいという。便所神は正月に祀るものという断片的記憶が、妖怪として伝えられたものといえる。

また、「赤い紙やろうか、白い紙やろうか」という呪文も、便所神の祭りの際に行われた行為の名残を伝えている。

便所神の祭りで紙製の人形を供える土地は多く、茨城県真壁郡では青と赤、あるいは白と赤の男女の紙人形を便所に供えるという。つまり、カイナデの怪異に遭遇しないために「赤い紙やろうか、白い紙やろうか」と唱えるのは、この供え物を意味していると思われるのである。本来は神様に供えるという行為なのに、「赤とか白の紙をやるから、怪しいふるまいをするなよ」というように変化してしまったのではないだろうか。

さらに、学校の怪談で語られる便所の怪異では、妖怪化した便所神のほうから、「赤い紙やろうか、白い紙やろうか」とか「青い紙やろうか、赤い紙やろうか」というようになり、より妖怪化が進んでいったようである。

こうしてみると、近年の小学生は古い信仰の断片を口コミで伝え残しているともいえる。

島根県出雲の佐太神社や出雲大社では、出雲に集まった神々を送り出す神事をカラサデというが、氏子《うじこ》がこの日の夜に便所に入ると、カラサデ婆あるいはカラサデ爺に尻を撫でられるという伝承がある。このカラサデ婆というものがどのようなものか詳細は不明だが、カイナデと何か関係があるのかもしれない。

『綜合日本民俗語彙』民俗学研究所編 『日本民俗事典』大塚民俗学会編 『現代民話考 七 学校』松谷みよ子 『民間伝承』通巻173号「廁神とタカガミと」川端豊彦

海難法師〔かいなんほうし〕 東京都の大島、三宅島、新島といった伊豆諸島でいう妖怪。海難坊ともいう。

正月24日の夜は、海から海難法師という悪霊がやって来るので、島の人々はかたく戸を閉ざして、一切口もきかずに夜を過ごした。この夜は、雨戸には柊《ひいらぎ》やトビラの葉を刺し、門口には

海難法師

籠《かご》をかぶせておいたという。

海難法師の姿を見た者は、必ず祟りにあうと信じられていたため、ふだんは外にある便器も、この日ばかりは屋内に置いて用を足した。お産などでどうしても外出しなければならないときは、頭にトビラの葉をつけて魔除けとしたそうである。

海難法師の正体には諸説あるが、伝説として伝わっているものに次のような話がある。

寛永5年（一六二八年）、幕府より伊豆七島の代官を命じられた豊島作十郎忠松は、悪政のかぎりをつくしていた。悪政に耐えられなくなった人々は、わざと海の天候が急変する日を選んで、領内の巡視にはその日が最適であると豊島に進言した。

海のことを何も知らない代官は、勧められるまま海に出たが、やがて天候は急変し、舟は転覆して代官は水死した。このときになって、島民に騙《だま》されたと気づいた代官の怨みが、海難法師として現れるのだという。

また三宅島では、正月24日の夜半に薬師堂に住むカラ猫（唐猫？）の一族が海難法師の供をして、「皿を貸せ、御器《ごき》を貸せ」といいながら家々をまわり歩くといわれ、人々はこの声が聞こえないうちに寝てしまったという。

『神話伝説辞典』によると、本来、正月24日は伊豆諸島で多くいわれる日忌祭という物忌み行事の日であり、人々は仕事を休んで家の中に籠もっている日だったという。それがいつしか何者かが襲来するような意味にとられ、結果として海難法師という妖怪がつくられたのであろうとしている。

『三宅島百話』池田信道『厄除け　日本人の霊魂観』佐々木勝『日本伝説叢書　伊豆の巻』藤沢衛彦『神話伝説辞典』朝倉治彦・井之口章次・岡野弘彦・松前健編『綜合日本民俗語彙』民俗学研究所編

貝吹坊［かいふきぼう］　岡山県和気《わけ》郡の熊山城跡でいう妖怪。姿を見せずに法螺貝《ほらがい》を吹くような声を出すものという。

貝吹き坊（貝吹坊）

『綜合日本民俗語彙』民俗学研究所編　『妖怪談義』柳田国男

カウコ
↓河童

カウソ
↓川獺

ガウル
↓河童

火炎婆〔かえんばばあ〕『新説百物語』にある怪異。北国のある寺の檀家に角山某という者がいて、その母親は慈悲のかけらもない強欲な婆だった。日頃の行いが悪いからか、ある夜、欲深婆は自分が地獄で責め苦を受ける夢を見た。以来、婆は病床についてしまい、「最上寺（北国のある寺？）に行こう」と、譫言《うわごと》のようにいいつづけ、西の窓から顔を出したところで死んでしまった。

その夜、最上寺には、燃え盛る炎の中に老婆の顔が浮かんだ火炎のようなものが飛んできた。顔だけの老婆は口から火炎を吐き、寺の僧侶たちは驚きおののいた。その直後、角山某の母の訃報が最上寺に届いたという。

『続百物語怪談集成』太刀川清校訂・高田衛・原道生編

カオーラ

↓河童

顔撫ぜ〔かおなぜ〕

↓頰撫で

ガオラ

↓河童

カオロ

↓河童

ガオロ

↓河童

餓鬼〔がき〕　仏教でいう六道の一つ、餓鬼道に堕ちた亡者のこと。常に飢えており、典型的な栄養失調の身体をしている。現世で余命のあった若者や事故死した者、無縁仏、非業の死を遂げたりした、現世に未練があり、成仏できない者が餓鬼道に堕ちるといわれる。

餓鬼

『正法念処経』には36種類もの餓鬼の形態が記され、そのうちの10種が平安時代後期の『餓鬼草紙』に描かれている。

　生前に自分の嬰児《えいじ》を殺された怨みから、他人の嬰児を殺そうと妊婦を狙った者が伺《し》嬰児《えいじ》便《べん》餓鬼になり、疾行《しっこう》餓鬼には、病人の食べ物を奪った者がなる。食熱灰土《しきねつかいど》餓鬼は仏前に供えられた花を売った者がなるもので、死んでからは熱い灰や土しか食べられない。欲が深く施しをしなかったために、死んでから自分の糞尿しか食べることができなくなった者を伺《し》便《べん》餓鬼、食糞《じきふん》餓鬼という。

　死後に餓鬼にならないためには、生前に善根《ぜんこん》を積み、布施を施し、身を清浄に保つことが大切といわれ、これを施餓鬼《せがき》とよぶという。

　餓鬼の住む世界は地下の閻魔《えんま》が治める国と、天界と人間界との間だと『往生要集』は説く。そのため、餓鬼は人間が住む世界にも蔓延《はびこ》っており、病気をもたらす鬼ともされていた。

　例えば『古今著聞集』には、身長が一尺八寸（約54cm）ほどで足が1本の餓鬼が五の宮の御所に現れ、水を所望《しょもう》したという話があり、この餓鬼は瘧《おこり》を起こす鬼だと記されている。

　後に、飢え死にした者、行き倒れで死んだ者の霊も餓鬼と称するようになり、餓鬼憑きなどの怪異を引き起こすものと考えられた。

(参)餓鬼憑き

『図説日本民俗学全集』藤沢衛彦　『動物妖怪譚』日野巌　『日本妖怪変化史』江馬務　『日本民俗事典』大塚民俗学会編　『地獄の事典』国際情報社編　『日本未確認生物事典』笹間良彦

柿男〔かきおとこ〕

→タンタンコロリン

餓鬼憑き〔がきつき〕　餓鬼に取り憑かれた状態をいう。山道などを歩いていると、突然に空腹感を覚え、一歩も足を進めることができなくなってしまうことがある。そんなときは、何か食べ物を口に入れればよいとされる。

　和歌山県北部では、米1粒でも口に入れれば

餓鬼憑き

よいが、何もなければ、掌に米という字を書いて舐《な》めるだけでもいいという。

高知県土佐清水では、こういうときの備えとして弁当の飯を1箸分だけ残すそうで、これを餓《が》鬼《き》飯《めし》とよんでいる。

新潟県では、餓鬼に憑かれた者にいきなり飯を与えてはいけないとされ、味噌汁、粥、雑炊《ぞうすい》というように、軽めの食事を出すという。

また、餓鬼に憑かれないための方法もあり、静岡県海岸部や伊豆利島《としま》では、海に現れるものを磯餓鬼《いそがき》とよび、これを避けるためには腰籠《こしかご》に芋などを入れておくとよいとされている。

和歌山県北部では、山中で弁当を食うときは、1口分の飯をそこら辺に撒《ま》くと、餓鬼に憑かれないという。

このように人に取り憑いて飢餓感を覚えさせる餓鬼は、多くの場合、餓死者の迷える霊がその正体とされるのだが、仏教説話集である『因果物語』には、仏教でいう餓鬼道の亡者が人間に取り憑いたという話もある。

㊫餓鬼、ヒダル神
『綜合日本民俗語彙』民俗学研究所編　『土佐の妖怪』市原麟一郎　『日本の火の神信仰と憑きもの』石田隆義　『憑物』喜田貞吉編　『旅と伝説』通巻140号「紀北の俗信集　三」前田廣造　『江戸怪談集（中）』高田衛編／校注

隠し神〔かくしがみ〕　夕方頃に現れて、遅くまで遊んでいる子供や、かくれんぼをしている子供を神隠しにする妖怪。京都府天田郡、福井県遠敷《おにゅう》郡では隠し神、秋田県雄勝《おがち》郡では隠しじょっこ、栃木県鹿沼では隠しんぼなどとよばれていた。
㊫隠れ婆、隠れ座頭
『綜合日本民俗語彙』民俗学研究所編　『日本妖怪変化語彙』日野巌・日野綏彦

隠しじょっこ〔かくしじょっこ〕
→隠し神

隠し坊主〔かくしぼうず〕
→隠し神

隠しんぼ〔かくしんぼ〕
→隠し神

ガグレ
→河童

隠れ座頭〔かくれざとう〕　北海道、秋田県、関東地方に伝わる妖怪。同じ名前でも地方により性質が異なり、まったく同じ妖怪とは断言できないものもある。

　茨城県や埼玉県秩父では、子供などが神隠しにあうと、隠れ座頭のしわざだとし、茨城県では、隠れ座頭の餅を拾うと長者になると伝えられている。

　神奈川県津久井郡には、夜中に箕《み》を戸外に置いておくと、隠れ座頭が借りていくとか、踏みがら（精穀器具）で物を搗《つ》く音をさせるが、そっといってみると、いつの間にか隣家の踏みがらで搗いているなどの伝承がある。

　津久井郡と同じようなことが千葉県印旛《いんば》郡にも伝わっており、こちらは米搗きの音に似た音をたてるので狸の腹鼓《はらつづみ》ともいわれている。

　秋田県横手市では、隠れ座頭は踵《かかと》のない盲人だとし、市《いち》の立つ日にこれを見つけると、福を授かるといわれている。

福を与えるというのは北海道でも同様で、北海道の西海岸、渡島《としま》の江差町の近くに黒岩という洞窟があり、円空上人作の地蔵尊が安置されているが、眼病の者はこの洞窟に祈り、お礼に米を供える。洞窟の奥には隠れ座頭が住んでいて、昔は正直者に宝を授けたという。

柳田国男は『山の人生』の中で、隠れ里という富貴具足《ふうきぐそく》の仙界の名前が、いつしか神隠しをするような妖怪としてとらえられるように変化したというようなことを述べている。

㊜隠し神、隠れ婆

『民間伝承』通巻43号「妖怪名彙」水野葉舟『山島民譚集』柳田国男『山の人生』柳田国男『綜合日本民俗語彙』民俗学研究所編『横手郷土史』秋田県横手郷土史編纂会編『風俗画報』392号 山下重民編『相州内郷村話』鈴木重光編

隠れ里の米搗き〔かくれざとのこめつき〕

→静《しず》か餅《もち》

隠れ婆〔かくればばあ〕神戸市平野町でいう妖怪。隠し神の類。路地の隅や道の行き止まりなどにいて、子供を捕まえる。そのため夕方にかくれんぼをすることは戒《いまし》められた。

㊜隠し神、隠れ座頭

『綜合日本民俗語彙』民俗学研究所編『兵庫県民俗資料 十一』兵庫県民俗研究会編

影女〔かげおんな〕鳥山石燕の『今昔百鬼拾遺』に描かれた妖怪で、【もののけある家には月かげに女のかげが障子などにうつると云。荘子にも罔両《もうりょう》と景と問答せし事あり。景は人のかげ也。罔両は景のそばにある微陰なり】とある。

この荘子の話は「斉物論篇」にあるもので、罔両が影に向かって、歩いたり止まったり節操がない奴だというと、影は自分が動きたくてそうしているのではなく、人間の動きに従っているからだと答えるというものである。

石燕の言葉に従えば、景は人間の影であり、罔両はその影にある薄い影ということになる。

影女

『鳥山石燕 画図百鬼夜行』高田衛監修・稲田篤信・田中直日編

影鰐〔かげわに〕 島根県迩摩《にま》郡温泉津《ゆのつ》でいう海の妖怪。海面に映る船員の影をこの鰐《わに》が呑むと、その船員は必ず死んでしまうという。鰐とは鮫のこと。

『日本妖怪変化語彙』日野巌・日野綏彦 『綜合日本民俗語彙』民俗学研究所編

籠背負い〔かごしょい〕 岩手県九戸《くのへ》郡でいう妖怪。子供たちが恐れているもので、「官軍勢」の転訛《てんか》とする俗解《ぞっかい》があると『綜合日本民俗語彙』に見えるが、おそらくは叺背負《かますしょ》いと同じく隠し神の一種であろうと思われる。

㊜隠し神、叺背負い

『九戸郡誌』岩手県教育会九戸郡部会編 『綜合日本民俗語彙』民俗学研究所編

元興寺〔がごぜ〕 鳥山石燕の『画図百鬼夜行』に描かれている妖怪だが、解説はない。しかし、大和（奈良県）元興寺《がんごうじ》の鐘楼《しょうろう》に現れた鬼を描いていることは確かなことであろう。

敏《び》達《だつ》天皇の時代、ある農民の目の前に落雷があり、見ると、そこに小さな雷神がいた。雷神は自分の願いをきいてくれるなら子供を授けようというので、農民は雷神のいう通りにし、楠で船を造り、中に竹の葉を浮かべると、間もなく雷神は天に帰って行った。

やがて農民の家に子供が誕生し、成長するに従って力の強い子供となった。その後、元興寺の童子となった雷の子は、鐘楼に巣食う人食い鬼を退治した。

その鬼は頭髪と頭の皮を残して逃げ去り、血の跡をたどっていくと、寺で悪事をはたらいた者を葬る場所で消えていたので、人食い鬼の正体は霊鬼だったと判明したという。

この話は『日本霊異記』『本朝文粋』『扶桑略記』『水鏡』などにあるもので、後に、雷の子は道場法師と名乗る僧になったという。

この話に現れた鬼を元興寺と書いてガゴゼ、ガゴジなどとよぶ。江戸時代になると、その名は児童を脅す言葉として、あるいはお化けを意

元興寺

味する言葉として使われはじめ、『俚言集覧』『嬉遊笑覧』『梅村載筆』などの江戸期の書物にそのようなことが記されている。

ガゴゼ（滋賀県、三重県、京都府、奈良県、和歌山県）、ガゴジ（徳島県）、ガンゴジ（徳島県、茨城県）など、妖怪を総称する児童語は、関東から西日本にかけて分布しているが、柳田国男は『妖怪談義』の「妖怪故意」において、ガゴゼ＝元興寺説を否定し、これは化け物が「咬《か》もうぞ」といいながら出現することに起因するのではないかとしている。

『鳥山石燕 画図百鬼夜行』高田衛監修・稲田篤信・田中直日編 『神話伝説辞典』朝倉治彦・井之口章次・岡野弘彦・松前健編 『日本神話と伝説』藤沢衛彦 『妖怪談義』柳田国男 『自然と文化』一九八四秋季号「妖怪の方言分布とその解釈」真田信治

風おり〔かざおり〕伊豆大島でいう怪異。婦人が発熱して精神に異常をきたし、狐憑きのような状態になることをいう。

(参)風

『綜合日本民俗語彙』民俗学研究所編

笠置山大僧正〔かさぎざんだいそうじょう〕京都府相楽《そうらく》郡笠置町笠置山でいう天狗。密教系の祈禱秘経『天狗経』にある全国代表四十八天狗の一つ。

(参)天狗

『天狗考 上』知切光歳 『図集天狗列伝 西日本編』知切光歳

累〔かさね〕狂言、浄瑠璃《じょうるり》、歌舞伎、落語などの怪談で知られる怨霊。

慶長年間（一五九六年～一六一五年）の末頃のこと、下総国岡田郡羽生村（茨城県水海道市羽生町）に与右衛門という農民がおり、あるとき隣村から助《すけ》という子供を連れた寡婦《かふ》を娶《めと》った。容貌が醜いうえに身体が不自由だった助を疎《うと》ましく思った与右衛門は、殺して鬼怒川に流してしまった。その後、夫婦は子供をもうけ、累《るい》と名づけたが、累も助と同じように醜い姿だったので、村人は「るい」とは呼ばず、助と重ねて

「かさね」と呼ぶようになった。

そのうち与右衛門夫婦は帰らぬ人となり、累は一人で暮らしていた。その家へ、旅に病んだ廻国の六部《ろくぶ》（巡礼）がやって来た。介抱しているうちに2人は結ばれて、六部は2代目与右衛門を名乗った。

しかし、しばらくすると与右衛門は累に愛想《あいそ》をつかし、正保《しょうほう》4年（一六四七年）8月、累を鬼怒川に突き落として殺害した。与右衛門は事故を装ってごまかし、後妻として、おきよという貝塚村の娘を家に入れた。

おきよはおきくという娘を生んだが、あるとき、おきくが奇病に冒され、狂乱状態で騒ぎはじめた。それは累の怨霊が乗り移っていたもので、おきくの口を借りて、与右衛門の悪行を次々と暴露しはじめたのだ。

そこへ近くの弘経寺に遊学していた祐天上人がやって来て、累の霊を慰めて法名を理屋松貞信女と改め、百万遍の念仏供養を17日間行ったところ、累はやっと成仏した。

しかし間もなく、おきくにまた同じような発作がはじまる。今度は先代与右衛門が殺した助の霊が乗り移ったのだ。助は累と同じように供養を欲して現れた。

祐天上人は助に単到真入童子という法名を与え、法蔵寺に墓碑を建てた。以来、不思議なことはなくなったという。

この3代にわたる不思議な話が累の伝説で、文献の初出は貞享《じょうきょう》元年（一六八四年）の『古今犬著聞集』だといわれるが、一般によく知られている内容は元禄3年（一六九〇年）の『死霊解脱物語聞書』によるものとされている。

水海道《みつかいどう》市の法蔵寺境内には、累や与右衛門、助などの墓があり、累の霊を慰める百万遍の念仏供養の際に使われた数珠《じゅず》も現存している。

『日本伝奇伝説大事典』乾克己・小池正胤・志村有広・高橋貢・鳥越文蔵編　『累の由来』法蔵寺編

傘化け〔かさばけ〕

↓傘《からかさ》お化け

鍛冶が媼〔かじがばばあ〕『絵本百物語　桃山人夜話』にあるもので、【野根の助四郎国延は乱れやき刃の上手なり。三代目の養子重国が妻、室戸といふ所に刀の料の残銀を乞ひ、夜に入て路に迷ふ。狼多く出て取りまきしが、終に是に喰ころさる。其妻幽霊となりて、旅人を取くらふことおびただし。是は狼の鍛冶がかかにのりうつりしとぞ。郷士《ごうし》逸作と云もの、白毛の狼をころせしより、ばばの出て人をとることなしといへり】とある。

室戸とは高知県室戸市のことで、ここには『絵本百物語　桃山人夜話』の鍛冶媼とは違った話が伝えられている。

ある臨月の女が一人で装束峠を奈半利《なはり》（安芸郡奈半利町）に向かって歩いていたが、途中で狼に襲われそうになり、通りすがりの飛脚の助けで杉の大木に避難した。

狼たちは杉のまわりを囲み、肩車で梯子状《はしごじょう》になって木の上まで襲いかかろうとするが、もう少しというところで届かない。すると、狼の群

鍛冶媼《かじがばばあ》（鍛冶が媼）

れの中から「佐喜浜の鍛冶が嬶《かか》をよんでこにゃあ」との声があり、しばらくすると頭に古鍋をかぶった鍛冶が嬶が現れた。

　鍛冶が嬶は狼たちの上をするすると登って、飛脚に襲いかかった。飛脚が思いきり脇差しを振り降ろすと、鍋の割れる音とともに絶叫がし、その声で狼どもは一斉に姿を消し、女と飛脚はようやく木から降りることができた。

　翌朝、飛脚は一人だけで点々と続く血の痕《あと》を追って、佐喜浜の鍛冶屋までやってきた。

　鍛冶屋の主人に、姥《うば》はいるかと尋ねると、「おらんくの嬶《かか》さんは、よんべ頭に傷をしたいうて寝よるが」と答えた。飛脚はその返事を聞くやいなや屋敷に入り込み、婆を見つけざまに斬り伏せた。鍛冶屋の姥と見えたのは、実は齢《とし》を経た狼だった。床下には食われた人の骨が散乱し、本物の姥の骨もあったという。

　明治までは佐喜浜に鍛冶が嬶の墓があったそうで、土地では伝説を実話のように扱っていたようである。今は墓の代わりなのか、鍛冶が嬶の供養塔が建てられている。

　これに類する昔話は鍛冶屋の姥、千匹狼などとよばれ、ほぼ全国的に見ることができる。

　富山県、新潟県、群馬県、長野県ではオオユウまたはヨウユウとよばれ、新潟県弥彦では弥彦婆または弥三郎婆、鳥取県米子では五郎太夫婆、島根県松江では小池婆《こいけばあ》などと枚挙に遑《いとま》がない。土地により名称や動物が違い、狼、山犬、猫、狸などの動物の怪とされる。

㊂小池婆
『竹原春泉　絵本百物語　桃山人夜話』多田克己編　『日本昔話名彙』柳田国男監修・日本放送出版協会編　『土佐の伝説』松谷みよ子・市原麟一郎・桂井和雄

ガシタロ
↓河童

火車［かしゃ］　ほぼ全国に分布する妖怪。葬式の式場や葬列、あるいは墓場で死体を奪うというもの。岩手県遠野、長野県南佐久郡ではキャシャ、福島県南会津、静岡県、愛媛県大三島《おおみしま》、

火車

徳島県ではクワシャ、群馬県甘楽《かんら》郡ではテンマル、愛知県知多郡日間賀島ではマドウクシャ、鹿児島県出水《いずみ》郡では肝取りなどとよばれている。その正体は猫とする地方が多く、猫が齢《とし》を経ると火車になるともいわれた。

古くから猫は魔性のものと考えられていて、「死人には絶対に猫を近づけてはいけない」とか、「猫が棺桶を飛び越えると死人が起き上がる」など、猫と死体に関する俗信が全国的に伝わっている。

猫と葬式に関する怪談も多く語られ、火車とはいわなくとも、暗雲を垂らして葬式を襲い、死体を奪う恐ろしい怪物として登場する。

火車の名前は、地獄からの迎えである火の車よりきているようである。火の車については『宇治拾遺物語』などに見え、獄卒が燃え盛る火の車を引いて、罪人の死体、あるいは生きた人間を奪っていくものとされていた。死体を奪う火の車と、死体と猫との俗信が入り交じり、さらには中国由来の魍魎《もうりょう》の観念が結びつき、火

がしゃどくろ

車という妖怪が生まれたようだ。

(参)魍魎

『綜合日本民俗語彙』民俗学研究所編　『神話伝説辞典』朝倉治彦・井之口章次・岡野弘彦・松前健編　『日本俗信辞典』鈴木棠三

がしゃどくろ　佐藤有文の『日本妖怪図鑑』にみえる妖怪。深夜2時頃、ガシャガシャと音をたてて現れる人食い骸骨で、野垂れ死にした人の髑髏《どくろ》が集まって10mほどの大きさになった、などの解説があり、その挿し絵として歌川国芳の『相馬の古内裏《こだいり》』が使われている。何を根拠にした記述かは不明だが、おそらくは子供向けに創作されたものと思われる。

『日本妖怪図鑑』佐藤有文

カシャボ

↓カシャンボ

カシャンボ　和歌山県、三重県にまたがる熊野地方でいう妖怪。カシランボウ、カシャボ、ガシャンボウ、カシラともいう。6歳〜7歳児のようで、髪形は芥《け》子《し》坊主《ぼうず》(頭頂部のみ毛を残す）、青い衣を着けているとされている。

川にいる間は河童（ゴーライ）だが、山に入るとカシャンボになるといわれる。

東牟婁郡《ひがしむろ》高田村（新宮市）の某家には、毎年、河童が新宮川を遡《さかのぼ》る頃になると、挨拶に来るという。姿は見せないが、１匹来るたびに小石を家に投げ込んで知らせ、それから山に入ってカシャンボになると伝えられている。

カシャンボになっても河童の性質は変わらないようで、牛馬によく悪戯《いたずら》をし、山中で作業する馬を隠したりする。また、夜間に水辺から出てきては、牛小屋にいる牛に涎《よだれ》のようなものを吐きかけて苦しめるという。

試しに、牛小屋の戸口に灰を撒《ま》いておいたところ、足跡がついていて、その足跡は水鳥のようだったという話もある。

和歌山県西牟婁郡富里村（大塔町）でいうカシャンボは一本足で、降雪の翌朝に一本足で歩いた足跡があるのは、カシャンボの足跡だという。またの名をヒトツダタラともいうそうである。

カシャボ（カシャンボ）

る。山へ入った人に相撲を取ろうとよくいうが、こちらが先にツバをつければ勝つなどと、一本だたらや河童といった妖怪の性質が混ざっているかのようである。

　また、馬の荷積みを邪魔するといわれ、右から荷物を積めば左にまわって下ろし、左にまわって積めば右から荷を下ろしてしまう。そのとき、馬の腹の下から向こうを見ると、一本足の細い怪物が立っているなどという。

『山島民譚集』柳田国男『民間伝承』通巻125・126合併号「狼其他の話」真砂光男『綜合日本民俗語彙』民俗学研究所編

ガシャンボウ
↓カシャンボ

カシラ
↓カシャンボ

カシランボウ
↓カシャンボ

風〔かぜ〕病気としての風邪とは別に、これにあたると病気になるなど、一種の妖怪と考えられていた。日本各地で聞くことができるが、西日本、とくに九州に多い。宮崎県東諸県《もろかた》郡では、首吊り自殺のあった場所であうといい、これにあたると病気になるという。

　宮崎県児湯《こゆ》郡の西米良村では、憎く思った人を呪い殺した場合、相手が死んでも呪いそのものは残り、他人にも感染すると信じられていた。これに人名をかぶせてウネメカゼ、ゴロゼカゼなどとよんだという。

　精霊風《しょうろかぜ》、ミサキ風など、多くの場合は死霊のはたらきかけによって病気になると信じられていたようである。

㊫悪魔ヶ風、風おり、風の神、精霊風、ミサキ
『綜合日本民俗語彙』民俗学研究所編『日本妖怪変化語彙』日野巌・日野綏彦

風うて〔かぜうて〕
↓風

桛掛女子〔かせかけおなご〕長崎県壱岐地方でいう妖怪。桛《かせ》とは紡《つむ》いだ糸を巻取る道具や、

その一定の長さにまとめられた糸のことをいう。糸紡ぎに関わる女の妖怪であろうか。

『続壱岐島方言集』山口麻太郎　『綜合日本民俗語彙』民俗学研究所編

風にあう〔かぜにあう〕
↓風

風に吹かれる〔かぜにふかれる〕
↓風

風の神〔かぜのかみ〕　志《し》那《な》都《つ》比古神《ひこのみこと》、級《し》長《な》戸《とべ》辺命《のみこと》といった記紀神話に出てくる風の神ではなく、病気をもたらす悪神として『絵本百物語　桃山人夜話』に絵とともに出ている。

風に乗って所々をさまよい、人を見れば口から黄色い風を吹きつける。その風を吹きつけられた者は病気となってしまうという。

西日本各地では屋外での急な発熱や原因不明の病気になることを「風に打たれた」とか、「風にあう」といって、自然現象の風としてではなく、霊的なものに原因を求めることがある。『絵本百物語　桃山人夜話』の風の神も、そう

妖怪風の神（風の神）

した霊的な風をいっているのだろう。

(参)風

『竹原春泉 絵本百物語 桃山人夜話』多田克己編

風の三郎様〔かぜのさぶろうさま〕 新潟県、福島県、長野県でいう風の神。長野県伊那では「風の神の三郎様」とよび、次のような由来を伝えている。

その昔、天気が大荒れしたとき、獅子に追われた風の神の三郎様が、黒牛に乗って南方村の北山方まで逃げ、山の中の洞窟に逃げ込んだという。以来、この地ではその洞窟を奥の院として風の神の三郎様を祀り、金の注連縄《しめなわ》と御幣束《ごへいたば》を奉納して置いた。

あるとき、この注連縄と御幣束を盗んだものがあったので、風の神の三郎様は怒って大暴れしたが、この犯人を捕まえて盗んだ品をお宮へ返したところ、怒りが解けて風の大暴れは静まったという。

この地の近くにあるお宮では、それまで祭礼に獅子舞をする習わしがあったが、風の神の三郎様を祀るようになってからは、獅子を出すと三郎様が怒って暴れるというので、獅子舞を止《や》めてしまったという。

いわゆる記紀神話にある風の神とは違い、その土地特有の季節風のようなものを人格化した神といえる。

『伊那の伝説』岩崎清美『綜合日本民俗語彙』民俗学研究所編

風ふれ〔かぜふれ〕

↓風

風を負う〔かぜをおう〕

↓風

火前坊〔かぜんぼう〕 鳥山石燕の『今昔百鬼拾遺』に、僧が火炎に包まれた姿で描かれた妖怪で、【鳥部山の煙たちのぼりて、竜門原上に骨をうづまんとする三昧の地よりあやしき形の出たれば、くはぜん坊(火前坊)と名付けたるらん】とある。

鳥部山《とりべやま》(鳥辺山)は有力な皇族や貴族が葬《ほうむ》ら

火前坊

れた京都の葬送地で、10世紀末頃には、高僧たちが焚死往生《ふんしおうじょう》を願って、この地で自ら身に火をつけて焼死したといわれる。
本来は往生を願って焼身自殺するのだが、中にはこの世に未練のある者もいたのか、僧形の怪火が鳥部山に現れ、それを火前坊と名づけたと石燕はいっている。
『鳥山石燕　画図百鬼夜行』高田衛監修・稲田篤信・田中直日編

片足上臈［かたあしじょうろう］愛知県八名郡山吉田村（南設楽《みなみしたら》郡鳳来町）栃の窪から、はだなしの山へかけての山中でいう妖怪。

美しい片足の上臈《じょうろう》（身分の高い女官）だといわれ、ヒメンジョロウ（姫女郎）ともいう。

猟師の獲物を奪うといわれ、猟師たちは獲物に鉄砲と山刀を十字に組んでおく呪術などで、取られぬよう処置したそうである。

また、山に紙緒《かみお》の草履《ぞうり》を履いて行けば、必ず片足上臈に片方を取られるともいった。

山吉田村阿寺に栃の窪を水源とする七滝とい

う滝があり、その滝の上に子抱き石という石が採れる場所があった。子種のない婦人がこれを持ち帰ると懐妊するという言い伝えがあり、その小石を取りにいく女などが紙緒草履を履いて行ったのだという。

『猪・鹿・狸』早川孝太郎　『綜合日本民俗語彙』民俗学研究所編

がたがた橋〔がたがたばし〕　岐阜県の益田郡小坂町でいう怪異。金右衛門という者の家の前にある板橋は、越中（富山県）立山に続く道に架かっていて、夜になると立山地獄に落ちていく亡者の群れがこの橋を渡るといわれた。その際、がたがたごろごろという音が聞こえるので、がたがた橋とよばれたという。

　民俗学者の宮田登によれば、がたがた橋やドウドウ橋といった、音を伴った橋の名前は意外と多くあり、由来は川の流れが橋桁《はしげた》や橋に当たる音から想像されたものであるという。

『飛騨の伝説』小島千代蔵　『妖怪の民俗学』宮田登

片耳豚《かたきらうわ》（カタキラウワ）

カタキラウワ　鹿児島県奄美大島でいう妖怪。漢字では片耳豚、片身豚と表記される。

影のない子豚の形をしたもので、しきりに人の股を潜《くぐ》ろうとする。潜られると、死ぬか、性器をだめにされて腑抜《ふぬ》けになるといわれた。

カタキラウヮに狙われても、咄嗟《とっさ》に両足を組み交わして立てば防げるそうで、その体勢ならば、潜られても痛手は受けないという。

出現地はたいてい決まっており、女一人のユマグレアキ（夕まぐれ歩き）はこのような妖怪が出るから危ないと戒《いまし》められたという。

『日本怪談集　妖怪篇』今野円輔編著

帷子辻〔かたびらがつじ〕『絵本百物語　桃山人夜話』にある怪異。

平安初期、嵯峨天皇の皇后に橘《たちばなの》嘉智子《かちこ》という人がいた。嵯峨野の檀林寺を創設したので檀林皇后ともよばれた。類のない美人と評判で、心を動かさない者がいないほどだった。

死に際したとき、「亡骸《なきがら》は埋めずに辻に捨てるべし。四十九日の間に起こる変貌を示して、世の無常を感じさせよう」との遺言を皇后は残す。遺体は遺言通りに辻に捨てられた。

美しい者でも、死ねば肉は腐り、虫が湧き、犬や鳥が食らい、二目と見られぬおぞましい姿となって土に帰るのだ、ということを身をもって知らしめたのである。

『絵本百物語　桃山人夜話』の讃には、【檀林皇后の御尊骸を捨し故にや、今も折ふしごとに女の死がい見へて、犬鳥などのくらふさまの見ゆるとぞ、いぶかしき事になん】とある。

これを「今も檀林皇后の例にならって女の死体が捨てられることがある」という意味にとると、怪異でもなんでもなくなってしまう。

『竹原春泉　絵本百物語　桃山人夜話』多田克己編

カダロ

↓河童

ガタロ

↓河童

カタロー

↓河童

ガタロー
↓河童

片輪車〔かたわぐるま〕『諸国里人談』『譚海』『諸国百物語』などに見える妖怪。

『諸国里人談』では、寛文年間(一六六一年～一六七三年)の頃、近江国甲賀郡(滋賀県南部)のある村に現れたことになっている。

その村では、火炎に包まれた片輪の車に女が乗り、夜な夜な村を徘徊《はいかい》するようになった。これを見たり、噂するだけでも祟りがあるというので、人々は夜になると誰も外出せず、門戸をかたく閉ざしていた。

あるとき、村の物好きな女が戸の隙間から覗いてみると、一人の美女が乗った片車輪の小車が見え、それが覗き見る女の家の前に止まり、「我見るよりも我が子を見よ」という。

慌《あわ》てて女は自分の子を捜すが、子供はいない。嘆き悲しんだ女は、「罪科《つみとが》は我にこそあれ小車のやるかたわかぬ子をばかくしそ」という一首を戸口に貼り付けておいた。

すると、翌晩やって来た片輪車がそれを読み、「やさしの者かな、さらば子を返すなり。我、人に見えては所にありがたし」といって昨晩の女の子供を返し、そのままどこかに消えてしまった。以来、この村に片輪車は現れなくなったという。

この話の舞台を信州(長野県)に置きかえたものが『譚海』にあり、さらに『諸国百物語』には、大本《おおもと》になったと思われる話がある。

京都の東洞院通りに、夜な夜な片輪車が現れた。これを恐れた人々は、夜になると誰も外には出なかった。

ある女房がこれを見たいと思い、ある夜、車の音がする頃に、戸の隙間から覗いてみた。すると、牛車《ぎっしゃ》の車輪だけがゴロゴロと転がり、その車輪の真ん中には、人の足を銜《くわ》えた凄まじい形相の男の顔があった。そして女の家の前に止まると、「いかなる女でも、我の姿を見るより、自分の子供を見ろっ」と叫んだ。

片輪車

女はあたふたと我が子のところへいくと、そこには股のあたりから足が引き裂かれて、血塗《ちまみ》れになった我が子がいた。片輪車が口にしていたのは、女房の子の足だったのである。

『諸国百物語』の作者は、子供を取られてしまったのは、女のくせにあまりに出過ぎたことをしたからだと、今では女性差別になりかねない説明をしている。

鳥山石燕は『今昔画図続百鬼』で片輪車を描いているが、モデルは『諸国里人談』のほうを使っている。また、同じ『今昔画図続百鬼』に、輪入道《わにゅうどう》なる妖怪も描いている。こちらのモデルは、『諸国百物語』にある片輪車を使っているらしい。

ということは、今では別の妖怪として扱われている片輪車と輪入道が、おもしろいことに元々は同じものということになるのである。

『随筆辞典　奇談異聞編』柴田宵曲編　『譚海』津村淙庵　『江戸怪談集（下）』高田衛編／校注『日本随筆大成』日本随筆大成編集部編

ガッコ
↓河童

ガッタイ
↓河童

ガッタラボシ
↓河童

ガッタル
↓河童

ガッタロ
↓河童

河童〔かっぱ〕　全国各地でいう水の妖怪。河童という呼称は関東地方の方言カワッパが語源だといわれている。地方によりさまざまな呼び名があり、大別すると、水神を思わせる名前の系列、子供の姿を強調した名前の系列、動物の名前に近い名前の系列、その他の計4つに分けられる。

水神系には東北地方のメドチ、北海道のミンツチなどがあり、子供の姿系には、関東地方のカッパ、カワランベ、九州のガラッパなどが入

河童

る。動物系には、中国、四国地方のエンコウ（猿猴）、北陸地方のカブソ（川獺）、カワッソーなどが挙げられる。

その他、特定の信仰に関わるものとしてのヒョウスベ、祇園坊主《ぎおんぼうず》、身体の特徴からのサンボン、テガワラなどと、上記3つの系列に入らないものがある。

姿形についても、地方によって相違があり、頭に皿がないものや、人間の赤ん坊のようなもの、亀やすっぽんのようなものと、実にさまざまに伝えられている。

起源についても、草人形から河童になったとする説、水神が信仰の対象から外されて零落して河童になったとする説、アジア大陸から渡来して土着したとする説など諸説ある。

人に憑く、物に変化する、人間の作業の手伝いをするなど、地方ごとに河童の特徴は異なるが、ほぼ共通していることは、大の相撲好きであることと、胡瓜《きゅうり》などの夏の野菜や人間の肝、尻子《しりこ》玉《だま》が好物だということだろう。

人間の肝を好むというのは、昔の人たちの観察力によるものらしい。溺死した死体は腹が膨れて肛門がポカンと開いてしまうといわれる。このような惨《ひど》い姿を見て、河童が手を入れて内臓を引き出したと人々は想像したのだろうといわれている。河童の凶暴性は水難事故の恐ろしさに起因するといっても過言ではないようである。

また、相撲や胡瓜を好むのは、河童が水神としての性格を有していたことにほかならない。かつての相撲は神事であり、端午《たんご》の節句や七夕あたりに行われ、東西の土地の代表者が豊凶をかけて争った。相撲は神と精霊との争いを表しているともいわれ、神が水の精霊を打ち負かすことにより、農耕に欠かせない水の供給を約束させるのだという。

胡瓜などの初なりの野菜も、水神信仰に欠かせない供物《くもつ》だった。

このことからみても、河童が水神として信仰の対象になっていたと考えられる。

古《いにしえ》の水に対する信仰と、近代までの民間信仰とが複雑に絡み合い、無数の枝葉に分かれているので、一口に河童はこうであるとはいえないのが現状であろう。

『河童の世界』石川純一郎　『河童考』飯田道夫　『河童』大島建彦編　『神話伝説辞典』朝倉治彦・井之口章次・岡野弘彦・松前健編　『綜合日本民俗語彙』民俗学研究所編　『日本未確認生物事典』笹間良彦　『日本妖怪変化語彙』日野巌・日野綏彦

河童石〔かっぱいし〕　九州を中心にした西日本では、河童にまつわる石や岩を河童石ということがある。川子石《かわこいし》、川太郎石、ガラッパ石、ヒョウスエ石、エンコウ石ともよばれ、石が朽ちるまで悪さをしないと河童が約束したとか、手形をつけたなどの伝説が伝わる。

長崎市本河内水源地下の水神神社境内には、川立神が宿るという河童石なる石がある。元は銭屋川の一画にあったが、水神神社移転に伴い、石も現在の地に移されたのだという。

この河童石に宿る川立神は汚れを非常に嫌い、不潔な行為をすれば天罰覿面《てんばつてきめん》といわれた。

ある大工がこの石に土足で上がったところ、原因不明の熱病に冒されてしまった。これは神罰だと思い、水神神社の神主・渋江氏を通して川立神への謝罪をし、ようやく快復したという実話があるという。

この川立神とは河童のことにほかならず、九州の河川でいう、「古《いにしえ》に約束せしを忘るなよ川立ち男我も菅原」という河童除けの呪文にある川立ち男と同じものと思われる。

九州の河童は、春は里、秋は山にと、里と山を行き来するものといわれ、河童石はその中継基地とされていたようで、河童という精霊が宿る石とされたのであろう。

これは山の神が春に里へ降りて田の神になるという信仰に結びつくもので、さらには、九州に多く見られる神籠石《こうごいし》にも深く関係しているようである。

神籠石は福岡県久留米市の高良山《こうら》が有名だが、

神籠石には文字通り、神が籠《こも》る石の意味がある。おそらくは山の神、田の神信仰において、山と里との行き来で一時的に神が宿る石としての神籠石がまず先にあり、それが後に河童石とよばれるようになったのではないだろうか。河童と農神との関わりは民俗学でも多々指摘されているように、この河童石も河童と農神との関係を示すものと思われる。

蛇足かもしれないが、長野県佐久郡香坂区の明泉寺にある神籠石はカワゴ石とよばれている。コウゴ石がカワコ石となり、河童石と変化するのも、無理ではない気がするのだが。

㊂河童

『九州の河童』純真女子短期大学国文科編『九州河童紀行』九州河童の会編『日本昔話事典』稲田浩二・大島建彦・川端豊彦・福田晃・三原幸久編

河童憑き［かっぱつき］ 河童が人に憑くことは、九州を中心にした西日本の伝承に見られる。九州では主に若い女性に憑くものとされ、女性

河童憑き

が水辺でふしだらな様を見せると、男河童がそれに懸想《けそう》して憑くという。

ふだんはおとなしい女性が、河童に憑かれた途端に淫《みだ》らな発言をしたり、誰彼かまわずいい寄るような淫乱になってしまうという。

大分県玖珠《くす》郡では、とくに処女が狙われ、憑かれると心身ともに消耗し、やがては重い病となり死に至るという。

河童を落とす方法には、祈禱師による修法《ずほう》などがあげられる。

㊫河童
『河童の世界』石川純一郎　『河童考』飯田道夫　『九州の河童』純真女子短期大学国文科編

桂男〔かつらおとこ〕和歌山県東牟婁《ひがしむろ》郡下里村（那智勝浦町）でいう妖怪。満月ではないときに月を長く見ていると、桂男に招かれて命を落とすことにもなりかねないという。

桂男は『絵本百物語　桃山人夜話』にも描かれ、【月の中に隈あり。俗に桂男という。久しく見入る時は、手を出して見る者を招く。招かるる者、命ちぢまるといい伝う】などとあり、「見るたびに　延ぬとしこそうたてたり　ひとのいのちを月はかかねど」という歌があるとして紹介している。

月の隈を兎の餅搗《もちつ》きに見立てることがあるが、この月の兎や桂男は元はインドの説話にあるもので、それが中国を経て日本に伝わったものといわれている。中国での伝承では、月には月宮殿という立派な宮殿があり、五百丈（約1500m）もの桂の木がそびえている。その桂の木を伐《き》っているのが桂男だという。

『西陽雑俎』によれば、桂男は西河の人で、姓は呉、名は剛。仙法を学んでいたが、ある罰を受けてこの樹を伐っているのだという。

『綜合日本民俗語彙』民俗学研究所編　『竹原春泉　絵本百物語　桃山人夜話』多田克己編　『日本伝説研究　三』藤沢衛彦

葛城高天坊〔かつらぎこうてんぼう〕奈良県葛城山塊の主峰金剛山（高天山）でいう天狗。密教系の祈禱秘経『天狗経』にある全国代表四十八天狗の一つに数えられているもの。
㊜天狗
『天狗考　上』知切光歳　『図集天狗列伝　西日本編』知切光歳

金釣瓶〔かなつるべ〕　愛知県新城市鳥原でいう妖怪。某家の藪にある榎から、金釣瓶が落ちてきたことがあるという。
北設楽《きたしたら》郡一宮村江島では、杉の大木に鬼が棲んでいて、通行人がいると金釣瓶を下ろして人をさらったという話が伝わっている。
㊜釣瓶下ろし
『新城の伝説』山本一三二　『新編愛知県伝説集』福田祥男

蟹の化け物〔かにのばけもの〕
↓蟹坊主《かにぼうず》

蟹坊主〔かにぼうず〕　大蟹、蟹の化け物ともいわれ、寺院の伝説や昔話として各地に伝わっている。内容的には、新しく住職がきてもすぐにいなくなってしまう無住の寺があり、そこに旅の僧が泊まる。夜、何者かが現れて「四手八

蟹坊主

足両眼天に指すは如何に」などの問答を仕掛けるが、旅の僧がこれを蟹の化け物と、正体を暴いて退治する、というような話が基本パターンのようである。

分布としては、山梨県山梨市万力の長源寺、石川県珠洲《すず》郡珠洲市飯田の永禅寺、富山県小矢部《おやべ》市の本叡寺などの寺院が知られている。

岩手県西磐井郡花泉町には、甲橋という橋にまつわる伝説として大蟹が登場し、やはり坊主に化けて問答をするが、寛法寺の住職に鉄扇《てっせん》で打たれて退治されている。

『岩手の伝説』金野静一・須知徳平『越中の伝説』石崎直義『加賀・能登の伝説』小倉学・藤島秀隆・辺見じゅん『綜合日本民俗語彙』民俗学研究所編

金霊〔かねだま〕鳥山石燕の『今昔画図続百鬼』に描かれたもので、【金だまは金気也。唐詩に、「不貪夜識金銀気（貪《むさぼ》らずして、夜、金銀の気を識る）」といへり。又論語にも「富貴在天（ふうきてんにあり）」と見えたり。人善事をなせば天より福をあたふる事、必然の理也】と記されている。土蔵に大判小判がワッと入り込んでいる絵を石燕は描いているが、無論そのような形で金霊がやって来るということをいっているのではない。「良いことをすれば、必ず天より福を授かる」ということを象徴した絵なのであろう。

また、金玉《かねだま》という、文字通り玉が降ってくる伝承がある。東京都足立区梅田町での金玉は、唸《うな》るような音をたてて落ちてくるもので、それが落ちた家は富み栄えるといわれる。

千葉県印旛《いんば》郡川上町（八街《やちまた》市）では、黄色の光の玉が飛んで来るものをいい、やはり飛んで行った方向の家は富み栄えるという。

静岡県沼津では、一人で夜道を歩いているときなど、運のある人の足元にコロコロと赤い光の玉が転がってくるものという。これを自然の形のままで床の間に飾ると、一代で大金持ちになるが、傷をつけたりすると、家を絶やしてしまうそうである。

『兎園小説』には、文政8年（一八二五年）3

月、房州（千葉県）朝夷郡大井村に落ちた金霊のことが記されている。ある農民が早朝の田んぼを見まわっていると、晴天というのに雷鳴のような音が聞こえ、それと同時に何かが落ちてきた。それは鶏卵《けいらん》ほどの玉で、これこそ金霊だろうと一家の宝物にしたという。

ここでは金霊という字をあてているが、石燕の描いた金霊というよりは、民俗資料に見える金玉のことのようである。

『鳥山石燕　画図百鬼夜行』高田衛監修・稲田篤信・田中直日編『綜合日本民俗語彙』民俗学研究所編『随筆辞典　奇談異聞編』柴田宵曲編『民間伝承』通巻37号『民間伝承』通巻152号『旅と伝説』通巻94号「人魂に就いて」斉藤源三郎

金玉〔かねだま〕

→金霊《かねだま》

金の神の火〔かねのかみのひ〕伊予怒和島（愛媛県）でいう怪火。大晦日の夜更けに氏神様の後ろに提灯のような火が下り、喚《わめ》くような

金霊

声を聞くことがあるという。これを土地の者は歳徳神《としとくじん》がこられたというそうである。

㊂金《かね》ん主《ぬし》

『綜合日本民俗語彙』民俗学研究所編

金ん主［かねんぬし］　熊本県天草郡倉岳町でいう怪異。名切の橋のもとというところに石でできた眼鏡橋があり、大晦日の晩にここに行くと、金ん主が立っているという。金ん主は武士の姿をしており、これと力比べをして勝てば、大金持ちになるとされている。

㊂金の神の火

かぶきり小僧［かぶきりこぞう］　下総（千葉県北部と茨城県の一部）でいう妖怪。小さいおかっぱ頭の小僧で、おちょんちょんな着物（丈の短い着物？）を着ており、寂しい山道や夜道に現れては「水飲め、茶飲め」という。狢《むじな》が化けたものといわれている。

『民間伝承』通巻50号「妖怪其他」小川景

カブキレコ　新潟県北魚沼郡湯之谷村でいう妖怪。山にいる怪しい子供のことだという。

かぶきり小僧

カブキリとは禿切《かぶろぎ》りのことで、頭髪を同じ長さで切り揃える子供の髪形である。カブキレコはそうした髪形をした子供の妖怪なのであろう。河童や山童《やまわろ》とも関係ありそうである。
『日本妖怪変化語彙』日野巌・日野綏彦

カブキレワラシ 岩手県上閉伊《かみへい》郡土淵村（遠野市）でいう妖怪。マダの木に棲むもので、童子姿となって家の座敷に忍び込んでは娘に悪戯《いたずら》するという。胡桃《くるみ》の木の三つ又などで遊んでいる赤い顔をした子供の妖怪も、このカブキレワラシだといわれる。
『ザシキワラシの話』佐々木喜善

カブソ 石川県鹿島郡灘や羽咋《はくい》郡でいう妖怪。子猫ほどの大きさで、身体は黒く、前脚が短く、尾は付け根よりも先のほうが太いという特徴を持つ動物である。

夜間に出没するもので、夜道を行く人の提灯の火を消したり、人の後ろについて呼び掛けたり、人間を誑《たぶら》かして石や木の根と相撲を取らせるなどの悪さをする。また、18歳～19歳の美女に化けることもあるという。

カワソともいうそうなので、カブソは川獺《かわうそ》のことなのであろう。

㊂川獺《かわうそ》、カワソ
『綜合日本民俗語彙』民俗学研究所編 『日本妖怪変化語彙』日野巌・日野綏彦

蝦蟇《がま》〔がま〕 何十人もの武士に化けたり、怪火を灯したり、猫を溶かしてしまったりと、もろもろの怪異をなすといわれる。

岩手県高田では蝦蟇憑きといって、人に憑いてさまざまな害をなすことがあり、岩手県紫波《しわ》郡煙山村では、蝦蟇が毎晩のように火柱を立てたという話がある。村人はこれを蝦蟇火とよんでいた。

根岸鎮衛の『耳嚢』には、足の向きが前を向いているのは普通の蝦蟇だが、女性がお辞儀をするように、指先を後ろに向ける蝦蟇は必ず怪異をなすものだとあり、次のような話が載せられている。

ある病気がちの人が住む屋敷で、縁の下にや

蝦蟇

たらと小動物が吸い込まれては消えるということがあった。不思議に思って床下を調べてみると、大きな蝦蟇が窪みに潜んでおり、あたりには夥《おびただ》しい毛髪や骨が散乱していた。

この蝦蟇を打ち殺してからは、病気だった人はみるみる健康になった。これは蝦蟇が人の精気を吸っていたからだという。

蝦蟇などの蛙はその長い舌をもって虫などを捕食するが、この様を見た昔の人たちには、虫が蝦蟇の口に吸い込まれているように見えたのだろう。そのために、蝦蟇は人の精気までも吸う、と考えられたと思われる。

昔から、蝦蟇は不思議な力を持つと信じられていたが、これは中国からの影響を受けているようである。中国の古書『抱朴子《ほうぼくし》』には、蝦蟇は千年も生きると頭上に角を生やし、腹の下が赤くなる。これを肉芝と呼び、よく霊気を食して霊力を貯えているので、そうした蝦蟇を人が食えば、仙人になることができるなどと記されている。

㊫大蝦蟇、ワクド憑き
『随筆辞典　奇談異聞編』柴田宵曲編　『動物界霊異誌』岡田建文　『日本怪談集　妖怪篇』今野円輔編著　『日本妖怪変化語彙』日野巌・日野綏彦　『怪談の世界』山田野理夫

鎌鼬〔かまいたち〕　窮奇、構太刀とも書かれる。各地で古くから知られている妖怪で、旋《つむ》風《じかぜ》に乗って来ては人を切る魔獣である。野外で知らない間に鋭利な刃物で切ったような傷ができるのは、鎌鼬のしわざとされた。

『想山著聞奇集』によれば、鎌鼬による傷は最初は痛みも出血もないが、後に激痛と大出血があり、死に至る場合もあるとしている。傷の大きさは大小いろいろで、白い骨が見えたというケースもあったらしい。傷は下半身に受けることが多いことから、鎌鼬そのものは一尺（約30cm）ほどしか飛び上がれないのではないかと記している。

鎌鼬の伝承は北海道から本州、四国にかけてみられ、とくに雪国に多い。地方によってその

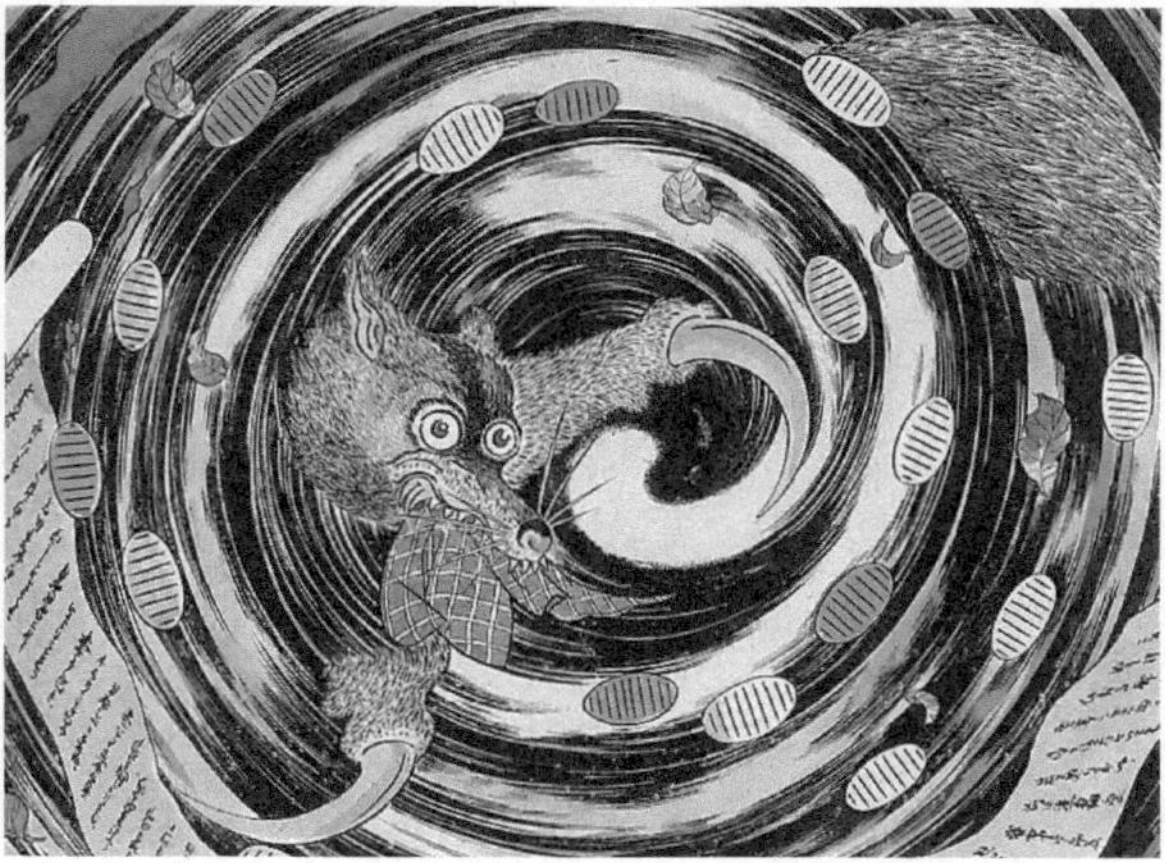

鎌鼬

正体が異なり、岐阜県の飛騨では鎌鼬の正体を3人の神として、1人目が人を倒し、2人目が切りつけ、3人目が薬を塗っていくので、切られても出血しないのだという。

愛知県東部では、鎌鼬は旋風に乗って横行するもので、人の生き血を吸うために傷つけるという。ここでは飯綱《いづな》ともよび、昔、飯綱使いが弟子に飯綱の封じ方を伝授しなかったために、逃げた飯綱がこうして悪さをするのだと伝わっている。

『北越奇談』には、この現象は鬼神の刃《やいば》に当たったことによるもので、故《ゆえ》に構太刀と称するとある。現象そのものは同じでも、その正体などの説明は一様ではないことがわかる。

また、なぜか暦に関係した言い伝えもあり、新潟県西頸城《にしくびき》郡や長野県北安曇《きたあずみ》郡では、暦を踏むと鎌鼬にあうといい、東北地方には、鎌鼬の傷は古い暦を黒焼きにして、傷につけると治るとする土地があったという。

鎌鼬は旋風中に真空空間が発生して起こる現象といわれるが、実験で証明されたわけではなく、いわば俗説にすぎないようである。

『想山著聞奇集』三好想山 『北越奇談』崑崙橘茂世 『三州横山話』早川孝太郎 『近世土佐妖怪資料』広江清編 『山村生活の研究』柳田国男編

蟷螂坂〔かまきりざか〕 新潟県三島郡片貝町（小千谷市）でいう怪異。昔、人を食うほどの大きな蟷螂《かまきり》が坂にいたが、ある冬の大雪で圧死した。以来、蟷螂の祟りからか、その坂で転ぶと、黒い血の出る鎌傷ができて非常に苦しむという。

㊜鎌鼬《かまいたち》

『綜合日本民俗語彙』民俗学研究所編

叺親父〔かますおやじ〕

→叺背負い

叺背負い〔かますしょい〕 秋田県鹿角でいう妖怪。子供が泣くと現れて、大きな叺《かます》に入れて連れて行くという。これと同じものを、青森県津軽では叺親父《かますおやじ》とよんでいる。

㊫隠し神、籠背負い

『秋田方言』秋田県学務部学務課編　『津軽語彙』北山長雄　『綜合日本民俗語彙』民俗学研究所編

蝦蟇憑き［がまつき］

↓ワクド憑き

竈神［かまどがみ］　全国各地でいう民間神。土地により、かま神、おかま様、かま男、荒神《こうじん》、火の神、土公神《どくじん》ともよばれる。

竈《かまど》や炉などの近くに御幣や神札を納めて祭祀するのが一般的だが、東北地方では土や木で作った醜い仮面を竈近くの柱に掛け、それを竈神としている。火の神として以外にも、火防《ひぶせ》の神、家の神、子供の神、牛馬の神、農作物の神とされることも珍しくない。

東北には竈神の由来を伝える昔話が伝わっている。昔、柴刈りに出かけた爺が、途中で大きな穴を見つけ、こういう穴には魔物が棲みつくものだとして、刈ってきた柴で穴を塞ごうとした。しかし、穴は深く、もう1束もう1束と、

竈神

いつしか3ヵ月もかかって貯め込んでいた柴まででも詰め込んでしまった。すると、穴の奥から美女が出てきて、たくさんの柴をもらったお礼をしたいという。女の後ろについて穴に入って行くと、そこには立派な屋敷があり、爺はたいへんな歓待を受けた。帰り際、土産《みやげ》に一人の子供を連れていけと女がいう。臍《へそ》ばかりいじる、みすぼらしい子だったので、爺は断ったが、女はぜひ連れて行けときかないので、渋々連れて帰った。

家に連れて帰ってみたものの、子供は炉《ろ》にばかり当たって臍をいじっている。爺は悪戯《いたずら》心から火箸でちょいと臍を突ついてみた。すると臍からは、金の粒がぽろりと落ちた。それからは日に3度、子供の臍から金の粒が出て、しだいに爺の家は金持ちになった。

しかし、爺の連れ合いの婆は強欲で、もっと金を出そうと、爺の留守中に子供の臍をぐいぐいと火箸で突き、終《つい》には殺してしまった。

爺が悲しんでいると、その夜の夢に子供が現れて、自分によく似た顔の面を作り、それを毎日よく目につく場所に置けば、家は必ず富み栄えるといった。

そこで、竈に掛ける醜い面のことを、子供の名前からとってヒョウトクとよび、竈神として祀るようになったのだという。

ヒョウトクとはヒョットコのことで、火男・火吹き男の転訛《てんか》とされる。火男とは竈や炉の火を管理していた下働きの男のことである。火男を雇うことで家が富み栄えたので、その死後に竈神として祀るようになったという昔話や伝説も各地に伝わっている。

『陸前の伝説』三崎一夫『東奥異聞』佐々木喜善『日本昔話事典』稲田浩二・大島建彦・川端豊彦・福田晃・三原幸久編『民俗学辞典』民俗学研究所編『民間信仰辞典』桜井徳太郎編『宿なし百神』川口謙二

蝦蟇火〔がまび〕
↓蝦蟇《がま》

髪洗い婆〔かみあらいばばあ〕愛知県新城市

日吉でいう妖怪。日吉の元は小学校だった藪の下に、ばんじょうげつ（番匠貝津）というところがあり、そこに学橋という橋がある。雨が降る夕方にここを通ると、髪の真っ白な婆さんがジャボンジャボンと髪を洗っていたという。また、美しい黒髪の女が、ここで櫛《くし》で髪を梳《す》きながら洗っているともいう。

『新城の伝説』山本一三二

髪鬼〔かみおに〕　鳥山石燕の『画図百器徒然袋』に、ぼさぼさの毛髪が角のようになった女性の姿が描かれており、【身体《しんたい》髪膚《はっぷ》は父はは（母）の遺体なるを、千すじの落髪を泥土に汚したる罪に、かかるくるしみをうくるなりと言ふを、夢ごこちにおぼえぬ】と記されている。絵に関しては石燕の創作だが、女性の髪の毛に不思議な力があることは、古来より信じられてきたことである。

『鳥山石燕　画図百鬼夜行』高田衛監修・稲田篤信・田中直日編

髪鬼

髪切り〔かみきり〕『諸国里人談』『耳嚢』『半

日閑話』などにある、何者かによって知らない間に髪の毛を切られてしまう怪異。

元禄（一六八八年～一七〇四年）のはじめ頃には伊勢松坂（三重県松坂市）で多く起こったと、『諸国里人談』に記されている。

夜中に道を歩いていると、男女問わず髪の毛の元結《もとゆ》い際より切られてしまう。切られた本人はまったく気づかず、切り取られた髪の毛は結ったまま道に落ちているという。

同じことが江戸でもあり、紺屋町（千代田区）、下谷（台東区）、小日向（文京区）などで、いずれも商家や屋敷の下働きの女が被害にあっている。

正体については、髪切り虫という虫のしわざだとか、そのころに捕らえた狐の腹の中に女の髪の毛が詰まっていたなど、さまざまに詮索されたようである。

『耳嚢』根岸鎮衛・長谷川強校注『日本随筆大成』日本随筆大成編集部編『随筆辞典　奇談異聞編』柴田宵曲編

紙舞い（紙舞）

紙舞〔かみまい〕 10月に現れる妖怪で、風もないのに紙が一枚一枚舞う、などと資料によっては説明されるが、紙舞という妖怪は基本的にはいない。

紙舞という名称と図版は、藤沢衛彦の『妖怪画談全集 日本篇 上』にあるが、そこには【紙舞（風なきに自ら紙一枚一枚づつ舞ひ歩く神無月《かんなづき》の怪）】とあるだけである。同書の絵は『稲生物怪録《いのうもののけろく》』で鼻紙が飛びまわる場面であり、紙舞という妖怪ではない。

『稲生物怪録』とは、備後国（広島県）三次《みよし》の藩士稲生家に起こった怪異譚をまとめたものである。稲生平太郎という人物が16歳のときに体験した実話とされ、山《さ》ン本《もと》五郎左衛門という魔物によって、さまざまな怪異が毎日のように起こったとするものである。

鼻紙が自然と飛びまわるという怪異はその中の一部であり、紙舞という固有名詞を持つ妖怪ではない。伝説研究家の藤沢衛彦は、この『稲生物怪録』の一部を紙舞として紹介しているわけだが、何をもって神無月の怪としているのかは不明である。しかも『稲生物怪録』では7月のこととされている。

また、山田野理夫作の『下がったりなめたり』に「かみまい」として紹介されている強欲な金貸しの話があるが、こちらは創作と思われる。

『妖怪画談全集 日本篇 上』藤沢衛彦

ガメ 富山県上新川郡大田村、石川県小松、石川県能美郡、福岡県久留米でいう河童。小松の辺りでは、よく子供に化けるという。

富山県のガメは、鱗形《うろこがた》の文様のある甲羅を持った亀のようなもので、腹が赤く、ふさふさした尾を有している。ガメが千年を経るとカーラボーズになるといい、赤い人のような形をして、頭には水が入った鉢があるという。

久留米でのガメは美人に取り憑くとよくいわれ、これに憑かれると病気になってしまう。

㊂河童

『日本妖怪変化語彙』日野巌・日野綏彦 『河童の世界』石川純一郎

瓶長《かめおさ》（甌長）

甌長〔かめおさ〕　鳥山石燕の『画図百器徒然袋』に描かれているもので、【わざわひは吉事のふくするところと言へば、酌どもつきず、飲めどもかはらぬめでたきことをかねて知らする甌長にやと、夢のうちにおもひぬ】と記されている。

　石燕の最後の言葉から分かる通り、この妖怪は創作のようである。石燕は甌長を有害な妖怪とせず、いくら汲んでも水の尽きない福の入った甌《かめ》だとしている。

『鳥山石燕　画図百鬼夜行』高田衛監修・稲田篤信・田中直日編

カメノコ

↓槌の子

亀姫〔かめひめ〕　会津（福島県）の武士・松風庵寒流の聞き書きによる『老媼茶話』にあるもの。

　寛永17年（一六四〇年）12月、堀部主膳という猪苗代城代の前に見知らぬ子供が現れ、「お前はまだ城の主《あるじ》に挨拶をしていない。はなはだ無礼である。今日は主がお前に会ってやるとのこと。急いで正装して参れ」などという。

主膳は狐狸の類でも捨ておけないと、自分の主は加藤明成であり、他に城主などいるわけないと叱りつけた。

すると子供は、「この城、はじまってより主は亀姫様より他はない。姫路の刑部姫《おさかべひめ》と猪苗代の亀姫を知らぬのか。お前の天運は既に尽きたり」といって消えた。

　翌年、正月の朝、主膳が家来たちから年賀の礼を受けようと広間にいくと、自分の席に棺桶と葬式の道具が置かれている。家来に訊《き》いても、何者のしわざかは分からない。さらにその日の夕方には、どこからか大勢で餅を搗《つ》く音が聞こえてきた。

　このような怪異に不安な毎日を過ごしていた主膳だったが、1月の18日に便所で倒れてしまい、20日には先年の怪しい子供の予言通りに死んでしまった。

　その年の夏、三本杉の清水の田んぼで柴崎某という武士が七尺（約2m 10㎝）もの大入道を見つけ、一刀のもとに斬りつけると、それは古い狢《むじな》だった。以来、猪苗代城には怪異は起こらなくなったという。

　姫路城の刑部姫が姉で、猪苗代城の亀姫は妹だそうで、この話を下敷きにして泉鏡花は戯曲『天守物語』を書いている。

　白鷺城《しらさぎじょう》（姫路城）の天守に住む富姫が主人公で、猪苗代城の亀姫はその妹として登場する。亀姫が姉の富姫のところに遊びに行く際、血の滴《したた》る男の生首を土産《みやげ》として持参するなど、鏡花独特の妖しい世界が広がる。

『民俗怪異篇』礒清『大語園』巌谷小波編
『怪談の世界』山田野理夫

蚊帳吊り狸［かやつりたぬき］　徳島県美馬《みま》郡三島村舞中島（穴吹町）でいう妖怪。
　夜間、寂しい道に蚊帳《かや》が吊ってあり、捲《まく》って進むと、また次の蚊帳がある。前に行っても、後ろに戻っても蚊帳があり、夜明けまで出ることができない。こうなったら、心を落ち着かせ、丹田《たんでん》（へそ）に力を入れて捲って進むと、36枚目に向こう側に出られるという。この怪異は狸が化かしているものとされる。

㊜狸

『阿波の狸の話』笠井新也『日本怪談集 妖怪篇』今野円輔編著

カヨーオヤシ 樺太のアイヌ民族に伝わる妖怪で、人呼びお化けという意味。どこからか「おーい」と呼ぶ声が聞こえ、それにつられて行ってしまうと命が危ないという。

北海道のアイヌ民族にも同様の怪異が語られているが、とくに名前はないようである。

山中で誰とも分からぬ者に呼ばれたときは、すぐに返事をしてはならないそうで、2度目までは聞き流し、3度目に人の声だと確認できたとき、はじめて返事をするものだという。

しかも、山の中で声を掛け合うときには、特別な言葉を使わないといけないそうで、これはふだん使っている言葉を使うと、魔物にも意味が分かってしまい、魔物が人間に近づいて取り憑く危険性があるからだという。

また、魔物が人を呼ぶときは、必ず一声しか呼ばないともいう。山中で何者とも知れぬものに呼ばれる怪は全国各地にみられる。

岐阜県大野郡の山中では、一声呼びといって、やはり魔物のしわざと信じられていた。

人気のない山中で人間の声を聞く怪異は、現代でも、山仕事に従事する人や渓流釣り師の間で語られている。

『えぞおばけ列伝』知里真志保編訳

傘お化け〔からかさおばけ〕一つ目あるいは2つの目がついた傘から2本の腕が伸び、一本足でピョンピョン跳ねまわる傘の化け物とされる。よく知られた妖怪のわりには戯画などに見えるくらいで、実際に現れたなどの記録はないようである。

『妖怪学入門』阿部主計

空木返り〔からきがえり〕

→空木《からき》倒《だお》し

空木倒し〔からきだおし〕新潟県岩船郡三面

傘化け（傘お化け）

村（朝日村）でいう怪異。夜中の山中で斧《おの》を使って大木を伐《き》り倒す音がするという。倒れる音だけで、地に落ちた音は聞こえない。狢《むじな》の悪戯《いたずら》とされている。

宮城県刈田郡宮村遠刈田（蔵王《ざおう》町）では、同様の怪異を空木返りとよんでいる。薄曇りの日の夕方などに、山中で大木が伐り倒される音がするが、倒れる音だけで、地面に落ちた音は聞こえないという。

㊂空木《そらき》倒《だお》し、天狗倒し、古杣《ふるそま》

『綜合日本民俗語彙』民俗学研究所編　『旅と伝説』通巻137号「木地屋の生活」橘文策

唐子わらし〔からこわらし〕

→座敷わらし

烏天狗〔からすてんぐ〕鳶《とんび》のような顔と姿をした半人半鳥の天狗で、絵巻物や物語に登場することで知られている。

赤い顔と高い鼻を持つ天狗は、近代に入ってから広まったもので、それまでは猛禽類《もうきんるい》の姿をしたものが主流だったという。現代では赤面鼻

烏天狗

高を大天狗とし、その配下に烏天狗がいるというような主従関係を認める風がある。

　末広昌雄の「伊予路の天狗噺」には、愛媛県西条のある人が子供を連れて石槌山に登ったとき、ちょっと目を離したすきに子供が天狗に攫《さら》われてしまったという話がある。さんざん探してみても行方はわからず、やむなく家に帰ってみると、子供が先に帰っていた。

　その子供が語るには、山頂の祠《ほこら》の裏で小便をしていたところ、真っ黒い顔の大男がきて、「こんなところで小便をしてはいけないよ。おじさんが家まで送ってあげるから、目をつぶっておいで」とやさしくいわれ、気がついたら家の裏庭に立っていたという。

　これは石槌山の烏天狗のしわざだという。

㊂天狗

『あしなか』116号「伊予路の天狗噺」末広昌雄『天狗考　上』知切光歳『日本怪談集　妖怪篇』今野円輔編著

ガラッパ　鹿児島県、宮崎県、熊本県など南九州でいう河童。春と秋に山と川を行き来する性質を持つ。

一般的な河童とさほど変わらないが、トカラ列島悪石島（鹿児島県）のガラッパは少し変わっている。細身で頭には皿があり、手足がやたらと長く、座ると膝頭が頭よりも高くなる。常に涎《よだれ》を垂らしていて、生臭いという。

山で道に迷ったり驚かされることがあるのは、すべてガラッパのしわざとされている。山でガラッパの悪口をいってはいけないとされ、履物を履いているときなら問題ないが、素足だと数キロ離れたところにいるガラッパに聞こえてしまい、仕返しをされるという。

また、ガラッパと友達になると、おもしろいほど魚が釣れるという。友達になると魚がよく捕れるのは、南西諸島のケンモンや沖縄のキジムナーにもいわれることである。

㊜河童

『河童の世界』石川純一郎　『南日本の民俗文化二　神々と信仰』小野重朗　『日本怪談集

ガラッパ

妖怪篇』今野円輔編著

ガラッポ
↓河童

ガラボシ
↓河童

ガラヨー
↓河童

ガラル
↓河童

ガランドン　鹿児島県を中心にした南九州でいう民間神あるいは河童。祟りが激しい荒神《こうじん》であるとか、ガラッパ（河童）であるとか、さまざまに伝わっているが、河童としての具体的な話は残っていないという。

『民俗神の系譜』によれば、ガランドンのガランとは七堂伽藍などの伽藍からきたもので、どんな仏かははっきりしなくとも、仏教的性格を持った神祠《しんし》をそうよんだのだろうとし、もともと河童による水難を封じる仏教的な力を持つ神だったのではないかとしている。

また、熊本県天草郡竜ヶ岳町大道区に祀られるガランドンは、盗難や殺人の犯人探しを祈願する神とされている。

『民俗神の系譜』小野重朗『天草・霊験の神々』浜名志松

かりこ様〔かりこさま〕
↓河童

カリコボ
↓河童

ガロー
↓河童

ガロボシ
↓河童

川赤子〔かわあかご〕　鳥山石燕の『今昔画図続百鬼』に、川辺の葦《あし》より上半身だけ姿を現した赤子として描かれており、【山川のもくずのうちに、赤子のかたちしたるものあり。これを川赤子といふなるよし。川太郎、川童の類ならんか】とある。

川赤子の名ではとくに話は伝わっておらず、

川赤子

水辺で赤ん坊の声を出して人を惑わす妖怪としたのは絵からの想像によるものであろう。

多田克己の「絵解き　画図百鬼夜行の妖怪」によれば、これは赤子ともよばれた糸ミミズに引っ掛けた洒落《しゃれ》ではないかとしており、それがために、川赤子の背景には筏《いかだ》と釣り竿が描かれているのだと推測している。

『鳥山石燕　画図百鬼夜行』高田衛監修・稲田篤信・田中直日編　『怪』零号「絵解き　画図百鬼夜行の妖怪」多田克己

ガワイロ
↓カワエロ

ガワウ
↓河童

川獺〔かわうそ〕　各地で狐狸などと同様の怪異が語られる。古くから魔獣視され、『太平百物語』『裏見寒話』『御伽厚化粧』などといった怪談、随筆、物語でも川獺は怪しい動物として扱われている。
　美しい女や男に化けることを得意としている

ようで、能登（石川県）では、20歳くらいの美女や碁盤縞《ごばんじま》の着物を着た子供に化けて出てくる。「誰だ？」と声をかけると、「オラヤ」といえずに「アラヤ」と答え、「どこの者だ？」と尋ねると、「カワイ」などと意味不明なことを答えるという。

このような間抜けな性格が語られる一方で、『太平百物語』や『四不語録』などには、美女に化けた川獺に殺されてしまう男の話があり、狐狸などの悪戯《いたずら》に比べると、残酷な面が強調されているようである。

また、見越《みこ》し入道《にゅうどう》系の妖怪に化けることがあり、広島市では伴の川獺、阿戸の川獺などと、いずれも大坊主に変化するものとして恐れられていた。

津軽地方（青森県）では人に憑くものとし、憑かれた者は精魂が抜けたように元気がなくなるという。ときに、生首に化けては川漁の網にかかって化かすこともあるそうである。

石川県や高知県では河童の類ともされており、

川獺

川獺と相撲を取った話が伝えられている。

川獺が美女に化けるということは、中国の『捜神記』『甄異志』といった古文献にもある。こうした特徴は日本の知識人を通して、民間にも広まったのではないだろうか。

『随筆辞典 奇談異聞編』柴田宵曲編 『続妖異博物館』柴田宵曲 『河童考』飯田道夫 『妖怪談義』柳田国男 『津軽口碑集』内田邦彦 『安芸の伝説』藤井昭

カワエロ 岐阜県揖斐《いび》郡谷汲村、徳山村（藤橋村）でいう河童。カワイロ、ノシともいう。

水中では姿を見せないが、陸《おか》に上がるときは、顔が白く眉が黒い猿によく化ける。しかし、カワエロが化けた猿は、踵《かかと》が少ししかないそうである。ときによっては、人間が欲しがる物に化けて誑《たぶら》かすこともあるという。

岐阜県武儀《むぎ》郡板取村中切ではガワイロとよばれ、よく子供に化けて出てきて相撲を挑むが、手を引っ張られると、そのまま抜けてしまうことがあるといわれている。

頭には毒の入った皿があり、その毒が流された川で泳ぐと、人間は身体が粘ついて陸に上がれなくなる。そこを狙って、ガワイロは人のイドコ（肛門）を取るという。

この地方では、キュウリの尻を食べてから川に行くと、ガワイロに引かれて溺死するといって戒《いまし》められているという。

㊜河童

『綜合日本民俗語彙』民俗学研究所編 『河童の世界』石川純一郎 『民間伝承』通巻56号「板取雑記」直江広治

ガワエロ

→カワエロ

川男〔かわおとこ〕 江戸時代の国語辞書である『和訓栞』にあるもの。高山の流れの大川にいるもので、身長が高く、皮膚の色ははなはだ黒いという。美濃（岐阜県）などでは、夜、網を使った漁に行く人が度々これを目撃するそうで、2人並んで物語っているという。

『動物妖怪譚』日野巌 『日本未確認生物事典』

笹間良彦『綜合日本民俗語彙』民俗学研究所編

河女〔かわおなご〕 青森県浪岡町（青森市）でいう妖怪。夏の夜、十川の釜谷橋付近の土手に美女の姿で現れて、通りかかる男に声をかけ、引っ掛かった男に取り憑くのだという。

取り憑かれた男は急に大食漢になり、ときにはお櫃《ひつ》の飯を食い尽くすようになる。自分の便さえ、つかんで食べる場合もあるという。河女が恋しくなり、普通の人が寝静まった頃に起き出しては、女に会いにいくようになる。他人には河女の姿は見えないが、憑かれた者には手招きする姿が見えるという。憑かれた男は、後に精神に異常を来《きた》すそうである。

㊫川姫、川女郎

『津軽口碑集』内田邦彦

川熊〔かわくま〕 秋田県雄物川《おものがわ》でいう妖怪。秋田侯の先代で、諡《おくりな》を天英院という殿様が、あるとき雄物川に舟を浮かべ、鉄砲で猟をしていた。すると突然、水底より黒い毛の生えた手が伸びてきて、鉄砲を奪ってしまった。

その後、しばらくしてから、水練の達者な者が雄物川でも一番の魔所といわれる洪福寺淵に潜ったところ、1丁の鉄砲を見つけた。佐竹藩に什宝《じゅうほう》として伝わる「川熊の御筒」がそれだという。

また、雄物川の下流の河辺郡川添村椿川（河辺郡内か？）には、川熊の手というものが伝わっていた。ある船頭が雄物川の岸に舟をつないでいたところ、深夜に激しい水音とともに舟べりに両手をかけるものがいたので、驚いて鉈《なた》でその手を切り落とすと、川熊の手が舟に残された。猫の手のようだったという。

以上は菅江真澄《すがえますみ》の『月の出羽路』にある話だが、新潟県の信濃川にも同じような怪物の伝承がある。

信濃川では、大水が起こるのは河熊が堤を切ってしまうからだといわれ、「あの土手がつぶれたのは、河熊のしわざにちがいない」などといったそうである。

川熊

『山島民譚集』柳田国男　『越後三條南郷談』外山暦郎『綜合日本民俗語彙』民俗学研究所編

河虎〔かわこ〕　川虎、川子とも書く。兵庫県但馬、高知県、島根県出雲、鳥取県、大分県大分郡、長崎県壱岐、対馬でいう河童。対馬には、河虎が憑いた男の話があるが、皮膚の下を移動する瘤《こぶ》のようなものだったという。

㊜河童

『日本妖怪変化語彙』日野巌・日野綏彦　『九州の河童』純真女子短期大学国文科編

川小僧〔かわこぞう〕

↓河童

かわこ坊主〔かわこぼうず〕

↓河童

川小法師〔かわこぼし〕

↓河童

カワコマ

↓河童

川猿〔かわさる〕『三河雀』『勝光伝（妖怪門

勝光伝)』にあるもの。

遠州（静岡県）榛原《はいばら》郡でいう河童のようなもので、川のほとりに現れる。馬がこれに出会えば、たちまち倒れて死ぬといわれ、馬の疫神《えきじん》として恐れられたという。

　ときには子供の姿となって現れ、狐狸などと同じように人を誑《たぶら》かすが、川猿が化けた子供は魚の臭いがするのでそれと分かる。

　性質は臆病だといわれるが、川猿と組み合うとどんな力自慢の男でも勝ち目はなく、身体中の肉を搔《か》きむしられて重傷を負ってしまう。しかし、股と目が急所といわれており、ここに矢が当たれば大いに弱るという。

　また、不思議なことに、自分を助けてくれた者のことだけはけっして忘れないという。

㊂河童
『動物妖怪譚』日野巌　『大語園』巌谷小波編
『山島民譚集』柳田国男

カワショウジモン
→河童

川猿

川女郎〔かわじょろう〕 香川県仲多度《なかたど》郡、坂出市辺りでいう妖怪。大水のとき、堤が切れそうになると、「家が流れるわ」と、人が泣くような声をあげるという。
㊂河女《かわおなご》、川姫
『現行全国妖怪辞典』佐藤清明 『民間伝承』通巻47号「妖怪語彙」三宅周一

カワソ 石川県金沢市、石川県鹿島郡灘、愛媛県宇和、島根県美濃郡、広島県安芸郡などでいう川獺《かわうそ》、河童のこと。
㊂川獺、河童
『綜合日本民俗語彙』民俗学研究所編 『河童の世界』石川純一郎

カワダ
↓河童

ガワタ
↓河童

カワタラ
↓河童

ガワタロ
↓河童

カワタロー
↓河童

カワッソー
↓河童

カワッパ
↓河童

ガワッパ
↓河童

ガワッポ
↓河童

川天狗〔かわてんぐ〕 東京都奥多摩、神奈川県津久井郡、山梨県南都留《みなみつる》郡道志川、埼玉県秩父でいう妖怪。

東京都西多摩郡小河内村（奥多摩町）の多摩川に、大畑淵という大きな淵があり、昔はそこに川天狗が棲んでいて、いつも寂しそうにしょんぼりと岩に座っていたという。

悪さはせずに、熱病の薬として、ミミズを煎じて飲むことなどを村人に教えたという。

神奈川県津久井郡では、夜の川にいきなり転がってくる巨大火の玉を川天狗のしわざとした。人が投網《とあみ》を投げると、川天狗も姿を見せぬまま投網を投げる音だけをたてるという。

埼玉県秩父市や山梨県南都留郡の道志川でも同じようなことが語られ、道志川のクソマタ淵で釣りをしていた子供は、黒い坊主姿の川天狗に「子供っ子供っ」と呼ばれたという。

天狗の仲間でも、水辺に好んで棲みつくものを川天狗というのであろうか。

㊫天狗

『河童の世界』石川純一郎　『あしなか』46号「奥多摩天狗抄」真鍋健一『相州内郷村話』鈴木重光『埼玉県史民俗調査報告書　秩父郡両神村出原地区』埼玉県史々編纂室編『綜合日本民俗語彙』民俗学研究所編

川童子〔かわどうじ〕

↓河童

川の殿〔かわのとの〕　熊本県菊池郡、大分県玖珠郡、大分市でいう河童。熊本県天草ではカワンタンとよぶ。大分県ではカワントン、カントン、ガントン、カントロ、カンチョロなどの語彙《ごい》もある。わざわざ「殿」とつけるのには、忌み言葉の意味があるのだろうか。

㊫河童

『日本妖怪変化語彙』日野巖・日野綏彦

川の人〔かわのひと〕

↓川の者

川の者〔かわのもの〕　大分県玖珠《くす》郡でいう河童。直接、河童とはよばずに、いわゆる忌み言葉として使ったものらしい。

よく人に憑くもので、憑かれた人は病気になってしまう。こうした病気は法者という祈禱師に治してもらう。法者は御幣《ごへい》で病人を撫で、それを紙袋に入れて焼くという。

㊫河童

『山村生活の研究』柳田国男編　『綜合日本民俗語彙』民俗学研究所編

川ババ〔かわばば〕

↓河童

川姫

川姫〔かわひめ〕高知県高岡郡、福岡県築上郡、大分県中津でいう妖怪。

高知県檮原《ゆすはら》町上成にある白王神社のそばの谷は草木が繁って昼でも暗いところだった。ある雨の晩、四万川集落の弘瀬某という男がここを通りかかると、見なれぬ美しい娘が水際で糸わくをまいていた。怪しんだ男が叱るように怒鳴ってみると、その女は振りかえってにっこりと笑った。これは化け物に違いないと、男が刀を抜いて糸わくを切ると、女は大笑いしながら淵に飛び込んでしまった。

用件先でこのことを話すと、「昔から刀は糸を切ると威力がなくなるというから、家にある刀を持っていけ」といわれたので、男は刀を借りて帰途についた。

すると、先ほどの淵に例の女がいたので、男はすかさず刀を抜いた。そして、「そんな糸切り刀じゃ斬れやせん」という女を、一刀のもとに斬り伏せて退治したという。

これが高知での川姫である。

同じ川姫でも、福岡県では憑き物のような性質を持っている。水車小屋などに若者が集まっていると、いつの間にか水車の陰に美女が立っている。この女を見て心を動かすと精気を抜かれてしまうというので、女を見つけたときは、座にいる年寄りなどが戒《いまし》めの合図をし、みんな下を向いて息を殺すのだという。

大分県中津辺りでは、水面をさらさらと歩いてくるものだといわれ、川下から来たと思ったら、ひらりと橋の欄干に跳び上がって立ったなどの話がある。

㊫河女《かわおなご》、川女郎《かわじょろう》

『民間伝承』通巻43号「妖怪名彙」水野葉舟

『土佐の伝説』桂井和雄

川蛍〔かわぼたる〕『利根川図志』にある怪火で、亡者の陰火《いんか》ともいう。

印旛沼（千葉県）でいう蛍の光に似た火の玉で、大きさは蹴鞠《けまり》ほど。夏から秋の夜、とくに雨の降る日に多く現れ、水上から一尺～二尺（約30㎝～60㎝）ほどの高さを、さながら浮か

カワボタル（川蛍）

れて歩くように飛ぶ。集まったり離れたりを繰り返し、時に高く、時に低く飛ぶ。そして、走るときは矢のように速い。

　夜、印旛沼で漁をしていると、この火が舟に入ってくることがある。舟棹《ふなざお》で叩くと砕け散って、舟の中が一面の火となるが、燃えることはない。ただ、強烈な生臭さが残り、舟には油のようなぬるぬるしたものが付着して、洗ってもなかなか落ちないという。

『利根川図志』赤松宗旦・津本信博訳

川ミサキ〔かわみさき〕
↓山ミサキ

川野郎〔かわやろう〕
↓カワエロ

カワラ
↓河童

ガワラ
↓河童

ガワライ
↓河童

河原小僧〔かわらこぞう〕
↓河童

河原坊主〔かわらぼうず〕
↓河童

カワランベ
↓河童

ガワル
↓河童

ガワロ
↓河童

カワロー
↓河童

川わらす〔かわわらす〕
↓河童

川わらわ〔かわわらわ〕
↓河童

ガワンタ
↓河童

カワンタロ
↓河童

カワンタン
→川《かわ》の殿《との》

カワントン
→川《かわ》の殿《との》

カワンバッチョ
→河童

カワンヒト
→川の者

岸涯小僧〔がんぎこぞう〕　鳥山石燕『今昔百鬼拾遺』に、毛深い河童のような姿で描かれた妖怪で、【岸涯小僧は川辺に居て魚をとりくらふ。その歯の利き事やすりの如し】とある。

絵からすると、河童の仲間のようだが、岸涯小僧という名での話は見つからない。

『鳥山石燕　画図百鬼夜行』高田衛監修・稲田篤信・田中直日編

鑵子転がし〔かんすころがし〕
→鑵子転げ

鑵子転げ〔かんすころげ〕　山口県などでいう妖怪。鑵子《かんす》転がしともいう。

岸涯小僧

酒などの燗をする器が、山の崖から転がってくる。これに驚いて腰を抜かすと、足が萎《な》えてしまうという。

『現行全国妖怪辞典』では、人の首が転がるものもカンスコロゲとして紹介している。

福島県では鑵子転ばしとよび、山の上にいて、夜道を行く人を見つけては、鑵子を転がす妖怪だという。

㊫薬缶《やかん》まくり

『現行全国妖怪辞典』佐藤清明　『日本妖怪変化語彙』日野巌・日野綏彦　『民間伝承』通巻38号「妖怪名彙」蒲生明

鑵子転ばし〔かんすころばし〕

↓鑵子転げ

カンスコロビ

↓鑵子転げ

ガンタロ

↓河童

カンチキ　山梨県南都留《みなみつる》郡道志村でいう河童。小善地から大栗に出るところの湯本に現れたといわれている。

その姿の特徴は、背中には亀のような甲羅があり、髪の毛は常に四方に振り乱れている。顔はまるで烏天狗のように蒼黒いという。

引っ張り込む力は恐ろしく強いものの、引かれる勢いに乗じて逆に押せば、すぐにひっくり返って尻餅《しりもち》をついてしまう。腕力に比べ、知恵はさほどないようである。

日頃はいつも人の尻ばかりを探しまわって悪戯《いたずら》をしたといわれている。

カンチキの棲む水辺では、不注意で人が水に落ちたとき、すぐに助け出しても、すでにカンチキによって、素早く尻を抜かれている場合が多かったようである。

カンチキは人間の尻こぶ（肛門）から細い手を入れ、内臓を引き出して食ってしまうといわれている。

㊫河童

『道志七里』伊藤堅吉　『日本怪談集　妖怪篇』今野円輔編著　『河童の世界』石川純一郎

カンチョロ
↓川《かわ》の殿《との》

カンテメ　鹿児島県奄美大島に伝わっている幽霊。その背景には、カンテメと岩加那という若い男女の悲恋物語がある。

富豪の家に仕えるカンテメはそこの主人に辱《はずかし》めを受け、それを苦に自殺する。その魂が恋人の岩加那の前に現れたといわれている。

『旅と伝説』通巻8号「南西諸島の伝説　二」

茂野幽考

カントロ
↓川《かわ》の殿《との》

カントン
↓川《かわ》の殿《との》

ガントン
↓川《かわ》の殿《との》

龕の精［がんのせい］　沖縄県でいう妖怪。龕《がん》のマジムンともいう。龕とは龍の彫刻や仏画が描かれた朱塗りの神輿《みこし》のようなもので、棺桶を乗せて担ぐ葬具。沖縄では龕や棺桶が化けて人を誑《たぶら》かしたという話がよくある。

国頭郡今帰仁村運天のブンブン坂には龕の精がいて、大きな牛馬に変化した。

ときおり人の足音とギーギーという荷物を担ぐ音が聞こえることがあるが、それは人が今まさに死のうとしているとき、その家を往復している龕の精なのだという。

羽地では、夜に鶏を売りにくる者から鶏を買ってはいけないといわれている。昔、子供が病気だから鶏を買ってくれと来た者があり、その鶏を買って翌朝見たら、それは龕の角に飾る鳥の木彫りだったという。

龕は死んだ人を運ぶものなので、精霊が籠《こ》もりやすいと考えられたのか、その扱いには注意が必要とされた。葬式に赤い着物や帯をすると龕の精に魂を奪い取られるとか、葬式の最中に龕を指差すと手が切れてしまうなどの戒《いまし》めがあり、葬式が終わって龕をしまうときは、悪口をいいながらしまわないと、また龕の精が人を連れにくるといわれた。

甕の精

甕はだいたい村ごとに1つといった共有物だったので、村人は年に1度は甕祝いを行い、酒や肉汁で供養をしたという。さらに、古くなって不要となった甕は、僧侶やユタ（巫女《みこ》）によって十分に供養されたそうである。

『山原の土俗』島袋源七 『日本怪談集 妖怪篇』今野円輔編著 『沖縄の伝説100のナゾ』比嘉朝進

甕《がん》のマジムン〔がんのまじむん〕

↓甕の精

ガンバ

↓河童

加牟波理入道〔がんばりにゅうどう〕 雁婆梨入道、眼張入道とも書く。便所の妖怪。

鳥山石燕の『画図百鬼夜行』には、便所の脇で口から鳥を吐く入道姿の妖怪として描かれており、【大晦日の夜、厠にゆきて「がんばり入道 郭公《ホトトギス》」と唱ふれば、妖怪を見ざるよし、世俗のしる所也。もろこしにては廁神名を郭登といへり。これ遊天飛騎大殺将軍とて、人に禍福

加牟波理入道

をあたふと云。郭登郭公同日の談なるべし」と解説されている。

松浦静山の『甲子夜話』では雁婆梨入道という字を当て、廁《かわや》でこの名を唱えると下から入道の頭が現れ、その頭を取って左の袖に入れてまた取り出すと、頭は小判に変化するなどの記述がある。

「がんばり入道ホトトギス」と唱えると怪異にあわないというのは、江戸時代にいわれた俗信だが、この呪文はよい効果を生む（前述の小判を得る話を含め）場合と、禍《わざわい》をよぶ場合があるようで、『諺苑』には、大晦日にこの諺《ことわざ》を思い出せば不祥なりと書かれている。また、石燕は郭公《カッコウ》と書いてホトトギスと読ませているが、これは江戸時代では郭公とホトトギスが混同されていたことによる。

ホトトギスと便所との関係は中国由来のようで、『荊楚歳時記』にその記述が見える。ホトトギスの初鳴きを一番最初に聞いたものは別離することになるとか、その声を真似すると吐血するなどといったことが記されており、厠に入ってこの声を聞くと、不祥事が起こるとある。

これを避けるには、犬の声を出して答えればよいとあるが、なぜかこの部分だけは日本では広まらなかったようである。

『鳥山石燕 画図百鬼夜行』高田衛監修・稲田篤信・田中直日編 『江戸文学俗信辞典』石川一郎編 『史実と伝説の間』李家正文

き

キーヌシー 沖縄県でいう怪異。大木に宿る木の精のことで、屋敷の大木を伐《き》るときなど、キーヌシーに祈願してから伐るという。

ムーチーの日（旧暦12月8日）にはキーヌシーが不在となるので、この日に限って、枝を切り落とせるとする土地もある。

また、実際には倒れていないのに、夜中に木が倒れる音が聞こえるのは、キーヌシーが苦しんでいるときの音とされ、そうした木は2日～3日後に枯れてしまうという。

キーヌシーを擬人化したものがキジムナーだともいわれる。

(参)木霊《こだま》、キジムナー

『日本怪談集 妖怪篇』今野円輔編著 『沖縄の御願ことば辞典』高橋恵子

キーマジムン

↓キジムナー

消えずの行灯〔きえずのあんどん〕

↓明かりなし蕎麦《そば》

祇園鮫〔ぎおんざめ〕 愛知県渥美郡でいう妖怪。渥美半島の海岸では、旧暦6月15日の祇園祭の日には、海に祇園鮫という妖怪が出現するといわれている。この日は祇園鮫を恐れて、海に出る者はいないという。

(参)七本鮫《しちほんざめ》

『現行全国妖怪辞典』佐藤清明 『綜合日本民俗語彙』民俗学研究所編

祇園坊主〔ぎおんぼうず〕 静岡県でいう妖怪。河童の類。6月14日の祇園祭の日に川に入ると、祇園坊主が出てくるという。

祇園祭の日に河童の類が出るとは東海地方ではよくいわれることで、河童を祇園（牛頭《ごず》天王）の眷属《けんぞく》と見なしていることによる。

㊂河童

『綜合日本民俗語彙』民俗学研究所編

キカ

↓鬼火

鬼界ヶ島伽藍坊〔きかいがしまがらんぼう〕鹿児島県種子島や、トカラ列島の悪石島を限りに棲まう天狗。密教系の祈禱秘経『天狗経』にある全国代表四十八天狗の一つ。

㊂天狗

『天狗考 上』知切光歳『図集天狗列伝 西日本編』知切光歳

木伐り〔ききり〕

↓天狗倒し

喜見城〔きけんじょう〕

↓蜃気楼《しんきろう》

キジムナー 沖縄県でいう妖怪。キジムン、キムヤー、セーマ（精魔）、セーマグ、ブナガイ、ブナガヤ、ミチバタ（道端）、ハンダンミー、アカガンター、オカッパグワー、ソーンリサなど、そのよび名は多い。

ガジュマルやアコウ、フクギ、栴檀《せんだん》といった古木の精で、赤い顔をした子供のような姿をしている。髪の毛が肩よりも長く、全身が毛で被《おお》われているともいう。土地によっては大きく真っ黒いものだとか、大きな睾丸《こうがん》の持ち主だとかも伝わっている。

とにかくよく人を騙《だま》す。赤土を赤飯に見せかけて食べさせたり、普通なら入れないような狭い場所（木の洞《うろ》など）に閉じ込めたり、眠っている人を押さえつけて苦しめたり、夜道の灯を奪ったりなどの悪戯《いたずら》をする。

その一方で、友達になると漁や山仕事を手伝ってくれる。漁へ行くと、瞬《またた》く間に魚があふれるが、キジムナーが片目だけを食べてしまうので、捕れた魚は必ず片目であるという。

キジムナーとの縁を切るには、キジムナーが嫌いなもの（タコ、屁、鶏、熱い鍋蓋《なべぶた》）を投げ

キジムナー

つけるとか、宿っている老木を焼いたり、釘を打ちこんだりするといった方法がある。

キジムナーは火と深く関わりがあるようで、魚や蟹《かに》を捕るときは盛んに火を灯して海上を行き来するとか、旧暦8月10日（妖怪日と称される）には、キジムナーの火が出るといった。さらに、原因不明の怪火もキジムナ火というそうで、それが家の屋根から上がることは死の予兆とされている。

㊂ブナガヤ、キーヌシー

『河童の世界』石川純一郎　『日本怪談集　妖怪篇』今野円輔編著　『山原の土俗』島袋源七　『河童』大島建彦編　「河童の系譜」小野重朗　『日本昔話事典』稲田浩二・大島建彦・川端豊彦・福田晃・三原幸久編　『日本民俗文化資料集成　八　妖怪』「キジムン　植物に関する話」佐木真興英　『沖縄の御願ことば辞典』高橋恵子

キジムン

→キジムナー

鬼女〔きじょ〕　物語や芸能、昔話、伝説などで、宿業《しゅくごう》や怨念から鬼に化した女性をいう。老婆の場合は鬼婆ともいう。戸隠の鬼女紅葉《もみじ》、鈴鹿の鈴鹿御前、安達ヶ原の鬼婆などがよく知られている。
㊇浅茅《あさじ》ヶ原の鬼婆、安達ヶ原の鬼婆、鬼女紅葉
『日本「鬼」総覧』『日本伝奇伝説大事典』乾克己・小池正胤・志村有広・高橋貢・鳥越文蔵編

鬼女紅葉〔きじょもみじ〕　長野県上水内《かみみのち》郡にある戸隠山を舞台とした鬼女伝説の主人公。室町時代後期成立の謡曲『紅葉狩』では、紅葉を鑑賞する宴《うたげ》を開いていた美女の正体を鬼と見破った平維茂《これもち》が、これを退治するという内容になっている。
『日本伝奇伝説大事典』によれば、この伝説は謡曲『紅葉狩』より遡《さかのぼ》ることができず、もともと戸隠山に素材となる伝説があった可能性もあるが、観世小次郎信光の創作とするのが定説の

鬼女紅葉

ようだとある。

今でこそ鬼女とされているが、本当のところ紅葉は、鬼が女に化けていたというだけで、鬼女というわけではないらしい。

もともと戸隠山には複数の鬼が巣食っていたとされ、『神道集』は官那羅という鬼がいたとしているし、『太平記』では多田満仲《ただのみつなか》が戸隠の鬼を退治したことになっている。古くは九頭一尾の鬼がいたと『諸寺略記』にある。

戸隠周辺には紅葉縁《ゆかり》の伝説地が残っているが、紅葉という鬼女がいたという伝説は創作されたもので、後世の人々によって作られた伝説地のようである。

㊂鬼女

『日本伝奇伝説大事典』乾克己・小池正胤・志村有広・高橋貢・鳥越文蔵編 『日本妖怪異聞録』小松和彦 『日本「鬼」総覧』「紅葉狩のオニ」高橋秀雄

木心坊〔きしんぼう〕

→古山茶《ふるつばき》の霊

狐〔きつね〕全国各地の山野に棲息する野生動物だが、古くから霊獣視されてきた。人や物に化けたり、幻術で誑《たぶら》かしたり、あるいは姿を見せずに人に取り憑いたりと、さまざまな能力を有すると信じられ、狐にまつわる話は古今を通じて多く伝わっている。

狐が怪しい能力を使うことは中国でいわれていたことで、『玄中記』（晉の郭氏撰）には、狐は50歳になると変化能力を持ち、百歳でよく美女に化け、千歳で千里の外のことまでも知るようになり、天と通じる。そのような狐を天狐《てんこ》というなどとある。

また『五雑組』（明の謝肇淛撰）には、次のようにある。狐は男を化かすことで人の精気を取り込み、それによって自己を充実させる妙薬とする。なぜ男を狙うのかというと、狐は陰の動物のため、陽を得て、はじめて成るものだからである。そのため、雄の狐でも女に化けて人間の男を惑わす、などとある。

日本の狐は、こうした中国から伝わった狐に対する認識や、稲荷神信仰などの影響を受けながら、怪しい動物と見なされるようになったようである。
㊂稲荷神、狐憑き、狐火
『和漢三才図会』寺島良安編・島田勇雄・竹島淳夫・樋口元巳訳注『日本未確認生物事典』笹間良彦『動物妖怪譚』日野巌『江戸文学俗信辞典』石川一郎編『日本史小百科　動物』
岡田章雄

狐松明〔きつねたいまつ〕
↓狐火

狐だま〔きつねだま〕
↓蜃気《しんき》楼《ろう》

狐憑き〔きつねつき〕全国各地でいう憑き物。いわゆる一般的な狐の他、オサキ、管狐《くだぎつね》、人狐《じんこ》、野狐《やこ》、野干《やかん》といったものも狐と称され、それらの霊が人間に取り憑くことをいう。

大別すると、1.個人に憑くもの、2.家に憑くもの、3.祈禱師などが託宣を行うために、自分あるいは依代《よりしろ》に憑かせるものの3つに分けられる。

1は狐の霊が何の予告もなく、あるいは狐に悪戯《いたずら》した場合に取り憑くもので、原因不明の病気、精神の異常、異常な行動をとるなど、個人や周辺に多大な迷惑をかけるやっかいなものとされた。

2に挙げた、家に憑く狐は、家に代々受け継がれるもので、管狐、オサキ、人狐というのはこれである。繁栄をもたらす反面、粗末に扱うと祟りを及ぼし、家を滅ぼしてしまう。他家から狐が物を盗んできたり、家の者が憎く思う相手に憑いて病気にしたりするので、周辺から敬遠されてしまう。また、嫁ぎ先にも狐がついて行くと信じられたので、婚姻が忌避されるなどの差別を受けた。

3は稲荷下《いなりおろ》しなどといって、祈禱師たちが狐の霊による託宣を行ったものである。

このような俗信は稲荷信仰、密教徒や修験者が修《しゅう》する荼枳尼天法《だきにてんほう》、さらに中国で行われていた巫蠱《ふこ》術などが影響しているという。

狐憑き

㊫狐、オサキ、狐の風、管狐、野干、野狐

『日本昔話事典』稲田浩二・大島建彦・川端豊彦・福田晃・三原幸久編　『民間信仰辞典』桜井徳太郎編　『民俗学辞典』民俗学研究所編

狐の風〔きつねのかぜ〕　佐賀県でいう憑き物。狐に憑かれることを「狐の風《かぜ》を負《お》う」という。狐の風を負ったら、狸に禁厭《きんよう》（まじないのこと）してもらえば正気に戻るといわれる。その理由としては、狸のほうが狐よりも才智が優れているからだという。

「風を負う」、「風に吹かれる」とは、九州では急な発熱や病気になることを意味する。

㊫狐、狐憑き

『憑物』「諸国憑物雑話」宮武省三

狐の火玉〔きつねのひだま〕

↓狐火

狐の嫁入り〔きつねのよめいり〕　北海道と沖縄を除けば、ほぼ全国でいわれている。狐の嫁入りという同じ呼称でも、土地により意味するところが違うのだが、一般には提灯行列のよう

狐の嫁入り

な怪火のことをいうようである。

夜間の山中や河原などで、無数の火が1列になって見えるもので、遠くからしか見えないのが特徴。徳島では、死人の出る前兆で、狐が葬式をしているのだともいう。

狐の嫁入り行列を実際に見たという話もあり、江戸時代の随筆にいくつか見える。『今昔妖談集』には、寛保5年（一七四五年）のこととして次のようにある。

本所竹町（東京都墨田区）の渡し場に某諸侯の使いらしき男が来て、「今宵《こよい》、主家の息女が下谷へ婚礼の輿《こし》入れをする。大勢で船を使うので渡し船を多数こちら側に寄せるよう」といい、金子《きんす》一両を祝儀として置いていった。

渡し場の亭主は喜んで船を集めて待っていると、やがて多数の提灯に照らされた立派な嫁入り行列が到着する。船頭は丁重《ていちょう》に皆を向こう岸に送り届けた。

ところが翌朝、もらったはずの祝儀金一両はもちろん、渡し賃の貨幣ことごとくが木の葉と化していたという。

そのころの人々は、葛西金町《かさいかなまち》（東京都葛飾区）の半田稲荷から、浅草の安左衛門稲荷へ婚礼があったと噂しあったという。

晴天時に雨がぱらつくことも狐の嫁入りというが、本来はそうした天候状態をいうのではなく、日照り雨のときは狐の嫁入りがあるという俗信による言葉だという。

㊜狐、狐火

『現代怪火考』角田義治　『怪し火・ばかされ探訪』角田義治　『日本俗信辞典』鈴木棠三

狐火〔きつねび〕沖縄を除く各地でいう怪火。狐の吐く息が光るとか、尾を打ち合わせて火を起こす、光る玉を持っているなど、さまざまにいわれる。狐火が行列して現れるものは、狐の嫁入りなどという。

東京では王子稲荷の狐火がよく知られていた。北区王子本町の王子稲荷は関八州《かんはっしゅう》の稲荷の頭領として知られ、毎年大晦日の夜には、狐たちが官位を授けてもらうために集まってくるので、壮観な狐火が見られると、かつては有名だったらしい。土地の者はこのときの狐火の多寡《たか》で農作の吉凶を占ったという。

㊜狐、狐の嫁入り

『現代怪火考』角田義治　『怪し火・ばかされ探訪』角田義治　『日本俗信辞典』鈴木棠三

鬼童丸〔きどうまる〕鬼同丸とも表記される。『古今著聞集』にある鬼の類。

源頼光が弟の頼信の家に立ち寄ったとき、捕らえられていた鬼童丸を廏《うまや》で見つけた。頼光はこれでは不用心だから鎖で縛っておけと注意した。しかし、鬼童丸はやすやすと鎖を切り、天井に上がって頼光の寝床を窺《うかが》った。ところが頼光もさるもの、鬼童丸の気配に気づき、従者に向かって、「明日は鞍馬に参詣する」と命じ、鬼童丸に隙を与えなかった。

そこで鬼童丸は先手を打って鞍馬に行き、途中で見つけた牛を殺してその腹の中に隠れていた。頼光はそのことも見通して、渡辺綱《わたなべのつな》に牛へ矢を射らせ、鬼童丸が出てきたところを一刀のもとに斬り捨ててしまったという。

鬼童丸についての文献は『古今著聞集』の他に見当たらないようだが、口碑《こうひ》として京都府福知山市雲原に次のような話が残っている。

頼光が酒呑童子《しゅてんどうじ》を退治したおかげで、捕らわれていた女子供は故郷に帰っていった。その中に哀れ、狂ってしまった女がいて、故郷を忘れて雲原で子供を生んだ。その子は生まれながらに歯が生え揃い、7歳〜8歳になった頃には石を投げて猪や猿を捕らえて食べていた。

この子供が成長して鬼童丸となり、都に出て頼光（ここでは弟の頼信となっている）を親（酒呑童子）の仇《かたき》として狙ったのだという。

『古今著聞集』橘成季　『日本民俗文化資料集成　八　妖怪』「鬼伝説の研究」若尾五雄　『鳥山石燕　画図百鬼夜行』高田衛監修・稲田篤信・田中直日編

鬼童《きどう》（鬼童丸）

絹狸〔きぬたぬき〕　鳥山石燕の『画図百器徒然袋』に、織物に化けた狸のように描かれているもの。【腹つづみをうつと言へるより、衣うつなる玉川の玉にゐんある八丈のきぬ狸とは化しにやと、ゆめの中に思ひぬ】と、解説が付されている。

　布地を打って艶《つや》を出すのに使う台や槌《つち》を砧《きぬた》というが、絹狸も布を打つとされているので、砧と狸という言葉の語呂合わせから創作された妖怪のようである。

『鳥山石燕 画図百鬼夜行』高田衛監修・稲田篤信・田中直日編

木の子〔きのこ〕 奈良県吉野辺りでいう妖怪。山童《やまわろ》の類。3歳～4歳くらいの子供のようで、木の葉を身に着けているとか、青い衣服を着ているなどという。

　しかし、その姿は影を見るようで、いるともいないとも定まらない。樵《きこり》や山で仕事をする者たちは、油断すると昼飯を取られてしまうことがあり、棒を持って追い散らすという。

㊂山童

『旅と伝説』通巻124号「春名忠成自序『諸国怪談実記』より」『山の人生』柳田国男『山島民譚集』柳田国男

ギバ

→ダイバ

木ミサキ〔きみさき〕 神霊が宿る山中の樹木のこと。愛知県北設楽《きたしたら》郡中在家の某家では、昔、松の木《き》を伐り倒したとき、狐が下敷きになって死んだことがあり、その祟りがあるので、伏見稲荷より勧請《かんじょう》して祠を設けた。それを木ミサキとよんでいるという。

㊂木霊《こだま》

『綜合日本民俗語彙』民俗学研究所編

キムナイヌ アイヌの人々に伝わる妖怪。山の人という意味。キムンアイヌ、キムンクッ（山にいる神）、キモカイック（山においでになる神）、オケン（つるっぱげ）、ロンコロオヤシ（禿頭《はげあたま》のお化け）ともよばれる。

　煙草《たばこ》が好きで、山中で喫煙していると寄ってくるが、煙草を1つまみか2つまみ取って「山の神さんにあげます」といえば害はない。

また、山の中で荷物が重くて困っているときなど、「守り神さんたち、手伝っておくれ」と叫ぶと、どこからともなくキムナイヌが現れて手伝ってくれる。そのとき、うっかり禿頭のことを口にすると、たちまち山が荒れてしまうそうで、急に雨が降ったり、どこからか木片が飛んできたり、路傍の大木が倒れてきたりするともいう。

突然、山中で大木が倒れてくるのはこの妖怪のしわざで、そんなときは「山の小父《おじ》さん、お前さんの上に木が倒れていくよ」と唱えると退散するといわれる。

人間の血をひどく嫌うともいうが、昔話や実見談では、キムナイヌによって殺害された人間の話は少なくない。

『えぞおばけ列伝』知里真志保編訳 『人類学雑誌』29巻10号「アイヌの妖怪説話 続」吉田巌

キムヤー

→キジムナー

キムンアイヌ

→キムナイヌ

キムンクッ

→キムナイヌ

キモカイック

→キムナイヌ

肝取り〔きもとり〕 長野県東筑摩郡、鹿児島県出水《いずみ》郡でいう妖怪。東筑摩郡では、夕飯を食べない人を攫《さら》っていくというので、隠し神のようなものと思われる。

鹿児島県出水では、火車《かしゃ》や魍魎《もうりょう》の仲間とされているようで、葬式が終わったあとの墓場に出るといわれている。

㊂隠し神、火車、魍魎

『日本妖怪変化語彙』日野巌・日野綏彦 『神話伝説辞典』朝倉治彦・井之口章次・岡野弘彦・松前健編

瘧鬼〔ぎゃくき〕 『倭名類聚鈔』に見える鬼の一種。和名はエヤミノカミ。

瘧《おこり》とは、隔日あるいは毎日ほぼ決まった時間に発熱する熱病のことで、わらわ病《や》みともよばれた。多くはマラリア熱のことをいう。
瘧鬼はこうした病気をもたらす鬼とされるが、もともとは中国の疫病神《やくびょうがみ》のことである。
㊜疫病神
『日本昔話と古代医術』槇佐知子

キャシャ
↓火車《かしゃ》

ギャタロ
↓河童

キャツ　兵庫県飾磨《しかま》郡の海上でいう怪異。暗夜の海上で燐火《りんか》の燃えるのを、飾磨郡の漁師たちはキャッとよぶ。難破した船の乗組員たちの亡魂なのだという。

1本の帆柱を立てて、または帆を張って向かってくる船があり、こちらが火を灯《とも》すと、すぐに姿を消してしまうことがある。これもキャッのしわざだと伝えられている。

キャッとは「彼奴」の字を当てるのだろうか、海上での忌み言葉なのかもしれない。

㊜船幽霊
『綜合日本民俗語彙』民俗学研究所編

窮鬼〔きゅうき〕滝沢馬琴、山崎美成らの『兎園小説』には貧乏神のことを窮鬼とする話があるが、『倭名類聚鈔』には鬼の一種とあり、生霊《いきりょう》すなわちイキスダマのことをいう。
㊜生霊、貧乏神
『日本の幽霊たち』阿部正路『日本昔話と古代医術』槇佐知子『随筆辞典　奇談異聞編』柴田宵曲編

牛鬼〔ぎゅうき〕
↓牛鬼《うしおに》

旧鼠〔きゅうそ〕『絵本百物語　桃山人夜話』にあるもの。

文明（一四六九年～一四八七年）の頃、那曾和太郎という郷士の廏《うまや》に、昔から鼠が棲みついていた。鼠は夜になると母屋にやってきて、猫と交わり、やがて猫は5匹の子猫を産んだ。

後に、猫が毒を食って死ぬと、廏の鼠が猫の子に乳を与えて育てたという。

九尾の狐

『竹原春泉　絵本百物語　桃山人夜話』多田克己編

九尾の狐〔きゅうびのきつね〕　謡曲『殺生石』や『絵本三国妖婦伝』などで知られる悪狐。金《きん》毛九尾《もうきゅうび》の狐ともいう。

インドでは摩羯陀《マガダ》国斑足《はんそく》太子の妃華陽《かよう》夫人に、中国の殷《いん》では紂《ちゅう》王の妃妲己《だっき》、周では幽王の寵姫褒姒《ほうじ》となった。それぞれの国で美貌と悪知恵を存分に生かして王の心を奪い、悪政に走らせて国を滅ぼしてきたとされる。

平安朝の日本では玉藻前《たまものまえ》という女官に化身《けしん》し宮中に入り、鳥羽天皇（近衛天皇とも）を誑《たら》し込むが、陰陽師の安倍泰成《やすなり》に正体を暴かれて那須原（栃木県）に逃れる。

そこで追討ちの武士に退治されるが、身体は朽ちても凄まじい怨念は残って石と化す。

石となった妖狐は常に毒気を吐き、草木は枯れ、近づくものはもちろん、上空を飛ぶ鳥さえも、その毒気で殺してしまう。

後に、会津の玄翁《げんのう》心昭という僧がその石を打ち砕き、九尾の狐を成仏させたという。

これは『封神演義《ほうしんえんぎ》』などの中国の古典小説をもとに、インド、中国、日本へとスケールアップさせた伝奇物語で、中世には絵巻物を通じてよく知られていた。『封神演義』ではすでに悪い狐とされているが、古い時代の中国では天下泰平のときに現れて瑞祥《ずいしょう》を顕《あらわ》す神獣とされていたこともあったという。

九尾の狐は物語の中の妖狐ではあるが、強力な神通力を持つとされたことから、いつしか神として祀られるようになった。

栃木県那須郡黒羽町蜂巣の玉藻稲荷神社や、岡山県真庭郡勝山町の化生寺内にある玉雲宮などがよく知られている。とくに、玉雲宮の玉藻前狐は招福の神として広く崇敬されているが、ときおり人に憑くことがあったという。とはいえ、人に憑くという狐の中では、岡山県内では最も位の高い狐の一つとされている。

㊜殺生石

『日本狐憑史資料集成』金子準二編著 『日本伝奇伝説大事典』乾克己・小池正胤・志村有広・高橋貢・鳥越文蔵編 『日本妖怪異聞録』小松和彦 『日本民俗文化資料集成 七 憑きもの』「岡山県美作地方」三浦英有

キュウモウ狸〔きゅうもうだぬき〕岡山県御《み》津《つ》郡加茂川町円城でいう化け狸。魔法様《まほうさま》ともいう。

昔、南蛮船で大勢のキリスト教宣教師にまぎれて、キュウモウという古狸が日本にやって来た。日本中を放浪した後に、加茂の廃坑となった銅山を住処《すみか》とし、月夜の晩には牛鍬の先をカンカンたたきながら、「サンヤン、サンヤン」といって踊りまわっていた。

人間に化けることが巧みで、田植えや田の草取りを手伝ったり、盆踊りでは奴姿《やっこすがた》で踊っていたが、キュウモウ狸が化けた人間は、腰から下が短く、口髭《くちひげ》が濃く、顎が細く、口が尖っていた。正体がばれると、「すまん、すまん」といって逃げ出したという。

悪さはしないものの、犬を連れて狸狩りをしようとすれば、怒ってその人の家に火を放つので、村人たちは退治することもなく黙認していた。しかしあるとき、キュウモウ狸は「長い間お世話になりました。これからは村中の牛馬を守り、また、火難盗難があるときには事前にお知らせします」と村人たちにいった。そこで村人たちは黒喰山にお宮を建て、キュウモウ狸を祭祀することにした。

このお宮は魔法宮とよばれ、10月4日の縁日になると、神社はお詣《まい》りする牛馬でたいへんな賑わいを見せるようになったという。

現在の魔法宮は火雷神社とよばれ、黒杭の山間にひっそりと残る。また、細田の久保田神社もキュウモウ狸を祀る神社とされている。

㊜狸

『岡山の伝説』立石憲利『加茂川町の民俗』岡山民俗学会編

狂骨〔きょうこつ〕　鳥山石燕の『今昔百鬼拾遺』に井戸から立ち上がる骸骨姿で描かれてい

狂骨

るもので、【狂骨は井中の白骨なり。世の諺《ことわざ》に甚しき事をきやうこつといふも、このうらみのはなはだしきよりいふならん】と解説されている。

肉の落ち尽くした白骨を髐骨《きようこつ》といい、神奈川県津久井郡ではすっとんきょうな、けたたましいことをキョーコツナイという。

狂骨という妖怪の伝承はないことから、石燕が言葉遊びから創作したものと思われる。

『鳥山石燕 画図百鬼夜行』高田衛監修・稲田篤信・田中直日編

経凛々〔きょうりんりん〕 鳥山石燕の『画図百器徒然袋』に経文の妖怪として描かれたもので、【尊ふとき経文のかかるありさまは、呪祖諸毒薬のかえってその人に帰せし守敏僧都《しゅびんそうず》のよみ捨てられし経文にやと、夢ごころにおもひぬ】とある。

経凛々は『太平記』に書かれた空海と守敏の法力比べのエピソードをモデルにして創作されたものらしい。

『鳥山石燕 画図百鬼夜行』高田衛監修・稲田篤信・田中直日編

清姫〔きよひめ〕 『今昔物語集』『京鹿子娘道成寺』といった文芸や芸能で知られる。

昔、奥州白河に安珍《あんちん》という山伏がいた。紀州の熊野詣での際には、毎年のように紀州牟婁《むろ》郡の真砂庄司の家に宿をとっていた。その家には清姫という器量のよい娘がいた。

妻にして奥州に連れて帰ろうと安珍が戯《ざ》れ言《ごと》をいうと、清姫はそれを真に受け、早く連れて行けとしつこくつきまとった。安珍はこの冗談を後悔しつつ、帰りに連れて帰るからとなだめて出立した。

しかし、騙《だま》されたことに気づいた清姫は、すかさず安珍の後を追い、切目川を渡ったところでようやく追いついた。安珍は呪文で清姫を止めようとするが、いつしか清姫は蛇体となり、逃げる安珍を執拗に追いかける。

安珍は道成寺《どうじようじ》に逃げ込み、匿《かくま》ってもらうことにした。釣鐘の中に隠れて清姫の目を逃れよう

清姫

としたが、蛇体のまま道成寺に乗り込んだ清姫は、釣鐘に巻きつき、釣鐘もろとも安珍を焼き殺してしまった。

この「道成寺説話」は古くから知られていたようで、平安時代中期成立の『大日本法華経験記』には、すでにその原型とされる物語が記されている。しかし、中世以前の文献には安珍清姫の名は見当たらず、熊野詣での修行僧と紀伊国牟婁郡の寡婦《かふ》としか出ていない。2人の名前が揃うようになるのは、江戸後期に演じられた浄瑠璃からだといわれている。

『日本伝奇伝説大事典』乾克己・小池正胤・志村有広・高橋貢・鳥越文蔵編『神話伝説辞典』朝倉治彦・井之口章次・岡野弘彦・松前健編『鳥山石燕　画図百鬼夜行』高田衛監修・稲田篤信・田中直日編

麒麟［きりん］　本来は中国の霊獣。『和漢三才図会』には、次のようにある。

麒麟は瑞獣で、鹿の身体に牛の尾、脚には馬の蹄、一本角を頭に有している。身体は五彩で、腹の下は黄色である。群れて行動せず、常に単独であり、生きた虫や草をけっして踏まずに移動する。王者の政事《まつりごと》が正しければ、必ず姿を現す。雄を麒といい、雌を麟という。鳳凰と麒麟はいずれも交尾をすることなく出生し、世に稀にしか存在しないものであるなどと、中国の『本草綱目』『五雑組』『三才図会』『広博物志』を引いて解説している。

日本では、めでたい霊獣として皇族の調度品などにその姿が描かれたくらいで、麒麟が出現したという記録はないようである。ちなみに動物園にいるキリンは、麒麟に姿が似ていることからそうよんでいるにすぎず、本来の動物名はジラフである。

『和漢三才図会』寺島良安編・島田勇雄・竹島淳夫・樋口元巳訳注　『日本未確認生物事典』笹間良彦　『動物妖怪譚』日野巌　『江戸文学俗信辞典』石川一郎編

ギルマナア　沖縄県でいう妖怪。高さ一尺（約30㎝）ほどの赤い身体をしたもので、ふだんは腐った木の洞《うろ》にいるが、夜になると、家に押さえ（金縛りのようなものか）に来るという。鶏が鳴くと去っていく。海では魚や蛸《たこ》をとることもある。キジムナーの一種であろうか。

㊂キジムナー

『折口信夫全集　16』「沖縄採訪手帖」折口信夫

金長狸〔きんちょうたぬき〕徳島県小松島でいう化け狸。阿波狸合戦の伝説で知られる。

津田浦の六右衛門狸という親分のもとで修行をしていたが、ふとしたことで六右衛門の怒りを買い、それをきっかけに徳島の狸たちは金長側と六右衛門側とに分かれて大戦争をはじめ、結果的には金長狸が勝利する。

しかし、金長狸は戦争で受けた刀傷が原因で死んでしまい、後に金長大明神として祀られるようになった。その神社が今も小松島市中田町にある。

㊂狸、六右衛門狸

『阿波の狸の話』笠井新也

く

クサビラ　奈良県吉野郡上北山でいう妖怪。山中に棲む子供の姿をした妖怪で、夜は青い光を放つという。山童《やまわろ》の一種と思われる。ちなみに、クサビラとは茸《きのこ》のことである。
㊫山童
『日本妖怪変化語彙』日野巌・日野綏彦

グズ　石川県加賀市動橋町でいう怪獣。巨大な鰍《かじか》で、毎年秋になると人身御供を要求した。口から火を吐いて、田畑を全滅させたという。後に退治されたが、これをもとにして現在はグズ焼き祭りを毎年8月27日に行っている。
『加賀・能登の伝説』小倉学・藤島秀隆・辺見じゅん

葛ノ葉狐〔くずのはぎつね〕　大阪府和泉市の信太森《しのだのもり》葛ノ葉稲荷にまつわる伝説の狐。

朱雀天皇（在位九三〇年〜九四六年）の時代、今の大阪市阿倍野区辺りにいた安倍保名《あべのやすな》という武士の前に、葛ノ葉と名乗る女として現れ、夫婦となって男の子をもうけた。

あるとき、神通力が緩《ゆる》んで狐の姿に戻ったところを我が子に見られ、「恋しくばたずねきて見よ和泉なる　信太の森のうらみ葛の葉」の一首を障子《しょうじ》に残して家を出ていった。

保名と子供は、たとえ獣であっても葛ノ葉のことが忘れられず、信太の森を訪ねると、葛ノ葉稲荷の社殿には、今までにはなかった葛が一面に生い茂っていた。保名はその葛の葉を子供のお守りとして養育した。この子供こそ、後に平安時代の大陰陽師《だいおんみょうじ》と謳《うた》われた安倍晴明《せいめい》なのだという。

晴明の母親を葛ノ葉狐とするのは浄瑠璃や歌舞伎などでよく知られ、竹田出雲作の浄瑠璃『蘆屋道満大内鑑《あしやどうまんおおうちかがみ》』（享保19年〈一七三四年〉、竹本座初演）がその集大成とされている。また、晴明と葛ノ葉狐とを結びつけた最も古い文献は、『三国相伝陰陽輨轄簠簋内伝金烏玉兎集《さんごくそうでんいんようかんかつほきないでんきんうぎょくとしゅう》』という陰陽道の教典だといわれる。

㊫狐

『日本伝奇伝説大事典』乾克己・小池正胤・志村有広・高橋貢・鳥越文蔵編　『神話伝説辞典』朝倉治彦・井之口章次・岡野弘彦・松前健編

グゼ　松浦静山の『甲子夜話』にある海の怪異。グゼ船ともいう。長崎県平戸島辺りでいう船幽霊のことで、海で溺死した者の霊が人を惑わすのだという。

小雨の晩などに、風に逆らって走る帆船が見えることがあり、船首のほうには炎のない赤い火が灯っている。

これが現れると船が動かなくなる。そういうときは、灰を撒《ま》いたり、苫《とま》を焼いたものや燃えさしの薪《たきぎ》を投げつけると、船が動きだして難を避けられるという。

㊂船幽霊

『随筆辞典　奇談異聞編』柴田宵曲編　『旅と伝説』通巻56号「船幽霊など」桜田勝徳

九千坊〔くせんぼう〕　熊本県八代市でいう河童の親分。もともとは中国の黄河にいた河童族の首領で、仁徳天皇（在位三一三年～三九九年）の頃、一族を引き連れてはるばる海を泳ぎ渡り、熊本の八代に辿《たど》り着いた。やがて球磨川《くまがわ》に棲みつき、河童族は9000匹にも繁殖した。この9000匹を率いる親分という意味で九千坊とよばれるようになった。

八代市本町前川の土手には、この伝説にちなんだ河童渡来の碑が立っている。

㊂河童

『日本のかっぱ』河童連邦共和国監修　『かっぱ物語』山中登

クダ

↓管狐《くだぎつね》

管狐〔くだぎつね〕　長野県を中心にした中部地方に多く分布し、東海、関東南部、東北の一部でいう憑き物。関東南部、つまり千葉県や神奈川県以外の土地は、オサキ狐の勢力になるようである。

管狐は鼬《いたち》と鼠の中間くらいの小動物で、名前の通り、竹筒に入ってしまうほどの大きさだという。あるいはマッチ箱に入るほどの大きさで、

管狐

75匹に増える動物などとも伝わる。

個人に憑くこともあるが、それよりも家に憑くものとしての伝承が多い。管狐が憑いた家は管屋《くだや》とか管使いとかいわれ、多くの場合は「家に憑いた」ではなく「家で飼っている」という表現をしている。

管狐を飼うと金持ちになるといった伝承はほとんどの土地でいわれることで、これは管狐を使って他家から金や品物を集めているからだなどという。また、一旦は裕福になるが、管狐は大食漢で、しかも75匹にも増えるので、やがては食いつぶされるといわれている。

同じ狐の憑き物でも、オサキなどは、家の主人が意図しなくても、狐が勝手に行動して金品を集めたり、他人を病気にするといった特徴があるが、管狐の場合は使う者の意図によって行動すると考えられているようである。

もともと管狐は山伏が使う動物とされ、修行を終えた山伏が、金峰山《きんぷさん》や大峰《おおみね》といった、山伏に官位を出す山から授かるものだという。山伏はそれを竹筒の中で飼育し、管狐の能力を使うことで不思議な術を行った。

管狐は食事を与えると、人の心の中や考えていることを悟って飼い主に知らせ、また、飼い主の命令で人に取り憑き、病気にしたりするのである。

このような山伏は狐使いとよばれ、自在に狐を使役すると思われていた。

しかし、管狐の扱いは難しく、いったん竹筒から抜け出た狐を再び元に戻すのさえ容易ではないという。狐使いが死んで、飼い主不在となった管狐は、やがて関東の狐の親分のお膝元である王子村（東京都北区）に棲むといわれた。主を失くした管狐は、命令する者がいないので、人に憑くことはないという。

㊫狐、狐憑き

『日本の憑きもの』石塚尊俊　『民間信仰辞典』桜井徳太郎編　『日本狐憑史資料集成』金子準二編著

クダ部〔くだべ〕『道聴塗説』にある妖怪。

偪部《くたべ》（クダ部）

越中国（富山県）立山に採薬を生業《なりわい》とした男がおり、あるとき山に入ると人面獣身の山の精が現れて、「我は歳《とし》久しくこの山に住めるクダべという者なり。今年より35年の間、原因不明の病気が流行《はや》る。いかなる薬も効かぬが、我が姿を写したものを一度見れば、必ずその災難から逃れられるであろう」といったという。『道聴塗説』の著者はこれを「近年流行せし神社姫の類」として、好事家《こうずか》の作り話であろうとしている。

㊫件《くだん》、神社姫

件［くだん］　牛小屋の怪異。中国、四国、九州などでいわれる妖怪で、身体は牛だが、顔は人間という面妖な姿をしている。人間と牛との間に生まれたものともいう。

　生まれてすぐに予言をし、いい終えるとすぐに死んでしまう。予言の内容は災害や疫病の流行といったものが多く、社会に異変があるときに現れる。その予言は絶対に外れることがないという。

　天保7年（一八三六年）の瓦版には、次のように記されている。【大豊作を志《し》らす件《くだん》と云《いう》獣なり　丹波国与謝郡何某板　天保七申《さる》十二月丹波の国倉橋山の山中に、図の如くからだハ牛、面《おもて》は人に似たる件という獣出たり。昔宝永二年酉《とり》の十二月ニも此《この》件出たり、翌年より豊作打ちつづきしこと古き書ニ見えたり。尤《もっとも》件といふ文字ハ人偏《にんべん》ニ牛と書いて件と読す也。然る心正直なる獣の故に都て證文《しょうもん》の終にも如件《くだんのごとし》と書も此由縁也。此絵図を張置バ、家内はんしゃうして厄病をうけず、一切の禍《わざわい》をまぬがれ大豊年となり誠にめで度《たき》獣なり】（ルビは筆者ふる）

　件の絵が大きく描かれたこの瓦版は、魔除けの札の代わりにもなった。

　件の出現は社会が危機に瀕しているときに多いようで、例えば天保7年は天保の大飢饉《だいききん》の年であり、関西では打ち壊しなどが頻繁《ひんぱん》に起こり、社会不安が高まった時期だった。

　また、第2次世界大戦中にも、「戦争が終わ

件

れば悪病が流行する」「大戦争と悪疫で国民の大半が死ぬ」などという件の予言が巷《ちまた》に流布されたという。

㊫アマビエ、クダ部、神社姫

『民間傳承』「クダン」広島民俗学同好会　『学校の怪談　口承文芸の展開と諸相』常光徹

口裂け女〔くちさけおんな〕　昭和50年代に全国の小学生たちの間で噂された怪女。

寂しい公園や、路地の暗がりに大きなマスクをした女が立っており、通りかかった者に「私きれい？」と尋ねてくる。返事をすると、「これでも？」といってマスクを外し、耳まで裂けた口を見せて、持っていた鎌や包丁で相手の口を自分と同様に裂いてしまうという。

100mを3秒で走る、ポマードが嫌いでベッコウ飴が好きなどと、全国それぞれの町でさまざまな特徴が実《まこと》しやかに語られた。

全国的な話題になった口裂け女ブームは、子供たちの噂だけでは収まらず、学校によっては集団登下校を実施するなど、大人をも巻き込ん

口裂け女

での社会問題にまで高まった。

しかし、昭和54年の夏をピークに静まっていき、翌年にはほとんど語られなくなった。

『微笑』一九七九年第14号『アサヒ芸能』一九八六年第30号『ふるさとの伝説 四 鬼・妖怪』伊藤清司監修・宮田登編

口なし女房〔くちなしにょうぼう〕

↓二口女《ふたくちおんな》

沓頬〔くつつら〕 鳥山石燕の『画図百器徒然袋』に描かれているもので、【鄭瓜州の瓜田に怪ありて、瓜を喰ふ霊隠寺の僧これをききて符をあたふ。是を瓜田にかくに、怪ながくいたらず。のち其符をひらき見るに、李下不正冠（李下に冠を正さず）の五字ありと。かつてこの怪にやと、夢のうちにおもひぬ】と記されている。「瓜田《かでん》に履《くつ》を納《い》れず、李下《りか》に冠を正さず」という諺《ことわざ》は、中国の『文選』に記されているもの。瓜畑で靴が脱げても、履き直そうとすると瓜を盗むように疑われる。また、同じように李《すもも》の木の下で冠を正そうとすると、李を盗むように見られてしまう。このように、他人の嫌疑を受けやすい行為は避けるようにせよという意味がある。

石燕はこの諺を使った中国の話と、室町時代の『百鬼夜行絵巻』に描かれた沓《くつ》の妖怪とをかけ、沓頬なる妖怪を創作したようである。

『鳥山石燕　画図百鬼夜行』高田衛監修・稲田篤信・田中直日編

くね揺すり〔くねゆすり〕　秋田県仙北郡角館町、中川村でいわれる音だけの妖怪。クネとは生け垣のことで、これをひどく揺するのだという。

この妖怪は『旅と伝説』の武藤鉄城「音と民俗」にあるものが一番古い資料だと思われる。参考までに全文を引用しておく。

【小豆トギという化物はカブキリとも称し、夜中に小豆を研ぐ音を聞かせるもので必然水辺に棲む。角館町では細越坂上、中川村では若神子、下延村では檀ノ越などと堰《せき》や清水の傍《そば》にその話がある。農民のうちでも物識《ものし》りは、それは大蟇《おおがま》が背に水をうけて、身体を揺する時に発する音だと説明している。中川村では、その小豆トギのいる直ぐ傍の所に、クネ揺すりという化物がいて、生垣を酷《ひど》くゆするという】（ルビは筆者ふる）

資料中に小豆洗い（トギ）の記述があるが、とくにくね揺すりとは関係なさそうである。

『旅と伝説』通巻127号「音と民俗」武藤鉄城
『日本怪談集　妖怪篇』今野円輔編著

首かじり〔くびかじり〕　佐藤有文の『日本妖怪図鑑』にあるもの。秋の彼岸《ひがん》頃に現れて他人の墓を暴いては首をかじる。首なしの状態で埋められた者の幽霊が正体とされている。

血の滴《したた》り落ちる首にかじりついた首かじりの姿が同書にはあるが、これは一筆斎文調の描いた幽霊画にすぎず、首かじりという妖怪として描かれたものではないらしい。

『絵画に見えたる妖怪』吉川観方　『日本妖怪図鑑』佐藤有文

首切れ馬〔くびきれうま〕　福島県、東京都八

丈島、福井県、兵庫県淡路島、愛媛県、高知県幡多郡橋上村、長岡郡吉野村汗見川、徳島県祖谷山、島根県隠岐などでいう妖怪。

首なし馬ともよばれ、神様の乗った首がない馬、もしくは首のない馬だけが走るという。

徳島県祖谷山では、節分の夜に通る馬で、四ツ辻に行くと見えると伝わっている。

㊫チンチン馬、夜行《やぎょう》さん
『日本民俗誌大系　十　未刊資料一』「祖谷山村の民俗」高谷重夫『綜合日本民俗語彙』民俗学研究所編『旅と伝説』通巻174号「土佐の山村の『妖物と怪異』」桂井和雄

首塚大明神〔くびづかだいみょうじん〕
→酒呑童子《しゅてんどうじ》

首なし馬〔くびなしうま〕
→首切れ馬

首抜け〔くびぬけ〕
→轆轤首《ろくろくび》

くびれ鬼〔くびれおに〕
→縊鬼《いっき》

狗賓〔ぐひん〕
→天狗

熊神〔くまがみ〕
→トゥレンペ

熊野大峰菊丈坊〔くまのおおみねきくじょうぼう〕　奈良県吉野郡大峰山菊ノ窟でいう天狗。
密教系の祈禱秘経『天狗経』にある全国代表四十八天狗の一つに数えられているもの。
㊫天狗
『天狗考　上』知切光歳『図集天狗列伝　西日本編』知切光歳

蜘蛛〔くも〕
→大蜘蛛、女郎蜘蛛《じょろうぐも》

蜘蛛女房〔くもにょうぼう〕
→二口女《ふたくちおんな》

蜘蛛の火〔くものひ〕
→蜘蛛火

蜘蛛火〔くもび〕　奈良県磯城郡纏向村（桜井市）でいう怪火。数百の蜘蛛が一塊《ひとかたまり》の火となって虚空を飛行するもので、これにあたると死ん

蜘蛛火

でしまうという。

岡山県倉敷市玉島八島には蜘蛛の火というものがある。島地の稲荷社の森の上に赤い火の玉が現れ、生き物のように、流星のように、島地の山の上を西に走って行く。西の山の端までくると次は東に走り、森の上を飛びまわって消える。これは蜘蛛のしわざだという。『お化けの正体』井上円了『岡山の怪談』佐藤米司

海月の火の玉〔くらげのひのたま〕『三州奇談』にある怪火。元文年間（一七三六年～一七四一年）、加賀国大聖寺（石川県加賀市）の小原長八という侍が、全昌寺の裏手を夜半頃に歩いていると、生温《なまぬる》い風とともに行く手から赤い火の玉が現れた。

長八が抜き打ちで斬り捨てると、火の玉は2つに割れて、長八の顔にヒタと張りついた。まるで顔に糊《のり》を被《かぶ》せられたようで、それがまだ光っているせいか、両目を開けて見ると周囲が赤く見通すことができる。

海月の火の玉

長八が割れた火の玉をなんとか顔から取払うと、やがてふだん通りの暗い夜道に戻った。

　古老に訊《たず》ねてみると、「それは海月《くらげ》が風に乗ってさまよったのだろう」といったという。

『三州奇談』堀麦水編著・日置謙校訂　『大語園』巌谷小波編

倉婆〔くらばばあ〕　宮崎県東諸県《ひがしもろかた》郡でいう妖怪。倉に棲み、三度笠を被《かぶ》って杖を持っているという。西日本に分布する納戸婆《なんどばばあ》の類か。
㊫納戸婆
『日本妖怪変化語彙』日野巌・日野綏彦

蔵ぼっこ〔くらぼっこ〕　岩手県遠野でいわれる、蔵に棲む子供の妖怪。蔵（倉）わらしともいう。座敷わらしの一種。

　座敷わらしと同じように、蔵わらしが家からいなくなると、とたんに家運が傾くという話がいくつも伝わっている。

　佐々木喜善の『奥州のザシキワラシの話』には、遠野一日市町の古屋酒屋という家の土蔵にいた蔵わらしの話があり、人気《ひとけ》のない蔵の中で異様な足音をたてたり、「ほいほい」と子供が呼ぶような声をたてたという。

このように、多くの場合は姿は見せずに音だけのようで、糸車を回す音や、お囃子《はやし》のような音をたてたりもする。

柳田国男の「遠野物語拾遺」には、遠野の村兵という家にいた御《お》蔵《くら》ぼっこの話があり、籾殻《もみがら》などを散らしておくと、小さな子供の足跡があちこちに残されていたという。後に御蔵ぼっこがいなくなると、家運は少しずつ傾いたという。

㊜座敷わらし

「遠野物語拾遺」柳田国男『奥州のザシキワラシの話』佐々木喜善『遠野のザシキワラシとオシラサマ』佐々木喜善『日本妖怪変化語彙』日野巌・日野綏彦

鞍馬山僧正坊〔くらまやまそうじょうぼう〕京都鞍馬山に棲む大天狗。護法魔王尊ともいう。密教系の祈禱秘経『天狗経』にある全国代表四十八天狗の一つに数えられる。

一説に、僧正坊は金星から人類救済のために

倉ぼっこ（蔵ぼっこ）

やってきた使者だといわれ、サナートクマラという名前もある。

それはともかく、僧正坊は絶大なる除魔招福の力を持っているとされ、今日でも崇敬者が絶えることはないようである。

㊫天狗

『天狗考　上』知切光歳『図集天狗列伝　西日本編』知切光歳

鞍野郎〔くらやろう〕鳥山石燕の『画図百器徒然袋』に鞍（馬具）の妖怪として描かれたもので、【保元の夜軍に鎌田政清、手がらをなせしも我ゆへなれば、いかなる恩もたぶべきに、手がたをつけんと前輪のあたりつけらるれば、気も魂もきえぎえとなりしとおしみて唄ふ声、いとおもしろく夢のうちにおもいぬ】と記されている。

『鳥山石燕　画図百鬼夜行』の解説を記している稲田篤信によれば、鎌田政清は源義家の家臣で、保元の乱では功績があったものの、義家とともに尾張で平忠盛に殺されたという。

鞍野郎はこの政清の乗っていた馬の鞍が妖怪化したものとして描かれたようである。

『鳥山石燕　画図百鬼夜行』高田衛監修・稲田篤信・田中直日編

蔵わらし〔くらわらし〕

↓蔵ぼっこ

倉わらし〔くらわらし〕

↓蔵ぼっこ

クルワ下げ〔くるわさげ〕越前石徹白（石川県上郡白鳥町及び岐阜県大野郡和泉村）でいう怪異。クルワとは濡れた稗《ひえ》や粟を干すときに用いる、底が網になった桶のようなもの。家の前にある梨の木から、狸が大きなクルワを下げるのだという。

『越前石徹白民俗誌』宮本常一

黒髪切り〔くろかみきり〕

↓髪切り

黒眷属金比羅坊〔くろけんぞくこんぴらぼう〕香川県の金比羅《こんぴら》山（琴平山）でいう天狗。金比羅参りの旅人を守護する役目を帯びていたという。密教系の祈禱秘経『天狗経』にある全国代表四十八天狗の一つに数えられている。
㊜天狗
『天狗考 上』知切光歳 『図集天狗列伝 西日本編』知切光歳

クロッポコ人〔くろっぽこじん〕 富山県東礪《ひがしと》波《なみ》郡利賀村細島に伝わる伝説の小人。

　大昔、村の川向こうにある山にいたもので、身長は約1m、小さな洞窟に住み、鳥や獣を捕ったり木の実を食べて生活していたという。

『越中の伝説』石崎直義

黒手〔くろて〕 『四不語録』にある妖怪。

　慶長年間（一五九六年～一六一五年）、能登国（石川県）郡主長如庵の臣・笠松甚五兵衛の屋敷で、夜に便所へいくと何者かに尻を撫でられるということがあった。甚五兵衛は狐狸の類かと思い、短刀を持って便所で待ち構え、出てきた毛むくじゃらの黒い手を切り落とした。

　手は箱に保管しておいたのだが、まもなく3人の行脚僧に化けた、黒手の化け物どもが家を

クロッポコ人

訪れ、まんまと奪い返されてしまった。

後に甚五兵衛が夕暮れの道を歩いていると、突然空から衾《ふすま》のようなものが舞い降りてきて、甚五兵衛を包み込んで、宙に浮かんだ。2mも上がったところで下に落とされた甚五兵衛が、不思議に思って懐《ふところ》を探すと、先日の黒い手を切り落とした短刀が奪われていたという。

『随筆辞典　奇談異聞編』柴田宵曲編

黒入道［くろにゅうどう］『奇異雑談集』にあるもの。海坊主の類。

明応年間（一四九二年～一五〇一年）に、伊勢（三重県）から伊良湖（愛知県）に渡る船での話で、独り女房（乗員の中に女性が一人しかいないこと。航海上の禁忌とされていた）を船頭が断ったのに、善珍という者が女房を強引に乗せて出発させた。

すると船は途中で暴風雨に遭い、船頭は禁忌を破った龍神の怒りだと思って、乗員の荷から龍神の欲しがりそうな物を次々に出しては海に投げ込ませた。

しかし、暴風雨はおさまらず、そのうち黒い大入道の頭が波間に浮かんできた。その大きさは人の頭の5人～6人分ほどはあり、目は天目《てんもく》（浅い擂鉢形《すりばちがた》の抹茶茶碗）の口のように光り、口は長く、まるで馬のようで、その大きさは二尺（約60cm）ほどだった。

善珍の女房が意を決して、念仏を唱えながら海に身を投じると、黒入道は女を銜《くわ》えて、そして差し上げて見せた。しばらくしてから、やっと波風が弱まったという。

『奇異雑談集』の文中からでは、龍神と黒入道との関係がよく分からないが、おそらくは同じものと見なしているのだろう。

船頭が龍神の怒りを鎮《しず》めるためにとった行為は、最近まで漁師に伝わっていたようで、淡路島の由良（兵庫県洲本市）では、海坊主に出会ったら、船で一番大切にしている品物を海中に投じるとよいとされていた。

㊜海坊主
『江戸怪談集（上）』高田衛編／校注　『民間伝

黒坊主

承』通巻46号「ヤマド」倉田一郎

黒坊主〔くろぼうず〕黒い姿の怪しい妖怪として各地で語られている。

『郵便報知新聞錦絵』663号には、神田福田町（東京都千代田区）に住む大工棟梁《とうりょう》の家に現れた黒坊主の話がある。

夜12時になると、どこからか真っ黒な坊主が寝間に現れ、大工の女房の頬や口を舐《ねぶ》りまわす。その生臭さは病気になってしまうほどで、まいった女房が親類の家に泊まるようになると、黒坊主は現れなくなったという。

熊野地方（三重県、和歌山県）でいう黒坊主は、近づいてくるにつれて大きくなり、最後には巨大な化け物になるという、見越《みこ》し入道《にゅうどう》のような妖怪とされている。

このほか、大入道や海坊主なども、真っ黒い坊主という意味でそうよばれることがある。

ちなみに『郵便報知新聞錦絵』にある黒坊主を、東北地方に現れる妖怪としている本があるが、これは藤沢衛彦の『妖怪画談全集　日本篇上』を見ての勘違いによる。『妖怪画談全集』では、『郵便報知新聞錦絵』の黒坊主の絵を載せて、【夜人の寝息を吸い口を甜る黒坊主・奥州の山地《やまち》々《ち》の類】と解説している。

『妖怪画談全集　日本篇　上』藤沢衛彦『紀州おばけ話』和田寛

黒仏〔くろぼとけ〕　岩手県でいう怪異。秘事念仏宗の至《し》尊仏《そんぶつ》。この像は寺が火事のときに自力で飛んで池に行き、蓮《はす》の葉にくるまって火から逃れたなどの話が伝わっている。

紀州有田郡杉野原（和歌山県清水町）にも黒仏があったそうで、太師山とよばれる大きな堂に祀られていた。この堂が火事になったとき、黒仏が空を飛んで、人家の屋根の上を「オーイ、オーイ」と叫びながら、室川のほうへ飛んでいったという。

『東奥異聞』佐々木喜善

黒ん坊〔くろんぼう〕

→獲〔やまこ〕

クワシャ

黒仏

↓火車

グワタロー

↓河童

クワン　高知県土佐郡土佐山村などでいう憑き物。クワン様ともいう。餓鬼憑きやヒダル神などの類。

　山中で人に取り憑き、空腹を催させる。何か1粒でも口に入れればよいとか、柴折様《しばおりさま》に柴を供えると憑かれないなどという。

　柴折様とは西日本の各地に見られる、道の安全を祈願する神で、柴を供えることが通例になっている。

㊫餓鬼憑《がきつ》き、ヒダル神

『日本妖怪変化語彙』日野巌・日野綏彦　『旅と伝説』通巻174号「土佐の山村の『妖物と怪異』」桂井和雄

クンム

↓ケンムン

クンムン

↓ケンムン

け

敬白の化け物〔けいはくのばけもの〕　『二郡見聞私記』にあるもの。

　陸中国（岩手県）中小路の中程の堀端へ行く細い道に、敬白の化け物とよばれるものがいた。白い色をした小僧で、通行人に向かい、「敬白、敬白」と哀れな声でよびかける。そして、掌に〝敬白〟と指文字で書いたものを見せると、ハッとして消えてしまう。

　昔、この辺りに真言宗の寺があり、ある小僧に守り札を書かせたところ、敬白の字を忘れてどうしても書けなかった。それを師の僧侶が厳しく叱ったので、小僧はそばの池に身を投げてしまった。以来、小僧の霊なのか、敬白の化け物が現れるようになったという。

『大語園』巌谷小波編

毛羽毛現〔けうけげん〕　鳥山石燕の『今昔百鬼拾遺』に毛むくじゃらの妖怪として描かれたもので、【毛羽毛現は惣身に毛生ひたる事毛女

毛羽毛現

のごとくなればかくいふか。或は希有希現とかきて、ある事まれに、見る事まれなればなりとぞ】とある。

毛女とは中国の仙女のことで、華陰の山中（中国陝西省陰県の西嶽華山）に住み、自ら語るところによると、もともとは秦の始皇帝の官女だったが、秦が亡んだため山に逃げ込んだ。そのとき、谷春という道士に出会い、松葉を食すことを教わって、遂に寒さも飢えも感じなくなり、身は空を飛ぶほど軽くなった。すでに170余年経つなどと『列仙伝』にある。

この毛羽毛現は家の周辺でじめじめした場所に現れる妖怪とされるが、実際は石燕の創作妖怪のようである。

『鳥山石燕 画図百鬼夜行』高田衛監修・稲田篤信・田中直日編

ケサラバサラ

↓ケサランパサラン

ケサランパサラン　主に東北地方で見られる不思議な毛玉で、山形県ではテンサラバサラ、宮城県本吉郡、志田郡、黒川郡などではケサラバサラという。ウサギの尻尾《しっぽ》のような形をした白い毛玉で、小豆から鶏卵《けいらん》くらいの大きさとするのが一般的である。

神社の境内や深山などに落ちていたり、庭先などにどこからか飛んでくるという。

山形県西田川郡念珠関村小名部（温海《あたみ》町）では、雷と一緒に天から落ちてくるもので、天から授かった宝物だとしている。持っていると幸せが訪れるといわれ、桐の箱に納めて餌《えさ》として白粉《おしろい》を与えて大切に扱う。

とうてい生き物には見えないが、稀に増えることもある。多くの場合は1年に1度しか見てはならず、禁を犯すと不幸になるという。

近年、都会でもケサランパサランを見たという人があるが、そうした人たちの情報を統合すると、どうやら植物の種子のようなもののことをいっているらしい。

また、ケサランパサランとの関係は明らかではないが、『和漢三才図会』には鮓荅と書いてヘイサラバサラ、ヘイサラバサルと読ませる玉《ぎょく》についての記述がある。

獣の肝胆の間に生じる白い玉で、小さいものは栗や榛《はしばみ》くらい、大きいものは鶏卵ほどもあり、石や骨に似ているが、それらとは別物である。蒙古人《もうこじん》はこの玉を使って雨乞いをし、牛馬のものが最も効験がある。オランダ渡来の平佐羅婆《ヘイサラバ》佐留《サル》と同じもので、痘疹や解毒剤に用いられるものだ、などと記されている。

『陸前の伝説』三崎一夫『民間伝承』通巻164号「テンサラバサラ」佐藤光民『和漢三才図会』寺島良安編・島田勇雄・竹島淳夫・樋口元巳訳注

芥子坊主〔けしぼうず〕　徳島県三好郡祖谷《いや》山でいう妖怪。芥子坊主とは頭の上部の毛だけを残す髪形のことをいう。

東祖谷村西山の彦四郎谷に行くと、この頭をした赤ん坊がギャアギャアと泣きながらたくさん出てくる。これに驚いて逃げ帰った人が何人もいるという。

㊜子泣き爺、ゴギャ泣き
『祖谷山民俗誌』武田明

毛倡妓〔けじょうろう〕　鳥山石燕の『今昔画図続百鬼』に、顔の前後が分からないほど髪の毛を振り乱した女郎として描かれており、【ある風流士うかれ女のもとにかよひけるが、高楼のれんじの前にて女の髪うちみだしたるうしろ影をみて、その人かと前をみれば、額も面も一チめんに髪おひて、目はなもさらにみえざりけり。おどろきてたえいりけるとなん】とある。石燕の妖怪画には女郎屋関係のものが多く見られるが、これもその一つである。
『鳥山石燕　画図百鬼夜行』高田衛監修・稲田篤信・田中直日編

ケチ
→けち火

ケチ火〔けちび〕　高知県幡多《はた》郡でいう怪火。人の怨念が火となったものだとされ、竹皮草履《たけかわぞうり》を3度叩くか、草履の裏に唾《つば》を吐きかけて招くと、こちらに来るという。

毛倡妓

市原麟一郎の『土佐の妖怪』によれば、ケチ火は怪火と書き、人が死ぬ瞬間に肉体を離れて飛ぶものと、人の熟睡中に遊びに出歩くものの2種類があるという。

また、新潟県佐渡島でも人魂《ひとだま》のことをケチとよぶことがある。

『日本妖怪変化語彙』日野巌・日野綏彦　『妖怪談義』柳田国男　『土佐の妖怪』市原麟一郎

血塊〔けっかい〕　埼玉県、神奈川県、長野県でいう妖怪。長野県ではケッケという。

お産のときに現れるもの。姿は毛むくじゃらで、口や鼻が牛に似ているとされ、生まれ出ると縁の下に駆け込むとか、囲炉裏《いろり》の自在鉤《じざいかぎ》に登るといわれている。

埼玉県浦和（さいたま市）では、血塊が縁の下に逃げられないよう、お産のときは屏風《びょうぶ》を巡らせるといい、神奈川県足柄上郡三保村玄倉（山北町）では、自在鉤を登った血塊を叩くために、鉤に飯杓子《しゃもじ》をつけておくという。

いわゆる異常出産の類はほぼ全国的に見られ、『本朝故事因縁集』という本には広島県で唐網（漁具）のようなものを生んだ話があり、栗山一夫の「峡の里の話」には兵庫県で片手だけを生んだという話がある。一般的には鬼の子を生んだとされる場合が多いようだが、九州では河童の子などというそうである。

これらは奇形児や未熟児を指しているようだが、迷信が迷信ではない時代では、このような不幸な子供たちは妖怪とされてしまったのだろう。

㊫オケツ
『市民調査報告書　第十二集　新曾上戸田の民俗』『民間伝承』通巻174号「玄倉の話」小林梅次『旅と伝説』通巻37号「峡の里の話」栗山一夫　『動物妖怪譚』日野巌　『日本神話と伝説』藤沢衛彦　『綜合日本民俗語彙』民俗学研究所編

ケッケ
↓血塊《けっかい》

ゲド

ゲド(外道)

↓外道

外道〔げどう〕 中国地方でいう憑き物。犬神と同じものだとか、口が縦に裂けたモグラのようだとか、鼬《いたち》とモグラの中間ほどの大きさで、足の短い茶褐色の動物だとかいわれる。

これを飼う家は繁栄し、台所下や納戸《なんど》で小豆飯を与えて養う。ウッウッ、グッグッと、蛙に似た声で鳴くが、その姿は飼い主以外には見えないという。

外道は一群れ75匹いて、その家に女の子が生まれるたびに一群れずつ増える。増えた分は嫁ぎ先についていくという。

外道の家が繁栄している間は人に取り憑かないが、下り坂になると人に憑くようになり、やがてその家は滅びてしまう。

石塚尊俊の『日本の憑きもの』によれば、本来の外道とは仏教上の言葉で、仏陀の教えを受け入れない異教徒を意味していたという。それが、人を罵倒する言葉として使われるようになると、やがて憑き物筋のことをいうようになったのではないかとしている。

従って、外道とは特定の動物を意味するものではなく、狐や犬神などの憑き物のことをいっていた可能性があるという。

『日本の憑きもの』石塚尊俊『日本の憑きもの』吉田禎吾『綜合日本民俗語彙』民俗学研究所編

ゲドガキのバケモン　長崎県南松浦郡岐宿町二本楠と玉之浦町字荒川との間のゲドガキに現れた妖怪。

昔、玉之浦中須に住む丑松という子供が、激しく夜泣きしたので、父親が「そんなに泣くとゲドガキのバケモンに食わすぞ」と脅すと、外から「そんなら俺に食わせろっ」と大声がした。驚いた父親は咄嗟《とっさ》に「これが一人前になったら食わせるで」とごまかした。

その後、一人前になった丑松は、福江から酒樽を背負って帰る途中でこのバケモンに襲われ、「汝《われ》の父から汝《われ》はもらったぞ」といわれて食われてしまった。

その夜、バケモンは丑松の家に姿を現し、「お前の子をもらったぞ」と告げたという。

『五島民俗誌』久保清・橋浦泰雄『日本怪談集　妖怪篇』今野円輔編著

ケナシコルウナルペ　胆振《いぶり》から沙流《さる》のアイヌの人々に伝わる妖怪で、「木原の姥」と訳される。木立の空洞や川岸の柳原の端などに棲む怪女である。ケナシウナラペ（平原の小母）、ニタッウナラペ（湿地の小母）、天塩《てしお》ではイワメテイエプ（山の魔）とよばれる。

昔、ある男が山で子熊を捕らえ、檻《おり》に入れて飼っていたところ、夜中になると檻の前にザンバラ髪の女が現れるようになった。見れば、檻の中の子熊は禿頭《はげあたま》の少年になっていて、女の手拍子に合わせてしきりに踊っていた。

そこで悪魔払いの木幣《もくへい》を用いて熊祭りを行い、子熊を殺してみると、その死体はリスに変化したという。

ケナシコルウナルペは熊を操れるらしく、山狩りをされると、熊をけしかけて人を害するという。善良な心を持った熊が人間を襲うのは、ケナシコルウナルペのしわざとされる。
『えぞおばけ列伝』知里真志保編訳『カムイユカラと昔話』萱野茂

毛虫の怪〔けむしのかい〕激しい怨みや執着を残して死んだ者が、死後に虫となって害をなすというもの。

『狗張子』には、元和元年（一六一五年）に、元興寺《がんごうじ》（奈良市）の宥快という僧が、ある少年に懸想《けそう》し、叶わぬ恋路に苦しんで死んでしまうと、死後にたくさんの毛虫となって少年の家に現れ、害をなしたという話がある。

これと同じように『三国傳記』には、橘の木に生《な》った実を隣家に分けてもらえなかったことを恨んで死んだ尼が、死後に虫となって実に巣くい、橘を枯れさせたという話もある。

このような、人間が死後に虫となる話には、毛虫の他にも蝶やカメムシの場合もあり、農村の年中行事である虫送りと関連づけた伝説も少なくない。

倩兮女

㊜於菊虫、実盛虫《さねもりむし》、平四郎虫、常元虫《じょうげんむし》
『怪談名作集』日本名著全集刊行会編 『大語園』巌谷小波編

倩兮女（けらけらおんな） 鳥山石燕の『今昔百鬼拾遺』に描かれているもので、【楚の国宋玉が東隣に美女あり。垣にのぼりて宋玉をうかがふ。嫣然《えんぜん》として一たび笑へば、陽城の人を惑せしとぞ。およそ美色の人情をとらかす事、古今にためし多し。けらけら女も朱唇をひるがへして、多くの人をまどはせし淫婦の霊ならんか】とある。

『鳥山石燕 画図百鬼夜行』の解説によれば、【けらけら笑いをする女の首は、石燕の頃の、流行の化け物（『平家化物たいぢ』）であった】と記されているので、石燕のまったくの創作ではなさそうである。

『鳥山石燕 画図百鬼夜行』高田衛監修・稲田篤信・田中直日編

ケンニン
↓ケンムン

ケンムン 鹿児島県奄美諸島でいう妖怪。海にも山にも現れる河童のようなもの。ガジュマルやアコウなどの木の精ともいう。

ケンモン、クンムン、クンム、ネブザワともよばれ、怪の物、化の物、木の物、毛の物という意味だとされている。

『日本昔話事典』によれば、この発音は仮名《かな》では正確に表記できず、仮にケンムンとしているのだという。

身体の特徴や性質は伝える土地ごとに異同がある。小さい子供のような体格で、顔は犬、猫、猿などに似て、身体には毛が生えているとか、赤い肌をして裸だとかいう。頭に皿があるともないともいい、髪の毛はおかっぱ頭で赤い毛をしている。脚が細長く、いつも両膝を立てて座っており、頭より膝のほうが高くなる。指の先に火を灯《とも》して歩くとか、涎《よだれ》が光るとかいって、火にも関係している。

季節によって海と山を移動し、尾根伝いに火を灯しながら集団で移動するので、まるで提灯行列のようになる。これをケンムンマチ（火）という。カタツムリを常食し、ナメクジを丸めたものを餅だといって食べるともいう。体臭は山羊《やぎ》のようで、そのせいか山の中で「臭い」といわれたり、屁のことを話されるのを嫌う。タコやギブ貝、鉄類も嫌う。

ガジュマルやアコウの木に棲むが、そういう場所をケンムンワラという。

山中で大石が転がる音や、木が倒れる音をたてたり、人間に相撲を挑んだりする。変化能力も高い。子馬に化けたり、出会った人間そっくりに化けたり、保護色のように周囲と同じものに化けたりもする。

山中で食べ物を持っていると、ケンムンにあとをつけられて道に迷わされることがある。

ケンムンと友達になると、魚がたくさん捕れるが、それらの魚はすべて片目を抜かれているという。

このように、いわゆる河童やキジムナー、イッシャといった南西諸島の妖怪の性質がほとんど含まれているのがケンムンの特徴といえる。

第2次世界大戦まではよく目撃されたというが、それ以後、ケンムンのことはあまり聞かれなくなったそうである。

戦争中、空襲を避けるためガジュマルの木の下に避難しているときに、炊いておいた粥をケンムンに食われたという話がある。姿は見えないが、ただチャンチャンチャンチャンと食う音だけが聞こえたという。

また、GHQの命令で奄美大島に仮刑務所をつくる際に、たくさんのガジュマルを伐採したことがあった。島民はケンムンの祟りを恐れていたので、「マッカーサーの命令だぞ」と大声で叫びながら伐採した。

それからはケンムンの話がぷっつりと途絶《とだ》えたのだが、後にマッカーサーがアメリカに帰って死んだというニュースを聞いた島民は、「近ごろ見えなくなったケンムンは、アメリカに渡ってマッカーサーに祟っていたのだ」といったそうである。

水蝹《けんもん》（ケンムン）

しばらくしてからまたケンムンが現れはじめると、アメリカから帰ってきたのだろうと噂しあったという。

㊂河童、キジムナー、イッシャ

『現代民話考　一　河童・天狗・神かくし』松谷みよ子『旅と伝説』通巻189号「ケンモン」金久正『日本民俗文化資料集成　八　妖怪』「奄美河童『けんむん』譚」文英吉『日本民俗文化資料集成　八　妖怪』「奄美のケンモン」恵原義盛『日本民俗文化資料集成　八　妖怪』「キジムン　植物に関する話」佐木真興英『河童の世界』石川純一郎『日本怪談集　妖怪篇』今野円輔編著『日本昔話事典』稲田浩二・大島建彦・川端豊彦・福田晃・三原幸久編

ケンモン

↓ケンムン

こ

小池婆〔こいけばばあ〕　島根県松江市でいう妖怪。

雲州松江の小池という武家に草鞋《わらじ》取りの男がおり、正月休みに古志原の実家に帰った。翌日の主人の登城日に合わせて朝早く家を出た男は、途中の檜山で狼の群れに出会った。

男が路傍の大木に登ると、狼たちは次々と肩車をして積み重なって男に迫った。しかし、あともう少しのところで数が足りない。すると上の狼が、小池婆をよんでこいと吠え立てた。その声を聞いて1匹の大猫が現れ、狼たちの梯子《はしご》をするすると登った。

男は刀を抜き、登ってくる猫の眉間《みけん》に斬りつけた。その途端、金物の落ちるような音がして、狼も猫も散り散りになって逃げていった。下に降りてみると、足元に茶釜の蓋《ふた》がある。よく見れば、それは主家のものだった。

そのころ主家では、主人の母親がつまずいて額に大怪我をしたというので大騒ぎになっていた。さらに茶釜の蓋が紛失したというので、それを探しまわっている者もいた。

男は主人に途中の出来事を語り、どうにもそ

小池婆

の母親が怪しいと、蒲団《ふとん》を被《かぶ》って唸《うな》っている母親を刀で刺し殺してしまった。死骸を見れば、それは大きな古猫だったという。
㊂鍛冶《かじ》が媼《ばばあ》
『日本伝説集』高木敏雄

五位鷺の火〔ごいさぎのひ〕
↓青鷺火《あおさぎのひ》

五井の光〔ごいのひかり〕
↓青鷺火《あおさぎのひ》

虎隠良〔こいんりょう〕鳥山石燕の『画図百器徒然袋』に印籠《いんろう》の妖怪として描かれたもので、【たけき獣の革にて製したるきんちゃくゆへにや、そのときこと千里をはしるがごとし】と記されており、別項の禅釜尚《ぜんふしょう》、鎗毛長《やりけちょう》とともに同じ絵の中に描かれている。

　これらの妖怪は、もともと室町時代に描かれた『百鬼夜行絵巻』をモデルにしているといわれ、虎隠良、鎗毛長は構図まで似たものになっている。ただし、禅釜尚だけは石燕のオリジナルらしい。

『鳥山石燕　画図百鬼夜行』高田衛監修・稲田篤信・田中直日編

高野山高林坊〔こうやさんこうりんぼう〕和歌山県高野山でいう天狗。弘法大師が高野山を開く前から山に止宿していた地主神《じしゅじん》とその眷属《けんぞく》たちのこととされている。
　密教系の祈禱秘経『天狗経』にある全国代表四十八天狗の一つに数えられているもの。
㊂天狗
『天狗考　上』知切光歳　『図集天狗列伝　西日本編』知切光歳

ゴウラ
↓河童

高良山筑後坊〔こうらざんちくごぼう〕福岡県高良山でいう天狗。密教系の祈禱秘経『天狗経』にある全国代表四十八天狗の一つに数えられているもの。
㊂天狗
『天狗考　上』知切光歳　『図集天狗列伝　西日本編』知切光歳

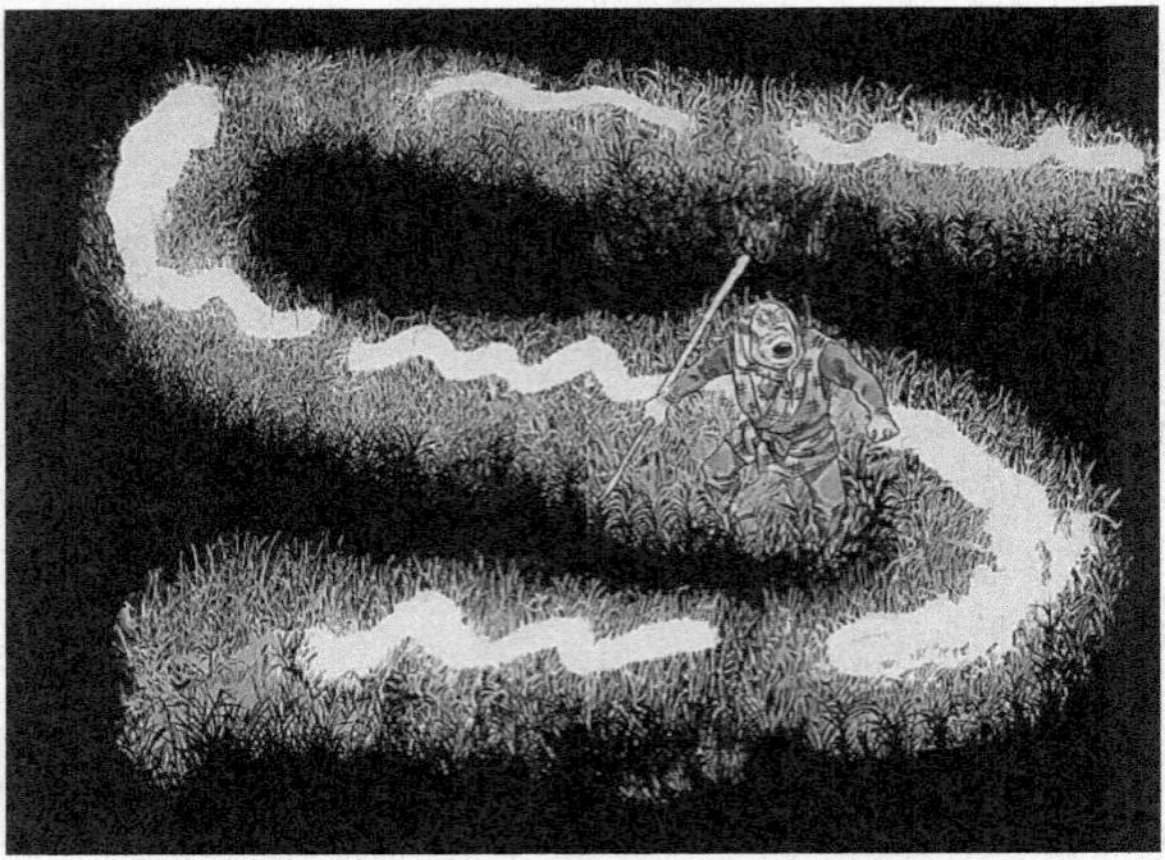

小右衛門火

小右衛門火〔こえもんび〕『兎園小説』にある怪火。大和国葛下郡松塚村（奈良県大和高田市）の大山川（葛城川か？）の堤に現れるもので、雨の日によく見られた。

提灯くらいの大きさの火が、地上より三尺（約90㎝）ほどのところを飛び、百済の奥壺（北葛城郡広陵町）という墓所より、新堂村（橿原市）の小山の墓までを、まるで通うように移動したという。

あるとき、小右衛門という農民がこの火の正体を見届けようと堤に行くと、期待通りに怪火が現れ、流星のような音をたてて頭上を飛び越していった。杖で叩くと数百もの火となって取り巻く。打ち払って逃げ帰ったものの、小右衛門はその夜のうちから病気となって死んでしまった。小右衛門火とは、この農民の名前をとったものだという。

別に『御伽厚化粧』には、近江国（滋賀県）の沼田に現れた小右衛門火の記述がある。

この地に小右衛門という強欲な庄屋がいたが、

私欲のためにはたらいた悪事が露見して死刑となった。以来、庄屋小右衛門の怨みからか、夜《よ》毎《ごと》に怪火が現れるようになった。

あるとき旅役者たちがこの話を聞き、その晩も出ているか確かめに行ってみると、はたして火が出ていた。

「芝居では幽霊が出るときにヒュードロの笛を吹くが、実際に笛を吹いて様子を見よう」ということになり、1曲は長く、もう1曲は短く吹いた。すると火はこちらに向かってきた。近くで見ると、青い火中に蒼醒《あおざ》めた顔が見えたので、一同は恐れて逃げ帰ったという。

『随筆辞典　奇談異聞編』柴田宵曲編　『日本妖怪変化史』江馬務

ゴータロー

↓河童

首様〔こーべさま〕

↓馬の首

ゴーラ

↓河童

ゴーライ

↓カシャンボ

ゴーラゴ

↓河童

ゴーラボシ

↓河童

牛鬼〔ごき〕

↓牛鬼《うしおに》

ゴギャ泣き〔ごぎゃなき〕　赤ん坊の泣き声を発する妖怪。

徳島県美馬《みま》郡木屋平村のゴギャ泣きは、ゴギャゴギャと泣いて山中をうろつく一本足の怪物で、これが泣くと地震があると伝わる。いうことをきかない子供に「ゴギャ泣きが来るぞ」といって、子脅しの妖怪とされていた。

徳島県祖谷地方ではゴンギャ泣き、オギャア泣きといって、山中の木の洞《うろ》や夜道で、赤子のようにオギャアオギャアと泣き声をたてるが、そこに行ってみても姿はないという。

ときおり、負うてくれといって出てくるが、その際には背負い縄が短いから負えぬと断らなければならない。そのため、負い縄は片方を長く、もう片方を短く綯《な》うものだという。
『近世土佐妖怪資料』に引かれた『三安漫筆』には、ゴギャ泣きは高知県高岡郡新居の浜、幡《は》多《た》郡坂の下（宿毛《すくも》郷）切抜の溝の辺りでいうものとあり、色白の赤ん坊のようで、泣き声を発する。夜道を行く者の足にまとわりつくが、草《ぞう》履《り》を脱げば去っていくという。
㊜子泣き爺、芥子《けし》坊主
『近世土佐妖怪資料』広江清編　『綜合日本民俗語彙』民俗学研究所編　『祖谷山民俗誌』武田明　『日本民俗誌大系　十　未刊資料一』「祖谷山村の民俗」高谷重夫

虚空太鼓〔こくうだいこ〕　山口県大島郡大島町小松でいう怪異。毎年旧暦6月の頃になると、周防灘《すおうなだ》の大畠瀬戸の辺りで太鼓の音が聞こえてくるというもの。

　至って単調な音で、高低はまったくないという。対岸の大畠で聞くと、小松のほうから聞こえ、逆に小松側では笠佐島のほうから聞こえる。そして大畠瀬戸を離れるとその音はまったく聞こえなくなるという。

　昔、軽業師《かるわざし》の一行が乗った船が大畠瀬戸にさしかかったとき、時化《しけ》と潮流で転覆しそうになった。一行は太鼓を叩いて助けを求めたが、やがて波間に没した。以来、軽業師たちが遭難した季節になると、虚空太鼓が海底から聞こえてくるようになったという。

『旅と伝説』通巻30号「周防の大島　四」宮本常一　『綜合日本民俗語彙』民俗学研究所編　『妖怪談義』柳田国男

古庫裏婆〔こくりばばあ〕　鳥山石燕の『今昔百鬼拾遺』に老婆の妖怪として描かれたもので、【僧の妻を梵嫂といへるよし、輟耕録に見えたり。ある山寺に七代以前の住持の愛せし梵嫂その寺の庫裏《くり》にすみゐて、檀越の米銭をかすめ、新死の屍《しかばね》の皮をはぎて餌食とせしとぞ。三途の河の奪衣婆《だつえば》よりもおそろしおそろし】とある。『輟耕録』は中国明時代の陶宗儀の随筆だが、

虚空太鼓

別に古庫裏婆のことが記されているわけではない。石燕が何に拠《よ》ってこの古庫裏婆を描いたのかは不明である。

『鳥山石燕　画図百鬼夜行』高田衛監修・稲田篤信・田中直日編

小雨坊〔こさめぼう〕　鳥山石燕の『今昔百鬼拾遺』に僧形の妖怪として描かれており、【小雨坊は、雨そぼふる夜、大みねかつらぎ山中に徘徊して斎料をこふとなん】とある。

大峰は奈良県吉野郡金峰山《きんぷさん》、葛城山とは奈良県北葛城郡二上山《にじょうさん》および葛城山のことである。

小雨坊は粟を要求するなどと書かれた本があるが、これは山田野理夫の『東北怪談の旅』から引いたもので、石燕の描いた小雨坊とは無関係である。『東北怪談の旅』の小雨坊は青森県での話とされており、雨の山中を歩く者から粟をねだる妖怪としている。

『鳥山石燕　画図百鬼夜行』高田衛監修・稲田篤信・田中直日編　『東北怪談の旅』山田野理夫

コシュンプ
↓コシンプ

コシンプ　樺太《からふと》や北海道のアイヌの人々に伝わる妖怪。獣が人間に懸想《けそう》して憑くことをいう。アザラシなどの海獣ならばルル（浪）コシンプ、狐などの場合はイワ（山）コシンプとよばれる。
善悪二者があり、悪いコシンプは人間に憑いて悪事をはたらくが、善いコシンプは憑神（トゥレンペ）となって一生を幸せに導く。ルルコシンプもイワコシンプも絶世の美女となって現れるといわれるので、多くは男に取り憑くものと考えられる。
㊜トゥレンペ
『自然と文化』一九八四秋季号「アイヌの妖怪」萱野茂　『歴史と民俗　アイヌ』更科源蔵

コシンプイ
↓コシンプ

コシンプウ
↓コシンプ

コシンプク

瞽女の幽霊

↓コシンプ

瞽女の幽霊〔ごぜのゆうれい〕『妖怪画談全集 日本篇 上』にある怪談。

享保（一七一六年～一七三六年）の頃、北国の穂津美官治という武士が、江戸藩邸に向かう途中の宿で、一人の瞽女《ごぜ》と関係した。しかし、この瞽女があまりにも醜かったので嫌気がさし、宿を出てからも嬉しそうについてくる瞽女を男は谷底に突き落とした。

翌年、その男は藩邸からの戻りの途中で、とある山寺に泊まった。するとその夜、瞽女の幽霊が現れて、「去年《こぞ》の秋を忘れたか」といって、男を墓の中まで引きずり込んだ。男に殺された瞽女はこの寺に埋葬されていたのである。

騒ぎを聞きつけた寺の者が墓を掘り返してみると、そこには男の死体があり、その喉もとには埋めたときと同じ姿の瞽女が食らいついていたという。

瞽女とは、三味線を弾き、唄を歌ったりして銭を乞い歩いた目の見えない女のことで、旅芸人のようなものである。

『妖怪画談全集 日本篇 上』藤沢衛彦

古戦場火〔こせんじょうのひ〕 鳥山石燕の『今昔画図続百鬼』に描かれた怪火で、【一将功なりて万骨かれし枯野には、燐火とて火のもゆる事あり。是は血のこぼれたる跡よりもえ出る火なりといへり】とある。

古戦場火とは、合戦跡に現れる怪火の総称的な意味で石燕が名づけたものらしい。

古戦場での怪火は各地にあり、『宿直草』には大坂夏の陣で激戦場となった、若江の郷（大阪市内）で複数の火の玉を見た話がある。

『鳥山石燕 画図百鬼夜行』高田衛監修・稲田篤信・田中直日編 『江戸怪談集（上）』高田衛編／校注

小僧狸〔こぞうだぬき〕 徳島県麻植《おえ》郡学島村（川島町）でいう化け狸。学島村の東端の化女の辻に出たもので、小僧に化けて通行人の邪魔をした。

夜中に人が歩いているとその前に出てきて、

人が右に避《よ》ければ右に寄り、左に避《よ》ければまた左に寄って、人の前を塞《ふさ》いでしまう。
腹をたてて、突き飛ばしたり、刀で斬りつけたりすると、小僧は2人になり、繰り返すたびに倍々に増える。結局、一番鶏《いちばんどり》が鳴くころまで化かされつづけることになるという。
㊫狸
『阿波の狸の話』笠井新也

こそこそ岩〔こそこそいわ〕岡山県御津《みつ》郡円城村（加茂川町）でいう怪石。

五尺（約1m50㎝）ほどの石で、夜分そこを通ると、コソコソという物音がしたという。

『妖怪談義』柳田国男

子育て幽霊〔こそだてゆうれい〕昔話や伝説として語られている怪異で、青森県から沖縄県まで広く分布する。

毎夜、見知らぬ女が飴屋に飴を買いにくる。不思議に思った主人が跡をつけてみると、女は墓地に消え、とある墓の下から赤ん坊の泣き声が聞こえる。墓を掘り返してみると、最近死んだ母親の傍《そば》に元気な赤ん坊がいる。身ごもったまま死んだ母親が子供のために幽霊となって、三途の川の渡し賃の六文銭で飴を買いにきていたというのが基本型である。

この赤ん坊は後に高僧になるケースが多く、各地の寺院の秘話として語り継がれている。

『日本昔話事典』稲田浩二・大島建彦・川端豊彦・福田晃・三原幸久編『民俗学辞典』民俗学研究所編

小袖の手〔こそでのて〕鳥山石燕の『今昔百鬼拾遺』に小袖から細長い手が伸びている様が描かれ、【唐詩に「昨日施ㇾ僧裙帯上断腸猶繋二琵琶絃二」とは妓女亡ぬるをいためる詩にして、僧に供養せしうかれめの帯に、なを琵琶の糸かかてありしを見て、腸《はらわた》をたちてかなしめる心也。すべて女ははかなき衣服調度に心をとどめて、なき跡の小袖より手の出しをまのあたり見し人ありと云】とある。
小袖とは袖下の短い着物。持ち主だった女の生への執念が妖怪化したものなのだろうか。

また、石燕の小袖の手と関係あるのかは分からないが、藤沢衛彦著の『妖怪画談全集　日本篇　上』には、次のような話がある。

　慶長年間（一五九六年～一六一五年）、京都知恩院前に松屋七左衛門という者がいて、娘のために古手屋の喜兵衛という者から着物を買った。その頃から娘は病気となるが、あるとき七左衛門は、自分の家で女の幽霊を見た。それは娘に買ってやったものと同じ着物を着ていたので、気味が悪くなってその着物を売ることにし、衣《え》桁《こう》へかけておいた。

　すると、その小袖の両方の袖口から、女の白い手がスッと出た。そこで小袖を解いてみると、肩先から袈裟《けさ》がけに斬られた跡があり、縫い合わせでごまかしてあることがわかった。

　いずれ武家に奉公していた娘が、子細あって手討ちになったときの着物であろうと、そのまま菩提寺《ぼだいじ》へ納め、弔いをしたところ、娘の病気もようやく快方に向かったという。

『鳥山石燕　画図百鬼夜行』高田衛監修・稲田

小袖の手

五体面

篤信・田中直日編『妖怪画談全集 日本篇上』藤沢衛彦

五体面〔ごたいめん〕 熊本県八代市の松井家に伝わる『百鬼夜行絵巻』に描かれている。

この絵巻物の詞書《ことばがき》には、天保3年（一八三二年）に作られ、撰、画、題は、尾田淑という人物が携わったと記されているが、詳細はいまだにはっきりとはしていないようである。

『別冊太陽 日本の妖怪』


木霊〔こだま〕 木魂、木魅、谺、古多万とも表記される。木の精霊や神の意味。

八丈島ではキダマサマとよんで、木を伐《き》る際には、必ず祭りをするという。

『綜合日本民俗語彙』民俗学研究所編

小玉鼠〔こだまねずみ〕 秋田県北秋田郡でマタギに伝わる怪異。
山の神の機嫌が悪いときに二十日鼠《はつかねずみ》を丸くしたようなものが現れ、背中から裂けて破裂するという。その際の「ポンッ」という破裂音（飛び跳ねる音とも）を聞くと、その日は獲物がとれなくなるとか、雪崩《なだれ》などの災厄に見舞われるとかいう。

マタギにはいくつかの流派があり、そのうち小玉流の猟師たちが、山の神の罰を受けて鼠になったという昔話がある。

『日本妖怪変化語彙』日野巌・日野綏彦　『秋田マタギ聞書』武藤鉄城

ゴタロ

↓河童

コチョボ

↓人形神《ひんながみ》

狐狗狸さん〔こっくりさん〕　占いの一種。文字などを記した紙に硬貨を置き、その硬貨を3人の者が指先で押さえ、占いたい内容をいうと、ひとりでに硬貨が動いてその答えを示すというもの。

『妖怪玄談　狐狗狸の事』を著した井上円了によれば、狐狗狸さんは西洋の降神術・テーブルターニングが原型ではないかとしている。明治時代、伊豆下田で座礁したアメリカ船の乗組員

コックリさん（狐狗狸さん）

が土地の者に降神術を伝え、それが全国に広まったのだという。

当時の狐狗狸さんは、交差させた3本の竹棒の上に丸盆を乗せ、3人の者が盆の上に手を置いて、どちらに何度、盆が傾くかで占っていた。盆がコックリと傾くことからコックリさんとよばれたそうで、狐狗狸という漢字は当て字らしい。

『妖怪玄談　狐狗狸の事』井上円了

五徳猫〔ごとくねこ〕　五徳猫は鳥山石燕の『画図百器徒然袋』に尾が2つに分かれた猫又の姿として描かれており、【七徳の舞をふたつわすれて、五徳の官者と言ひしためしもあれば、この猫もいかなることをか忘れけんと、夢の中におもひぬ】とある。

『鳥山石燕　画図百鬼夜行』の解説によれば、その姿は室町期の伝・土佐光信画『百鬼夜行絵巻』に描かれた五徳を頭に載せた妖怪をモデルとし、内容は『徒然袋』にある『平家物語』の作者といわれる信濃前司《しなののぜんじ》行長《ゆきなが》にまつわる話をも

五徳猫

とにしているとある。

行長は学識ある人物だったが、七徳の舞という、唐の太宗の武の七徳に基づく舞のうち、2つを忘れてしまったために、五徳の冠者《かじゃ》のあだ名がつけられた。そのため、世に嫌気《いやけ》がさし、隠れて生活するようになったという。

五徳猫はこのエピソードと、囲炉裏《いろり》にある五徳（薬缶《やかん》などを載せる台）を引っ掛けて創作された妖怪なのであろう。

ちなみに土佐光信画『百鬼夜行絵巻』に描かれている妖怪は、手には火吹き竹を持っているが、猫の妖怪ではなさそうである。

『鳥山石燕　画図百鬼夜行』高田衛監修・稲田篤信・田中直日編

琴古主［ことふるぬし］　鳥山石燕の『画図百器徒然袋』に琴の妖怪として描かれたもので、【八橋とか言へる瞽しやのしらべをあらためしより、つくし琴は名のみして、その音いろをきき知れる人さへまれなれば、そのうらみをしらせんとてか、かかる姿をあらはしけんと、夢心におもひぬ】とある。

八橋《やつはし》とは筑紫箏《つくしごと》の八橋流を創始した八橋検校《やつはしけんぎょう》のことで、六段の調《しらべ》などの名曲を作ったことでも知られている。

石燕がいわんとしていることを要約すると、筑紫箏が廃《すた》れてしまい、その音色さえ知る人がいなくなったとき、忘れられまじと琴が妖怪化して、琴古主となったということになる。

琴の姿をした妖怪は、室町時代の『百鬼夜行絵巻』にも描かれており、石燕がこれをモデルとしている可能性は高い。

『鳥山石燕　画図百鬼夜行』高田衛監修・稲田篤信・田中直日編

子取りぞ［ことりぞ］　出雲地方（島根県）でいう妖怪。夕方、戸外で遊んでいる子供がいなくなると、子取りぞに奪われたなどという。子取りぞは子供を奪っては脂《あぶら》を搾《しぼ》り、その脂で南京皿《なんきんざら》を焼くのだという。

㊫油取り、隠し神

『日本妖怪変化語彙』日野巖・日野綏彦『郷

児《こ》啼爺《なきじじい》(子泣き爺)

土研究』2巻4号 『綜合日本民俗語彙』民俗学研究所編

子泣き爺〔こなきじじい〕 徳島県山間部でいう妖怪。姿は爺だが、赤子の泣き声をだす。

柳田国男の『妖怪談義』によれば、赤子に化けて山中で泣いているとするのは作り話ではないかとし、人が可《か》哀相《わいそう》に思って抱き上げたとき、徐々に重くなって人の命を奪うのは、産女《うぶめ》やウバリヨンに近いものだとしている。

オギャア泣き、ゴギャ泣き、芥子《けし》坊主などと、四国の山間部では赤ん坊の泣き声をだす妖怪がいくつかいる。子泣き爺という名前は『民間伝承』に寄せられた武田明の「山村語彙」にある。

近年、郷土史家・多喜田昌裕の調査により、子泣き爺は徳島県三好郡山城町上名平に伝わっていたことが明らかになった。昭和初期に子供時代を過ごした人たちからの聞き取りによると、子泣き爺は駄々をこねる子供を脅すための妖怪とされていたそうである。

『妖怪談義』柳田国男 『民間伝承』通巻38号

「山村語彙」武田明『怪』11号「『子泣き爺』伝承の地に、石像建立プロジェクト」多喜田昌裕

児泣き婆〔こなきばばあ〕『東北怪談の旅』に青森県津軽での話としてあるもの。

和井内行松という者が山で迷っていると、一人の老人に出会い、家に泊まるよう勧められた。途中の山道で赤ん坊の泣き声が聞こえ、老人はその赤ん坊を拾い上げた。別の場所でも赤ん坊が泣いていたので、今度は行松が拾おうとすると、その顔は皺《しわ》くちゃの婆だった。それでも拾おうとすると、重くて拾えない。しかし老人は、それを簡単に拾い上げた。

家に着くと、老人は釜の中にその赤ん坊を入れ、火を焚《た》きはじめた。しばらくして釜を開けると、赤ん坊と見えたのは南瓜《かぼちゃ》だった。

翌日、老人の案内で山道から抜け出すことができた行松は、別れ際に「昨日食べたあれは南瓜でしょうか」と尋ねた。すると老人は、「あれは児泣き婆だよ」といったという。

『東北怪談の旅』は著者が収集した怪談をまとめたものというスタイルになっているが、すべてが民間に伝わる話だとは思えない節《ふし》がある。

例えば、同書には小雨坊《こさめぼう》、うわん、おとろし、赤舌《あかした》といった鳥山石燕が描いたものと同じ妖怪の話があるが、これらは民間伝承に記録のない妖怪たちである。もちろん古い怪談集や随筆集などにも見えず、絵巻物にその絵と名前だけが残っているようなものである。

もし仮に、それらが本当に民間伝承としての話なら凄いことなのだが、どうやらそうではないらしい。

しかし、すべてが創作とも思えないので、石燕の妖怪画のイメージに適した話があって、それをうまく脚色したものと見るのが妥当だと思う。以上のことから考えると、この児泣き婆を、四国山中などに伝わる子泣き爺の仲間とするのには、若干の抵抗がある。

㊌子泣き爺

『東北怪談の旅』山田野理夫

小沼のかじ坊〔こぬまのかじぼう〕
→伊草《いぐさ》の袈裟坊《けさぼう》

碁の精〔ごのせい〕
→囲碁の精

木葉天狗〔このはてんぐ〕　天狗の一種。

『諸国里人談』には、静岡県の大井川でよく目撃されたとあり、深夜の土手に翼が六尺（約1m80cm）ほどの鳶《とんび》のようなものがたくさん現れ、川の魚を捕まえていたなどとある。

このことから、木葉天狗は猛禽類《もうきんるい》のような姿をしていたと思われるが、松浦静山の『甲子夜話』には、齢《とし》を経た狼が木葉天狗になるという記述が見える。

これは幼少の頃に天狗に攫《さら》われた経験を持つ源左衛門という者が、天狗界で見聞きしたことを松浦静山に語ったという話にあるもので、それによれば、天狗の世界では木葉天狗のことを白狼とよび、その地位はかなり低く、山で作った薪《たきぎ》を売ったり、登山する人を背負ったりして、天狗たちが物を買うための金を稼いでいるなどとある。

普通の天狗と同様に変化能力もあるようで、山口県岩国の怪談集『岩邑怪談録』には、木葉天狗にからかわれたという話がある。

狩猟に出かけた宇都宮郡右ヱ門という人の前に、小僧の姿に化けた木葉天狗が現れて、「銃を撃って見ろ」などといった。これを木葉天狗と見抜いた郡右ヱ門は、驚かせてやるつもりで弾を密《ひそ》かに2つ込め、銃を撃った。

ところが、木葉天狗はまったく驚かずに、「その弾はここだ」と郡右ヱ門に弾を返し、たちまち姿を消したという。

㊜天狗

『随筆辞典　奇談異聞編』柴田宵曲編　『日本未確認生物事典』笹間良彦　『岩邑怪談録』広瀬喜尚　『日本随筆大成』日本随筆大成編集部編

五八寸〔ごはっすん〕
→槌《つち》の子

ごひん様〔ごひんさま〕

木葉天狗

↓天狗

小坊主〔こぼうず〕　愛媛県北宇和郡広見町内深田や三間町音地でいう家の中の妖怪。

山仕事から帰ると、薄暗い家の中に、4人～5人の子供が囲炉裏《いろり》の火に手をかざして当たっていることがある。家人が中に入ると、子供らはこそこそと床の下に潜《もぐ》ってしまう。

『宇和地帯の民俗』では、座敷わらしと同じものではないかとしている。

また、宮崎県加久藤村永江浦（えびの市加久藤区）では河童を小坊主とよぶことがあった。甚作爺という元相撲取りが東永江浦の永江浦川の淵の上を通ると、小坊主が現れて手を引っ張った。何事かと尋ねると、淵のほうを指さすので、潜ってみると金物《かなもの》があった。

小坊主は金物が恐いので、取り払ってくれという。そこで甚作爺は「今後、村の者に悪さをしないというなら取ってやろう」というと、承知したので、金物を取ってやった。以来、永江浦では溺死者がなくなったという。

(参)座敷わらし、河童
『宇和地帯の民俗』和歌森太郎編　『日向馬関田の伝承』楢木範行

牛蒡種〔ごぼうだね〕　護法実とも書かれる。長野県、岐阜県、福井県でいう憑き物。

牛蒡種の家では狐や犬神のような動物を使うことはなく、生霊《いきりょう》を憑かせるといわれる。しかし、岐阜県飛騨のある集落では、牛蒡種を75匹の別名でよび、75匹の動物が家に憑いていると信じられていた。

この動物がなんであるかは分からないが、その由来を説く伝説では、九尾の狐が退治されたとき、その破片が各地に飛び散って、飛騨に落ちたものが牛蒡種だといっていることから、おそらくは狐の類だと思われる。

ただ、牛蒡種を動物とするのは例外のようで、あくまでも人の生霊によるものとされている。

牛蒡種の家の者に憎まれると大病を患うとか、別に憎いとは思わなくても、「あそこの畑は今年は豊作だな」「いい蚕だね」などと誉めるだけで、農作物や蚕がだめになってしまうといわれる。ただし、警察官や村長などの目上の者に対しては効力がないという。

牛蒡種はいわゆる家筋につく憑き物とされるが、もともとは修験者《しゅげんしゃ》などが行う護法実に由来するといわれる。護法実とは仏法擁護の護法善神を憑ける修験系の儀礼で、修験者が自分の霊力でさまざまな霊を使役できることを示すための行事だという。

久米地方（岡山県）の真言系の寺院では、護法善神が取り憑いた修験者を護法種、あるいは護法実とよぶそうである。

『民間信仰辞典』桜井徳太郎編　『日本民俗文化資料集成　七　憑きもの』「飛騨の牛蒡種」須田圭三　『憑物』喜田貞吉編　『日本の憑きもの』石塚尊俊

護法憑き〔ごほうつき〕
↓牛蒡種《ごぼうだね》

小法師〔ごぼし〕　三重県志摩郡の海岸地方でいう河童。旧暦6月14日の祇園祭の日に海で泳ぐと、小法師に尻を抜かれるという。
㊫河童
『鳥羽・志摩漁撈調査報告書』三重県教育委員会編 『河童の世界』石川純一郎

コボッチ 遠江《とおとうみ》（静岡県）でいう水辺の妖怪。子供姿だが、河童が齢《とし》を経たものだといわれる。人を誑《たぶら》かして水中に引き込むのだという。

磐田郡では管狐《くだぎつね》ともよび、鼬《いたち》に似た動物としている。山間の谷間のグミ林に棲むもので、人を誑かしたり、病人に憑いて、見てもいないものを千里眼のように語らせるという。

『土の香』51号 『土の色』3巻6号 『土の色』12巻3号 『綜合日本民俗語彙』民俗学研究所編

コマヒキ
↓河童

米かし〔こめかし〕 愛知県幡豆《はず》郡佐久島でいう妖怪。海岸の藪で、米や小豆をガシガシと磨《と》ぐ音をたてるという。「かし」とは穀物を水で磨ぐこと。

コボッチ

㊜小豆洗い、米磨ぎ婆、米を磨ぐ荒神様《こうじんさま》
『綜合日本民俗語彙』民俗学研究所編

米搗き童子〔こめつきわらし〕
↓座敷わらし

米磨ぎ婆〔こめとぎばばあ〕　長野県北佐久郡でいう妖怪。山中や井戸で米を磨《と》ぐような音をたてる。小豆洗いの類。
㊜小豆婆、米かし、米を磨ぐ荒神様《こうじんさま》
『日本妖怪変化語彙』日野巌・日野綏彦

米を磨ぐ荒神様〔こめをとぐこうじんさま〕長野県小諸市鴇久保でいう音の怪異。白装束《しろしょうぞく》の荒《こう》神様《じんさま》が丑三《うしみ》つ時に現れて、「お米磨《と》ぎやしょか、人取って食わしょか、しょきしょき」と歌いながら米を磨いでは井戸に流す。そのため、井戸の水が白いときは、荒神様が米を磨いだのだといわれる。
㊜小豆洗い、米かし、米磨ぎ婆
『佐久口碑伝説集 北佐久編』佐久教育会歴史委員会編

ゴラボシ
↓河童

ゴランボー
↓河童

コロ
↓槌《つち》の子

古籠火〔ころうか〕　鳥山石燕の『画図百器徒然袋』に描かれているもので、【それ火に陰火・陽火・鬼火さまざまありとぞ。わけて古戦場には汗血のこりて鬼火となり、あやしきかたちをあらはすよしを聞はべれども、いまだ灯籠の火の怪をなすことをきかずと、夢の中におもひぬ】と記されている。

石燕は灯籠《とうろう》の火が怪をなすことは聞いたことがないといいながら、妖怪としての灯籠を描いている。

『鳥山石燕　画図百鬼夜行』高田衛監修・稲田篤信・田中直日編

コロビ　島根県美濃郡安田村（益田市）でいう、夜道を行く者の足元にまとわりつく妖怪。
『安田村発展史　上』には、峠山の峠にその霊を鎮めるために桑の木地蔵という地蔵を建てたとあり、なんらかの霊によるものと考えられていたらしい。

　岡山県上房郡にも、似たような妖怪が伝わり、こちらはコロビッチとよばれている。

　夜道に塊《かたまり》のようなものが転がってきて、足元にまとわりついて離れないという。

　岡山県の脛《すね》こすり、香川県の足まがり、四国のノツゴ、群馬県のオボも同類といえる。

㊂足まがり、オボ、脛こすり、ノツゴ

『綜合日本民俗語彙』民俗学研究所編　『日本妖怪変化語彙』日野巌・日野綏彦

コロビッチ

↓コロビ

コロ蛇〔ころへび〕

↓槌《つち》の子

コロボックル

↓コロポックル

コロポックル　アイヌ語で蕗《ふき》の下に住んでいる人、縦穴《たてあな》に住む人という意味。トイチセウンクル（土の家の人）、トイセコッチャカムイ（土の家の傍《そば》の神）、トンチともよばれる。

　アイヌの人々がやって来る前の北海道にいた小人族で、漁狩猟で生活していたという。

　北海道、樺太《からふと》、南千島などの土地には、アイヌたちとの交流を伝える伝説が数多く残る。

　稚内市宗谷あたりのコロポックルは、姿を見せるのを嫌がったが、鹿や魚を分けてくれた。あるとき、アイヌの男たちがコロポックルの女を攫《さら》ったので、コロポックルたちは遠いところへ去ったという。アイヌの女が口元に入れ墨をするようになったのは、コロポックルの女を真《ま》似《ね》たものだとも伝えられている。

　十《と》勝《かち》地方に伝わる伝説でも、コロポックルはアイヌ人に迫害されてどこかへ去っていくが、十勝という地名はコロポックルたちが去り際にいった呪いの言葉「トカップチ（水は枯れろっ、魚は腐れっ）」に由来するという。

『日本昔話事典』稲田浩二・大島建彦・川端豊彦・福田晃・三原幸久編　『日本伝奇伝説大事

典』乾克己・小池正胤・志村有広・高橋貢・鳥越文蔵編『北海道伝説集　アイヌ篇』更科源蔵

コロリ
↓槌《つち》の子

狐者異〔こわい〕『絵本百物語　桃山人夜話』にあるもの。参考までに全文引用しておく。【狐者異は我慢豪情の一名にして、世話に云無分別者也。生ては法にかかわらず、人を恐れず、人のものを取くらい死しては、妄念執着の思いを引て、無量のかたちを顕し、仏法世法の妨をなす依って、仏経にも狐にたぐへて擬心にたとへり。ただ恐るべきは自己の悪念なり。この貧着をさらざる時は、仏といえどもきらい恐れ給うと有。世に恐ろしきことをこわいと云は、是より出たる詞也】
　つまり、物事の分別を考えないような傲慢《ごうまん》な者は、たとえ死んでも成仏できず、その妄念、執着がさまざまな形で怪異を引き起こす。これが狐者異だというのである。

狐者異

【無量のかたちを顕《あらわ》し】とあるところをみると、必ずしも絵にあるような姿だけが狐者異の姿とはいえないのかもしれない。

『竹原春泉　絵本百物語　桃山人夜話』多田克己編

ゴンギャ泣き〔ごんぎゃなき〕
↓ゴギャ泣き

ゴンゴ
↓河童

ゴンジャ
↓槌《つち》の子

蒟蒻橋の幽霊〔こんにゃくばしのゆうれい〕奈良県山辺郡二階堂村稲葉（天理市）の怪異。

二階堂村稲葉と嘉幡との間に蒟蒻橋という石橋がある。ある夜、孫兵衛という麹《こうじ》売りがここを通ったとき、蒟蒻を銜《くわ》えた女の幽霊に出会った。驚いた孫兵衛は一心に念仏を唱え、99遍目にしてようやく幽霊は消えた。

蒟蒻一つが原因の夫婦喧嘩のために死んだ女の妄念がこの橋で迷って出るのだという。

『大和の伝説』高田十郎編

蒟蒻坊〔こんにゃくぼう〕和歌山県西牟婁《にしむろ》郡中辺路町、東牟婁郡本宮町、日高郡美山村、伊《い》都《と》郡花園村などでいう妖怪。

古い蒟蒻玉が旅の坊主や男女に化けて、寺や農家に一夜の宿と風呂を所望する。風呂に入る前に必ず「灰は入っていないだろうね」と確かめるので、何度目かの晩、悪戯《いたずら》で風呂に灰を入れておくと、風呂には大きな蒟蒻玉しかなかったという。

『紀州おばけ話』和田寛

ゴンボーダネ
↓牛蒡種《ごぼうだね》

ゴンボダネ
↓牛蒡種《ごぼうだね》

さ

宰府高垣高林坊〔さいふたかがきこうりんぼう〕福岡県筑紫野市と太宰府町の境にある竈門山（宝満山）でいう天狗。密教系の祈禱秘経

『天狗経』にある全国代表四十八天狗の一つに数えられているもの。

㊂天狗

『天狗考　上』知切光歳　『図集天狗列伝　西日本編』知切光歳

囀り石〔さえずりいし〕群馬県吾妻郡中之条町大道にある怪石。しゃべり石ともいう。

昔、中国地方から親の仇《かたき》を尋ね歩いてきた男が、この石のもとで野宿をすると、石の中から仇のいる場所を話している声が聞こえ、そのお陰で仇討ちを果たすことができた。

後に、越後の人がこの石を怪しんで斬りつけると、蟻川（中之条町）の割石というところまで破片が飛んだ。その石は直径3mはあり、中央から2つに割れているそうである。

『群馬県吾妻郡誌』群馬県吾妻郡教育会編　『旅と伝説』通巻93号「奥上州の石の関する伝説」金子安平

逆柱〔さかばしら〕逆さ柱、逆木《さかき》柱ともいう。木の上下を違《たが》えて立てた柱のこと。災害や不吉なことが起こるとして忌まれたという。

日光東照宮の陽明門にはこの逆柱があることがよく知られている。1本だけ渦巻き模様が逆になった柱があるのだが、意図して逆さにすることで魔除けとしたのだと説明される。

しかしこれは、建物は完成と同時に崩壊がはじまる、ということを逆手にとり、未完成の箇所を設けることで崩壊を防ぐ呪術なので、妖怪としての逆柱とは違うものだといえる。

『鳥山石燕　画図百鬼夜行』高田衛監修・稲田篤信・田中直日編　『図説日本民俗学全集』藤沢衛彦　『江戸文学俗信辞典』石川一郎編

下がり〔さがり〕岡山県邑久《おく》郡でいう妖怪。路傍の古い榎から馬の首が下がるという。

同じことは熊本県でもいわれ、南ノ関町大字関下宇迎町（玉名郡南関町）では柿の大木から、玉名村大字玉名字岡（玉名市）では榎の大樹から、馬の首が下がり、見た者は熱病にかかるという騒ぎになったという。

『岡山文化資料』2巻6号　『妖怪談義』柳田

さがり（下がり）

国男『旅と伝説』通巻53号「北肥後霊木誌」能田太郎

鷺の火〔さぎのひ〕

↓青鷺火《あおさぎのひ》

佐倉惣五郎〔さくらそうごろう〕　江戸前期の下総（千葉県）にいたとされる伝説的義民。

本名は木内惣五郎。承応（一六五二年〜一六五五年）の頃、下総国佐倉領内の農民は重税に苦しみ、公津村名主《なぬし》の惣五郎が将軍家綱に直訴《じきそ》した。

このことが領主堀田正信に知られると、惣五郎夫婦は磔刑《はりつけ》、子供4人は打ち首という極刑に処せられた。やがて惣五郎は怨霊として姿を現し、領主を苦しめたという。

惣五郎の直訴は史実としての記録がなく、物語の大半は芝居、講談、草子《そうし》などで創作されたものとされているが、惣五郎という人物は実在していたようで、千葉県成田市の宗吾霊堂にその霊が祀られている。

『日本伝奇伝説大事典』乾克己・小池正胤・志

村有広・高橋貢・鳥越文蔵編『日本伝説叢書下総の巻』藤沢衛彦

鮭の大助〔さけのおおすけ〕東北を中心にした東日本でいわれる怪魚。12月20日や11月15日などと、毎年決まった期日に川を遡《さかのぼ》る鮭で、その際に「鮭の大助、いまのぼる」と大きな声を出す。

その声を聞いた者は3日後に死んでしまうという。そのため、鮭の大助が遡上《そじよう》する日には声が聞こえないように、耳塞《みみふさ》ぎの餅を搗《つ》いたり、一晩中酒を飲んで騒ぐ土地もある。

『季刊　民話』一九七五春第2号「鮭の大助」大友義助『日本昔話事典』稲田浩二・大島建彦・川端豊彦・福田晃・三原幸久編

栄螺鬼〔さざえおに〕鳥山石燕の『画図百器徒然袋』に栄螺《さざえ》の妖怪として描かれており、【雀海中に入てはまぐりとなり、田鼠《でんそ》（モグラのこと）化して鶉《うずら》となるためしもあれば、造化のなすところ、さざえも鬼になるまじきものにあらずと、夢心にもおもひぬ】とある。

さざえ鬼（栄螺鬼）

『鳥山石燕 画図百鬼夜行』の解説によれば、雀が海に入ると蛤《はまぐり》になり、田鼠《もぐら》が化して鶉《うずら》となるとは『月令』にある諺《ことわざ》で、ありえない造化の不思議を意味しているという。石燕はこの諺に引っ掛けて、栄螺も鬼に変化するとして描いたものらしい。

『鳥山石燕 画図百鬼夜行』高田衛監修・稲田篤信・田中直日編

座敷小僧〔ざしきこぞう〕愛知県、静岡県の天竜川に沿った地域でいう妖怪。

三河国北設楽《きたしたら》郡本郷村（愛知県北設楽郡東栄町）では、キンシという酒屋を営む旧家に座敷小僧がいたという。10歳くらいの子供姿で、雇用人などが奥座敷の雨戸を閉めに行くと、たびたび見かけたそうである。

南設楽郡長篠村大字横川（鳳来町）の神田という家にもいたそうで、神田家はかつては裕福だったが、炉にかけた茶釜にツモノケ（機織《はた》りの器具）を当てるという禁忌を破ったために、座敷小僧が去って家が衰えたという。

静岡県周智《しゅうち》郡奥山村字門谷（浜松市天竜区水窪町奥領家）でいう座敷坊主も座敷小僧とよばれる。

㊂座敷わらし、座敷坊主、枕小僧

『遠野のザシキワラシとオシラサマ』佐々木喜善

座敷ばっこ〔ざしきばっこ〕

↓座敷わらし

座敷坊主〔ざしきぼうず〕 静岡県周智郡奥山村字門谷（浜松市天竜区水窪町奥領家）でいう妖怪。座敷小僧ともいう。同地区の枕小僧とも関係があると思われる。

5歳～6歳くらいの子供の姿で、親方という家に出る。現れる部屋が決まっており、そこで寝ると、身体を押さえつけられて眠れなくなるという。あるいは坊主頭の按摩《あんま》のようなものが現れて枕を返されるともいう。

昔、この家の主人が作った猪の落とし穴に大金を持った人が落ちて死んだとか、金持ちの盲人を落として殺したとかいういい伝えがあり、

座敷坊主

その怨霊が子供の姿となって現れるのだという。

座敷坊主は坊主の怨念のように説かれてはいるが、座敷わらしの仲間であるらしい。座敷わらしという名称は、東北の一部地域でのものだが、似たような妖怪は名前こそ違うものの、全国的に見られるものである。これらは寝ている者を圧して苦しめるとか、枕返しをするなどといわれ、座敷坊主にもこれがあてはまる。

座敷坊主はこのような座敷わらし系の性格に、旅人を殺して財を得るという、いわゆる民話の異人殺しのモチーフがつけ加えられたものなのだろう。

㊂座敷わらし、座敷小僧、枕小僧
『旅と伝説』通巻71号「座敷小僧の話」折口信夫 『遠野のザシキワラシとオシラサマ』佐々木喜善

座敷ぼっこ〔ざしきぼっこ〕
↓座敷わらし

座敷もっこ〔ざしきもっこ〕
↓座敷わらし

座敷わらし〔ざしきわらし〕岩手県を中心とした東北地方でいわれる妖怪。名前が示す通り、家の中にいる子供の妖怪で、3歳くらいから11歳、12歳くらいの男の子または女の子で、髪形はオカッパとされることが多い。

その別名もさまざまで、座敷ぼっこ、座敷ばっこ、座敷もっこ、部屋ぼっこ、蔵《くら》ぼっこ、蔵わらし、米搗《こめつ》きわらし、臼搗《うすつ》きわらし、臼負い子、唐子《からこ》わらし、二階わらし、働きわらし、ノタバリコ、チョーピラコなどと、いくつもの名前が知られている。

座敷わらしがいる家は繁栄し、いなくなると途端に没落するといわれ、『遠野物語』や『奥州のザシキワラシの話』には、そうした家の盛衰にまつわる例話がいくつもある。神仏のように祀られることはなくとも、家の守護神と認識されることもあったようである。

その一方で、家の盛衰とは関係なく、ただ気味の悪い存在とされることもあった。

『座敷わらしを見た人びと』によれば、座敷わらしは大工や畳職人が、家の工事の際に気持ちよく仕事できなかったことに対する呪いから生じたとする話も残っているという。

座敷わらしのいる家では、寝ているときに枕を返されたり、蒲団《ふとん》を引っ張られたりという悪戯《いた》《ずら》があり、怪しい物音や家鳴《やな》りが聞こえるというが、家人にしか分からない場合もあれば、家人以外の人だけが悪戯されたりと、家によって座敷わらしの特徴は違ったらしい。

座敷わらしにも階級のようなものがあるそうで、上位のチョーピラコは色が白く綺麗だとされ、階級の低いノタバリコや臼搗《うすつ》きわらしといったものは、内土間から這《は》い出て座敷を這いまわったり、臼《うす》を搗《つ》くような音をたてたりと、なんとなく気味が悪いそうである。

階級が低い座敷わらしには、間引《まび》きといった風習の影が見てとれる。かつての日本では、口減らしのために間引きが盛んに行われており、亡骸《なきがら》も普通の墓などには埋めずに、家の中や周囲に埋めておくといったことがあった。

座敷童子《ざしきわらし》(座敷わらし)

これは現在でいう死体遺棄という意味ではなく、生まれ出てすぐの赤子は人間と認められていなかったからである。家の中では、玄関の敷居辺りとか、土間、臼の下などに埋められたというので、ノタバリコや臼搗きわらしとの関係がうかがえる。これが祟りをすると、座敷わらしとよばずに、たたりもっけなどというのであろう。

座敷わらしというよび方は東北地方でのことだが、この仲間というものはほぼ全国的に分布している。北は北海道のアイヌカイセイ、南は沖縄のアカガンターと、多少の性質の違いはあるが、家内での悪戯、例えば枕を返すとか、金縛りにするなどといったことが共通して語られ、家の衰運などにも関わることもある。韓国の済《さい》州島《しゅうとう》に伝わるトチェビなども、座敷わらしに似た性質を有しているという。

(参)蔵《くら》ぼっこ、細手《ほそて》長手《ながて》

『遠野のザシキワラシとオシラサマ』佐々木喜善『奥州のザシキワラシの話』佐々木喜善

『旅と伝説』通巻71号「座敷小僧の話」折口信夫『民間伝承』通巻122・123合併号「九戸郡に於けるザシキワラシの種々相について」西前清『遠野物語』柳田国男『民俗学辞典』民俗学研究所編『座敷わらしを見た人びと』高橋貞子

覚〔さとり〕 各地の民話に登場する妖怪。思いの魔物、山鬼ともいう。

猟師や樵《きこり》が山小屋で火を焚《た》いているときに現れ、人の心を読んで、隙《すき》あらば取って食おうとする。しかし、人が囲炉裏《いろり》の薪《たきぎ》などをくべたとき、偶然それが覚《さとり》にぶつかり、人間とは思わぬことをするものだといいながら逃げていく。話の内容はそんな感じである。

土地によっては山男、天狗、山叔父《やまおじ》、狸のしわざとしたり、とくに危害を加えないものだともいう。また、薪ではなく作りかけのカンジキが撥《は》ねてぶつかったとする話もある。

鳥山石燕は『今昔画図続百鬼』に「覚」とあてて描き、【飛騨美濃の深山に玃あり。山人呼で覚と名づく。色黒く毛長くして、よく人の言をなし、よく人の意を察す。あへて人の害をなさず。人これを殺さんとすれば、先その意をさとりてにげ去と云】と記している。

飛騨美濃の玃《やまこ》は『和漢三才図会』にあるもので、黒ん坊ともいうそうである。

㊫玃

『綜合日本民俗語彙』民俗学研究所編『鳥山石燕 画図百鬼夜行』高田衛監修・稲田篤信・田中直日編『妖怪画談全集 日本篇 上』藤沢衛彦

実方雀〔さねかたすずめ〕

→入内雀《にゅうないすずめ》

実盛虫〔さねもりむし〕 北陸一帯や島根県、その他各地でいう怪虫。

木曾義仲軍に討たれた斎藤別当実盛を葬った実盛塚（石川県加賀市）の周辺で、いつ頃からか、不思議な虫が稲を食い荒らすようになった。これは、稲の株に躓《つまず》いて転び、稲に怨みをもったまま討たれた実盛が、虫となって稲を食い荒らしているのだといわれた。
　実盛虫は土地によってウンカやカメムシのこととされる。いずれも稲の害虫で、農村地帯ではそうした虫が発生する頃に、鳴り物や松明《たいまつ》を持った者たちが、畦《あぜ》を練り歩いて虫を追い払う虫送り行事が広く行われている。
『ふるさとの伝説　三　幽霊・怨霊』伊藤清司監修・宮田登編
『怪談の世界』山田野理夫

寒戸の婆［さむとのばば］『遠野物語』にある山姥《やまうば》の類。

　岩手県上閉伊《かみへい》郡松崎村の寒戸にいた娘が、ある日、梨の木の下に草履を脱ぎ捨てたまま行方不明になった。

　それから30年後、親戚が集まっているところへ、すっかり年老いた娘が帰ってきた。老婆となった娘は、皆に会いたくて帰ってきたが、また山に帰らねばといって、再び去ってしまった。その日は風が激しい日だったので、それ以来、遠野の人々は、風が強く吹く日には「寒戸の婆が帰ってきそうな日だ」などといったという。

寒戸《さむと》の婆《ばんば》(寒戸の婆《ばば》)

『遠野物語』は柳田国男が遠野の佐々木喜善より聞いた話をまとめたものだが、遠野には寒戸という土地はなく、これは登戸《のぼりと》の間違いではないかとされている。語り部役を務めた佐々木喜善は『東奥異聞』に登戸の茂助婆の話として記している。

㊟山姥《やまうば》

『遠野物語』柳田国男　『東奥異聞』佐々木喜善

皿数え〔さらかぞえ〕 鳥山石燕の『今昔画図続百鬼』に描かれ、【ある家の下女十の皿を一つ井におとしたる科《とが》によりて害せられ、その亡魂よなよな井のはたにあらわれ、皿を一より九までかぞへ、十をいわずして泣叫ぶといふ。此古井は播州にありとぞ】と解説されている。これは『播州皿屋敷』のお菊の幽霊を描いたもの。

㊟於菊虫《おきくむし》、皿屋敷

『鳥山石燕　画図百鬼夜行』高田衛監修・稲田篤信・田中直日編

ザラッパ

↓河童

皿屋敷〔さらやしき〕 各地に伝わる怪談。屋敷の下働きの女（お菊とされることが多い）が、主《あるじ》の大事にしていた10枚1組の皿の1枚を割ってしまい、主の怒りを買って井戸に投げ込まれる。以来、その井戸より幽霊が現れ、「1枚、2枚……」と9枚まで数えて、その後は泣き崩れるというのが大体の筋である。

兵庫県姫路を舞台とした『播州皿屋敷』や、東京都千代田区麴町《こうじまち》の『番町皿屋敷』など、さまざまに演劇公演され映像化されることで広く知られるようになった。

しかし、皿屋敷の怪談は大衆の間にもともと知られていた話で、姫路市、東京都のほか、埼玉県行田《ぎょうだ》、石川県金沢、兵庫県尼崎、島根県松江、高知県幡多《はた》郡、福岡県嘉穂《かほ》郡、長崎県福江などに同様の怪談が伝わっている。

そのほか、宮城県亘理《わたり》郡では皿ではなく筵《むしろ》を失《な》くしたことになっており、山形県東田川郡では井戸ではなく塚から現れるとか、富山県下新川《しもにいかわ》郡ではヨウマン池という池から現れることになっていたりと、さまざまなバリエーションがある。

㊜於《お》菊虫《きくむし》、皿数え

『日本昔話事典』稲田浩二・大島建彦・川端豊彦・福田晃・三原幸久編 『大語園』巌谷小波編『越中の伝説』石崎直義 『神話伝説辞典』朝倉治彦・井之口章次・岡野弘彦・松前健編 『綜合日本民俗語彙』民俗学研究所編 『日本伝説名彙』柳田国男監修・日本放送出版協会編

猿鬼〔さるおに〕 石川県鳳至《ふげし》郡柳田村を中心にした能登地方でいう妖怪。

頭に1本の角がある猿に似た鬼で、柳田村の岩井戸神社裏にある岩穴に棲みつき、付近の住民に害をなし、氏神《うじがみ》によって退治された。

氏神が射た矢が猿鬼の目に当たったところが柳田村の当目で、黒川という地名は、死んだ猿鬼の黒い血が川となったことに由来するという。

能登島町の伊夜比咩《いやひめ》神社には、退治された猿鬼の角が現在でも保存されている。

『猿鬼伝説』猿鬼伝説編纂委員会編

猿神

猿神〔さるがみ〕『今昔物語集』や日本各地に猿神退治の伝説として伝わっている。

　ある山里で、猿神に毎年1人の娘を生贄《いけにえ》として差し出す習わしがあり、それを通りすがりの猟師や僧侶が身代わりとなって、連れていた犬とともに猿神を退治するというのが大体の内容である。

『今昔物語集』には飛騨（岐阜県）の山中や、美作《みまさか》（岡山県）での話があり、とくに美作一宮の中山神社での話がよく知られている。

　猿神は山神とされていることが多く、これは猿は山神の使いだということが関係しているようである。退治される神は猿の他に狒々《ひひ》、狸、猫、蜘蛛《くも》などがあり、これらもやはり山の神に関わるものとされている。

　また、猿神退治の物語では、必ずといっていいほど犬が登場する。めっけ犬、目検枷、めっき、しっぺい太郎、早太郎、三毛犬、四毛犬、べんべこ太郎など、名前がついている場合が多い。

　このような、神に生贄として娘を捧げる話は、八岐大蛇《やまたのおろち》の神話同様、神と巫女《みこ》との結婚儀礼を元につくられたといわれている。

　これとは別に、徳島県那賀郡木頭、岡山県備前地方には憑き物としての猿神があり、憑かれた者は大暴れするなど、犬神よりも害があるものとされている。

㊂狒々《ひひ》

『日本未確認生物事典』笹間良彦『動物たちの霊力』中村禎里『日本妖怪変化語彙』日野巌・日野綏彦

猿の経立《ふったち》〔さるのふったち〕

↓経立

ザン　沖縄県、鹿児島県奄美諸島でジュゴンのことをいう。捕れたザンを食べるときには、漁師は必ず浜で料理し、家には絶対に持ち帰らなかったそうである。家に持ち帰ると、その家の主婦が死ぬか、持ち帰った者が海で災難に遭うとされていた。

　また、奄美大島ではザンノイュとよんでおり、

ザン

これが見えたら必ず大時化《おおしけ》になるので、船は急いで帰港したという。

ある漁師がザンを捕まえたが、涙を流して助けを乞うので逃がしたところ、そのお礼に大津波が来ることを教えてくれた。漁師たちは村に帰ってその旨《むね》を伝え、それを信じた者だけは助かったが、避難しなかった者はことごとく大津波にやられてしまったという伝説が石垣島で語り継がれている。

『民間伝承』通巻162号「沖縄における寄り物」島袋源七『日本怪談集 妖怪篇』今野円輔編著『竹富島誌』上勢頭亨

三吉鬼〔さんきちおに〕秋田県を中心とした東北地方に伝わる妖怪。

秋田の人里に現れ、酒屋に入っては大酒を呑《の》んで、代金を支払わずに出ていってしまう。無理に代金を請求すると仇《あだ》をなすが、黙っていれば呑まれた代金の10倍ほどの薪《たきぎ》が戸口に積んであるという。

また、とても一人では動かせないようなものを運ぶとき、酒を供えて三吉鬼に願掛けすると、一晩の間に仕事が終わっているという。

以上は只野真葛の『むかしばなし』にあるものだが、この三吉鬼の背景には秋田県太平山に祀られる三吉《みよし》様の信仰があるようである。

秋田の豪族だった藤原三吉という相撲好きの男が、ある相撲試合のときに、大井太郎五郎という者の裏切りにより、城を捨てて太平山に逃げ込むはめになった。三吉は太郎五郎を恨みながら山中に籠《こも》り、ついに飛行自在の鬼神となった。このことを知った太郎五郎は、鬼神を怖れるあまり狂死してしまったという。

この鬼神こそが三吉様であり、荒ぶる神であるが、弱者や困窮者には優しい神とされた。

神格化しているときはミヨシジン、またはミヨシサマとよぶが、人の姿を現したときは、サンキチとよぶという。この神はよく人の姿となって現れ、秋田を中心とした東北地方には、三《さん》吉《きち》様にまつわる伝説が各地に伝わる。

その一つに、三吉様と相撲を取った話が岩手県にある。

秋田で相撲の試合があったとき、岩手の鳥谷ヶ崎という相撲取りが、日本一を名乗って参加していた。そこに、痩せた男が飛び入りで加わったが、本物の相撲取りには敵《かな》わずに、負けて群集の中に姿を消した。

勝負を制した鳥谷ヶ崎が帰途につくと、国見峠で一人の旅人に出会い、腕相撲をしようと挑まれた。大石を台にして腕を組むと、旅人は急に殺気だち、拳《こぶし》を握って振り下ろした。

鳥谷ヶ崎が素早く手をかわすと、旅人の拳は台の大石を真っ二つにしていた。この旅人は三吉様が化けたもので、相撲に飛び入り参加した男も、実は三吉様の化身だった。

鳥谷ヶ崎はその後、雫石《しずくいし》町で酒を飲み、盛岡のまちを目指していたが、仁佐瀬長根まで行ったところで、物影に隠れていた男に襲われて、あっけなく死んでしまった。

これは秋田でやられた三吉様が、その無念を晴らすために追ってきて、ついに殺してしまったのである。

秋田に入って日本一を名乗ると、必ず三吉様が現れて倒すといわれ、名乗らずとも、秋田の地で三吉様の噂をするだけで、とんだ御叱りをこうむることがあるともいわれている。

『むかしばなし』只野真葛・中山栄子校注『日本怪談集 妖怪篇』今野円輔編著『山の人生』柳田国男『遠野のザシキワラシとオシラサマ』佐々木喜善『旅と伝説』通巻32号「郷土伝説 岩手雑纂 一」田中喜多美

三尺坊〔さんじゃくぼう〕
→秋葉山三尺坊

山神〔さんじん〕 山の神。全国の山に祀られている。

狩猟や樵《きこり》、炭焼きなど、山で生活する人々のほか、農業や漁業に携わる者からも信仰されたが、信仰する人たちや土地によって、山の神の性格や祭祀の方法は異なる。

大山祇命《おおやまつみのみこと》、木花開耶《このはなさくや》媛《ひめ》といった記紀神話に基づいた神を祭祀する土地が多いが、もともとは漠然とした精霊的なものだったらしい。

『綜合日本民俗語彙』民俗学研究所編『民間信仰辞典』桜井徳太郎編

山精〔さんせい〕 鳥山石燕の『今昔画図続百鬼』に一本足の山の精として描かれ、【もろこし安国県に山鬼あり。人の如くして一足なり。伐木人のもてる塩をぬすみ、石蟹ほ炙《あぶ》りくらうと、永嘉記に見えたり】とある。

同様の記述が『和漢三才図会』にもある。山精は文献を通して日本に知られたようだが、国内に山精とよべる妖怪はいないようである。

『鳥山石燕 画図百鬼夜行』高田衛監修・稲田篤信・田中直日編『和漢三才図会』寺島良安編・島田勇雄・竹島淳夫・樋口元巳訳注

残念火〔ざんねんび〕
→ジャンジャン火

サンボン
→河童

三目《みつめ》八《や》面《づら》〔さんめやづら〕
→三目八面

山精

山本五郎左衛門［さんもとごろうざえもん］広島県三次《みよし》市に伝わる『稲生物怪録』に登場する魔。山ン本五郎左衛門とも表記され、また、山本太郎左衛門ともいう。

神野悪五郎《しんのあくごろう》という魔と、魔国の王の座をかけて、勇気ある少年を最初に100人驚かせるため、インド、中国、日本と渡り歩いていた。三次の少年武士・稲生平太郎《いのうへいたろう》が86人目となるはずだったが、平太郎はどんな化け物や怪現象にも音を上げなかったため、山本五郎左衛門は最初からやり直すはめになったという。

山本五郎左衛門が平太郎のもとより立ち去るとき、神野悪五郎が来たらこれを使って私を呼べば助太刀するといって、木槌《きづち》を1つ置いていった。その木槌は広島市の国前寺に門外不出の寺宝として今も残されている。

『妖怪　いま蘇る「稲生武太夫妖怪絵巻」の研究』三次市教育委員会編　『別冊太陽　日本の妖怪』『平田篤胤が解く稲生物怪録』荒俣宏　『稲生モノノケ大全』東雅夫編

山霊〔さんれい〕『甲子夜話』にある怪異。

昔、相州（神奈川県）の大山に夕方になってから登ろうとした男女がいた。茶屋の者が、日が暮れてから大山に入ると必ず怪異に遭うといって止めたのだが、2人は聞かずに山に入っていった。

間もなく雷雨があり、これはただごとではないと心配した茶屋やまわりの人たちは、翌朝になってから大山に向かった。

すると、登山道の途中に昨夕の男女の着物が木にあるだけで、男も女もどこにも見あたらなかった。これは山霊に姿を隠されたのだということである。

霊山とよばれるような山は禁忌を伴うことが多く、大山も神聖な山として信仰の対象になっていた。山霊とはそうした禁忌を破った者が受ける祟りのようなものを意味しているようだが、はっきりとしたことは不明である。

『随筆辞典　奇談異聞編』柴田宵曲編

黒眚《しい》(シイ)

し

シイ　和歌山県、広島県、山口県でいう妖怪。牛が恐れる獣とされる。

　山口県大津郡では、5月5日に牛を使う、田植え時期に牛に牛具をつけたまま川を渡す、女に牛具を持たせる、5月5日から八朔《はっさく》までの期間に他村の牛を村に引き入れる、などの行為をタブーとし、これを破ればシイというものが憑いて、牛を食い殺すといわれた。

　和歌山県有田《ありだ》郡や広島県山県《やまがた》郡ではヤマアラシともよび、シイが毛を逆立《さかだ》てると牛が非常に恐れるから、おまえの後ろにシイがいるぞという意味で、「シイ、シイ」といって牛を前進させるという。

　『和漢三才図会』『大和本草』といった辞典類にもシイの名があり、黒眚という字をあてている。『大和本草』には、この獣は山口県や九州に時々いるもので、頭がよく、とても素早いので容易に捕らえられず、よく牛馬に害をなすとある。

　他にも江戸期の随筆類に黒眚の名を見ることができるが、日本での黒眚の情報は中国の文献から引いたものがほとんどのようである。

　もともと黒眚は中国でいわれたもので、中国の宋《そう》時代に記された『鉄囲山叢談』には、人を好んで嚙み、小児を攫《さら》って食う妖怪で、その出現は戦乱や亡国の前兆として恐れられていたとある。

　明《みん》の『粤剣編』には人畜に害をなすとの記述があり、清《しん》時代の『粤西叢載』には、ときには星のごとく、またときには黒気のごとく、さらに火の屑のようにもなると記されている。

　笹間良彦の『日本未確認生物事典』によれば、日本における黒眚の情報は、こうした中国の文献からの知識を正体不明の怪物に当てはめたものにすぎないとしている。

『民間伝承』通巻165号「牛聞書」郷田洋文
『民間伝承』通巻39号「牛のツジ」浜口彰太
『中国の伝承と説話』澤田瑞穂　『日本未確認生物事典』笹間良彦

シイッコサマ
↓水虎《すいこ》

ジーワーワ　漢字では地豚と表記する。沖縄県国頭郡大宜味村謝名城でいう、夜道に出る豚の化け物。ジーワーワ石という石が、夜な夜な豚に化けて歩きまわるともいう。
『不思議な世界を考える会　会報』4号「おきなわの妖怪」新城真恵

紫黄山利休坊［しおうざんりきゅうぼう］茨城県筑波山の裏参道にあたる紫尾山でいう天狗。密教系の祈禱秘経『天狗経』にある全国代表四十八天狗の一つに数えられている。
㊫天狗
『天狗考　上』知切光歳　『図集天狗列伝　東日本編』知切光歳

地黄煎火［じおうせんび］『絵本小夜時雨』にある怪火。

江州水口（滋賀県甲賀郡水口町）の泉縄手に、膝頭松《ひざがしらのまつ》という大木があり、ここに地黄《じおう》煎（地黄の汁を練りこんだ飴）を商う者がいたのだが、あるとき盗賊に殺された。

その執念が現世にとどまり、雨の降る晩に陰《いん》火《か》となって飛びまわったという。

『百鬼繚乱　江戸怪談・妖怪絵本集成』近藤瑞木編

塩の長司［しおのちょうじ］『絵本百物語　桃山人夜話』にある怪異。

加賀国（石川県）小塩の浦に塩の長司という者がおり、たくさんの馬を飼っていたが、死んだ馬を食べるなど悪食《あくじき》だった。

あるとき、もう使えない老馬を殺して食べたところ、その夜の夢にその老馬が現れて、長司の喉に嚙みついた。

以来、その馬を殺した時刻になると、長司の口に馬の霊が入り込んで、さんざん苦しめては出て行くことが続き、長司は馬が重荷を負わされるような姿で死んでしまったという。

これはいわゆる馬憑きの話である。塩の長司が妖怪ということではない。

㊫馬憑《うまつ》き

塩の長司

『竹原春泉　絵本百物語　桃山人夜話』多田克己編

しがま女房［しがまにょうぼう］

↓氷柱《つらら》女房

シキ　九州西部や三重県北牟《きたむ》婁《ろ》郡の海上でいう怪異。シキ幽霊ともいう。

　秋から冬にかけて、夜の海が魚群で白くなることをいうが、長崎県甑島《こしきじま》辺りではこれをシキガツクとか、シキカケテクルなどといって、海で死んだ者たちが魚になってついて来るものだと信じられていた。

　壱岐では、これが船に憑くと魚が獲れず、その白い光で船の中まで明るくなるという。ランプをつけると消えてしまうそうである。

　三重県北牟婁郡須賀利村（尾鷲《おわせ》市）でも海で死んだ者の霊がシキになるといい、時化《しけ》の晩に船や山を幻視させるという。

　また、神奈川県江ノ島の漁師たちの間でも、5月頃に波の下のほうが光ることをシキオカクといっているという。

㊜船幽霊
『綜合日本民俗語彙』民俗学研究所編　『折口信夫全集　15』「壱岐民間伝承採訪記」折口信夫

式王子〔しきおうじ〕　高知県香美《かみ》郡物部《ものべ》村《そん》で、いざなぎ流の祈禱師が使う精霊のようなもの。

　いざなぎ流とは、陰陽道《おんみょうどう》、修験道《しゅげんどう》、神道、仏教などの要素が取り入れられた民間宗教である。祈禱師は太夫《たゆう》や博士《はかしょ》とよばれ、ふだんは一般の人たちと変わらない生活を送っているが、祭事や頼まれごとがあったときに祈禱師として活躍する。陰陽道の影響からか、太夫たちは式神《しきがみ》と同じような式王子という精霊を使い、呪詛《じゅそ》を解いたり、呪詛をかけたりなどのさまざまな術を行う。

　式王子は目に見えず、紙製の人形や動物に憑《ひょう》依《い》させることで活動可能な状態にさせるという。およそ30種類以上もの式王子があり、それぞれ異なる性質を持つので、祭儀によって使い分ける。ふだんの式王子は天竺天とか中空、または地中に納められており、祈禱師は必要に応じて呼び出して、使役するという。

㊜式神
『憑霊信仰論』小松和彦　『いざなぎ流の宇宙』高知県立歴史民俗資料館編

式神〔しきがみ〕　識神、職神とも表記される。平安時代に隆盛を極めた陰陽道《おんみょうどう》において、その術者である陰陽師《おんみょうじ》が使役した鬼神、もしくは精霊のことを式神といった。

　陰陽師は式神を紙や人形、動物などに憑依《ひょうい》させて利用したり、あるいは人間の姿をとらせることが可能だったという。

　平安時代の陰陽師・安倍晴明《あべのせいめい》は、この式神を自由自在に操り、呪術以外でも身のまわりの雑事をやらせていたという話が、『今昔物語集』や『宇治拾遺物語』に見える。

　安倍晴明が使役していた式神は十二神将とよばれていた。晴明は自宅近くの一条戻り橋（京都市上京区堀川通一条上ル）の下に12体の式神を隠し、ことあるごとに呼び出しては使役したという。

『憑霊信仰論』小松和彦『日本伝奇伝説大事典』乾克己・小池正胤・志村有広・高橋貢・鳥越文蔵編『神話伝説辞典』朝倉治彦・井之口章次・岡野弘彦・松前健編

敷次郎〔しきじろう〕　愛媛県の別子《べっし》銅山、岡山県小泉鉛山など、数百年続く鉱山などでいう妖怪。常に坑内にいて、顔は青く、歩くときは音をたて、一見すると普通の人のようだが、言葉は一切通じない。ときには、鉱石を発掘する音や水を汲む音をたてたりする。

　小泉鉛山で目撃した者の話では、食べ物をねだる敷次郎の頼みを拒否すると、嚙みつかれるという。その嚙み傷は薬では治らず、仏前に用いる打敷きの片《きれ》か袈裟の一片《ひときれ》を焼いて灰とし、油で練ったものを用いるそうである。

　敷次郎が現れるときにはその前触れのようなものがあり、まず両足の爪が剝がれるような感じがし、背中から頭に戦慄が伝わり、肌に粟が生ずるという。

　ちなみに、「敷」とは鉱山での坑内の一区切

敷次郎

りのことをいう。

『妖怪学』井上円了　『井上円了妖怪学講義』平野威馬雄編著

食取り〔じきとり〕　愛媛県でいう憑き物。山道で人に取り憑き、飢餓感を覚えさせる。餓鬼憑きの類。
(参)餓鬼憑き、ヒダル神
『宇和地帯の民俗』和歌森太郎編　『綜合日本民俗語彙』民俗学研究所編　『日本の火の神信仰と憑きもの』石田隆義

シキ幽霊
→シキ

静か餅〔しずかもち〕　栃木県芳賀郡益子町でいう怪異。夜中に、コツコツと遠くで餅の粉をはたくような音が、人によって聞こえるというもの。

その音が近づくように聞こえた場合は、搗《つ》き込まれたといって運が開ける。搗き込まれたときには箕《み》を後ろ手に出すと財産が入るという。逆に、音が遠ざかっていくように聞こえたら、搗き出されたといって運が衰える。

隠れ里の米搗きともいって、この音を聞くと長者になるともいう。

(参)粟搗《あわつ》き音
『妖怪談義』柳田国男　『綜合日本民俗語彙』民俗学研究所編

次第坂〔しだいざか〕
→次第高《しだいだか》

次第高〔しだいだか〕　山口県岩国市・厚狭《あさ》郡・阿武《あぶ》郡、広島県、岡山県などでいう見越し入道の類。見上げれば高くなり、見下げれば小さくなるというもので、視線を落とさない限り、どんどん高くなっていくという。
(参)見越し入道、見上げ入道、高入道、高坊主、入道坊主、伸び上がり、乗り越し、ユーリー
『妖怪談義』柳田国男　『綜合日本民俗語彙』民俗学研究所編　『岩邑怪談録』広瀬喜尚

シタガラゴンボコ　岩手県二戸市福岡岩谷橋付近でいう狸の妖怪。
明暦（一六五五年～一六五八年）の頃、白鳥

次第高

川の岩屋橋付近には、シタガラゴンボコという妖怪が出るとの噂があった。夜、川に小便をしていると、男の局部を撫でるというのである。ある浪人がこれを退治してやろうと、橋の近くで待ち伏せし、やがて尿意を催して川に放尿した。すると、噂と違《たが》わず、下から局部を撫でるものがいた。浪人は素早く刀を抜くと、その怪しい手を斬り落とした。

　浪人が手を持って帰ると、夜中、老婆に化けた古狸がやって来て、「その手を返してくれれば、代わりに切傷に効く薬を伝授する」という。浪人は手を返して、薬の製法を学び、この薬を売って一財産を築いたそうである。

　シタガラとはこの地の近くにある下河原という地名で、ゴンボとは「ろくでなし」の方言だという。シタガラゴンボコとは「下河原のろくでなし」という意味になるそうである。

『岩手の伝説』金野静一・須知徳平

舌長姥〔したながうば〕『老媼茶話』にあるもの。

舌長婆《したながばばあ》（舌長姥）

越後（新潟県）から武蔵（東京都）へと向かう2人の旅人が、諏訪千本の松原で老婆の独り暮らしの家に宿を求めた。粗末な家ながら、老婆はたいへんよくしてくれたので、一人はすぐさま寝入ってしまった。

もう一方の旅人は用心のため、眠いのを我慢して寝たふりをしていた。すると、老婆は大きな口を開いて五尺（約1m50㎝）もあろうかという舌を出し、眠っている旅人の頭を舐《な》めはじめた。起きている旅人が咳払いをすると、老婆は慌《あわ》てて舌を縮《ちぢ》め、麻を紡《つむ》ぐ。

そのとき、窓の外から「舌長姥、舌長姥、なぜ捗《はかど》らぬ」と声がして、老婆が「誰だ？」と訊《たず》ねると、「誰でもない、諏訪の朱《しゅ》の盤坊《ばんぼう》じゃ。捗らなければ、俺が手伝ってやろう」といいながら戸を打ち破って家に入ってきた。それは、顔の長さが六尺（約1m80㎝）ばかりある、朱のように赤い大怪物だった。

眠ったふりをしていた旅人が刀で斬りつけると、朱の盤は煙のように消えてしまい、老婆は眠っている旅人をつかんで駆け出した。

その途端、今まであった家は跡かたもなく消え失せ、野原が広がるばかりだった。

翌朝、残された旅人が周辺を見てみると、草むらの中に骸骨になった無残な連れの姿があったという。

『老媼茶話』は三坂春編という福島県会津の武士が作者とされ、会津地方の説話が多く収録されている。舌長姥は長らく長野県諏訪の妖怪とされてきたが、どうやらこれも会津での話だったようである。

というのも『老媼茶話』には、舌長姥に襲われて助かった旅人は、そこから白河の城下に一人でたどり着いたという一文があり、これは越後から会津経由で白河に抜けたと考えられるからである。

そうすると、物語の中頃に登場する朱の盤の存在も納得がいく。朱の盤は会津諏訪の宮に出現したものとされているのだから。

㊥朱の盤

『近世奇談集成 一』高田衛校訂代表 高田衛・原道生編『大語園』巌谷小波編

シチ 鹿児島県奄美諸島の喜界島《きかいがしま》や沖縄県でいう妖怪。難産で死んだ女の霊がなるもので、天と地をつなぐ黒い円柱のようなものという。喜界島の「二十三夜様」という昔話に出てくる。

沖縄ではヒチ、シチマジムンともよび、幽霊の一種とされている。道の辻にいて、人間を道に迷わせ、ときには数十キロも離れたところまで歩かせる。

シチが走ると風のようで、水面を駆けまわることもあるという。

人に出会うと、赤飯と白飯とを選ばせてふるまうといわれ、赤飯を選んだ者は赤土を食わされ、白飯を選んだ者は海岸の波の飛沫を食わされる。シチに出会ったときは、男なら褌《ふんどし》を取って鉢巻きをし、女なら腰巻きを頭に被《かぶ》れば被害を受けないという。

夜道を櫛《くし》をさして歩いたり、筵《むしろ》を持って歩くと、シチに騙《だま》されると伝えられている。

また、『沖縄の御願ことば辞典』によると、シチマジムンは魔物の中で最も恐ろしいもので、天まで届いたり地面いっぱいに広がったりする得《え》体《たい》の知れない魔物であり、いくらでも広がるので逃げようがないなどとある。

『鹿児島県喜界島昔話集』柳田国男編・岩倉市郎採話 『綜合日本民俗語彙』民俗学研究所編 『山原の土俗』島袋源七 『郷土研究』5巻2号「琉球妖怪変化種目 一」金城朝永 『沖縄の御願ことば辞典』高橋恵子

七人同行〔しちにんどうぎょう〕 香川県でいう妖怪。姿は見えないが、行き逢うと死んでしまうとか、投げつけられるとかいう。

耳が動く人や、牛の股から覗くと、その姿が見えるという。四ツ辻で牛が急に動かなくなったので牛の股から覗き見ると、七人同行が並んで歩いているのが見えたとの話がある。

丑三《うしみ》つ時に四ッ辻を通ると出会うという、仲多度郡多度津（多度津町）でいう七人童子《しちにんどうじ》も同じものと思われ、同じくシチニンドウジと読ま

七人同行

せるものに、香川県の七人同志《しちにんどうじ》がある。これは寛延年間（一七四八年～一七五一年）の農民騒動で処刑された7人の同志の怨霊で、雨の夕方などには蓑笠姿で歩いているといわれる。これに行き逢うと気分が悪くなり、帰っても家に入る前に、箕《み》で扇《あお》いでもらわなければならないという。

㊫七人ミサキ

『讃岐民俗　二』讃岐民俗研究会編　『旅と伝説』通巻148号「讃岐伝説画集　其の二」荒井とみ三　『綜合日本民俗語彙』民俗学研究所編　『民間伝承』通巻47号「妖怪語彙」三宅周一　『自然と文化』一九八四秋季号「讃岐・阿波・伊予の妖怪」武田明

七人童子〔しちにんどうじ〕

→七人同行

七人同志〔しちにんどうじ〕

→七人同行

七人ミサキ〔しちにんみさき〕　高知県を中心にした四国、中国地方でいう妖怪。主に川や磯、沖合いなど、水辺で行き逢うとされ、行き逢った者は高熱をだして寝込んでしまう。

　山でも四ツ辻でも行き逢うことがある。徳島県三好郡三名村（山城町）では、川で行き逢うのは川ミサキ、山では山ミサキ、道ではドウロクジンと区別している。

　多くの場合、溺死者が七人ミサキになるといわれ、7人1組で行動する。人を1人誘い殺すと1人が成仏でき、新たに死んだ者がそこに加わることになるという。

　土地によっては7人の霊を溺死者とせず、猪の落とし穴に落ちて死んだ7人の平家の落人《おちうど》としたり、海に捨てられた7人の女遍路としたりと、さまざまに伝えられている。

　また、政治的背景から生じた怨霊のしわざともされていたらしい。天正16年（一五八八年）、長曾我部元親の家督相続問題で讒言《ざんげん》され、切腹を命じられた吉良左京進親実と、後を追った同志の従臣7名の怨霊が、白装束で元親の居城である岡豊《おこう》城に向かって歩いていくのが七人ミサキだともいわれる。

宿毛《すくも》市宇須々木には、永禄の頃（一五五八年〜一五七〇年）の土佐一条家家臣、大脇越後之介と彼が斬り殺した伊予宇都宮家の7人の隠密の亡霊とする話が伝わっている。

これらとは別に、岡山県上房郡上有漢村大石では、昔から七人ミサキというミサキ神を祀っており、これに取り憑かれると首を括《くく》りたくなるという。

㊜七人同行《どうぎょう》、ミサキ、山ミサキ
『綜合日本民俗語彙』民俗学研究所編　『日本民俗文化資料集成　七　憑きもの』「岡山県美作地方」三浦英宥　『日本妖怪変化語彙』日野巌・日野綏彦　『旅と伝説』通巻182号・183号「七人みさきに就て」桂井和雄

七本鮫〔しちほんざめ〕　愛知県幡豆《はず》郡佐久島、三重県志摩郡でいう妖怪。

佐久島では、龍神の使いの七本鮫が来る6月14日は、海で泳いではいけないという。

志摩郡では磯部さんともよび、旧暦の6月24日、25日のおごさい日という祭日に現れる。これは七本鮫が伊雑宮《いざわのみや》に参詣に来るためで、昔、神島で7匹のうち1匹の鮫を捕ったために、流行病が蔓延《まんえん》したとの話が伝わっている。

『綜合日本民俗語彙』民俗学研究所編　『志摩の海女』岩田準一

死神〔しにがみ〕　人間を死へと導く悪霊または神。死神という名前は一般的ではなかったようで、文献ではあまり見ることはないが、『絵本百物語　桃山人夜話』には次のように記されている。

死神というものは、悪念を持ったまま死んだ者の気が、悪念を持つ者に呼応して悪しきところに導くのである。

紙屋治兵衛の浄瑠璃に「死神に誘出してや」と書いたのは作者の手柄である。心に死を思うときは、たちまちこの気を感ずるものである。されば、刃傷沙汰《にんじょうざた》のあった所を清めなければ後に同様の事件を引き起こし、首を括《くく》った木を伐《き》り倒さなければ、また首括りがあるといい習

篠崎狐

わし、心中などが同じ場所であるのも、みなこれ死ぬときの悪念のなせるわざである、と記されている。

『絵本百物語　桃山人夜話』でいう死神は、死にたくなるように仕向ける憑き物のようなもので、人の生死を司るような存在ではない。

三遊亭円朝の落語「死神」では、蠟燭《ろうそく》の火で人の生死を司る死神が登場するが、これは日本独自の発想ではなく、イタリア歌劇『靴直しクリピスノ（クリスピーノ）』を円朝が翻案したものだといわれている。

『竹原春泉　絵本百物語　桃山人夜話』多田克己編『落語読本　精選三百三席』矢野誠一

篠崎狐〔しのざききつね〕『梅翁随筆』にある化け狐。武州篠崎村（東京都江戸川区篠崎）にいたもので、塩肴《しおざかな》を売る者が昼寝をしていた狐にちょっかいを出し、その仕返しに化かされて酷い目にあったという話がある。

㊜狐

『随筆辞典　奇談異聞編』柴田宵曲編『大語

園』巌谷小波編

信太の狐〔しのだのきつね〕
↓葛《くず》ノ葉狐《はぎつね》

芝右衛門狸〔しばえもんたぬき〕 瀬戸内に浮かぶ淡路島（兵庫県）でいう化け狸。洲本市三熊山に祀られている。

天保年間（一八三〇年～一八四四年）、徳島県勢見山麓の観音寺境内で芝居興行があり、芝右衛門狸は武士の姿に化けて芝居見物していたが、一座の犬に襲われて嚙み殺されたという。ちょうど徳島では、日開野の金長狸《きんちょうたぬき》と津田浦の六右衛門狸が戦争を起こしていた頃で、芝右衛門狸はどちらかの味方をしにやって来たのだろうといわれたという。

芝右衛門狸のエピソードを伝える伝説は他にもいろいろとあり、『絵本百物語　桃山人夜話』には、芝右衛門という農民のところに現れたので、そういう名でよばれたとある。

(参)狸

『阿波の狸の話』笠井新也　『兵庫の伝説』宮崎修二朗・足立巻一　『竹原春泉　絵本百物語　桃山人夜話』多田克己編

しばかき 熊本県玉名郡南関町でいう妖怪。夜、路傍で石を投げるものだという。

『妖怪談義』柳田国男

芝天〔しばてん〕 高知県や徳島県でいう妖怪。芝天狗、坊主子ともいう。川の堤などに現れる小さい子供のようなもの。

天狗というよりも河童に近い性質で、土佐郡土佐山村では、旧暦6月6日の祇園の日に川へ入って猿猴《えんこう》になるといわれる。人を見ると、よく相撲を挑んでくるが、芝天と組み合ったら、一晩中取りつづけるはめになる。

徳島県祖谷地方では、山奥で木を倒す音や伐《き》る音をたてたり、山崩れの音をたてて人を驚かせるという。

(参)河童、天狗

『土佐風俗と伝説』寺石正路編　『祖谷山民俗誌』武田明　『山の人生』柳田国男　『旅と伝説』通巻174号「土佐の山村の『妖物と怪異』」

シバテン(芝天)

桂井和雄

芝天狗〔しばてんぐ〕

↓芝天《しばてん》

シマーブー　鹿児島県奄美諸島の喜界島《きかいがしま》でいう妖怪。夜道を歩いていると、突然、枝を広げた木のようなものが現れ、通行を妨げるという。福岡県の塗壁《ぬりかべ》のようなものか。

『綜合日本民俗語彙』民俗学研究所編

杓子くれ〔しゃくしくれ〕　京都府竹野郡下宇川村袖志（丹後町）の海上でいう妖怪。船幽霊の類。

　盆の13日に漁に出ると現れる。出会ったら底を抜いた杓子《しゃくし》を渡せばよいという。他にも、宮城県亘理《わたり》郡の垢《あか》取り貸せうぇー、福島県沿岸部のイナダ貸せ、愛媛県北宇和郡の柄長《えなが》くれ、鹿児島県奄美大島のタンゴクレレなど、船に水を入れて沈没させようとする船幽霊の仲間はたくさんいる。

（参）船幽霊

『綜合日本民俗語彙』民俗学研究所編　『現行

蛇骨婆

全国妖怪辞典』佐藤清明『自然と文化』一九八四秋季号「奄美大島の妖怪」恵原義盛

蛇骨婆〔じゃこつばばあ〕鳥山石燕の『今昔百鬼拾遺』に蛇を身体に巻きつけた婆として描かれており、【もろこし巫咸《ぶかん》国は女丑の北にあり。右の手に青蛇をとり、左の手に赤蛇をとる人すめるとぞ。蛇骨婆は此の国の人か。或説に云、「蛇塚の蛇五衛門といへるものの妻なり。よりて蛇五婆とよびしを、訛《なま》りて蛇骨婆といふ」と。未詳】と記されている。

巫咸国とは、中国の古書『山海経《せんがいきょう》』にあるもので、多くの巫師《ふし》たちが集まって組織した国であるという。石燕は未詳としながらも、蛇骨婆はこの国の住人かとしている。

また、蛇五衛門の妻だともしているが、どういった文献に拠《よ》ったものか不明である。

『鳥山石燕 画図百鬼夜行』高田衛監修・稲田篤信・田中直日編

蛇帯〔じゃたい〕鳥山石燕の『今昔百鬼拾遺』に描かれたもので、【博物誌に云、「人帯を藉て眠れば蛇を夢む」と云々。されば妬る女の三重の帯は、七重にまはる毒蛇ともなりぬべし】と解説されている。

　女性の邪心と蛇身を掛けて作られたものか。

『鳥山石燕　画図百鬼夜行』高田衛監修・稲田篤信・田中直日編

邪魅〔じゃみ〕　鳥山石燕の『今昔画図続百鬼』に描かれたもので、【邪魅は魑魅《ちみ》の類なり。妖邪の悪気なるべし】と記されている。

『鳥山石燕　画図百鬼夜行』によれば、邪魅とは人を害する妖怪一般のことだという。

『鳥山石燕　画図百鬼夜行』高田衛監修・稲田篤信・田中直日編

三味長老〔しゃみちょうろう〕　鳥山石燕の『画図百器徒然袋』に三味線の妖怪として描かれたもので、【諺《ことわざ》に沙弥《しゃみ》から長老にはなられずとは、沙弥《しゃみ》渇食《かつじき》のいやしきより、国師長老の尊にはいたりがたきのたとへなれども、是はこの芸にかんのうなる人の此みちの長《おさ》たるものと用ひられしその人の器の精なるべしと、夢の中に

三味長老

思ひぬ】とある。

名人がかつて使っていた三味線の妖怪としながら、三味線と沙弥とを掛けているところが、さすがに俳諧にも通じた石燕ならではの創作妖怪である。

『鳥山石燕　画図百鬼夜行』高田衛監修・稲田篤信・田中直日編

ジャン　高知市浦戸湾でいう怪異。「ジャンジャン、ジャーン」などという音とともに、海が雷のようにパッと光る。この音が聞こえると、しばらくは不漁が続くという。

物事がだめになることを「おジャンになる」というのは、このことから出た言葉だという。物理学者の寺田寅彦は、これを海底地震に関連した現象ではないかとしている。

『寺田寅彦全集　二』「怪異考」『日本妖怪変化語彙』日野巌・日野綏彦『綜合日本民俗語彙』民俗学研究所編『土佐の怪談』市原麟一郎

ジャンジャン火〔じゃんじゃんび〕奈良県各地でいう怪火。ジャンジャンと音を伴うことが特徴。

奈良市白毫寺《びゃくごうじ》町では、白毫寺と大安寺《たいあんじ》の墓地から飛び出る2つの火の玉のことをいう。夫婦川の辺りで落ち合い、2つの火がもつれ合った後に、もとの墓地に帰って行く。

この火は眺めていると近寄ってくるそうで、追いかけられて池に逃げ込んだが、いつまでも頭の上を飛んでいたという話もある。心中した男女を別々に埋葬したために、火の玉となって逢瀬《おうせ》を楽しんでいるのだという。

佐保川に架かる大和郡山市の打合橋では、毎年6月7日に東西から人魂が飛んできて、ジャンジャンと音をたてて舞った伝説がある。その霊を慰めるため、6月7日に橋の上で村人が踊りまわる祭りがあったそうである。

天理市藤井町の辺りでは残念火ともよぶ。城跡から西へ飛ぶ怪火で、出会った人は橋の下などに逃げ込んで、やりすごさなければならないという。また、柳本町の辺りではホイホイ火ともよび、雨が降りそうな夏の夜中に、城跡に向かってホイホイと呼ぶと飛んできて、ジャンジャンと音をたてて消える。見た者は2日～3日高熱にうなされるという。

　これらジャンジャン火とよばれる怪火は、心中者の霊、戦死した武将の霊などと、人の霊によるものとされることが多いようである。

『大和の伝説』高田十郎編　『旅と伝説』通巻68号「ジャンジャン火の話」新藤正雄　『綜合日本民俗語彙』民俗学研究所編

十二神将〔じゅうにしんしょう〕
↓式神《しきがみ》

守鶴〔しゅかく〕
↓茂林寺《もりんじ》の釜

出世螺〔しゅっせほら〕『絵本百物語　桃山人夜話』にあるもので、【深山にはほら貝有て、山に三千年、里に三千年、海に三千年を経て龍となる。是を出世のほらと云。昔より有ことにて、遠州今切のわたしもほらのぬけたる跡也と云。ほらの肉を食へば長寿を得ると云。貝は山

ジャンジャン火

伏のふく物なれば、実も食たる人は有べし。ほらをくひて長生したる人をきかず。かく禍《わざわい》する物をくひて長生したがるべからず。嘘いふものをほらふくと云も、かかる事よりや出けん】と解説されている。

法螺貝《ほらがい》が成長して龍になるということは、古文献や民間伝承にも見ることができる。

松浦静山の『甲子夜話』には、山が振動し、激しい雷雨が起こったとき、山から何かが飛び出すことがあり、これを宝螺《ほら》抜けというとある。正しく見た者はいないが、これは蛟《みずち》が地中から出現するものでもあるとしている。

こうした俗信は中国由来のものらしく、17世紀初めの『五雑組』という中国の文献には、福《ふっ》建省《けんしょう》のある町が突然、暴風雨に見舞われ、洪水となったが、土地の人は蛟が出現したのだろうと語ったという記述がある。

『竹原春泉　絵本百物語　桃山人夜話』多田克己編『河童の荒魂』若尾五雄

酒呑童子〔しゅてんどうじ〕　酒顚童子、酒天童子、酒典童子とも表記する。

丹波国（京都府）大江山に巣食っていた鬼。多くの眷属《けんぞく》を従え、京の町から人を攫《さら》っては食ってしまうと恐れられた。源頼光と四天王によって退治される話は、絵巻物や読み物、芸能などでよく知られている。

丹波国大江山といえば、京都府加佐郡大江町の大江山なのだが、京都市西京区大枝の大枝山にも同様の伝説が伝わり、大枝老ノ坂には酒呑童子の首を埋めたとする首塚《くびつか》大明神もある。どちらが鬼の住処《すみか》としての山なのかは不明だが、平安時代の文書を編年順に配列した史料集『平安遺文』（345号）には、「大枝山中強盗二十人」という記録があり、大枝山が悪の巣窟《そうくつ》になっていたことは確かなようである。

また、酒呑童子の伝説は京都だけに限らないようで、意外な土地にも広がっている。奈良の白毫寺《びゃくごうじ》には、昔、夜な夜な人を襲っては食べてしまう稚児《ちご》がいて、これが後に酒呑童子になったという伝説がある。

出世螺《しゅっせぼら》(出世螺《しゅっせほら》)

新潟県西蒲原郡岩室村を酒呑童子の出身地とする伝説があり、同村には童子屋敷や童子田という地名が残っているという。

青森県五所川原市には、蚤《のみ》や虱《しらみ》は酒呑童子が殺されたときの血が化したものだという俗信があるという。

(参)鬼

『日本伝奇伝説大事典』乾克己・小池正胤・志村有広・高橋貢・鳥越文蔵編『酒呑童子異聞』佐竹昭広『越後佐渡の伝説』小山直嗣『津軽口碑集』内田邦彦『大和の伝説』高田十郎編『酒呑童子の誕生』高橋昌明

朱の盤〔しゅのばん〕朱盤、首番とも表記される。福島県、新潟県でいう妖怪。

昔、会津の諏訪の宮の辺りには、朱の盤という妖怪が出るという噂があった。

ある日の夕暮れ、ここを一人の若い侍が通りかかると、都合よく自分と同じ年頃の侍と一緒になった。若侍は朱の盤の噂を恐ろしく思っていたので、これはよい道連れができたと、いま

朱《しゅ》の盤《ばん》（朱の盤《ばん》）

出会ったばかりの者に話しかけた。

そこで朱の盤のことを尋ねると、相手の侍は、「その化け物と申すはかようなものか」というなり、みるみる顔色が赤くなり、化け物に変じた。

頭には針のような毛が生え、額には1本の角、目は皿のようで、口は耳まで裂けていた。その歯嚙みをする音は雷のようだった。

若侍はこれを見て気を失い、半刻《はんとき》（約1時間）ばかりで気がつくと諏訪の宮の前にいた。

少し歩いて、ある家に入り、一口の水を所望したところ、そこの女房が心配して訳《わけ》を尋ねた。そこで若侍が、「実はかような次第」と話をすると、「さてさて恐ろしい目におあいなされた。その朱の盤というのは、かようなものでございますか」という女房を見れば、またもや先ほど見た化け物になっていた。

若侍は再び気を失い、ややあって息を吹き返したが、その後、100日目に死んでしまったという。

これは『老媼茶話』にあるものだが、ほぼ同じ内容で『諸国百物語』にも見える。

また、新潟県三条市には伝説として次のような話が残っていた。

見付町近くの元町に朱盤《しゅばん》がいた。大坊主で顔が朱盤のようだったという。この辺りには青石塔があり、その辺りはよくない場所だという話だった。

昔、見付に原山藤次郎という富豪があったが、この青石塔に金を埋めた。これを盗みに来るものは、そのたびに化け物にあって盗み出せなかったという。

ここでは、化け物の姿形についてはあまり詳記されていないが、どうやら前記の朱の盤とは姿が違うようだ。

朱の盤には会津のような鬼系のものと、新潟での真っ赤な顔をした大坊主系のものとがあるのかもしれない。

真っ赤な顔をした大坊主系には、高知県に赤ぼうれという名で伝えられるものがある。

島津久基の「文殊楼《もんじゅろう》の目無鬼《めなしおに》」には、朱の盤についておもしろいことが書かれている。【源氏物語の旧註（注釈本）で一條禪閤兼良公の花鳥余倩第三十に「朱の盤といふ絵物がたりあり。文殊樓の目なし鬼のことを書けり。山法師なるによりて聞きつけたる事をいへるなり」とみえるので、朱の盤物語と云ふものにこの話の出てゐた事が分るのである。惜しい事にこの物語は散失して今は伝らない為に精しい内容を知る事が出来ない。「山法師なるによりて聞きつけたる事をいへるなり」と云ふのは、朱の盤の口碑を耳にしてゐたと云ふ事を意味するのであるが、朱の盤の絵物語なるものに関しての記載すらも、他の何れの書にも未だ見及ばない。然るに朱の盤という伝説が別に、或は同一の物かも知れぬが、存在している事も事実である】と述べ、『老媼茶話』にある諏訪の宮の朱の盤がそうであるとしている。

目なし鬼とは、『源氏物語』宇治十帖の「手習の巻」にて、浮舟の君が魔物と誤認された際

さ行

に出てくる化け物の名前で、いわゆるのっぺら坊である。

のっぺら坊は、小泉八雲の『怪談』に出てくる狢《むじな》の話で有名だが、基本的な部分である主人公が2度驚かされるところなどは、朱の盤の話と共通しており、お互いに関係しあっていることは否めない。

柴田宵曲は『妖異博物館』の中で、主人公が2度驚かされる類の話を再度の怪と称し、『大和怪談頃日全書』から引いた江戸城内の話を載せている。

要約すると、城内で夜勤に出た男が、弁当を済ませてお茶を飲もうと、湯呑所にて薬缶《やかん》の蓋《ふた》を取ったところ、煮立った湯気の中から髪を振り乱した女の顔が現れた。驚きつつ戻ると、廊下で相番《あいばん》の者に出会うが、その者の顔も先ほどの女の顔になっていたというような内容である。

柴田宵曲は再度の怪の源は中国の『捜神記』まで遡《さかのぼ》れるとし、【楊度といふ農夫が余姚まで行く途中で日が暮れる。琵琶を抱へた少年が楊の車に乗せてくれといふので乗せてやると、琵琶数十曲を弾じた末、鬼のやうな顔になり、眼を瞋らせ舌を吐いて嚇し去った。それから廿里《にじゅうり》も行ったあたりで、今度は老人が車に乗せてくれといふ。先刻の恐怖の去りやらぬ楊が少年の琵琶の話をしたら、私も琵琶を弾きます、と老人が云った。途端に老人の顔は前の少年と同じやうになったので、楊は気を失ってしまった】との話を紹介している。

場所の設定や小道具の違いなどを除けば、朱の盤やのっぺら坊と基本的には同じであることから、やはり柴田宵曲の説のように、こうした再度の怪の怪談は、中国からの影響を受けているといえよう。

『近世奇談集成　一』高田衛校訂代表　高田衛・原道生編『旅と伝説』通巻31号「文殊樓の目無鬼」島津久基『越後三条南郷談』外山暦郎『妖異博物館』柴田宵曲

朱盤〔しゅばん〕
→朱の盤

樹木子

樹木子〔じゅぼっこ〕　多くの死者を出した戦場跡などに生える妖木で、通行人を捕まえて血を吸うなどといわれるが、出現地や記述された資料を見つけることができない。

これは民間伝承や古文献にあるようなものではなく、創作されたものの可能性が強いようである。

『幻想世界の住人たち　日本編』多田克己
『暮しの中の妖怪たち』岩井宏實

巡礼狼〔じゅんれいおおかみ〕　備中玉島（岡山県倉敷市）から矢掛（岡山県小田郡矢掛町）へと抜ける富ヶ峠でいう狼の変化。

ある男が峠を通りかかると、老いた巡礼がやってきて、矢掛に出るにはどう行ったらいいかなどと尋ねてきた。その声が異様だったので、男は無視して足早に過ぎ、振り返って見ると、そこには大きな狼がいて、松明《たいまつ》のような目を輝かせて睨《にら》んでいたという。

『大語園』巌谷小波編

ショウカラビー　香川県小豆郡小豆島《しょうどしま》神の浦で

いう船幽霊の類。

雨が降りだした夕方などに海上で仕事をしていると、ショウカラビーという船が追いかけてきて、「杓《しゃく》貸せ、杓貸せ」という。

ショウカラビーは自分の船と似ているが、帆の向きが反対なので、それとわかるという。

㊂船幽霊
『自然と文化』一九八四秋季号「讃岐・阿波・伊予の妖怪」武田明

ショウケラ 鳥山石燕の『画図百鬼夜行』に、天井の明かり取り窓を覗く妖怪として描かれているもの。石燕による解説はないが、ショウケラは庚申《こうしん》信仰に関係したものといわれる。

庚申信仰は道教の三尸《さんし》説がもとにあるといわれ、60日ごとに巡ってくる庚申の夜に、寝ている人間の身体から三尸虫（頭と胸、臍の下にいるとされる）が抜け出し、天に昇って天帝にその人の罪科を告げる。

この報告により天帝は人の命を奪うと信じられ、対策として、庚申の日は眠らずに夜を明か

しょうけら（ショウケラ）

し、三戸虫を体外に出さないようにした。

また、これによる害を防ぐために、「ショウケラはわたとてまたか我宿へねぬぞねたかぞねたかぞねぬば」との呪文も伝わっている。

石燕の描いたショウケラは、この庚申の日に現れる鬼、ということがいえるようである。

『鳥山石燕 画図百鬼夜行』高田衛監修・稲田篤信・田中直日編

常元虫〔じょうげんむし〕 浄元虫とも表記される。『三養雑記』、『煙霞綺談』にある怪虫。

近江国（滋賀県）志賀郡別保村に蒲生家の浪人で、南蛇井源太左衛門という者がいた。極悪な性《たち》で、強盗をしながら諸州を横行した。

後に剃髪《ていはつ》して名を常元（浄元）と改め、おとなしくしていたが、多年の悪行のため逮捕され、自宅の柿の木で吊るし斬りにされた。

死体はその柿の木の下に埋められたが、処刑以来、夏になると、その柿の木の根元から人を縛ったような形の虫が夥《おびただ》しく現れた。人々はこれを常元虫（浄元虫）とよんで、因果の恐ろしさを噂しあったという。

『大語園』巌谷小波編 『日本随筆大成』日本随筆大成編集部編

鉦五郎〔しょうごろう〕 鳥山石燕の『画図百器徒然袋』に鉦鼓《しょうこ》の妖怪として描かれた。

【金の鶏は淀屋辰五郎が家のたからなりしよし。此かねも鉦五郎と言へるからは、金にてやありけんと、夢のうちにおもひぬ】とある。

淀屋五代目辰五郎は江戸中期の大坂で豪商として知られ、金の鶏は淀屋の重宝《じゅうほう》とされていた。贅沢な生活をほしいままにしていたため、幕府により財産没収、辰五郎は三都追放の処分を受け、失意のうちに病死したという。

鉦五郎はこの淀屋辰五郎の金の鶏の金《かね》と鉦《かね》を掛けて作られたものらしい。

『鳥山石燕 画図百鬼夜行』高田衛監修・稲田篤信・田中直日編

猩々〔しょうじょう〕 岩手、山梨、富山、兵庫、和歌山、山口などの昔話や伝説に見える妖怪。髪の毛が赤く、酒を好むという。

猩々

本来は中国の妖怪であり、山に棲む人に似た猿のようなもので、やはり酒を好むとされている。それが日本においては、山梨県の西地蔵岳での話以外は、ほとんど海に出没している。以下、それぞれ簡単に紹介しておく。

山梨県西地蔵岳の話は『裏見寒話』にあるもので、ある猟師が山中で七尺（約2m 10㎝）の猩々に出会い、鉄砲で胴腹を撃ち抜いたが、さして痛がる様子もなく、傍らの草を傷口に押し込んで、悠々と山を登っていったという。

岩手県の話は、ある浜辺にたいそうな長者がいて、猩々を実際に見てみたいといって、大きな酒樽を水辺の砂の中に埋めておいたところ、そこに猩々が現れ、酒を全部飲み干して逃げていったという。

富山県氷見《ひみ》市や新湊市では、海上で約1mほどの海猩々に出会うことがあるといい、船に上がってきては、舳先《へさき》に腰をかけるという。ときには6匹～7匹も出てきて船に乗る。もしこれに驚いて騒げば、船が引っ繰り返されてしまうので、船乗りは黙って船底に打ち伏したものだという。

山口県周防大島では少し変わっていて、夜半、船で沖に出ると、海底から「樽をくれー」という声が聞こえる。樽を投げ込まないと祟りがあるので、底を抜いた樽を投げてやるという。底を抜いていないと、その樽で船に水を入れられて沈没してしまうなど、まるきり船幽霊と同じ特徴が語られている。岩国の新湊の沖あたりが出没地点だったという。

また、鳥取市周辺には麒麟獅子舞《きりんししまい》という民俗芸能があり、その先払い役として猩々が登場している。地元の青年が扮装するのだが、面も衣服もすべて真っ赤なのが特徴である。

日本での猩々は、紅色を示す言葉としても用いられ、『和漢三才図会』によれば、猩々の血は深く鮮やかな紅色をしており、それで染めた毛織物を猩々緋《しょうじょうひ》とよぶとある。

また紅色のイメージから病気と結びつけて考えられ、猩々は疱瘡神《ほうそうがみ》としても考えられていたようである。

『和漢三才図会』寺島良安編・島田勇雄・竹島淳夫・樋口元巳訳注『旅と伝説』通巻25号「周防の大島」宮本常一『越中の伝説』石崎直義『牟婁口碑集』雑賀貞次郎『兵庫の伝説』宮崎修二朗・足立巻一『紫波郡昔話』佐々木喜善『全国妖怪事典』千葉幹夫編

正塚婆〔しょうづかばばあ〕

→奪衣婆《だつえば》

精霊田〔しょうらいだ〕　日本アルプスの乗鞍連峰の山頂、千町ヶ原の沼でいう怪異。

山案内を務める上牧太郎という者が、ある夜、人の声で目を覚まして沼に来てみると、数十人という白帷子姿《しろかたびらすがた》の男女が、争って沼の水を飲んでいた。

「お〜い、何しとるだ?」と上牧が声をかけると、その中の1人が驚いたように振り向いた。その顔には伸び放題の髪の毛がかかり、その間から覗く両目は燃えているように真っ赤だった。そして、頭には白い三角巾《さんかくきん》。

一心に念仏を唱えるばかりだった上牧が、ふと我に返ると、亡者たちの姿は見えず、千町ヶ原は何事もなく霧に覆われていたという。

この千町ヶ原は精霊田といって、美濃（岐阜県）、尾張（愛知県）の亡者が、立山（富山県）の地獄谷に向かう途中、ここで水を飲むといわれていたという。

この話は昭和32年発行の『別冊週刊サンケイ』に詳しい。

立山は霊が集まるところとしてよく知られている。立山へ向かう霊たちは、何人かのグループになって移動するらしく、飛騨（岐阜県）のがたがた橋もその道筋にあたる。

『日本怪談集　幽霊篇』今野円輔編著

精霊風〔しょうろかぜ〕　長崎県五島《ごとう》地方でいう怪異。盆の16日の朝に吹く風で、これにあたると病気になってしまうから、その日の朝は墓や墓地に通じる道には行かないという。

ここでいう精霊とは、死者の霊であることに間違いない。盆の時期には先祖の霊とともに無縁仏も帰ってくるとされ、そうした無縁仏は突然の発熱や悪寒などの原因とされた。

地方によっては、そうした状態を「風に吹かれた」とか、「風に打たれる」などという。

熊本県宇土《うと》郡宇土町（宇土市）でいうユウレ（幽霊）風なども、同じものであろう。

『方言』5巻12号『綜合日本民俗語彙』民俗学研究所編

ショキナ

↓オキナ

女郎蜘蛛〔じょろうぐも〕　絡新婦、斑蛛とも表記される。

静岡県田方郡天城湯ヶ島町の浄蓮《じょうれん》の滝には、女郎蜘蛛が人間を水中に引き込もうとした伝説がある。

ある男が滝の近くで休んでいると、どこからか女郎蜘蛛が出てきて、男の足に糸をかけた。それを何度も繰り返すうちに、いつしか無数の糸が足にからんでいた。

男はその糸を近くにあった桑の古株に結びつ

絡新婦《じょろうぐも》(女郎蜘蛛)

けると、やがて桑の古株がメリメリと音をたてて滝壺に呑み込まれていった。

これは滝の主《ぬし》である女郎蜘蛛が、人間を引き込もうとしたのだという。これに類する話は各地にあり、とくに宮城県仙台の賢淵《かしこぶち》伝説が有名である。ここでは水中に木が引き込まれた後、どこからか「かしこい、かしこい」と声が聞こえたことになっており、水蜘蛛《みずぐも》のしわざとされている。

『太平百物語』や『宿直草』に見える女郎蜘蛛は、女郎という名前からか、女に化けるものとされているようで、武士に結婚を迫ったり、子供連れの女として姿を現している。

『江戸怪談集（上）』高田衛編／校注　『百物語怪談集成』太刀川清校訂・高田衛・原道生編　『大語園』巌谷小波編

白髪山高積坊〔しらがやまこうじょうぼう〕高知県白髪山でいう天狗。密教系の祈禱秘経『天狗経』にある全国代表四十八天狗の一つに数えられているもの。

㊫天狗

『天狗考　上』知切光蔵　『図集天狗列伝　西日本編』知切光蔵

白髪山の怪物〔しらがやまのかいぶつ〕『土佐奇談実話集』にあるもの。

　弘化3年（一八四六年）頃、土佐の本山郷汗見川に住む医者・松井道順が、不老長寿の霊薬と信じられた貴精香の原料を求め、深山を探しまわっていたとき、顔は朱色で、眼は星のようにきらめき、黄色い1本の大角を生やした八尺（約2m 40㎝）ほどの怪物に出会った。

　怪物は自らを世界中の死者の霊魂が固まったものだといい、人間を病死させ、その魂を死者の国へと呼び寄せるのが役目だといった。

　怪物は東方朔《とうぼうさく》や徐福《じょふく》、浦島太郎、アダム、ノア、豊臣秀吉といった人物の例を挙げながら、不老長寿についての話を長々とし、道順の病気治療にかける熱意に感心したとして、すべての病気の原因と治療方法を記した巻物を授けたという。

『土佐奇談実話集』の文中では、怪物が出現した山の名前は書かれていないのだが、白髪山の怪物として紹介しているところをみると、高知県の白髪山での話と思われる。

　ただ、高知県には白髪山とよばれる山は2つあり、どちらの話なのかはよく分からない。また、怪物が語った内容などから、これは伝説ではなく、創作された物語の可能性もある。

『土佐奇談実話集』小島徳治

白児〔しらちご〕

↓犬神

不知火〔しらぬい〕　九州有明海、八代海でいう怪火。

　旧暦8月の風の穏やかな新月の晩など、遠くの海上に無数の赤い火が並列して灯《とも》るもので、近くにいっても見ることはできない。また、水面に近いところからは見えず、小高い山からよく確認できるという。

　この火は龍神が灯すものともいわれ、付近の漁村では、この日に船を出すことを禁じていたという。

古くは『日本書紀』『肥前風土記』『肥後風土記』などに、景行天皇が熊襲《くまそ》征伐に西国へ赴いたときに見たという逸話が見える。

『筑紫野民譚集』及川儀右衛門　『不知火・人魂・狐火』神田左京　『随筆辞典　奇談異聞編』柴田宵曲編

シラミ　愛媛県北宇和郡下波村（宇和島市）でいう海の怪異。死んだ者の霊が、夜の海に白くなって泳いで来ることがあり、漁師たちはこれを馬鹿といっている。しかし、「馬鹿」というのが、もし聞こえると、怒って櫓《ろ》にすがったりして散々な目にあわせるという。

水木しげるの『日本妖怪大全』などにあるシラミユウレンもこれと同じものと思われる。

㊂船幽霊、シキ、底幽霊、引き亡者《みょーじゃ》

『旅と伝説』通巻182号「七人みさきに就て」桂井和雄　『日本妖怪大全』水木しげる

白峰〔しらみね〕

→崇徳《すとく》上皇の怨霊

不知火

白峰相模坊〔しらみねさがみぼう〕 香川県五色台白峰でいう天狗。密教系の祈禱秘経『天狗経』にある全国代表四十八天狗の一つに数えられているもの。
天狗となった崇徳院とは別物である。
㊜天狗
『天狗考 上』知切光歳 『図集天狗列伝 西日本編』知切光歳

シラミユウレン
→シラミ

シリコボシ 三重県志摩郡和具町（志摩町）でいう妖怪。海にいる河童のようなもので、海女《あま》たちに恐れられている。

シリコボシとは、尻小法師、尻子法師の意味らしく、尻子玉《しりこだま》を取るという。

隣の布施田町（志摩町）では、天王祭の日に海に入ると、シリコボシに襲われて、尻から生き肝を抜かれてしまうという。

しかし、この日が天草採り（寒天《かんてん》の材料になる海草の一種）の口開けにあたると、日を選んではいられないので、山椒《さんしょう》の枝を糸でまとめたものを胸からかけていく。この備《そな》えがシリコボシ除けになるという。

㊜河童
『綜合日本民俗語彙』民俗学研究所編

シリヒキマンジュ
→河童

尻目〔しりめ〕 与謝蕪村《よさぶそん》の『蕪村妖怪絵巻』に描かれたもので、【京（京都）かたびらの辻、ぬっほり坊主のばけもの、めもなく、ただ一ッ眼尻の穴にあり。光るといなつま（雷）のごとし】とある。

尻の穴が雷のように光るというのも珍しく、他に例を見ない。

『蕪村妖怪絵巻解説』乾猷平 『別冊太陽 日本の妖怪』

死霊〔しりょう〕 死んだ者の霊。怨霊、幽霊、亡霊なども死霊といえる。
死霊にまつわる話は古今を通して多く、そのふるまいはさまざま。生霊《いきりょう》のように人に憑いて

尻目

苦しめたり、生前に慕っていた者の前に現れ、一緒に連れて行こうと殺すこともある。

『遠野物語』には、娘と二人暮らしだった父親が、死後、娘の前に現れて、「一緒にあべ、あべ（来い）」といったという話がある。

娘は怖がり、親類や友人に来てもらったが、それでも父親の死霊は娘を連れ去ろうと現れ、一月《ひとつき》ばかりでやっと来なくなったという。

『遠野物語』柳田国男　『日本怪談集　幽霊篇』今野円輔編著

死霊の森［しりょうのもり］

→龍《たつ》の森

白い蝶［しろいちょう］　高知県吾川《あがわ》郡伊野町や香美《かみ》郡野市町でいう妖怪。

夜更《よふ》けの道を歩いていると、白い蝶が雪のようにひらひらと飛んできて、顔や身体にまとわりつく。いくら払ってもきりがなく、息が詰まるほどだという。これに出会うと、死んでしまうといわれている。

昔、何かの事件で横死した者の亡霊のしわざ

ともいう。『旅と伝説』通巻174号「土佐の山村の『妖物と怪異』」桂井和雄

白容裔〔しろうねり〕鳥山石燕『画図百器徒然袋』に描かれ、【白うるりは徒然《つれづれ》のならいなるよし。この白うねりはふるき布巾のばけたるものなれども、外にならいもやはべると、夢のうちにおもひぬ】と解説されている。

白うるりとは、吉田兼好の『徒然草』第六十段に登場する、芋頭《いもがしら》が異常に好きな坊主のあだ名である。

この白うるりという名前に倣《なら》って、布雑巾《ぬのぞうきん》の化けたものを白容裔《しろうねり》と名づけたといっているので、つまりは石燕の創作妖怪であろう。

古い雑巾などが化けて人を襲う、などの説明がされることがあるが、これは山田野理夫の『東北怪談の旅』にある古雑巾の妖怪を白容裔の話として使ったにすぎない。

『鳥山石燕　画図百鬼夜行』高田衛監修・稲田篤信・田中直日編

白容裔

白坊主

白坊主〔しろぼうず〕 静岡県、大阪府、三重県、広島県でいう妖怪。大阪府泉北郡取石村（高石市）、三重県飯南郡森村（飯高町）では、夜道でこれに出会うというが、具体的な話は残っていない。狸が化けたものともいわれるが、これも定かではないという。

静岡県の白坊主はどんどん焼きの行事にまつわる話で伝わっている。

昔、富士郡芝富村長貫（芝川町）でどんどん焼きをしていたところ、白鳥山から白坊主が「ほーい、ほーい」としきりに呼ぶので、気味悪くなって止めてしまった。

その次の年にも同じことがあったので、それ以来この行事を取り止めてしまったという。

広島県安芸郡倉橋町では、河童が脚に接木《つぎき》して2mもの白坊主に化けて、人を驚かすという話が伝わっている。

また、熊本県天草郡本渡町（本渡市）の中央にある樟《くすのき》の中に白髪の婆さんが棲んでいて、夜遅くにその樟のそばを通ると、糸を紡《つむ》ぐギーギーという音が聞こえたという。これは婆さんが、自分の子である白坊主の着物用に糸を紡ぐのだとされていた。

白坊主とは、単純に白っぽい坊主の形をした妖怪のことをいうのだろうか。

『妖怪談義』柳田国男『綜合日本民俗語彙』民俗学研究所編『静岡県伝説昔話集』静岡県女子師範学校郷土研究会編『河童の世界』石川純一郎『天草島民俗誌』浜田隆一

シロマタ　沖縄県各地で行われる豊年祭に登場する神。アカマタ、クロマタという二神とともに現れる場合もある。

西表島《いりおもてじま》の古見では、クロマタは親神、アカマタとシロマタは子神とされ、親神であるクロマタには次のような由来伝説がある。

昔、山の幸《さち》をとって生活をしていた下幸二という屋号の家の息子が、犬と猟に出たまま戻らなかった。村人総出で捜しても見つからず、結局、息子は死んだことになった。

ある嵐の晩、家の外から、「おかあさん」と息子の声がする。母親が問い質《ただ》してみると、声の主《ぬし》は「私はおかあさんにも会えない身となりました。神になったのです。それでも私の姿を見たかったら、旧暦6月の最初の壬《みずのえ》の日に、どこそこまで来てください」といった。

おかしく思いながらも、母親はいわれた日に指定された場所に行くと、わずかな時間だけ息子の姿を見ることができた。

以来、毎年その日になると、神となった息子が現れ、豊作の年は村の近くに、凶作の年は遠くに出現するようになった。

村人たちはこれを豊作をもたらす神とし、その神を真似て面を作り、豊作を祈願して村の近くに祀った。それからは神は姿を見せなくなり、代わりに面に宿るようになった。これが豊年祭のはじまりだという。

『自然と文化』一九八九秋季号「仮面仮装の習俗」宮良高弘

ジロムン　奄美大島（鹿児島県）でいう妖怪。真っ白あるいは黒いもので、動作が素早く、兎のように跳ねるという。

　これを見るときは、両足を交叉して股の下を潜《くぐ》られないようにしないと、災難にあうといわれている。現れるのは夕暮れ時、人の顔の見分けがつくかつかない時分だという。

　どのような姿の妖怪かは不明だが、南方に多い子豚の妖怪の類だと思われる。

『季刊　民話』一九七六秋第8号「奄美物語」

田畑英勝

蜃〔しん〕
↓蜃気《しんき》楼《ろう》

蜃気楼〔しんきろう〕　各地の海上で見られたもので、昔は自然現象とはせずに怪異とされた。土地によってさまざまな呼称があり、青森県津軽では狐だま、富山県魚津市では喜見城《きけんじょう》や狐松《きつねまつ》原《ばら》、三重県桑名では狐の森、伊勢ではながふ、四日市では和《なご》のわ、広島県宮島では蓬萊島《ほうらいとう》、山口県では浜遊びなどと、枚挙に遑《いとま》がないほどにある。
　蜃気楼は何者かによる所為《せい》とされ、東北地方

蜃《しん》(蜃気楼)

では狐が、新潟県では佐渡の団三郎狢が蜃気楼を出すといわれた。しかし、一般によく知られていたのは蛤《はまぐり》と蜃《しん》であろう。『和漢三才図会』では、蜃気楼の原因は2種類あるとし、龍類に属する蜃や大きな蛤が吐いた気が楼閣《ろうかく》を現すのだとしている。大きな蛤は蜃および車螯《わたりがい》とよぶともある。

海上に限らず、蜃気楼は陸上にも現れる。武蔵野名物とされた逃げ水も蜃気楼の一種で、栃木県黒磯市では寺子の蒲盧《ほろ》といって、野原に人馬の行き交う様が映し出されたという。

『動物妖怪譚』日野巌　『和漢三才図会』寺島良安編・島田勇雄・竹島淳夫・樋口元巳訳注　『下野の伝説』尾島利雄　『江戸文学俗信辞典』石川一郎編　『随筆辞典　奇談異聞編』柴田宵曲編

シングリマクリ　奈良県山辺でいう妖怪。山辺郡山添村の助命に八王子神社というお宮があり、ここに100段ばかりの石段がある。夕方になるとこの石段にシングリマクリという妖怪が現れ、シングリ（魚をいれる、竹で編んだ籠《かご》）を転がすという。

このシングリの中には、親のいうことを聞かない子供が入れられているといわれ、悪戯《いたずら》が過ぎる子供は、「シングリマクリがやって来るぞ」と親に脅かされたという。

小原（宇陀郡室生村）では、昔の伊勢街道に面した崖《がけ》のことをシングリマクリとよび、妖怪のようなものではないとしている。昔、この崖から、シングリに子供を入れて転がしたという伝説によるものだという。

㊂イジャロコロガシ

『子供のための大和の伝説』仲川明

神社姫〔じんじゃひめ〕『我衣』にあるもの。人魚の類。

文政2年（一八一九年）4月19日、肥前国（長崎県～佐賀県）のある浜辺で目撃されたもので、大きさは二丈（約6m）ほど、人面で頭に角のようなものがあった。

見つけた者に向かって、「我は竜宮よりの使

神社姫

者神社姫というものなり。当年より7ヵ年は豊作だが、虎狼痢《ころり》（コレラ）という流行病《はやりやまい》が発生する。しかし我が姿を描いた絵図を見ればその難を免れ、さらに長寿を得るだろう」と物々しく語ったという。

　これは肥後の海に現れたアマビエなどと同じ類であろう。

(参)人魚、アマビエ

『学校の怪談　口承文芸の展開と諸相』常光徹

ジンベイサマ　宮城県金華山《きんかざん》沖でいう妖怪。首から尾が分からないほど大きなもので、船の下に入って船を支えていることもある。そのとき海面を見ると、水が淡く光っており、そこを竿《さお》で突くと沈んでいく。

　これが現れると、鰹《かつお》が大漁になるという。

　また『日本妖怪変化語彙』には、蛇のような長い姿で、これが船を越えると油が溜《た》まって沈没してしまうという記述がある。

　名前からしてジンベイザメ（10m以上にも成長するサメの一種）のことではないかとも思わ

れるが、ジンベイザメは巨体ではあるが、蛇のように細長くはない。
『日本妖怪変化語彙』日野巌・日野綏彦『綜合日本民俗語彙』民俗学研究所編

人面犬〔じんめんけん〕平成元年（一九八九年）の後半より全国で話題になった妖怪で、見かけは普通の犬だが、顔が人間というもの。おもに小学生たちの間で噂された。

人間に出会うと、「ほっといてくれ」「勝手だろう」「うるせぇなぁ」「何だ人間か」などと捨て台詞《ぜりふ》を吐いて去っていく。

某大学の遺伝子実験による産物だとか、その出生に関してもさまざまにいわれている。

噂そのものは、すでに昭和50年代後半に南関東のサーファーたちに広まっていたという。

『微笑』一九八二年7月19日号　『微笑』一九八九年12月30日号　『女性自身』一九九〇年1月2日号　『プレイボーイ』一九八七年6月30日号

人面樹〔じんめんじゅ〕

人面犬

→人面樹《にんめんじゅ》

人面瘡〔じんめんそう〕　人面疽《じんめんそ》とも表記される。『伽婢子』などの怪談集に見える怪異で、膝頭《ひざがしら》や太股《ふともも》にできる腫物《はれもの》が、人間の顔に似てくるというもの。しだいにその腫物の顔が飲み食いをしだすという。

『怪霊雑記』には、自分が殺した女の顔の人面瘡が股にできた話がある。顔の造作がすべて揃っていることはもちろん、髪を振り乱して笑うこともあった。何度削り捨ててもまた同じような腫物ができて、祈禱や治療もなんの効果もなかったという。

『伽婢子』には、貝母《ばいも》という薬をむりやり腫物の口に飲ませることで治した話がある。

㊟応声虫《おうせいちゅう》

『江戸怪談集（中）』高田衛編／校注　『江戸文学俗信辞典』石川一郎編　『大語園』巌谷小波編

す

吸いかずら〔すいかずら〕　徳島県三好郡祖谷《いや》地方でいう憑き物。犬神の類。鼠よりも少し大きく、よく囲炉裏《いろり》で暖をとっているという。『日本妖怪変化語彙』では【吸いかづら：尾が蛇であるという妖怪。人に憑く。（岡山県、徳島県祖谷地方）】怪しい妖怪のような説明だが、これも同じものと見ていいだろう。

祖谷の他に岡山県と書かれているのは、岡山の人たちが四国の犬神を非常に恐れていたため、語彙だけが残されたものと思われる。

『日本民俗誌大系　十　未刊資料一』「祖谷山村の民俗」高谷重夫　『綜合日本民俗語彙』民俗学研究所編　『日本妖怪変化語彙』日野巌・日野綏彦

水虎〔すいこ〕　鳥山石燕は『今昔画図続百鬼』で【水虎はかたち小児のごとし。甲は鯪鯉《りょうり》（センザンコウ）のごとく、膝頭虎の爪に似たり。もろこし速水の辺にすみて、つねに沙の上に甲を曝《さら》すといへり】とあり、河童とは違う、全身鱗《うろこ》に覆《おお》われた妖怪を描いている。

水虎

石燕は解説を江戸の百科事典である『和漢三才図会』より引き、『和漢三才図会』は中国の古書『本草綱目』より引用している。

『本草綱目』には、3歳〜4歳の子供のような姿で、鱗に覆われた身体は矢も刺さらず、常に水に潜って、虎の掌爪に似た膝頭だけを水の上に出している。子供が悪戯《いたずら》を仕掛けると嚙みつくが、生け捕りできれば、鼻をつまんで走り使いをさせられる、などとある。

日本ではこれに相応する妖怪はないようだが、河童と混同された形でなら、長崎県や青森県などに水虎の名前を見ることができる。

しかし、それらはあくまでも河童の別名のような感覚で使われているにすぎず、本来の水虎(中国の)は日本には存在しない。

『三養雑記』や『蕉斎筆記』などの随筆は水虎と書いてカッパとし、水虎は俗にいう河太郎のことだとしている。

青森県津軽地方でいう水虎は、河童もしくは河童の上役とされる存在で、ミズガミ様、オスイコ様、セッコー様、シッコ様などの名前でよばれている。水神信仰の一つであり、水難除けの神様だと信じられている。

津軽の水虎信仰はそれほど古いものではないらしく、明治のはじめ、北津軽郡木造《きづくり》町の日蓮宗系の実相寺からはじまったものという。当時の住職が、小川で頻繁《ひんぱん》に起こる水難事故を防ぎたいと思い、祈禱でその原因をメドチ（河童）のしわざと突き止めた。そこでメドチに水虎大明神の神格を与え、祟りを鎮めるために、男女の河童像を祀るようになった。

これが各地に広がり、後に民間祈禱師たちの影響もあって、水虎様は河童の親分で、龍宮神の眷属《けんぞく》と信じられるようになったという。

㊜河童

『鳥山石燕　画図百鬼夜行』高田衛監修・稲田篤信・田中直日編『河童の系譜』安藤操・清野文男『九州河童紀行』九州河童の会編『和漢三才図会』寺島良安編・島田勇雄・竹島淳夫・樋口元巳訳注『河童の世界』石川純一郎『河童』大島建彦編「水虎信仰」河上一雄『河童』大島建彦編「水神信仰と河童」竹田旦『日本妖怪変化語彙』日野巌・日野綏彦

水釈様〔すいしゃくさま〕　宮崎県西臼杵《にしうすき》郡高千穂町岩戸の馬生木集落でいう蛇の神様。水神である水釈天のことで、帝釈天《たいしゃくてん》のお使いとされている。

昔、馬生木と水之内との境にある草場に夫婦の蛇が棲んでいたが、農民の野焼きで雌蛇が死ぬ。その怨で雄蛇は生霊《いきりょう》となって人畜に害をなし、付近の農作物は育たなくなった。

明治になっても蛇の生霊による怪異は治まらず、困った馬生木と水之内の集落の人々は、大きな岩場に石祠を建て、水釈様として祀った。それから蛇の生霊の祟りは止んだという。

『日向の伝説』瀬戸山計佐儀

水神〔すいじん〕　水を司る神のこと。井戸や田の水路に祀られる素朴な民間信仰から、河川のほとりや水源地に構える神社など、水神信仰はさまざまな形態が見られる。

井戸の神、池の神、海神、河の神、泉の神など、祀られる場所によって名前が異なり、祭神は記紀神話に名を連ねる神のほか、たんに水神とよばれる漠然としたものや、河童や蜘蛛《くも》、蛇、龍、魚、蛙、亀、鼈《すっぽん》といった動物や妖怪も水神と見なされることがある。

また、信仰の対象ではなくとも、佐渡島や石川県羽咋《はくい》では河童を水神とよんでいる。

㊂河童、龍、鼈、女郎蜘蛛《じょろうぐも》、水釈様《すいしゃくさま》

『日本妖怪変化語彙』日野巌・日野綏彦 『日本昔話事典』稲田浩二・大島建彦・川端豊彦・福田晃・三原幸久編 『日本の神様読み解き事典』川口謙二編著

水精の翁〔すいせいのおきな〕

↓水の精

粋呑〔すいとん〕 鳥取県、岡山県境の蒜山《ひるぜん》高原に伝わる妖怪。人の心を読み、悪い心を持った者の前にスイーッと来て、トンッと一本足で立ち、引き裂いて食ってしまうという。

素朴な民芸品が土産物店で売られている。

『八束村史』八束村史編纂委員会編

スウリカンコ 青森県八戸市大館塩入でいう怪火。名前は汐入村のカン子という意味。降雨に明滅しながら飛びまわるという。

昔、この村にカン子という美女がいて、多くの男に求婚されたが、別に好きな男がいたのですべて断った。それをよく思わない男衆《おとこしゅう》はカン子を新井田川に生き埋めにした。以来、そこから怪火が飛ぶようになったという。

後年、ここに磐城セメントの工場が建ち、カン子の霊を弔う祠が設けられたという。

『青森の伝説』森山泰太郎・北彰介 『現行全国妖怪辞典』佐藤清明

周防の大蝦蟇《おおがま》〔すおうのおおがま〕

↓大蝦蟇

スカベ

↓クダ部《べ》

菅原道真の怨霊〔すがわらのみちざねのおんりょう〕 平安時代中期の学者・政治家だった菅原道真は若年から優秀で、異例の出世ぶりが藤

菅原道真の怨霊

原一門や学閥《がくばつ》から反感を買い、延喜元年（九〇一年）、左大臣藤原時平らの讒言《ざんげん》によって右大臣の地位から太宰権師《だざいのごんのそつ》に左遷された。やがて延喜3年（九〇三年）の2月、道真は失意のうちに任地で没した。その後、落雷や病気によって、時平をはじめとする藤原氏が次々に死亡し、都では怪異が頻繁《ひんぱん》に起こった。

これは道真の祟りとされ、その荒ぶる霊を慰めるため、道真の死去から40数年後、北野の地に社《やしろ》が設けられた。これが京都の北野天満宮のはじまりだという。

『北野天神縁起』には、道真が怨霊となる過程や、その後の祟りのようすが生々しく記されている。

『一冊で日本怪異文学100冊を読む』檜谷昭彦監修『日本伝奇伝説大事典』乾克己・小池正胤・志村有広・高橋貢・鳥越文蔵編

スジンコ

→河童

スジンドン

↓河童

鈴彦姫〔すずひこひめ〕鳥山石燕の『画図百器徒然袋』に頭部に鈴をつけた女の姿で描かれており、【かくれし神を出し奉んとて岩屋のまへにて神楽《かぐら》を奏し給ひし天鈿女《あめのうずめ》のいにしへもこひしく、夢心におもひぬ】とある。

鈴は神霊を下《お》ろす際に使用される祭具の一つであり、天鈿女は岩屋に隠れた天照大神《あまてらすおおみかみ》を呼び出した神である。鈴と天鈿女に共通する、神を引き出すということをテーマにして作られた妖怪なのだろうか。

『鳥山石燕　画図百鬼夜行』高田衛監修・稲田篤信・田中直日編

硯の魂〔すずりのたましい〕鳥山石燕の『今昔百鬼拾遺』に描かれたもので、【ある人赤間ヶ関の硯《すずり》をたくはへて文房の一友とす。ひと日平家物語をよみさして、とろとろと居ねぶるうち、案頭の硯の海の波さかだちて、源平のたたかひ今みるごとくあらはれしとかや。もろこし徐玄子が紫石潭も思ひあわせられ侍り】とある。

赤間ヶ関（山口県下関市）は平家最後の地であり、硯の名産地でもある。硯の石に平家の怨霊が憑いたものとして描かれたものか。

『鳥山石燕　画図百鬼夜行』高田衛監修・稲田篤信・田中直日編

裾引き狢〔すそひきむじな〕茨城県筑波郡大穂町（つくば市）でいう妖怪。

吉沼前原にある如意輪観音では、安産夜明け祭りが早朝から行われるが、この祭りに行く途中、よく婦人が狢《むじな》に裾《すそ》を引かれたという。

裾を引っぱられると、夢の中の出来事のように感じられ、山中を引きまわされる。そのうちに賑やかな太鼓の音が聞こえだし、「帰ろう、帰ろう」と、まるで太鼓が自分を呼んでいるように聞こえる。

気がつくと、目の前には府中観音大権現と大書された大旗があり、風にバタバタと鳴っていた、などという話が伝わる。

齢《とし》を経た雄《おす》の狢が、妊婦の発する匂いにつられて発情し、裾を引くのだといわれている。

㊂袖引き小僧
『大穂町の昔ばなし』佐野春介

鼈〔すっぽん〕　泥亀ともいう。各地の湖沼や池、堀などに棲息する鼈《すっぽん》は、土地により妖怪視されている。

京都府船井郡園部村小山（園部町）では、鼈は河童と同じように人を取るといい、池で子供がよく取られた。

鼈は尻から血を吸うので、その遺体の尻には血が吸われた穴が残っているという。

この池の鼈は、8月何日かまでに人間の肝を池の弁天様に上納しなくてはならず、それが叶わないときは池に棲むことができなくなるのだという。そのため、鼈は必死になって人を取るのだと伝わっている。

また、『孔雀楼文集』『北越奇談』『閑田耕筆』には、鼈料理屋や鼈を捕ることを生業《なりわい》にしていた者が、鼈の祟りにあう話が見える。

『口丹波口碑集』垣田五百次・坪井忠彦　『北越奇談』崑崙橘茂世　『随筆辞典　奇談異聞編』

すっぽんの幽霊（鼈）

柴田宵曲編

崇徳院〔すとくいん〕

↓崇徳上皇の怨霊

崇徳上皇の怨霊〔すとくじょうこうのおんりょう〕　崇徳院は第75代天皇だが、保元の乱での敗北により讃岐《さぬき》（香川県）に流され、同地で没した。死後は金色の大きな鳶《とび》の姿に変化し、天狗の首領になったといわれる。

明治維新後、明治天皇は父である孝明天皇の遺志を継ぎ、京都市上京区に白峰《しらみね》神宮を建立し、讃岐の白峰御陵より崇徳上皇の霊を京都に招き、神に祀ることでその霊威を鎮めた。

㊂天狗

『日本伝奇伝説大事典』乾克己・小池正胤・志村有広・高橋貢・鳥越文蔵編『日本妖怪異聞録』小松和彦

砂かけ婆〔すなかけばばあ〕　奈良県、兵庫県でいう妖怪。奈良では人気のない寂しい森や、神社の傍《かたわ》らを通るとき、砂がばらばらと振りかかることがあるという。

これは砂かけ婆のしわざで、誰もその姿を見た者はいないという。

姿が見えないのに、婆だとするのも不思議な話だが、兵庫県でも狸のしわざなのに砂かけ婆だとする土地がある。

兵庫県西宮市今津のある家の松の木に現れたもので、晩にそこを通ると、狸が頭の上から砂をかけるという。ただし、砂をかける音をさせるのみで、実物の砂はないという。

砂をふらす妖怪では、婆ではなくむしろ狸のような小動物がその正体だとする話のほうが多いようである。

『民間伝承』通巻39号「ダンヂリキチベー」山田良隆『妖怪談義』柳田国男『日本怪談集妖怪篇』今野円輔編著

砂降らし〔すなふらし〕

↓砂撒《ま》き狸

砂撒き鼬〔すなまきいたち〕　新潟県大面村字矢田の翁坂（三条市）でいう妖怪。後ろ脚で砂を蹴りまくって、人に砂をかけるという。

砂かけ婆

(参)砂かけ婆、砂撒《ま》き狐、砂撒《ま》き狸
『越後三條南郷談』外山暦郎

砂撒き狐［すなまききつね］　青森県三戸郡五戸町でいう狐の妖怪。五戸と浅水との間の扇田坂という長い坂を、夜になってから何か物を持って通ると、よく砂を撒《ま》かれたという。

(参)砂かけ婆、砂撒《ま》き鼬《いたち》、砂撒《ま》き狸
『旅と伝説』通巻137号「五戸の狐ばなし　二」
能田多代子

砂撒き狸［すなまきたぬき］　青森県津軽、新潟県、愛知県、福岡県などでいう狸の妖怪。夜道を歩いていると、狸が砂を撒《ま》いてくる。

高知県土佐郡土佐山村高川では、砂ではなく石を投げる狸がいたそうで、実際に目撃した者の話によれば、狸が前足に石を挟《はさ》み、仰向けになって後ろ足で跳ねていたという。

兵庫県西宮市にも砂を撒く狸の話があるが、こちらはなぜか砂かけ婆とよばれている。

新潟県佐渡郡佐和田町に伝わる話は少し趣向が違う。佐渡に流された順徳上皇には忠子内親王という娘がおり、一宮様とよばれていた。時々、この二宮様が真野の上皇を訪ねた。
その頃、妙照寺に信心深い狸がいて、二宮様が上皇のもとを訪ねる前日になると、その通り道に砂を撒いて清めておいた。沿道の人たちはその砂を見て、二宮様が上皇を訪ねることを知ったのだという。
㊇砂かけ婆、砂撒《ま》き鼬《いたち》、砂撒《ま》き狐
『妖怪談義』柳田国男 『筑紫野民譚集』及川儀右衛門 『越佐の伝説』小山直嗣 『猪・鹿・狸』早川孝太郎

スネカ 岩手県沿岸部でいう来訪神または妖怪。正月15日の晩、怠け者の象徴である脛《すね》の火がたを取りにやってくる異形の者。

「泣く子はいねえかあ、セッコキ（怠け者）はいねえかあ」と怒鳴って入って来るという。

東北地方に広く見られるナマハゲの類で、スネカとは、「脛かっちゃぎ」を略した名前とされる。

㊇ナマハゲ、アマメハギ
『旅と伝説』通巻82号「すねか」丹野寅之助 『綜合日本民俗語彙』民俗学研究所編

脛こすり〔すねこすり〕岡山県小田郡でいう妖怪。通行人の足の間をこすって通る犬のような形をしたもの。雨の降る晩に現れるという。
㊇足まがり、オボ、コロビ、ノツゴ
『妖怪談義』柳田国男 『綜合日本民俗語彙』民俗学研究所編

隅坊主〔すまぼうず〕岩手県和賀郡立花村平沢（北上市）でいう家の妖怪。『綜合日本民俗語彙』に他の説明がないため詳細は不明。福島県南会津郡田島町での子供の遊びにスマタラというものがあり、薄暗い土蔵の中で「スマタラ来い」などとよびかけると、そのスマタラが現れるという。
スマタラは隅太《すまた》郎《ろう》が訛《なま》ったものらしく、隅坊主とも無関係ではなさそうである。また、座敷わらしの一種であるとも考えられる。
㊇隅の婆様《ばさま》
『綜合日本民俗語彙』民俗学研究所編 『学校

すねこすり（脛こすり）

の怪談　口承文芸の展開と諸相』常光徹　『幽霊と妖怪の世界』草川隆

隅の婆様［すみのばさま］　山形県米沢で行われる一種の胆試しで、そこに現れる妖怪。

夜中の座敷で、四隅に一人一人が座って灯りを消す。その後、四隅から真ん中に這《は》い出て、真っ暗闇の中でお互いの頭を探りながら、「一《ひと》隅《すみ》の婆さま、二隅の婆さま…」と数えてゆくと必ず1人多く5つめの頭があるという。

これは現在でも聞かれるもので、よく山小屋の怪談として語られている。

名前も漢字では伝えられていないことが多いようだが、カタカナでスミノバ様といわれているようである。

㊫隅《すま》坊主

『学校の怪談　口承文芸の展開と諸相』常光徹

『米沢地方説話集』水野道子編

ずんべら坊［ずんべらぼう］　のっぺら坊のことで、ずべら坊ともいう。名前はよく知られているものの、文献上にはあまり出てこなく、巌谷小波の『大語園』に引かれた『諸国怪談雑考』に見えるくらいのようである。

昔、津軽弘前（青森県）にのど自慢の男がいた。ある日、男が山道を歩きながら「思い切れとて五合桝《ます》投げた、これは一生の別れ桝」と歌っていると、近くで自分よりいい声で同じ歌を歌っている者がいる。

男はその歌声に聞き惚れていたが、いきなり「誰だっ？」と問いかけた。

すると、すぐ耳もとで「俺だ」という声が聞こえ、ザンギリ頭に目も鼻も口もない卵のような顔をしたずんべら坊が現れた。

男は悲鳴をあげて逃げ戻り、隣村の知人の家を頼った。「山の中で怪物に会った」と一部始終を語ると、その家の主《あるじ》は眉をひそめて、「それは変な話じゃ。で、そのずんべら坊の顔はこんな顔だったか」というなり、先ほど見たずんべら坊の顔を差し向けた。男は気絶してしまい、そのまま死んでしまったという。

これは小泉八雲の「狢《むじな》」や会津の朱の盤などと同じ形式を踏んだもので、中国の『捜神記』などにそのルーツがあるとされている。

この他、佐藤有文の『日本妖怪図鑑』には、島根県の妖怪として、ずんべらという妖怪が紹介され、【地面に黒い影のようになって、這いつくばっている。人間の足音をきくとむっくり起き上がって足をとらえ、長い舌でぐるぐると巻いて地面の底にひきずりこむ。ちっそく死させてから、ゆっくりと人間を食べてしまうのだ】と説明されているが、この妖怪は創作された可能性が強いようである。

㊂のっぺら坊

『大語園』巖谷小波編　『日本妖怪図鑑』佐藤有文

せ

セーマ

↓キジムナー

セーマグ

↓キジムナー

瀬女〔せおんな〕　福島市付近の阿武隈川《あぶくま》でいう妖怪。夜、川漁をする者が、川の激流の中に佇《たたず》む人影を見ることがある。それが女の場合は瀬女、男の場合は瀬坊主《せぼうず》という。

瀬女は石女《うまずめ》（月のものを知らない女性）の生霊《いきりょう》だといわれ、睡眠中に身体から抜け出した霊が川の瀬に姿を現したものだという。石女は月のものの苦しみの代わりに、このような苦行を神から課せられているのだという。

『信達民譚集』近藤喜一

石塔磨き〔せきとうみがき〕　江戸時代後期の随筆などに見られる怪異。汚れた墓石や石塔が知らない間にきれいに磨かれているというもので、いつしか石塔磨きという化け物のしわざとされた。東北、関東、東海、四国と広い範囲で噂された。
『藤岡屋ばなし』鈴木棠三　『殿様と鼠小僧』氏家幹人

関の寒戸〔せきのさぶと〕　新潟県佐渡の相川町関でいう化け狸。佐渡では狸のことを狢《むじな》とよ

石塔磨き

ぶが、この狢の親分が二つ岩の団三郎で、関の寒戸はその子分とされる。

関の寒戸というのは岩屋の名前で、そこにはお杉という歳《とし》をとった雌狢がすんでいた。お杉は器量の良い姉さんに化けては、夜道を通る男を騙《だま》していたが、他所者《よそもの》である能登の船頭に本気で惚れてしまった。

他所者には肌を許すなという狢の掟を破ったために知行山の神の怒りを買い、お杉と能登の船頭は知行山の神が起こした山崩れの下敷きになって死んだ。

哀れに思った村人は、寒戸に祠を建て、お杉の霊を弔《とむら》った。それが今も関の海岸近くにある大杉神社なのだという。

お杉は強い神通力《じんつうりき》を持っていたので、漁師は魚貝類を岩屋に投げ入れて大漁を祈り、農民は初穂《はつほ》を献じて豊作を願った。

安政年間（一八五四年〜一八六〇年）に佐渡で疫病が流行したとき、寒戸の狢に祈れば霊験があるというので、多くの参拝者が訪れたという。

㊜団三郎狢、狸
『佐渡の伝説』浜口一夫・吉沢和夫『新潟県伝説集成　佐渡篇』小山直嗣

石妖〔せきよう〕『中陵漫録』にあるもの。

伊豆（静岡県）の山中にある石の産地で、数人の石工《いしく》が休憩していると、一人の美女が現れて、働きづめで疲れているだろうから按摩《あんま》しますと、石工の肩を揉みはじめた。揉まれた者は夢心地となり、いつしか寝てしまう。

不審に思った者が猟師に頼んで、女を鉄砲で撃ってもらうと、石が割れるような音とともに女は倒れた。しかしその場所には女の死体はなく、砕け散った石があるだけだった。石の精が人の姿となって現れたのである。

この女に按摩をしてもらった者の背中には、石で引っ掻《か》いたような傷が縦横にあり、薬を塗ってようやく治ったという。

『随筆辞典　奇談異聞編』柴田宵曲編

セコ　鹿児島県を除く九州と島根県隠岐島でい

石妖

う妖怪。河童が山に入ったもので、セココ、セコドン、セコンボ、カリコボ、ガワタロ、ガッコ、ヤマンタロウ、山童《やまわろ》などと、土地によってさまざまによばれている。

セコの名前は狩猟の際に獲物を狩り出す勢子《せこ》にちなんだものと考えられ、勢子が獲物を追い出すときの「ほーい、ほーい」という掛け声をよく真似《まね》るからだともいわれる。

その姿は猫に似た小動物だとか、姿が見えないとかいわれるが、大体は頭を芥子《けし》坊主にした6歳~7歳の子供のようなものとされる。

山中で山鳴りや木が倒れるような音をたてたり、山小屋を揺すったりするが、こちらがちょっかいを出さなければ害はない。

セコに悪戯《いたずら》されたら、鉄砲を鳴らすか、読経《どきょう》するとよいとされる。あるいは「今夜は俺が悪かった」といい訳するのも効果があるという。鋸《のこぎり》の音や鰯《いわし》の頭を嫌うので、「鰯をやるぞ」といえば、悪さをしないともいう。

『観恵交話』には、セコは目1つという以外は

セコ

人間にそっくりだとある。身には毛がなく、20～30ずつ連れ立って歩く。人に会っても害をなさず、よく大工の墨壺《すみつぼ》を欲しがるが、与えてはいけない。言葉はないようだが、ヒュウヒュウと高く響く声で鳴く、などとある。

民俗資料などには、セコが一つ目だという特徴は見受けられないが、その鳴き声は各地に伝わっており、主に山と川とを移動するときにヒョウヒョウ、キチキチ、ヒョッヒョッ、ホイホイなどと鳴くという。

セコの移動する道は決まっているようで、山の稜線伝いに移動するとよくいわれる。セコの通り道に小屋を建てたりすると、石を投げつけられたり揺すられたりするという。

島根県隠岐島のセコは、カワコが秋の彼岸に山に入ったものとされ、鼬《いたち》のように身が軽く、こちらでヨイヨイと鳴いたかと思うと、すぐにあちらでヨイヨイと鳴く。ホイホイ、ショイショイとも聞こえるそうである。その足跡は1歳程度の赤児に似ているという。

また、セコは齢《とし》を経た河童だともいうそうで、一本足で川や溝を歩くとも伝わっている。

(参)河童、山童

『河童』大島建彦編「河童伝承と農神信仰について」千葉徳爾『河童の世界』石川純一郎『綜合日本民俗語彙』民俗学研究所編『日本怪談集 妖怪篇』今野円輔編著『山の人生』柳田国男『日本妖怪変化語彙』日野巌・日野綏彦

セココ

→セコ

セコゴ

→セコ

セコドン

→セコ

セコンボ

→セコ

殺生石〔せっしょうせき〕 栃木県那須にあるものが有名だが、殺生石そのものは各地に伝わっている。

中国、インド、日本と3ヵ国にわたって悪事をはたらいた九尾《きゅうび》の狐は、京都を追われて今の栃木県那須で石と化した。その石は常に毒気を吐き、近づくものはおろか、その石の上を飛ぶ鳥さえも殺してしまうので、人々は殺生石とよんで近づくことはしなかった。そこへ玄翁《げんのう》という和尚がやって来て、石を砕いて九尾の狐の霊を散滅させたという。

伝説では玄翁が破壊した殺生石は四方八方に飛び散ったそうで、近いところでは福島県会津磐梯山の周辺に落ち、もっとも遠いところで大分県にまで飛んでいる。

確認できる場所を挙げれば、福島県の会津磐梯山の毒石、福島県猪苗代町土田新田村、福島県河沼郡河東町八田、栃木県烏山町下境の解石神社、愛知県額田郡岩津村村積山(岡崎市)、岡山県真庭郡勝山町化生寺、岡山市足守上高田五后社山、山口県長門市八面稲荷、大分県別府市などがある。

砕け散って散滅したはずの九尾の狐だが、それぞれの土地で祟りをなしたなどの伝説があり、福島県猪苗代町ではわざわざ玄翁和尚がやって来て、さらに細かく砕いたという話が伝わっている。

(参)九尾の狐

『石の伝説』石上堅　『日本伝奇伝説大事典』乾克己・小池正胤・志村有広・高橋貢・鳥越文蔵編　『日本伝説名彙』柳田国男監修・日本放送出版協会編

瀬戸大将〔せとたいしょう〕　鳥山石燕『画図百器徒然袋』に、寄せ集めた瀬戸物の身体に瀬戸物の甲冑《かっちゅう》をつけたような姿で描かれた妖怪である。

　絵のそばには、【槊をよこたへて詩を賦せし曹孟徳にからつやきのからきめ見せし燗鍋の寿亭侯にや。蜀江のにしき手を着たりと、夢のうちにおもひぬ】と記されている。

　これは雄大な史劇で人気のあった『三国志』の登場人物である曹操孟徳《そうそうもうとく》と関羽《かんう》（寿亭侯）との逸話をモデルにして創作された妖怪で、瀬戸物でできた瀬戸大将は関羽をイメージしたもの

瀬戸大将

であるという。

『鳥山石燕 画図百鬼夜行』高田衛監修・稲田篤信・田中直日編

銭神〔ぜにがみ〕『古今百物語評判』にあるもの。黄昏時《たそがれ》に薄雲のようなものがやってきて、人家の軒を音を出しながら通っていく。刀で切り落とすと、大量の銭がこぼれるという。

これは世界中の銭の精が集まって、空中にたなびいているのだと記されている。

『続百物語怪談集成』太刀川清校訂・高田衛・原道生編

瀬坊主〔せぼうず〕
↓瀬女《せおんな》

洗濯狐〔せんたくぎつね〕静岡県引佐《いなさ》郡麁玉村（浜北市）でいう妖怪。平釜川でジャブジャブと洗濯するような音を夜にたてる。小豆洗いなどの類と思われる。
㊫小豆洗い
『静岡県伝説昔話集』静岡県女子師範学校郷土研究会編

禅釜尚〔ぜんふしょう〕鳥山石燕の『画図百器徒然袋』に茶釜の妖怪として描かれたもので、【茶は閑寂を事とするものから、陰気ありてかかる怪異もありぬべし。文福茶釜のためしもと、ともに夢の中思ひぬ】とある。

ここでは、禅釜尚、虎隠良《こいんりょう》、鎗毛長《やりけちょう》が一緒に描かれている。絵柄は室町時代の『百鬼夜行絵巻』を見本としているようである。

『鳥山石燕 画図百鬼夜行』高田衛監修・稲田篤信・田中直日編

センポクカンポク 富山県東礪波《ひがしとなみ》郡利賀村でいう妖怪。これは『民間伝承』通巻68号に金子総平が寄稿した文章にあるもので、もっとも古い資料だと思われる。少し分かりにくい表現箇所があるので、原文を引用しておく。【怪物の名、死人のある家のカケミシロにゐる。一週間たつとオートの外に出るが番人をしてるもので三週間は家にゐて四週間位で墓場に行く。顔は人間に似て四つ足のもの、ドンビク（蛙）の大きいもの、即《すなわ》ちガマとおなじものだ。昔きくと云つ

センポクカンポク

て大歳《たいさい》の晩は村の子供達はねずに廻って歩き、年寄りはシャバ中の話しをするものと云つた。

ムカシアッタと昔かたりする時によくこのバケモノが話に出た。カサゴットとかテンテンゴットの神とか云つてガマは術を心得てゐるから神にしてゐる。即ち、虫でも蝶でもとんでるものをガマは自分の口の中にとび込ますからだと云ふ。生命の危険に際してテンテンゴットの神を念ずることによりガマの術で助かる時があると。コロコロと鳴く蛙の音をビクノコワラヤミと呼んでるが腹痛を訴へるそれを云ふのか】

『綜合日本民俗語彙』によれば、カケミシロは掛け蓆《むしろ》、オートとは大戸のことだという。

蛙や蝦蟇《がま》を神仏の使いとする俗信はかなり広い範囲でいわれており、家の守り神とする地方も少なくない。

霊の乗り物とされている場合もあり、熊本県玉名郡南関町では雨蛙のことをホトキサンビキと呼び、仏さんを背負っているから殺してはいけないといわれていたそうである。

富山県氷見郡では、立山に登ろうとすると、大きな蝦蟇が手をつないで道を遮《さえぎ》るいい伝えがある。立山は青森の恐山と同じように、死者が集まる山とされていた。その山に蝦蟇が関係していることは、霊（魂）と蝦蟇との結びつきが強いことを示唆しているのであろう。

引用文からはセンポクカンポクが何をしている妖怪なのかはよく伝わってこないが、これらのことから考えると、死者の霊（魂）の番をし、それを案内する役目を持っているのではないだろうか。4週間目に墓場へと行くことがそれを物語っているように思える。

名前の由来も不明だが、カサゴットとかテンテンゴットのカサ及びテンテンは、出来物《できもの》（瘡《かさ》）やイボを意味しているようで、ゴットとは蛙、とくに蝦蟇をさす方言である。

㊫蝦蟇
『民間伝承』通巻68号　『綜合日本民俗語彙』民俗学研究所編　『日本俗信辞典』鈴木棠三

そ

叢原火〔そうげんび〕　宗源火とも表記される。『新御伽婢子』にある怪火。

賽銭《さいせん》や灯油を盗んでは売っていた、京都壬生《みぶ》寺地蔵堂の悪僧が、死後、その悪行により火の玉となって現れたというもの。

鳥山石燕も『画図百鬼夜行』で描いており、【洛外西院の南、壬生寺のほとりにあり。俗これを朱雀《すざく》の宗源火といふ】と記している。

『鳥山石燕　画図百鬼夜行』高田衛監修・稲田篤信・田中直日編

葬頭河婆〔そうずかばばあ〕
→奪衣婆《だつえば》

象頭山金剛坊〔ぞうずさんこんごうぼう〕　香川県の琴平山は金比羅山《こんぴらさん》とも象頭山ともよばれ、この山に棲む天狗が金剛坊であるという。密教系の祈禱秘経『天狗経』にある全国代表四十八天狗の一つに数えられている。
㊫天狗

『天狗考　上』知切光歳　『図集天狗列伝　西日本編』知切光歳

ソーンリサ
↓キジムナー

曾我兄弟の怨霊〔そがきょうだいのおんりょう〕『曾我物語』に見える怪異。

父の仇《かたき》を討った後に、仁田四郎忠常に殺された曾我祐成（十郎）と、仇敵・工藤祐経の子に首を刎《は》ねられた曾我時致（五郎）は、死後、怨霊となって富士の裾野に止《とど》まり、名乗り声や鯨《と》波《き》の声、合戦の物音をたてたという。

その音は昼夜の別なく響きわたり、聞いた者は絶命するか、気がふれてしまった。

「ようぎやう上人」がねんごろに弔い、兄弟の霊を照明皇神宮として祀ったことによって、ようやく怪異は治まったという。

『日本の幽霊たち』阿部正路　『日本の幽霊』池田弥三郎

底幽霊〔そこゆうれい〕長崎県、佐賀県の海上でいう怪異。海底に真っ白な姿で現れるもので、成仏できない水死者の霊のしわざとされる。船の底にとり憑き、船を動けなくしたり揺すったりして、転覆《てんぷく》させようとする。
西彼杵《にしそのぎ》郡平島では、海坊主や船幽霊になって現れることもあるという。
㊂船幽霊、シキ、シラミ、引き亡者《みょーじゃ》
『綜合日本民俗語彙』民俗学研究所編

袖引き小僧〔そでひきこぞう〕埼玉県比企郡川島町中山上廓でいう妖怪。
昔、上廓の辺りを歩いていると、後ろから袖を引っ張られることがあった。振り向いても誰もいない。そのまま歩きだすと、また同じように袖を引かれる。誰ともなく、袖引き小僧のしわざだといわれたという。
㊂裾引き狢《むじな》
『川越地方郷土研究』1巻4号　『綜合日本民俗語彙』民俗学研究所編　『埼玉県伝説集成　下』韮塚一三郎編著

袖もぎ様〔そでもぎさま〕袖取り神、袖モジキ様ともよばれる、西日本を中心に伝わる民間

袖引き小僧

神。

この神がいる前で転倒するのはよくないことで、もし転んだら、片袖をちぎって供えないと、災難に遭うといわれている。

しかし、神とはいっても具体的に祭祀されていることは珍しく、袖切り坂、袖切り松、袖切り橋、袖切り川などと、特定の場所にそうしたいい伝えがあるくらいだという。

香川県三豊《みとよ》郡の袖モジキは木折り神ともよばれ、枝を折って手向《たむ》けにし、岡山県邑久《おく》郡の袖もぎには草履《ぞうり》を供えたというので、必ずしも袖だけが供え物ではないようである。

『綜合日本民俗語彙』民俗学研究所編　『民間信仰辞典』桜井徳太郎編　『日本の火の神信仰と憑きもの』石田隆義

空神〔そらがみ〕　奈良県吉野郡でいう天狗のこと。高い場所にいる神という意味であるという。

㊂天狗

『綜合日本民俗語彙』民俗学研究所編

空木倒し〔そらきだおし〕 鹿児島県肝属《きもつき》郡百引村（輝北町）でいう山中の怪異。

　大木の倒れる音がするが、そこに行ってみても何事もない。この怪異が起こる場所は決まっているという。

　伐《き》った木は牛に引かせるために穴を開けるが、この怪異の音は、木が倒れる音だけで、穴を開ける音は伴わないそうである。

㊜空木《からき》倒し、天狗倒し
『綜合日本民俗語彙』民俗学研究所編

算盤小僧〔そろばんこぞう〕
→算盤《そろばん》坊主

算盤坊主〔そろばんぼうず〕 京都府船井郡西別院村笑路《えみじ》（亀岡市）でいう妖怪。算盤小僧ともいう。

　笑路の西光寺の辺りを夜中に通ると、寺の傍《かたわ》らにある榧《かや》の木の下に坊主のような男が現れ、盛んに算盤《そろばん》を弾《はじ》きだすという。

　昔、この寺の小坊主が計算の間違いを和尚に罵《ののし》られたことを苦にして、この榧の木で首を吊

算盤坊主

ソンツル

った。その亡霊が現れるのだという。地元では狸のしわざかもしれないといっている。

また、この寺の隣にある素戔嗚《すさのお》神社の木の下に毎夜1時頃になると少年が現れ、算盤の稽古《けいこ》をはじめるという話もある。この少年は寺の開祖・山萬安英種和尚であり、幼少の頃の和尚が、深夜に人知れず勉学に努めていたのだとするいい伝えもあるという。

『口丹波口碑集』垣田五百次・坪井忠彦 『旅と伝説』通巻117号「地名起源伝説と動植物伝説」田中勝雄 『妖怪談義』柳田国男

ソンツル 鳥取県伯耆《ほうき》地方でいう憑き物。ソンナガイともいう。

憑き物筋のことをいうようで、狐ヅル、トウビョウ、カタ(鉄ガタ、ウマムシともいう)などがあり、多くは狐ヅルのことをいう。狐ヅルの狐は人狐《にんこ》とよばれ、憑いている家の周囲には75匹の眷属《けんぞく》が遊んでいるという。この人狐は雌の鼬《いたち》だともいわれている。

トウビョウとは蛇のような蚯蚓《みみず》のような形を

したもので、皮膚と肉の間に入って害をなす。その害を受けないために、月末にはお粥を煮て、トウビョウに与えるという。

トウビョウとよばれる家には、台所の床下に小さな壺が置いてあり、その中にトウビョウがウジャウジャいるそうである。

カタというのは身体中に斑点が出現する皮膚病の一種だという。

『日本妖怪変化語彙』日野巖・日野綏彦 『憑物』喜田貞吉編「憑物談抄録」

ソンナガイ

→ソンツル

た

ダイダボウ

→ダイダラボッチ

ダイダラボウ

→ダイダラボッチ

ダイダラホウシ

→ダイダラボッチ

ダイダラボッチ 大太郎坊、大太郎法師、大太法師などと表記される。関東、中部を中心に東北から四国まで広く分布する伝説の巨人。デエデエボウ、デンデンボメ、ダイトウボウシ、レイラボッチ、ダダ星などともよばれ、各地に山や塚、湖沼をつくった伝説が残る。

なかでも一番スケールの大きいものは『奇談一笑』にある近江の伝説であろう。富士山はダイダラボッチが近江（滋賀県）の地面を掘った土を盛り上げてつくったというのである。掘った跡は琵琶湖になり、ダイダラボッチが土を運ぶ途中で落とした土くれが、富士山と琵琶湖の間にある山々になったという。

その他にもダイダラボッチ伝説は地名として残されており、東京都世田谷区の代田《だいた》、長野県戸隠の大座《だいざ》法師《ほうし》池《いけ》、三重県志摩郡の大王町などがそのいい例である。

『日本昔話事典』稲田浩二・大島建彦・川端豊彦・福田晃・三原幸久編 『日本伝奇伝説大事典』乾克己・小池正胤・志村有広・高橋貢・鳥

越文蔵編

ダイタロウボウ
↓ダイダラボッチ

大天婆〔だいてんばばあ〕宮城県気仙沼でいう妖怪。小池婆や鍛冶《かじ》が嬶《ばばあ》の類。

陸前国（宮城県）気仙沼に儀八郎という者がおり、その老母は、おさんといった。

　おさんは物静かな性格だったが、あるときから、日頃は口にしなかった魚や鶏肉《とりにく》を好むようになり、妙に元気になっていった。それと時を同じくして、近所では何者かに鶏を盗まれるという事件が度重《たびかさ》なっていた。

　ある日の暮れ、儀八郎の家の辺りを巡礼僧が通りかかった。突然、何者かに襲われたので、刀で応戦すると、ギャッという悲鳴が聞こえ、それは暗闇の中に逃げていった。

　巡礼僧がその日の宿を儀八郎の家に求めると、家では老母が頭に怪我《けが》をしたとかで大騒ぎをしていた。

怪しいと思った僧は儀八郎に今日の出来事を告げ、さっそく老母を殺してみると、それは恐ろしい怪猫《かいびょう》だったという。

㊫鍛冶が嬶、小池婆
『大語園』巌谷小波編　『自然と文化』一九八四秋季号「こどもたちのこわいもの」斎藤たま

ダイトウボウシ
↓ダイダラボッチ

ダイバ　額馬、提馬と表記される。本州、四国の各地でいう怪異。茨城県では提馬風《だいばかぜ》、岐阜県や愛知県ではギバ、富山市ではダエワ、高知県ではカゼフケ、ユキアイなどという。

　路上で突然、馬が倒れてしまうもので、魔物が馬の鼻から入って尻に抜け出るものと信じられた。実際、ダイバにやられた馬は、口から尻にかけて太い棒を差し込んだように、尻の穴が開いているという。

　ダイバに襲われる状況は『伽婢子』に詳しく記されている。

　突然に旋風《つむじかぜ》が起こり、一陣の砂煙が馬の前で車輪のようにグルグルまわる。その砂煙が馬の首に至ると、たてがみ一本一本が立ってくる。そして、たてがみの中に赤い糸のような光が射し込むと、馬は悲鳴を上げて倒れる。馬が死ぬと、風は煙のように消えてしまう。馬の行く手を刀で斬り払い、光明真言《こうみょうしんごん》を唱えれば砂煙は逸《そ》れていく、などとある。

『伽婢子』の記述は中国の『諾皐記』から引いたもので、中国にも同様の怪異があったことが分かる。

また、赤い着物の女が玉虫色の子馬に乗って中空より現れ、紙屑《かみくず》でも落ちるようにしてヒラヒラと馬の前に現れるという伝えもある。

女が馬の顔に組みついてにっこりと笑うと、玉虫色の子馬も女も消え失せる。すると、馬は右方向に3度まわって倒れてしまうという。

ダイバが現れる時期は4月から7月の間だけで、とくに5月、6月の曇ったり晴れたりする、むらっ気のある天気の日が多いという。

被害にあいやすい馬の特徴は地方によって異なり、岐阜では白馬に限られ、静岡県西部では栗毛や鹿毛が襲われるという。老馬や牝馬は被害にあわないとする地方もある。

防ぐには、馬の耳を少し切って血を出せば助かるとか、馬の首を布か衣服で被《おお》う、虻除《あぶよ》けの腹当てをするなどの方法が伝わっている。

物理学者の寺田寅彦は「怪異考」の中でダイバをとりあげ、出現場所や期間、馬が襲われているときの状況などから、一種の空中放電ではないかという考察をしている。

『民俗怪異篇』礒清『寺田寅彦全集 二』「怪異考」『想山著聞奇集』三好想山『妖異博物館』柴田宵曲『綜合日本民俗語彙』民俗学研究所編

松明丸〔たいまつまる〕鳥山石燕『画図百器徒然袋』に火を携えた猛禽類《もうきんるい》のような鳥が描かれ、【松明《たいまつ》の名はあれども、深山幽谷の杉の木ずえをすみかとなせる天狗つぶての石より出る光にやと、夢心に思ひぬ】とある。

深山で突然、石が降ってくるのを天狗礫《てんぐつぶて》というが、松明丸はその礫《つぶて》から出る光だという。

松明丸

『鳥山石燕 画図百鬼夜行』高田衛監修・稲田篤信・田中直日編

大蓮寺〔だいれんじ〕 埼玉県川越市石原でいう怪火。かつてこの地にあった大蓮寺から出現したので、この名でよばれている。

9月から2月の小雨の夜に田んぼの小道を歩いていると現れ、目の前に来ると、火がいくつにも分かれる。出会っても構わずにいれば自然と遠くにいってしまうが、驚いて騒いだり、消そうとすると、目の前を遮《さえぎ》り、傘に取りついたりして、酷《ひど》い目にあわされる。火とはいっても、物を燃やすことはないという。

『日本伝説叢書 北武蔵の巻』藤沢衛彦

高雄内供奉〔たかおないぐぶ〕 密教系の祈禱秘経『天狗経』にある全国代表四十八天狗の一つに数えられているものだが、山城（京都府）の天狗とあるだけで、詳細は不明。

㊂天狗

『天狗考 上』知切光歳 『図集天狗列伝 西日本編』知切光歳

高女〔たかおんな〕　鳥山石燕の『画図百鬼夜行』に、廓《くるわ》らしき建物内で下半身をニュッと伸ばしたような女の妖怪として描かれている。絵だけなのでどのような妖怪かは不明。

　しかし、藤沢衛彦の『妖怪画談全集　日本篇上』には、和歌山県の高女房《たかにょうぼう》という話があり、その挿し絵に石燕の高女が使われて、【妓楼《ぎろう》の二階などに下からぬっと出て人を驚かす高女】という解説がなされている。

　これでは絵から想像したにすぎないようで、高女と高女房の関連も明らかにされていない。

　また、山田野理夫の『東北怪談の旅』には、秋田県での高女の話があるが、別の話に高女という名前を当てはめたものと思われる。

『鳥山石燕　画図百鬼夜行』高田衛監修・稲田篤信・田中直日編　『妖怪画談全集　日本篇上』藤沢衛彦　『東北怪談の旅』山田野理夫

高入道〔たかにゅうどう〕　兵庫県、香川県、徳島県でいう妖怪。見越し入道の類。

　兵庫県では、西宮市今津にある酒蔵の狭い路

高入道

地によく現れたという。不意に眼前に現れ、見上げると天に達するほど大きくなるが、物差しで一尺、二尺、三尺と数えていけば消えるという。正体は狸、もしくは狐とされた。

香川県大川郡長尾町多和（さぬき市）でも狸のしわざとされ、「負けた、見越した」と呪文を唱え、お辞儀をすると消えるといわれた。

徳島県では高須の隠元《いんげん》という狸がよく高入道に化け、通行人に相撲を挑んだそうである。

㊜見越し入道、次第高《しだいだか》、高坊主、入道坊主、伸び上がり、見上げ入道、ユーリー

『民間伝承』通巻39号「タカニュードー」山田良隆『日本怪談集　妖怪篇』今野円輔編著『綜合日本民俗語彙』民俗学研究所編

高坊主［たかぼうず］　奈良県生駒郡、徳島県、香川県木田郡でいう妖怪。

香川県では、途方もなく背が高い坊主だといい、道の四ツ辻に出るという。

徳島県では、麦の穂が出た頃に現れるものとされ、夕方まで遊んでいる子供がいると、高坊主に化かされるぞと注意するそうである。

奈良県郡山町（大和郡山市）では、五佐衛門狸やカドヘ狸が化けたものを高坊主といっている。この狸たちは腹を膨《ふく》らませて、目鼻口のない高さ一間（約1m80cm）もの坊主に化ける。肝の据った人間が驚かないでいると、これでもかとばかりにどんどん膨らみ、最後には腹が破裂してしまったという話がある。

㊜見越し入道、次第高《しだいだか》、高入道《たかにゅうどう》、入道坊主、伸び上がり、見上げ入道、ユーリー

『妖怪談義』柳田国男『綜合日本民俗語彙』民俗学研究所編『大和の伝説』高田十郎編

ダキ　佐賀県東松浦郡鎮西《ちんぜい》町加唐島《かからじま》でいう妖怪。

親子3人連れの漁師が海岸で火を焚《た》いていると、見知らぬ女が近づいてきて「魚をくれ」といった。父親は怪しみ、2人の子に「船のオモテの中の魚を持ってきてやれ」と命じた。

はじめから魚など入っていないので、子供たちは「魚など見つからないよ」という。父親は「そんなことはないはずだ」などといって船に

乗り込み、すぐさま艫綱《ともづな》も錨綱《いかりづな》も切って沖に逃げた。

「命を取り損ねた」と、女は悔しがったという。以来、東唐津の船は加唐島に来ると、艫綱を取らずに錨《いかり》だけを下ろして碇泊するようになったという。

㊫磯女

『日本怪談集　妖怪篇』今野円輔編著

滝霊王〔たきれいおう〕　鳥山石燕の『今昔百鬼拾遺』に滝の中に現れた不動明王のような姿が描かれ、【諸国の滝つぼよりあらはるると云。青流疏に「一切の鬼魅諸障を伏す」と云々】とある。

これは妖怪ではなく、まさしく不動明王を描いたもののようである。

『鳥山石燕　画図百鬼夜行』高田衛監修・稲田篤信・田中直日編

崖童〔たきわろ〕　瀧童とも表記される。山口県大津郡・阿武《あぶ》郡でいう妖怪。タキワロウともいう。タキとは崖のことで、断崖絶壁によく現れることから名づけられたようである。

大津郡川尻岬では、崖童に出会うと長く患ってしまうといわれており、阿武郡大島では崖童がグミだといって、コガの実をいっぱいくれた話がある。

山に3年、川に3年棲んで海に入るとエンコ（猿猴《えんこう》）になるともいわれており、河童に近い妖怪のようである。

『日本妖怪変化語彙』日野巌・日野綏彦　『綜合日本民俗語彙』民俗学研究所編

沢蔵主〔たくそうず〕

↓白蔵主《はくそうず》

たくろう火〔たくろうび〕　『芸藩通志』にある怪火。広島県御調《みつぎ》郡の海上で、2つの火が現れるという。

『妖怪談義』柳田国男

竹切り狸〔たけきりたぬき〕　京都府南桑田郡保津村大年（亀岡市）でいう怪異。

竹藪に棲む狸が、夜になると竹を伐《き》る音をたてる。はじめはチョンチョンと竹の小枝をはら

竹切狸《たけきりだぬき》(竹切り狸)

うようで、続いてギイギイと根元を伐る音をたてて、最後にはザザザと倒す音をさせる。音だけで、竹は倒れてはいないという。

『旅と伝説』通巻117号「地名起源伝説と動植物伝説」田中勝雄

たこ　青森県津軽の昔話に登場する妖怪。

ある三味線を抱えた盲目の男が峠を登っていたが、途中で日が暮れてしまったので、山中の空家で一夜を過ごすことにした。

深夜になると寂しさを紛らわせるために、男は三味線を弾き、声を張り上げて歌った。

どのぐらいの時が経ったか、風がざわざわざわめいたかとおもうと、歌を一曲所望《しょもう》したいという女の声が聞こえた。男は望まれるままに一曲、また一曲と歌った。

そのうち夜が明けはじめると、はじめて女が名乗った。「妾《わらわ》はこの山に棲む、たこなり。もし、お前が里に下りて私のことを語ったら、そのときは命がないと思え」との女の脅しに男はうなずくしかなかった。

里に下りた男は酒屋で休憩を取った。酒屋の主人は、峠を越してきたにしては早すぎると怪しみ、昨夜はどこに泊まったのか尋ねた。盲目の男は訊《き》かれるままに昨夜の女のことを答えると、そのままコロリと死んでしまった。

するとその場にたこが現れ、「妾は峠に棲むたこなり。この男は声がよかったから殺さなかったが、誓いを守らぬ故《ゆえ》、殺したのだ。ここにいる者も、妾のことを他言すれば命はない。しかも村は沼と化すであろう」という。

居合わせた者たちは、他言せぬとたこに誓う一方で、密《ひそ》かに鉄の棒を用意して峠の周囲を囲っておいた。たこは峠の我が家に帰ろうとしても、鉄棒が立っていて帰れず、とうとう死んでしまった。

村人が集まって見たら、女と見えたのは蛇だった。人々は、たこと盲人を合わせて祀り、神とした。これがオシラ様であるという。

㊜オシラ様

『津軽口碑集』内田邦彦

蛸入道〔たこにゅうどう〕島根県隠岐地方でいう妖怪。漁船を引っ繰り返したり、漁師を海に引き入れたりする蛸《たこ》の妖怪。

『日本妖怪変化語彙』日野巌・日野綏彦

高尾の坊主火〔たこのぼうずび〕石川県金沢市高尾でいう怪火。春秋の暗い晩、高尾の城山の頂上に現れ、富樫政親の館があった西方の野々市方面に飛んで行くという。

これは一向一揆《いっこういっき》で滅ぼされた富樫政親の怨念の火といわれている。

『加賀・能登の伝説』小倉学・藤島秀隆・辺見じゅん

ダダボウシ

↓屋島の禿狸《はげだぬき》

太三郎狸〔たさぶろうだぬき〕

↓ダイダラボッチ

ダダ星〔だだぼし〕

↓ダイダラボッチ

畳叩き〔たたみたたき〕高知市中島町でいう怪異。小八木某という侍の屋敷に大きな榎があり、そこに棲む古狸が、夜になると畳を叩くような音をたてた。屋敷や近隣には聞こえず、二町〜三町（約218m〜327m）離れた場所でよく聞こえたという。

㊂バタバタ

『土佐風俗と伝説』寺石正路編 『妖怪談義』柳田国男

たたりもっけ 青森県津軽地方でいう怪異。祟りもっけ、たたりもけともいう。

虐殺された者の怨念が、その殺した本人だけではなく、家にまで祟りが及ぶというもの。たたりもっけに魅入られた家では、怪火が現れたり、勝手に戸が開くような音がしたりと、何かと怪異が絶えず、病気のために一家全滅する場合もある。

また、赤ん坊のことを、もけという地方では、たたりもっけの正体を赤ん坊の霊と伝えている。青森県北津軽郡喜瀬村（金木町）では嬰児《えいじ》の霊とし、梟《ふくろう》に宿ると伝えている。

『津軽口碑集』内田邦彦 『日本民俗誌大系

たたりもっけ

十二 未刊資料三』「たたりもっけ」波多郁太郎・戸板康二『綜合日本民俗語彙』民俗学研究所編

奪衣婆〔だつえば〕 正塚婆《しょうづかばばあ》、塩塚婆《しおづかばばあ》、葬頭河《そうずか》婆《ばばあ》ともよばれ、脱衣婆《だつえば》と表記されることもある。

あの世とこの世の境にあたる三途《さんず》の川（葬頭河）の岸の衣領樹《えりょうじゅ》の下にいる鬼で、亡者から衣類を剝ぎ取る役目を持つ。奪った衣は樹上にいる懸衣翁《けんえおう》が衣領樹の枝にかけ、その枝の撓《しな》りぐあいで生前の罪の重さを量るという。

『日本の神様読み解き事典』川口謙二編著

ダッタイボウ

↓ダイダラボッチ

龍の森〔たつのもり〕 岩手県遠野市土淵でいう魔所。

昼でも暗い森で、昔、森の中を流れる小川で魚を捕った者が、神の祟りを受けたという伝えがある。そのためか、森に棲息する生物は一切殺してはいけないといわれ、人もなるべく通らないようにしていたという。

奪衣婆

この森のそばを通りかかった者は、死んだはずの者が生前とまったく変わらない姿で森の中にいるのを見ることがあるという。

『遠野物語』柳田国男『日本怪談集　幽霊篇』今野円輔編著

タテエボシ　新潟県佐渡島の外海府小田でいう海の怪異。目の前に突然、高々と立ちはだかる得体《えたい》のしれないもので、船に倒れ込んでくるといわれている。

これと関係がありそうなものが、新潟県佐渡島内海府北小浦（両津市）にタテオベスという怪魚として伝わっている。

剣のようなひれを持った幻の大魚で、見かけたら黙って逃げないと、船が突き破られる。

タテオベスを追い払うためには節分の豆を投げつけるという。佐渡の漁師たちはイルカのことをオエベス、オベスさんなどとよぶ。魚群を散らしてしまうので、イルカに向かって節分の豆を投げる習わしがあったという。

また、粟島ではシャチのことをタテエビスとよんで恐れていたそうである。これらのことから考えてみると、小田のタテエボシはよく分からないものの、北小浦でいうタテオベスはシャチのことではないだろうか。

『綜合日本民俗語彙』民俗学研究所編『北小浦民俗誌』柳田国男

タテオベス

↓タテエボシ

タテクリカエシ　高知県幡多《はた》郡でいう妖怪。手杵《てぎね》のような形をしたものが、スットンスットンと音をたてて現れ、出合い頭に人間をひっくり返す。タテクリカエシは猪のようで、急な方向転換ができないため、襲われたときは、直前で脇に逸《そ》れればよいという。

この妖怪は『民間伝承』通巻38号に、越後の中平悦磨という人が寄稿した文にあるものである。土佐幡多郡に伝わる妖怪を4つほど紹介した文書の中にタテクリカエシがあるのだが、この妖怪を紹介する書物のほとんどが、タテクリカエシを新潟県のものとしている。

これは新潟県の寄稿者だから新潟の妖怪だとしてしまった引用者の単純なミスであり、中平悦麿は文中で【土佐幡多郡】と断っていることからも、これを新潟県の妖怪とするのは間違いのようである。

タテクリカエシと関連があると思われるものには、雪の山道に一本足の足跡をつけるという高知県幡多郡橋上村楠山（宿毛市）の手杵返し、夜の河原に手杵のようなものが錫杖《しゃくじょう》の音をたて、トンボ返りをしながらやってくるという幡多郡十川村広瀬（十和村）の手杵の棒などがある。

『旅と伝説』通巻174号「土佐の山村の『妖物と怪異』」桂井和雄『民間伝承』通巻38号

棚婆（たなばば） 神奈川県津久井郡青根村でいう妖怪。棚とは、養蚕のための3階のことを指し、そこに棲む恐ろしい婆だという。

『綜合日本民俗語彙』民俗学研究所編

タニ

→ヒダル神

ダニ

→ヒダル神

狸（たぬき） 野山に棲息する野生動物の狸は、『日本霊異記』や『宇治拾遺物語』など、古くから怪しい動物として文献に見え、狐と同様に化ける、化かす、人に憑くといった能力を持ち、各地にさまざまな話を残している。

また、「かちかち山」「文福茶釜」に代表される昔話にも狸はよく登場し、まぬけな動物を演じている。

狸の伝説は新潟県の佐渡島や四国に多く、佐渡では団三郎、四国では金長《きんちょう》、六右衛門、太三郎、隠神刑部《いぬがみぎょうぶ》と、特殊な能力を持つ狸たちには名前がつけられ、祭祀の対象にもなっている。上記以外の土地でも、名物狸とよばれるものは少なくない。

今日では狸といえば、動物園にいるタヌキを意味するが、土地によってはタヌキのことを狢《むじな》とよび、穴熊のことをタヌキとよぶ。

例えば、佐渡には狢はいるが狸はいないというのだが、ここでいう狢とはタヌキのことを意味している。

『狸とその世界』によれば、このような混乱は、中国より狸という漢字が輸入されたことに端を発するという。

【中国の狸とは、ヤマネコを中核とするネコ的な中型哺乳類《ほにゅうるい》の漠然たる総称】だったとあり、日本に狸という漢字が輸入されると、日本には山猫に相当する動物がいないため、当時の知識人は、タヌキ、野良猫、猪、穴熊、鼬《いたち》、ムササビといった動物を狸にあてはめたという。

　日本の古い時代にはタヌキも穴熊も狢とよばれていたのだが、そこに狸が導入されたことによって、混乱が生じたというのである。

　狢については、その項目を参照してほしい。

㊫狢
『狸とその世界』中村禎里　『狸の話』宮沢光顕『動物妖怪譚』日野巌　『民間信仰辞典』桜井徳太郎編

狸憑き〔たぬきつき〕　狸が憑くということは日本各地でいわれるが、とくに徳島県を中心に

狸憑き

した四国に多くその事例が見られる。

症状は人によりさまざまだが、原因不明の病気、憂鬱に陥る、饒舌《じょうぜつ》状態、理由なき暴行、無差別な性行動、腐敗物を好む悪食、大食など、常識を逸脱した行動をとるようになる。

狸憑きは行者の加持祈禱で退散させる。個人に憑く場合は狐憑きと似たものだが、狸憑きには憑き物特有の筋のようなものが少ない。

家に憑くものとしては香川県高松市のオヨツさん、岡山県のトマコ狸などが知られ、狸を飼いならして使役するものとされる。

もとは動物を仲介に神意を問う信仰らしく、愛知県南設楽郡では狸の霊を呼び寄せて託宣を問う、狸寄せの風習が実際にあったという。

㊀狸
『旅と伝説』通巻126号「阿波狸憑私見」山口吉一　『阿波の狸の話』笠井新也　『民俗学辞典』民俗学研究所編　『綜合日本民俗語彙』民俗学研究所編

狸の腹鼓〔たぬきのはらつづみ〕

狸囃子

↓狸囃子《たぬきばやし》

狸囃子〔たぬきばやし〕 各地でいう音の怪異。夜の町中に、どこからともなく笛や太鼓の囃子《はやし》が聞こえ、ときに近く、ときに遠くに聞こえてくる。その音の原因を探ろうとしても、近づくと思えば遠くなったり、止んでしまったりで突き止めることはできないという。

これは狸のしわざとされたもので、江戸の下町では馬鹿囃子ともよばれた。

また、狸の腹鼓とよばれるものもあり、人気《ひとけ》のない山中や夜の町中で、太鼓の音や囃子の音が聞こえるのは、狸が腹を膨らませて音をたてているのだと考えられた。

愛知県八名郡七郷村（新城市）でいう狸の腹鼓は、雨降りの晩や、降りだしそうな真っ暗な夜に聞こえるもので、破れた太鼓でも叩くような音だという。

㊌狸、天狗囃子《てんぐばやし》

『随筆辞典 奇談異聞編』柴田宵曲編 『両国・錦糸町むかし話』岡崎柾男 『妖異博物館』柴田宵曲 『三州横山話』早川孝太郎

狸火〔たぬきび〕 狸が灯《とも》す怪火で、各地に分布する。『諸国里人談』には、摂津国川辺郡東多田村（兵庫県川西市）の鰻畷《うなぎなわて》に出た狸火の話がある。火であるのに人の形をとり、牛を牽《ひ》いて火を携えている。狸火だと知らない者が、煙草を一服するのにその火を借りて世間話をした。

普通の人間とまったく変わりないのだが、地元ではこれを狸火とよぶ。あえて害はなさず、多くは雨夜に出たそうである。

狸の本場である徳島県や高知県では、狸が葬式の提灯行列のように多数の火を灯すといわれ、徳島県祖谷《いや》地方では、焼き畑の火を真似《まね》ることもあったという。

㊌狸

『現代怪火考』角田義治 『日本随筆大成』日本随筆大成編集部編 『近世土佐妖怪資料』広江清編 『日本民俗誌大系 十 未刊資料一』「祖谷山村の民俗」高谷重夫

田の神

田の神〔たのかみ〕 穀物の豊穣をもたらす神。主に稲作を守護する神とされる。九州では田の畦《あぜ》などに田の神の像を祀る例が少なくない。

春になると山の神が田に下って田の神となり、秋には再び山に帰る。こういった、時を定めて田と山との間を往来するという考え方は、広くいわれることである。

田の神の往来は、春に川に入って河童となり、秋に山に入って山童《やまわろ》になるという河童の特徴にも関係している。

日本では古くから農耕社会を営んできたため、田の神など農耕に関する信仰も複雑であり、さまざまな神への信仰と結びついている。

㊜河童

『神話伝説辞典』朝倉治彦・井之口章次・岡野弘彦・松前健編 『綜合日本民俗語彙』民俗学研究所編 『民間信仰辞典』桜井徳太郎編

タマガイ 沖縄県今帰仁でいう怪火。子供が生まれる前に現れる火の玉だという。

さまざまな除厄招福の行事が集中する旧暦8月の前半はヨーカビー（妖怪日）といって、この間には怪しい火をよく目撃するという。そうした火もタマガイとよぶそうである。

『沖縄の御願ことば辞典』によれば、タマガイ（魂離り）とは人魂《ひとだま》のことで、人を死に追いやる怪火だと説明している。

㊂火玉《ひだま》

『綜合日本民俗語彙』民俗学研究所編　『沖縄の祭礼』渡辺欣雄　『沖縄の御願ことば辞典』高橋恵子

タマセ　千葉県印旛郡川上村（八街市《やちまたし》）でいう人魂のこと。人が死ぬ2、3日前から体内から抜け出て、寺や縁故の最も深い人のもとに行く。そして雨戸にぶつかって音をたてたり、庭のどこかで大きな音をたてる。

その音は縁故の深い人にしか聞こえず、他の人にはまったく聞こえないという。

このタマセを28歳までに一度も見なかった者には、夜道でタマセが「会いましょう、会いましょう」とやって来るといわれる。青年たちはこれを嫌って、28歳までに見たことがなくても見たふりをするのだそうである。

㊂人魂

『旅と伝説』通巻94号「人魂に就いて」斎藤源三郎

玉藻前〔たまものまえ〕

→九尾《きゅうび》の狐

玉藻前狐〔たまものまえきつね〕

→九尾《きゅうび》の狐

袂雀〔たもとすずめ〕　高知県高岡郡東津野村、窪川町でいう怪異。

夜の山道を行くと、チッチッチと鳴いてついてくるものがあるといい、袂雀《たもとすずめ》とよんでいる。2人以上連れだって歩いていても、その中の一人にしか聞こえないことが多い。

この袂雀がついてきたときには、山犬や狼が隠れてつけてきているといわれる。そうしたときには、「大シラガ、小シラガ、峠を通れども神の子でなけりゃあ通らんぞよ、あとへ榊《さかき》を立ておくぞよ、あびらうんけんそわか」と唱えて、木の枝を3本立てておくと、袂雀も狼も山犬も来ないとされていた。
また、袂雀が袂《たもと》に飛び込むと不吉なことがあるというので、袂雀が現れる道を通る人は、袂をしっかりと握って通ったという。
㊜夜雀《よすずめ》、送り雀
『土佐の伝説』松谷みよ子・市原麟一郎・桂井和雄『土佐民俗記』桂井和雄『土佐の妖怪』市原麟一郎『綜合日本民俗語彙』民俗学研究所編

ダラシ 北九州一帯でいう憑き物。ヒダル神、餓鬼憑きの類。

山道を歩いていると、急に空腹感を覚えて動けなくなってしまうこと。

憑かれる場所は決まっており、かつてその地で餓死した者があって、そこに止《とど》まっている霊が人に憑くのだという。何か食べ物を食べて残りを近くの藪に捨てるとか、米という字を掌《てのひら》に書いて嘗《な》めるとよいという。

ダラシ

㊜餓鬼憑き、ヒダル神
『綜合日本民俗語彙』民俗学研究所編

ダリ
↓ヒダル神

ダリ神〔だりがみ〕
↓ヒダル神

ダリ仏〔だりぼとけ〕
↓ヒダル神

ダル
↓ヒダル神

俵蛇〔たわらへび〕
↓槌《つち》の子

タンゴクレレ
↓杓子《しゃくし》くれ

タンコロ
↓槌《つち》の子

タンコロリン
↓タンタンコロリン

団三郎狢〔だんざぶろうむじな〕 新潟県佐渡郡相川町でいう化け狸（佐渡では狸のことを狢《むじな》という）。佐渡の狢の総大将で、木の葉を使って買い物をしたり、人に化けて医者にかかったりした。

蜃気楼《しんきろう》を出したり、夜道に突然、壁のようなものを出現させて人を化かしたりもしたが、困った者には金を貸したりしたそうである。

現在は下戸村に二つ岩大明神として祀られている。

㊜狸、狢、関の寒戸《さぶと》
『日本伝説叢書 佐渡の巻』藤沢衛彦 『変態伝説史』藤沢衛彦 『随筆辞典 奇談異聞編』柴田宵曲編

地車吉兵衛〔だんじりきちべえ〕 大阪府大阪市北区天満でいう狸の怪。

夏の夜の1時から2時頃、コンコンチキチキと急調子な囃子《はやし》の音が聞こえたかと思うと、コーンコーンと緩《ゆる》いテンポに変わる。まるで地車《だんじり》が練りまわるときのような音をたてるので、このような名前でよばれるのだという。

この狸は堀川戎《ほりかわえびす》神社内の榎木神社に祀られて

おり、願いごとが叶えられると地車囃子《だんじりばやし》が聞こえるともいう。

㊜狸

『民間伝承』通巻39号「ダンジリキチベー」山田良隆『榎木神社由緒』堀川戎神社編

ダンダラボウシ

→ダイダラボッチ

タンタンコロリン　宮城県仙台市でいう妖怪。古い柿の木が化けた大入道で、柿の実をいつまでも取らずに放っておくと現れるという。

これと同じものかは分からないが、柳田国男に遠野の昔話を語った佐々木喜善の民間伝承集『聴耳草紙』に柿男という昔話がある。

ある屋敷の庭に柿の木があり、たわわに実る柿を見て、そこの下働きの女が、どうにかして食べたいものだと思っていた。

すると、夜中に真っ赤な顔をした大きな男がやって来て、俺の尻を串でほじくれという。

女が恐る恐る串で尻をほじると、大男は今度はそれを嘗《な》めろという。嘗めてみると、とても甘い味がした、という内容である。

また、青森県の五所川原や金木、弘前では、いうことを聞かない子供に、「タンコロリンが来るぞ」という脅し文句があるというが、柿の木の妖怪に関わるものかは不明である。

『妖怪談義』柳田国男『聴耳草紙』佐々木喜善

ダンダン法師〔だんだんほうし〕

→ダイダラボッチ

ち

ちいちい袴〔ちいちいばかま〕　新潟県佐渡島、岡山県、大分県に伝わる昔話の妖怪。ちんちん小袴ともいう。

昔、佐渡島のある山家《やまが》に、一人暮らしの老婆がいた。夜更《よふ》けにいつものように糸紡《つむ》ぎをしていると、どこからか小さい男が現れた。

四角ばった身体に袴を着けた男は、「お婆さん淋しかろう。わしが踊ってみせましょう」といって、「ちいちい袴に、木脇差《ぼくわきざし》を差して、こ

タンコロリン(タンタンコロリン)

ればあさん、ねんねんや」と唄いながら踊り、やがて消えてしまった。

老婆は気味悪く思って、翌朝になってから家中を調べてみると、縁の下に古い鉄漿《かね》つけ楊子《ようじ》があった。これを燃やしてしまってからは、怪しいことはなくなったという。

古い鉄漿つけ楊子は焼き捨てるものだと伝わっているそうである。

『綜合日本民俗語彙』民俗学研究所編

乳の親［ちーのうや］ 沖縄県でいう妖怪。子供を埋葬した童墓《わらべばか》にいるもので、死んでしまった子供には、この乳の親が乳を飲ませて養ってくれるのだという。

乳の親はやさしい顔をした女性で、洗い髪のような黒髪を長く垂らし、乳房がとても大きい。水中にもいるといわれ、まだ生きている子供をあの世に引き込むこともあるという。

『山原の土俗』島袋源七

チカイタチベ

↓オキナ

チチケウ アイヌ語で化け物とか幽霊と訳され、チチケウニッネヒともいう。昔話などに登場する化け物である。

『カムイユカラと昔話』には、天の国にいるチチケウは獲物が豊富な石狩に目をつけ、人間を皆殺しにしてそこに暮らそうとするが、ポンヤウンペ（ユカラの英雄神）という神によって退治される昔話がある。

そこでのチチケウは人間のような姿をし、兄妹で登場している。

また、土地により、人を襲うような悪い熊のことをチチケウという場合もあり、更科源蔵・更科光『コタン生物記』には、痩せて毛がなく、耳の間だけ毛のある熊のことをチチケウとよぶとある。

『カムイユカラと昔話』萱野茂　『萱野茂のアイヌ語辞典』萱野茂　『コタン生物記』更科源蔵・更科光　『人類学雑誌』29巻10号「アイヌの妖怪説話　続」吉田巌

チチケウニッネヒ

→チチケウ

千々古〔ちぢこ〕『太平百物語』に記された怪異。

ある城の大手御門の前には、毎晩、千々古《ちぢこ》という鞠《まり》のような化け物が現れると、城下の人々の間で評判だった。

あるとき、小河多助という若侍が、その正体を暴いてやろうと、夜の大手御門の辺りを見まわった。

すると、噂通りに鞠のようなものが現れて、音をたてながら上下左右に動きまわった。やがて多助の頭上に飛び上がったので、すかさず斬りつけて地に落とした。

多助が人を呼んで、その正体を見ると、それは中に鈴の入った本物の鞠だった。悪戯者《いたずらもの》が両方から縄を張って鞠を浮かせ、人々を驚かせていただけだったという。

『百物語怪談集成』太刀川清校訂・高田衛・原道生編

茶釜下し〔ちゃがまおろし〕鳥取県岩美郡米

里村東大路（鳥取市）でいう怪異。村中の井戸の辺りで、茶釜を炉から下ろすように狐がチャラチャラと音をさせたという。

実際に茶釜が落ちてくるわけではなさそうである。

『綜合日本民俗語彙』民俗学研究所編

茶袋〔ちゃぶくろ〕　高知県幡多《はた》郡奥内村でいう怪異。

道の薄気味悪いところに茶袋が下がったといい、これにぶつかると、さまざまな病気になるという。

土佐郡土佐山村高川集落でも、雨夜に大前平のオンバが墓という墓に茶袋が下がったと伝わるが、下がったとだけ伝わっていて、どういう害があるのかは分からない。

また、和歌山県の印南川沿いにも茶ん袋とよばれる同様の怪異が伝わっている。

滝ノ口の橋免橋をある男が渡っていると、川の中で大きく膨《ふく》れあがった茶ん袋が浮いたり沈んだりしていた。男は驚いたが、そのままそこ

茶袋

を通りすぎ、淵尻というところまでくると、今度は首筋に冷たいものが落ちてきた。

雨かと思い、ふと上を見ると、空中を大きな茶ん袋がふわふわ飛んでおり、男の頭の上を2、3度飛びまわると、横の山の上へ飛び去ったという。

椿原の柳井畑川でも、夕方になるとこの化け物が現れた。流れを上がったり下がったりしていたので、子供でも椿原の茶袋といえば知っていたらしい。

ちなみに茶袋とは、お茶を煎じるときに使う袋状の布で、奈良県や和歌山県では茶粥を炊くときにも使われたという。

『民間伝承』通巻38号「妖怪」牧田茂　『土佐の伝説』桂井和雄編　『紀伊日高民話伝説集』日高地方公民館連絡協議会編　『紀州おばけ話』和田寛

茶ん袋〔ちゃんぶくろ〕

→茶袋

宙狐〔ちゅうこ〕　中狐とも表記される。岡山県備前地方でいう怪火。狐は宙に火を灯《とも》すという考えから起こった名称だとされている。

岡山の邑《お》久《く》郡豊原村（邑久町）では、狐が古くなると宙狐《ちゅうこ》となって飛ぶといっている。

邑久郡玉津村（邑久町）の竜宮島でいう宙狐は、大きさは提灯ぐらい、火の色も提灯と違わず、曇った雨模様の夜に出る。地に落ちることもあり、その際は火が大きく広がってほのかに明るくなり、やがて消える。火の消えた辺りに行ってみても何もない。

人の声がすると、スッと逃げて行くものだという。高く飛ぶ火が天狐《てんこ》で、低く飛ぶのが宙狐だともいう。

㊜狐、狐火

『岡山の怪談』佐藤米司　『綜合日本民俗語彙』民俗学研究所編　『日本妖怪変化語彙』日野巌・日野綏彦

提灯お化け〔ちょうちんおばけ〕　子供向けの妖怪本や、江戸から大正にかけて作られたお化けカルタなどに見えるが、具体的な話はないよ

提灯お化け

うである。

提灯小僧〔ちょうちんこぞう〕『仙台萩』にあるもの。

仙台の城下町を雨の降る晩に提灯を下げて歩いていると、後ろを小さな提灯を下げた小僧がついてくる。小僧の顔はホオズキのように赤く、いつの間にか消えてしまうという。

また、江戸本所（東京都墨田区）にも提灯小僧の話があり、石原の割下《わりげ》水《すい》辺りを夜間歩いていると、自分の前に小田原提灯が現れ、追えば消えるが、振り返ると後ろにいて、前後左右、自在に出没するという。

本所の提灯小僧は本所七不思議の送り提灯と同じものだろう。

㊫送り提灯

『怪談の世界』山田野理夫『妖異博物館』柴田宵曲

提灯火〔ちょうちんび〕鳥山石燕『今昔画図続百鬼』に、田の畔《あぜ》に狐のような動物が火を灯《とも》している様が描かれ、【田舎などに提灯火とて畔道《あぜみち》に火のもゆる事あり。名にしおふ夜の殿の下部《しもべ》のもてる提灯にや】と解説されている。

提灯のような怪火は各地でいわれ、狐狸のしわざとされることも少なくない。

徳島県三好郡では狸のしわざとされ、そうした火を狸火とよんでいる。

㊂狸火

『鳥山石燕　画図百鬼夜行』高田衛監修・稲田篤信・田中直日編　『阿波の狸の話』笠井新也

長面妖女〔ちょうめんようじょ〕加賀国大《だい》聖寺《しょうじ》（石川県加賀市）で、津原徳斉という者が顔が一丈（約3m）もある大女に出会ったという話が『三州奇談』にある。

長面妖女という名前は『大語園』を編集した巌谷小波によるものと思われるが、『三州奇談』には「長面の妖女」とあり、原文を読む限り、顔だけが長いのではなく、大きな女ということを示しただけだと思われるので、長面妖女の名前は適当ではないように思える。

大聖寺界隈の怪談を記した『聖城怪談録』に

長面妖女

も、このような大きな女に出会ったという話が多くある。

『三州奇談』堀麦水編著・日置謙校訂 『大語園』巖谷小波編 『聖城怪談録』江沼地方史研究会編

チョーピラコ

→座敷わらし

猪口暮露〔ちょくぼろん〕鳥山石燕の『画図百器徒然袋』に、猪口《ちょこ》を被《かぶ》った小さな虚無僧《こむそう》姿《すがた》として描かれたもので、【明皇あるとき書を見給ふに、御机の上に小童あらはる。明皇叱したまへば、臣はこれ墨の精なりと奏してきへうせけるよし。此怪もその類かと、夢のうちにおもひぬ】と記されている。

これは中国の皇帝の逸話と、酒を飲む小杯(猪口)と、暮露《ぼろ》とよばれた禅宗普化宗《ふけしゅう》の托鉢《たくはつ》僧《そう》(虚無僧)とを引っ掛けて、石燕が創作した妖怪の一つと考えられる。

『鳥山石燕 画図百鬼夜行』高田衛監修・稲田篤信・田中直日編

塵塚怪王〔ちりづかかいおう〕鳥山石燕の『画図百器徒然袋』に唐櫃《からびつ》をこじ開ける鬼の姿が描かれており、【それ森羅万象およそかたちをなせるものに、長《おさ》たるものなきことなし。麟は獣の長、鳳は禽の長たるよしなれば、このちりづか怪王はちりもつもりてなれる山姥とうの長なるべしと、夢のうちにおもひぬ】と記されている。

室町時代の『百鬼夜行絵巻』には、古唐櫃《ふるからびつ》をこじ開ける赤い鬼が描かれているが、石燕はこの絵をモデルにしているようである。

また、この『画図百器徒然袋』は吉田兼好の『徒然草』からも多くの題材を得ている。『徒然草』には「多くて見苦しからぬは、文庫《ふみくら》の文。塵塚の塵」という一文があり、石燕はここから文庫妖妃《ふぐるまようひ》、塵塚怪王という妖怪を思いついたのだといわれている。

『鳥山石燕 画図百鬼夜行』高田衛監修・稲田篤信・田中直日編

ちんちろり『岩邑怪談録』に「加藤氏、変化に逢ふ事」としてあるもの。

昔、山口県岩国の加藤某という男が西宇治から帰ってくるとき、深夜に岩国の道祖峠を越えていると、後ろから小坊主がついてきて、「加藤殿はちんちろり」といった。

加藤は剛胆な性格だったので、「そういう者こそちんちろり」といい返し、そんなことを互いにいい合いながら家まで帰ってきた。

門を閉めると、その小坊主は門の屋根の上からにこにこ笑い、「さても強い者じゃ」といったという。

岩国では、人に負けじといい返すときに、「そういう者こそちんちろりー」というそうだが、これはこの化け物が由来なのだと『岩邑怪談録』にある。

『岩邑怪談録』には妖怪名はないが、ちんちろりという名前でここに挙げておく。

『岩邑怪談録』広瀬喜尚

チンチン馬〔ちんちんうま〕 愛媛県越智郡大《おお》三島《みしま》でいう妖怪。年の暮れなどの寒い晩には、首のない馬が出るという。

徳島県の首切れ馬の類。

㊜首切れ馬、夜行《やぎょう》さん

『沿海手帖』「愛媛県越智郡宮窪村・魚島村」倉田一郎『綜合日本民俗語彙』民俗学研究所編

ちんちん小袴〔ちんちんこばかま〕

→ちいちい袴

つ

衝立狸〔ついたてだぬき〕 徳島県美馬《みま》郡脇町でいう化け狸。

高須という寂しいところを夜に通ると、道の真ん中に衝立《ついたて》が立っていることがあった。ところが、立ち止まらずに、丹田《たんでん》（へそ）に力を入れて突き進めば通れるという。

こんなことが度々あったので、近所の人々が光明真言を四万八千遍唱えて、大きな石碑に封じ込んでしまった。それからは何事もなくなったという。

近年までこの石碑は県道鳴門池田線の傍《かたわ》らにあったというが、心無い人がトラックで盗んでしまって今はもうない。
㊫狸
『阿波の狸の話』笠井新也

杖つき〔つえつき〕　土佐郡蓮池村（高知市）でいう怪異で、『老圃奇談』にあるもの。

　夜分に杖を突くような音をたてて通るもので、出会えばたちまち死んでしまうという。

『近世土佐妖怪資料』広江清編

憑神〔つきがみ〕
↓トゥレンペ

付喪神〔つくもがみ〕　九十九神《つくもがみ》とも表記される。室町時代に描かれた『付喪神絵巻』には、【陰陽雑記云器物百年を経て化して精霊を得てよく人を誑《ばか》す是を付喪神と号といへり】という巻頭の文がある。

　煤祓《すすはら》いで捨てられた器物が妖怪となり、物を粗末に扱う人間に対して仕返しをするという内容だが、古来日本では、器物も歳月を経ると、怪しい能力を持つと考えられていた。

　民俗資料にも擂《す》り粉木《こぎ》や杓文字《しゃもじ》、枕や蒲団《ふとん》と

付喪神

いった器物や道具が化けた話がある。それらは付喪神とはよばれていないが、基本的な考え方は『付喪神絵巻』にあるようなことと同じであろう。

『絵画に見えたる妖怪』吉川観方

付け紐小僧〔つけひもこぞう〕　長野県南佐久郡田口村大奈良（臼田町）でいう妖怪。

小豆とぎ屋敷とよばれる屋敷があり、そこには夕方になると、付け紐が解けた7、8歳の小僧が現れるという。

見た目もわるいし可哀相《かわいそう》なので、その紐を結んでやろうと、そばに近寄った者は、みんな騙《だま》されて、一晩中どこかを歩かされ、朝方にやっと帰ることができるという。

『南佐久郡口碑伝説集』南佐久教育会編

辻神〔つじがみ〕　兵庫県淡路島、鹿児島県屋久島宮ノ浦でいう妖怪。

屋久島の宮ノ浦では、丁字路《ていじろ》の突き当たりに家を建てると辻神が入り込むという。

そうした家には病人が絶えず、不幸が続くと信じられたので、突き当たりに石敢当という長方形の石を配置して魔除けとしたという。

兵庫県淡路島の三原郡沼島村（南淡町）では、四ツ辻に現れる妖怪を辻の神というらしい。もちろん神とはいっても、民間神のように祭祀されるわけではなく、むしろ「魔」として扱われている。

『綜合日本民俗語彙』民俗学研究所編　『民間信仰辞典』桜井徳太郎編

土蜘蛛〔つちぐも〕　古代には朝廷に従わない先住民のことを土蜘蛛とよんだ。『古事記』や『日本書紀』、そのほか各地の風土記にその名前が散見され、とくに奈良県葛城《かつらぎ》山中の土蜘蛛がよく知られている。

葛城の土蜘蛛は、背が低く手足は長く、洞穴《ほらあな》内《ない》で生活したといわれるが、こうした妖怪的な表現は、未開の先住民に対する蔑称であるとされている。

奈良県葛城山の一言主《ひとことぬし》神社には土蜘蛛塚という小さな塚がある。これは神武天皇が葛《くず》の網で

土蜘蛛

土蜘蛛を取り押さえ、頭と胴と足の3つに分けて、別々に神社の境内に埋めて巨石を据え置いた跡といわれている。

ここでいう土蜘蛛は、やはり蔑視された先住民たちのことであろう。死体を別々に分けて処分したのは、先住民たちの復活を恐れたからであり、殺された側の人々の怨念が、それだけ強かったと思われる。

中世にまで時代が下ると、土蜘蛛は完全な妖怪として説話などに登場することになる。

中世の土蜘蛛は、『平家物語』「剣の巻」にある源頼光の土蜘蛛退治説話（「剣の巻」では山蜘蛛になっている）で広く知られるようになる。絵巻物や芝居では、源頼光が土蜘蛛の魔力で病気になり、四天王とともにその病気の原因である土蜘蛛を退治する内容になっている。ここでは土蜘蛛は、怪しい術を使う蜘蛛の妖怪として扱われている。

こうした説話が伝説化したのか、北野天満宮の近くには、土蜘蛛が巣食っていたという土蜘蜘塚が2ヵ所ほど残っている。

『日本伝奇伝説大事典』乾克己・小池正胤・志村有広・高橋貢・鳥越文蔵編　『神話伝説辞典』朝倉治彦・井之口章次・岡野弘彦・松前健編　『大和の伝説』高田十郎編

ツチコ
↓槌《つち》の子

槌転び〔つちころび〕　鳥取県東伯郡小鹿村中津（三朝町）でいう怪蛇。槌《つち》のような形をした蛇が足元に転がってきて嚙《か》みつくという。

水木しげるの『妖怪画談』には土転びという妖怪が紹介されており、土色の毛を生やした鞠《まり》のようなものが、中国地方の山間部の山道に現れるとある。

これと同じ話は山田野理夫の『ぬらりひょん』にも見えるが、そうした記述のある民俗資料があるのだろうか。

槌転びに関連し、毛が生えたものが転がってくる例としては、『妖怪談義』の「妖怪名彙《めいい》」のツチコロビの項目で、【小豆洗いの正体は藁《わら》打ち槌の形で、一面に毛が生えており、人が通ると転げかかるといっている地方も九州にはあるが（郷土研究1巻5号）】とあるのを見るくらいだが、形は鞠のようなものとは記されていない。

『綜合日本民俗語彙』民俗学研究所編　『妖怪談義』柳田国男

槌の子〔つちのこ〕　土の子とも表記される。各地の山野に棲む怪蛇で、寸詰まりの槌《つち》のような形をした蛇という意味で、槌の子とよばれたようである。

通行人の前に転がってくるとか、人を見れば襲ってくる、毒を持っているので嚙《か》まれたら助からないなどといわれる。

ほぼ全国的に分布しているようで、ギギ蛇（秋田県、岩手県）、バチ蛇（秋田県）、筒蝮《つつまむし》（新潟県、長野県）、カメノコ（新潟県、長野県、群馬県）、苞《つと》っ子、苞蛇《つとへび》（愛知県）、ドテンコ（滋賀県）、五八寸（滋賀県、奈良県）、槌ん子（奈良県）、槌の子（石川県、京都府、滋賀県、四国）、ゴンジャ（三重県、大阪府、和歌山県、奈良県)、コロ、コロ蛇、タンコロ(福井県)、コロリ(広島県)、槌転び(鳥取県)、俵蛇《たわらへび》(熊本県、宮崎県、鹿児島県)などと、土地ごとの名前がつけられている。身体の特徴や行動を反映した名前が多いのが特徴である。

槌の子は昭和40年代頃からマスコミを通じて全国的に有名になったが、近年になって突然現れたものではなく、かなり古くからその存在が知られていた。

例えば文化4年(一八〇七年)成立の『北国奇談巡杖記』には次のような話がある。

石川県金沢市の小姓町の中ほどに、槌子坂というなだらかな道があった。草が茂り、湧き水が流れ、昼でも薄気味悪いところだった。

ある人が、小雨降る夜中に槌子坂を通ると、ころころと転がり歩いている物がいた。よく見ると、搗臼《つきうす》ほどの大きさで、横槌のような真っ黒なものが、あちらこちら動いている。そして消える直前に、呵々《かか》と笑って、雷のような音を出し、パッと光って消えてしまった。

槌蛇《つちへび》(槌の子)

この妖怪を見た者は昔から何人もいて、2、3日は毒気にあたって病んでしまう。それゆえ、この坂は槌子坂とよばれ、夜間に通行する人がいなくなったという。

似たような話が石川県加賀市の怪談を集めた『聖城怪談録』にも見えるので、石川県ではよく知られていたのであろう。

この他、古い槌の子の話は野槌《のづち》の項目にあるので、そちらを参照してほしい。

㊜槌転び、野槌
『日本怪談集　妖怪篇』今野円輔編著　『ふるさとの伝説　四　鬼・妖怪』伊藤清司監修・宮田登編　『聖城怪談録』江沼地方史研究会編

槌の子狸〔つちのこたぬき〕　徳島県美馬《みま》郡郡里村（美馬町）のある塚穴に棲んでいた化け狸。夜になると槌《つち》に化けて、往来に転がり出て、「助けてくれ、助けてくれ」といいながら通行人の足にまとわりつく。油断すると足を取られて、投げ倒されるという。
槌の形をした蛇である槌の子とも関係がありそうである。
㊜槌の子
『阿波の狸の話』笠井新也

ツチ蛇〔つちへび〕
↓槌《つち》の子

ツチンコ
↓槌《つち》の子

ツチンボウ
↓槌《つち》の子

恙虫〔つつがむし〕『絵本百物語　桃山人夜話』にある怪虫で、【斉明天皇の御時、石見八上の山奥につつがといへるむし有て、夜は人家に入て人のねむりをうかがひ、生血をすひて殺さるるもの多し。博士（注・祈禱師のこと）某それにあふせつけられ、此虫を封じさせ給ひしより民間に其愁《うれい》なし。是よりして無事なることをつつがなしとは云けるとぞ。ある説には悪しきことなしと云義を書たがへて恙と云始たりと有。何れか然るや】と解説されている。
要するに人に害をなす虫なのだが、同じ恙虫

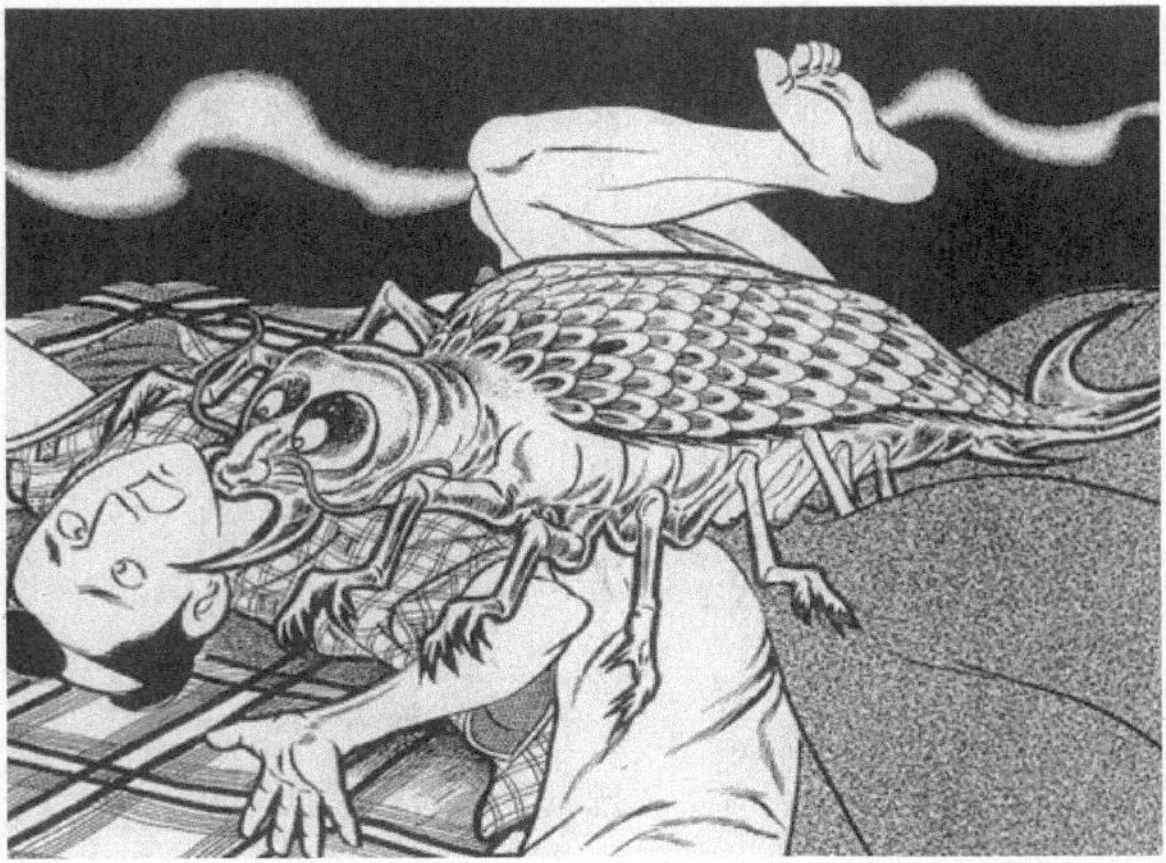

恙虫

とよばれるダニのような害虫が新潟県、山形県、秋田県にもいる。

恙虫に噛《か》まれると、チフスに似た症状を起こすといわれ、これはアカツツガムシの幼虫が持っているリケッチァ（細菌とウイルスの中間ほどの大きさの微生物）の感染によるものとされている。しかし、この恙虫と『絵本百物語　桃山人夜話』のものは別物だろう。

『竹原春泉　絵本百物語　桃山人夜話』多田克己編　『雪国の宗教風土』宮栄二編

都度沖普賢坊〔つどおきふげんぼう〕　島根県隠岐島の天狗。密教系の祈禱秘経『天狗経』にある全国代表四十八天狗の一つに数えられているもの。
㊜天狗
『天狗考　上』知切光歳　『図集天狗列伝　西日本編』知切光歳

苞っ子〔つとっこ〕
→槌《つち》の子

苞蛇〔つとへび〕

↓槌《つち》の子

常元虫《じょうげんむし》［つねもとむし］

↓常元虫

角盥漱［つのはんぞう］ 鳥山石燕の『画図百器徒然袋』に、角盥《つのだらい》（洗面道具）の妖怪として描かれたもので、【なにを種とてうき草のうかみやらぬもやらぬ小野の小町がそうしあらいの執心なるべしと、夢心におもひぬ】と記されている。

平安時代の歌人小野小町に、草子洗いの逸話がある。

歌仙の一人とされた大伴黒主《おおとものくろぬし》が、『万葉集』に小野小町の歌を盗作して書き込んでしまった。それを自分の歌だと証明するため、小町は歌の書かれた紙を角盥に入れて洗った。すると文字がきれいに落ちたので、黒主は盗作がばれて、罪に問われたというものである。

石燕はこの話を題材に、角盥の妖怪を創作したのだろう。

『鳥山石燕 画図百鬼夜行』高田衛監修・稲田

角盥漱

篤信・田中直日編

氷柱女房〔つららにょうぼう〕　東北や新潟などの豪雪地帯に伝わる昔話に登場する。東北地方ではしがま（氷柱《つらら》）女房という。

軒の氷柱を鋸《のこぎり》で切っていた独身男が氷柱を見て、こんな美しい女房がほしいものだと嘆いた夜、美女が女房にしてくれと訪ねてくる。

2人は夫婦となるが、女房は風呂に入るのを嫌がる。無理に入れると、女房は消え、櫛《くし》や氷柱のかけらが湯船に浮いていたという。

『日本昔話事典』稲田浩二・大島建彦・川端豊彦・福田晃・三原幸久編　『日本怪談集　妖怪篇』今野円輔編著

釣瓶落とし〔つるべおとし〕

↓釣瓶下ろし

釣瓶下ろし〔つるべおろし〕　京都府、滋賀県、岐阜県、愛知県でいう妖怪。釣瓶落《つるべお》としともいう。

京都府では京都府曾我部村（亀岡市）、大井村（亀岡市）、富本村（八木町）などに伝わっている。夜、榧《かや》や松の大木の下を通ると、釣瓶や首が落ちてきて、その人を引っ張り上げて食ってしまうという。

曾我部村字法貴では、「夜なべ済んだか、釣瓶下ろそか、ぎいぎい」といいながら下りてきたという。

滋賀県彦根市の釣瓶下ろしも、木の上から通行人の頭に釣瓶を落とすといわれた。

岐阜県揖斐《いび》郡久瀬村津汲でも同様の怪異を釣瓶落としと呼んでいる。

『百物語評判』には、京都西院のほとりで、大木の枝から鞠《まり》のような火が上下するのを見たという話がある。同書では、これを釣瓶下ろしといっている。

釣瓶下ろしは大木の精で、木生火の理（木は火を生ずるという陰陽五行説）から火となったものだという。こうしたことが若木に起こらないのは、まだ木の気が満たず、火の気を生ずるに至らないためである。

また、物事すべてに陰と陽があり、陽火《ようか》はものを焼くが、陰火《いんか》はものを焼かない。陰火は水などで消そうとすると、余計に燃え上がるので、火を投げ、灰をかければ防げる。釣瓶下ろしは陰火なので、ものを焼かず、雨の日によく見えるものである、などということが記されている。

同書には火中に顔のある怪火が描かれており、同じものを鳥山石燕は『画図百鬼夜行』として描いている。

現在では、釣瓶火と釣瓶下ろしは別物の妖怪のようにとらえられているが、もともと釣瓶下ろしは『百物語評判』にあるような、火の妖怪だったと推測される。

『妖怪談義』によれば、釣瓶下ろし（釣瓶落とし）は近畿、四国、九州地方に分布するとあるが、調べてみると、これに類する妖怪はほぼ全国で見られる。ただ、釣瓶下ろしの名が確認できるのは近畿、東海地方ぐらいで（高知県に釣瓶落とし山の話があるが、こちらは入《い》らず山に類するようである）、そのほかは名前がないものがほとんどである。

東北の釣瓶落とし（釣瓶下ろし）

また梢《こずえ》から釣瓶を落とすという特徴も近畿、東海地方に集中しており、そのほかの地方では、火に関係したものとして語られることが多い。島根県鹿足《かのあし》郡津和野町笹山の足谷には、大元神を祀る神木と祠があって、周辺の木《き》を伐ると、松明《たいまつ》のような火の玉が落ちてきて大怪我《おおけが》をするという記述がある。

静岡県賀茂郡中川村（松崎町）では、鬱蒼《うっそう》とした木々の間に大岩があり、そこに毎晩のようにほうろく鍋が下がったという（夜間にでるのだから、おそらくは真っ赤に焼けたほうろく鍋だと思われる）。

山形県東村山郡山辺町では、夕方になると杉の梢から真っ赤に焼けた鍋が下りてくる話があったそうである。青森県津軽地方でいうイジコも、木の梢から下りてくる火と解釈でき、茨城県東茨城郡の狢《むじな》の提灯や狢のお月様も、木の梢に止まる火と見ることができる。

以上のことから考えてみると、釣瓶下ろしが下ろした釣瓶とは、本来は釣瓶のように落ちてくる火のことをいっていたのではないだろうか。

㊜釣瓶火

『口丹波口碑集』垣田五百次・坪井忠彦　『自然と文化』一九八四秋季号「こどもたちのこわいもの」斎藤たま　『自然と文化』一九八四秋季号「島根の妖怪」白石昭臣　『郷土研究』2巻6号　『旅と伝説』通巻135号「丹波国船井郡の地名伝説その他」田中勝雄　『綜合日本民俗語彙』民俗学研究所編　『日本怪談集　妖怪篇』今野円輔編著　『江戸怪談集（下）』高田衛編／校注

釣瓶火〔つるべび〕 鳥山石燕の『画図百鬼夜行』に描かれた怪火。『百物語評判』にある釣《つる》瓶《べ》下《お》ろしの怪火を、石燕が釣瓶火と名づけたようである。

㊜釣瓶下ろし

『鳥山石燕　画図百鬼夜行』高田衛監修・稲田篤信・田中直日編

ツンツン様〔つんつんさま〕 千葉県安房《あわ》郡三芳村増間でいう妖怪。通称トリゴエという場所があり、夕方になると、そこをツンツン様という魔物が通る。ツンツン様が通るときは、生温《なまぬる》い風が吹いて、牛のような大きな動物でも怯《おび》えてしまうのだという。

『房総の伝説』平野馨

て

手洗鬼〔てあらいおに〕『絵本百物語 桃山人夜話』にある巨人。【手洗鬼は大太郎坊と云大魔の仕はしめにして、四国辺の入海にて三里の山をまたぎ、大海にて手を洗ふといへり。いかなるきたなきことをいたしてか手や洗へる。大太は五、六里づつの島を片手に持、富士のいただきにはりかかりて、海を呑と云へり。白隠《はくいん》禅師が大太郎法師の賛に「うみを呑む茶のこか雪のふじの山」これらの説より出たり。唐土《もろこし》にも荘子とて虚の本家有】と本文にあり、絵には【讃岐《さぬき》高松より丸亀へかよふ入海あり。其間の山々三里をまたげて手をあらふものあるよし。名はいかがにや知らず、ただ讃岐の手あらひ鬼

手洗鬼

といふ】とある。

　手洗い鬼の名では伝説に残っていないが、讃岐富士の愛称がある飯野山には、巨人のオジョモ（化け物の意味）の伝説がある。

　飯野山と青野山に足をかけて瀬戸内海の水を飲んだといわれ、今も飯野山の山頂にはそのときの足跡が残っているそうである。

　また、孫太郎という巨人が、飯野山と二子山とを一跨《ひとまた》ぎにした伝説もあるようである。

『竹原春泉　絵本百物語　桃山人夜話』多田克己編『讃岐の伝説』武田明・北条令子『日本伝説名彙』柳田国男監修・日本放送出版協会編

デイデンボメ
↓ダイダラボッチ

デーデーボ
↓ダイダラボッチ

デエデエボウ
↓ダイダラボッチ

デエラボウ
↓ダイダラボッチ

デーラボッチ
↓ダイダラボッチ

手負い蛇〔ておいへび〕『絵本百物語　桃山人夜話』にある蛇の怪異。【蛇を半殺して捨置しかば、其夜来りて仇《あだ》をなさんとせしかども、蚊《か》帳《や》をたれたりしかば入るを得ず。翌日蚊屋の廻り、紅の血しほしたたりけるが、おのづから文字のかたちをなして、あたむくひてんとぞ書たり】とある。

　昔から蛇の執念深さは他のものと比べることができないほど深いといわれている。

『竹原春泉　絵本百物語　桃山人夜話』多田克己編

手形傘〔てがたがさ〕『裏見寒話』にあるもの。妖怪名ではなく、山梨県甲府市の一蓮寺に伝わる伝説に関係した長柄の傘のこと。
　昔、朝比奈和尚という勇猛強力《ごうりき》の和尚が、葬式に突如現れた雷に襲われたが、逆に黒雲の中にいた雷を引きずり出して懲《こ》らしめた。

和尚は雷に二度と悪さをしないようにと、傘に手形を押させた。傘に押されたその手形は、大きな猫の足跡のようだという。

『随筆辞典　奇談異聞編』柴田宵曲編　『甲州の伝説』土橋里木・土橋治重

テガワラ
↓河童

手杵返し〔てぎのかえし〕
↓タテクリカエシ

手杵の棒〔てぎのぼー〕
↓タテクリカエシ

手小屋〔てごや〕　群馬県利根郡水上町湯ノ小屋でいう怪異。

木《き》を伐り出すために、ボンデン岩というところに飯場《はんば》をつくったときのこと。

大勢の人間のために大釜で飯を炊いていると、突然、大きな赤い手が天井を突き破り、その飯をひと掴《づか》みした。しかし熱かったのか、飯粒をつけたまま手をブルンブルンと振ったので、飯は黄色くなって辺りに飛び散った。

こんなことがあったので、その辺りを手小屋とよぶようになったという。この手の正体は天狗とされることもある。

㊂天狗
『水上町の民俗』群馬県教育委員会編

デタラボウシ
↓ダイダラボッチ

テッジ　八丈島でいう妖怪。テンジ、テッチ、テッジメともいう。身体中が瘡《かさ》だらけの女で、乳房を襷《たすき》のように両肩にかけているという。

人を神隠しにしたり、山道を一晩中迷わせたりするといわれるが、テッジと親しくなって秣《まぐさ》を運んでもらったとか、行方不明の子供の面倒を3日間もみたという話もある。

『八丈島』大間知篤三　『綜合日本民俗語彙』民俗学研究所編

テッジメ
↓テッジ

鉄鼠〔てっそ〕　鳥山石燕の『画図百鬼夜行』に鼠の妖怪として描かれたもので、【頼豪の霊

鉄鼠

鼠と化と、世にしる所也】とある。

頼豪阿闍梨《らいごうあじゃり》は平安時代の天台宗園城寺《おんじょうじ》（三井寺）にいた僧で、効験あらたかな僧として知られていた。

あるとき頼豪は、白河天皇に皇子誕生の祈禱を命じられた。そのときの約束では、効験があれば褒美《ほうび》を与えるとのことだった。

祈禱が天に通じたのか、やがて皇子が誕生したが、天皇は約束を破って、園城寺に戒壇《かいだん》（出家を希望する者に戒《かい》を授ける施設）を建立《こんりゅう》するという頼豪の望みを却下した。当時は山門延暦寺《えんりゃくじ》と寺門園城寺の対立が激しく、白河天皇は延暦寺側を恐れてのことだった。

これを激しく怨んだ頼豪は、百日間の断食《だんじき》行《ぎょう》の末に夜叉《やしゃ》のような姿で死に、やがて鉄の牙を持つ大鼠に変化して、無数の鼠とともに延暦寺を襲った。鉄鼠《てっそ》とは、この頼豪が変化した大鼠のことである。恐れをなした延暦寺は、東坂本に頼豪を神として祀り、頼豪の怨念を鎮めた。この社《やしろ》は鼠の秀倉《ほくら》とよばれる。

頼豪の伝説は栃木県にも伝わっている。延暦寺を襲った鼠は諸国にもその害を及ぼし、下野《しもつけ》（栃木県）にまで来襲してきたが、勝軍《しょうぐん》地蔵が現れて塚の中に封じたという。

そのときの塚は来鼠《らいそ》塚《づか》とよばれ、栃木県小山市土塔にあるという。

『鳥山石燕 画図百鬼夜行』高田衛監修・稲田篤信・田中直日編 『下野の伝説』尾島利雄

テッチ
↓テッジ

手長足長〔てながあしなが〕秋田県、山形県、福島県、長野県でいう伝説の巨人。

山形県、秋田県でいう手長足長は鳥海山に棲み、里に下りては悪さをし、日本海を行く船を襲ったりと乱暴を繰り返していたという。

見かねた大物忌神は三本足の霊鴉を遣わして、鬼が出たら「有《う》や」、いなければ「無《む》や」と鳴かせて人々に知らせた。そのため、鳥海山麓の三崎峠は有耶無耶《うやむや》の関とよばれた。

やがて、慈覚大師がこの地にやって来て話を

足長手長（手長足長）

聞き、吹浦（山形県）で百日間祈ったところ、その満願の日に大音響とともに鳥海山が吹きとび、手長足長は姿を消したという。

福島県会津磐梯山、長野県諏訪郡にも手長足長の伝説があり、上諏訪町には諏訪明神の家来とされた手長足長を祀る手長神社がある。

この他、上記の巨人とは別に、御所内に描かれた手長足長がある。清少納言の『枕草子』には、【北の隔てなる御障子《おしようじ》は、荒海の絵、生きたるものどもの恐ろしげなる、手長足長などをぞ、描きたる。上の御局《おつぼね》の戸をおしあけたれば、常に目に見ゆるを、にくみなどして笑ふ】と、清涼殿《せいりようでん》に手長足長を描いた障子があったことを示すエピソードがある。

ここでいう手長足長は不老長寿の神仙とされたもので、これを描くことによって天皇の長寿を願ったのだといわれる。

この装飾は飛騨高山祭に出る山車《だし》にも見られ、鍛冶橋の欄干《らんかん》にもその像がある。

『秋田の伝説』野添憲治・野口達二『出羽の伝説』須藤克三・野村純一・佐藤義則『会津ふるさと夜話 一』小島一男『日本伝説叢書 信濃の巻』藤沢衛彦『日本伝奇伝説大事典』乾克己・小池正胤・志村有広・高橋貢・鳥越文蔵編

手長婆〔てながばばあ〕青森県、下総（千葉県北部、茨城県南部）でいう妖怪。

下総では、水底に棲む、長い手を持った白髪の恐ろしい婆とされ、子供が水辺で遊んでいると、中から出てきて水中に引き込んでしまう。井戸端や池などで遊ぶ子供を、脅すときにいわれる妖怪だという。

青森県三戸郡田子町では、大昔に貝守ヶ岳の頂上に棲んでいたものといい、この山から八戸の海まで腕を伸ばし、貝を採って食料にしていたという。頂上の岩に夥《おびただ》しくこびりついている貝殻は、手長婆が食った滓《かす》だといわれている。

『民間伝承』通巻50号「妖怪其他」小川景『青森の伝説』森山泰太郎・北彰介

手の目〔てのめ〕鳥山石燕の『画図百鬼夜行』

手の目

に、掌《てのひら》に目がついた座頭姿で描かれているもの。石燕による解説はないが、参考にしたと思われる話が『諸国百物語』にある。

京都七条河原の墓所に80歳ぐらいの老人が現れ、肝試《きもだめ》しで墓所に入ってきた若者を襲ったという話で、その老人には目がなく、掌に目がついていたという。

『諸国百物語』にはこの化け物の名前が記されていないが、石燕はこれを手の目と名づけて描いたようである。

『鳥山石燕　画図百鬼夜行』高田衛監修・稲田篤信・田中直日編『江戸怪談集（下）』高田衛編／校注

寺子の蒲盧〔てらこのほろ〕

↓蜃気《しんき》楼《ろう》

寺つつき〔てらつつき〕　鳥山石燕の『今昔画図続百鬼』に描かれたもので、【物部大連守屋《もののべのおおむらじもりや》は仏法をこのまず、廏戸皇子《うまやどのおうじ》のためにほろぼさる。その霊一つの鳥となりて、堂塔伽藍《がらん》を毀《うが》たんとす。これを名づけて、てらつつきといふとかや】とある。

『和漢三才図会』でも啄木鳥と書いてテラッキと読ませている。

『鳥山石燕 画図百鬼夜行』高田衛監修・稲田篤信・田中直日編

貂〔てん〕 秋田県、石川県、広島県などでは、貂《てん》や鼬《いたち》が目の前を横切ると縁起が悪いとし、広島県では貂を殺すと、火による災いがあるとしている。

また、三重県伊賀では、「狐の七化け、狸の八化け、貂の九の化け、やれ恐ろしや」と、貂は9種類のものに化けるといっていた。

福島県南会津郡では扶持借《ふちか》り、ヘコともよび、雪崩《なだれ》で死んだ人の亡霊が姿を変えてきたものといわれている。

『日本俗信辞典』鈴木棠三 『綜合日本民俗語彙』民俗学研究所編

天火〔てんか〕
↓天火《てんび》

天狗〔てんぐ〕 日本各地に分布する妖怪。主に山に棲み、神通力《じんつうりき》をもってさまざまな怪異を引き起こすと信じられていた。

天狗の初見は『日本書紀』の舒明《じょめい》天皇9年（六三七年）2月の条のアマツキツネだとされるが、これは今日いう天狗とは異なり、大音響を轟《とどろ》かせて東西に流れた流星のことである。

平安時代には、山中に棲む姿の見えない存在とされ、後に『今昔物語集』などの説話集に仏法の障《さわ》りをする魔として、天狗は鳶《とんび》のような姿で登場することになる。

仏教が盛んになると、天狗は仏法者を妨害する天魔と同列となり、『源平盛衰記』には、僧侶の中でも傲慢甚《ごうまんはなは》だしい者が死して天狗となるとある。そうした僧侶は仏法者であるから地獄には堕《お》ちず、無道心《むどうしん》だから往生もしないので、死ねば必ず天狗道に堕ちるとされた。

また、怨霊が天狗となって世の中に災いをもたらすとも信じられ、崇徳《すとく》上皇が死した後に天狗となった話はよく知られている。

山岳宗教の修験道《しゅげんどう》では、天狗は山の精霊的な

天狗

とらえかたをされており、修験道の寺院や修行者を守護するものとされた。

これは日本古来の山に対する信仰と結びついたもので、漠然とした山の精霊、山の神だったものに、修験道が天狗という名で具体的な姿や性質を与えたものと考えられている。何々山の何々坊などとよばれる天狗は、ほとんどが修験系の天狗である。山の神という原始宗教的な背景があるためか、修験系の天狗は善悪の二面性を持ち合わせており、修行者の守護神とする一方で、山中で暴風雨を起こしたり、神隠しをするような恐ろしい性質が語られる。

天狗が山伏《やまぶし》姿をしているのは、修験道に端を発するもので、鼻高《はなたか》天狗や烏天狗は、修験道寺院の法会《ほうえ》の際に先払いとして登場する治道面《ちどうめん》や迦楼羅面《かるらめん》が影響しているといわれる。

江戸時代になると、神田祭や山王祭で先導役として天狗が出てくるようになり、赤い顔をした鼻高天狗がよく知られるようになる。これは天孫降臨《てんそんこうりん》の際に道先案内をつとめた猿田彦の姿が根底にあるとされ、先の修験系天狗も影響しているようである。

この頃になると、赤い鼻高天狗を首領として、鳥の姿をした天狗はその手下のように扱われるようになり、絵物語などによく登場するようになる。

近代に入ってからの天狗は江戸の人々が考えていた天狗とそう変わりはなく、一般には赤ら顔の鼻高天狗と鳥天狗の姿が想像される。

しかし、民俗伝承では、姿を見せない山中の霊的な存在として伝えているほうが多いようである。天狗倒し、天狗囃子《ばやし》、天狗笑いといった山中での怪音、天狗火や天狗礫《つぶて》といった怪異など、直接姿を見せたとする天狗の伝承は少ない。ただ、神隠しのような場合は、行者風《ぎょうじゃふう》の大男として姿を現している。

民俗学者の宮本袈裟雄は、民俗伝承の天狗を大きく分けると、天狗を山の神と同一視する山の神型、山中で起こる不思議な現象を天狗のしわざとする山の怪異型、天狗松や天狗杉、あるいは天狗岩といった天狗の住処《すみか》を伝えるものを天狗依《よ》り代《しろ》型、昔話に登場する天狗で人間に馬鹿にされてしまうような愚か者型、といった4つに分類できるとしている。

同氏によれば、最後の昔話の天狗を除けば、民俗伝承でいう天狗は、具体的な姿を持たない、山の怪異型が根底にあるという。

以上のことから考えてみると、天狗という妖怪は時代によってさまざまな考え方がなされてはいるものの、根底にある山の怪異という面で見れば、平安時代の頃からまったく変わっていないといえるだろう。

『日本伝奇伝説大事典』乾克己・小池正胤・志村有広・高橋貢・鳥越文蔵編『江戸文学俗信辞典』石川一郎編『民間信仰辞典』桜井徳太郎『天狗と修験者』宮本袈裟雄

天狗隠し〔てんぐかくし〕各地でいう怪異。

神隠しの類で、天狗が若者や子供を攫《さら》っていき、しばらくしてから戻ってきて、天狗様に各地を案内してもらったなどという。

㊂天狗、隠し神
『登山全書 六 山の神秘』「天狗の正体」岩科小一郎

天狗倒し〔てんぐだおし〕 山中で木を伐《き》るような音や、大木が倒れる音をたてる。音がした辺りに行ってみても、実際は何事もないという。天狗のしわざとされる。
同じような怪異は全国の山間部に伝わる。
㊂天狗、空木倒《からきだお》し
『日本妖怪変化語彙』日野巌・日野綏彦

天狗憑き〔てんぐつき〕 各地でいう怪異。天狗が人に憑いた状態をいう。
天狗に憑かれた者は、突然、曲芸師のような荒技を披露したり、覚えたはずのない剣術を見せたりと、常軌を逸した身体能力を発揮するという。
㊂天狗
『動物界霊異誌』岡田建文 『妖怪学』井上円了 『現代民話考 一 河童・天狗・神かくし』松谷みよ子

天狗憑き

天狗礫〔てんぐつぶて〕 各地でいわれるもので、山中で突然、小石や砂が降ってくるというもの。天狗のしわざとされたのでこの名がある。鳥山石燕も『今昔百鬼拾遺』にその様を描き、【凡《およそ》深山幽谷の中にて一陣の魔風おこり、山鳴、谷こたへて、大石をとばす事あり。是を天狗礫と云。左伝に見えたる宋《そう》におつる七つの石も、うたがふらくは是ならんかし】と解説している。

本来は山中での怪異のことなのだろうが、『聖城怪談録』には加賀（石川県）の町中で起こったという話がある。

城下町大聖寺（加賀市）で、菅生石部神社の神主の大江相模守が天狗礫《てんぐつぶて》にあった。石が上空から降ってきて、足元などに落ちたのだが、下を見ると石はなく、また川に石礫《いしつぶて》が落ちて波紋は立つのだが、やはり石は見えないといったような不思議な状況だったという。

㊂天狗

『鳥山石燕 画図百鬼夜行』高田衛監修・稲田篤信・田中直日編 『妖異博物館』柴田宵曲 『聖城怪談録』江沼地方史研究会編

天狗なめし

→天狗倒し

天狗の火事知らせ〔てんぐのかじしらせ〕 神奈川県津久井郡柏野村でいう怪異。吉原の高グラの岩場に天狗がいて、夜になると木を倒す音や、「ヨイショヨイショ」と運ぶ声、ズシンと川に投げ入れる音をたてる。

この音が聞こえたときは、近いうちに火事が起こるという。

岩手県や山形県でも、天狗が太鼓の音をたてて火事を事前に知らせたという話がある。

㊂天狗

『登山全書 六 山の神秘』「天狗の正体」岩科小一郎

天狗の漁猟〔てんぐのぎょろう〕

→天狗火

天狗の太鼓〔てんぐのたいこ〕

→天狗囃子《ばやし》

天狗の能〔てんぐののう〕

↓天狗囃子《ばやし》

天狗囃子〔てんぐばやし〕　静岡県掛川市小笠山でいう音の怪異。

小笠神社の眷属《けんぞく》である天狗は、夏の旱魃《かんばつ》の頃になると、山の中でピーックドンドンと盛んに囃子《はやし》の音をたてる。地元の村には聞こえず、少し離れた隣村でよく聞こえたという。

これと似たものが各地に伝わっており、岩手県遠野では、山からドンドンと太鼓の音が聞こえることを天狗の虚空太鼓《こくうだいこ》とよんでいる。この太鼓が聞こえると、2、3日中に山が荒れるといわれていた。

岐阜県揖斐《いび》郡徳山村（藤橋村）では天狗の太鼓とよび、曇天《どんてん》の日に山からポンポンと太鼓の音が聞こえてくると天気が変わるという。

山梨県北都留《きたつる》郡笹子村滝子山（大月市）では天狗の能といって、毎年正月14日の前後に、どこからか鼓笛《こてき》の音が聞こえ、音がするほうに人が近づくと止み、今度は別な方角から聞こえてくるという。その音はヒュートントンと、まるで桶の底を叩くような音だという。

㊜天狗、狸囃子《たぬきばやし》

『民間伝承』通巻153号「遠州の天狗囃し」高山建吉『遠野物語』柳田国男『登山全書　六　山の神秘』「天狗の正体」岩科小一郎

天狗火〔てんぐび〕　主に愛知県、静岡県、山梨県、神奈川県でいう怪火。

遠州（静岡県）の天狗火は、山から提灯ほどの大きさの火が現れ、これが数百にも分かれて飛行する。赤味を帯びた色で、多く水辺に集まる。俗に天狗の漁猟《ぎょうろう》ともいう。

天狗火を見ると病気になるといわれ、もしこれに出会ったら、額《ぬか》ずいて頭に草履《ぞうり》や草鞋《わらじ》を載《の》せればよいといわれる。

海にもよく現れ、遠くにいるものでも、呼べばたちまち目の前にやって来るという。

山梨県や神奈川県の山間部では、この火は川天狗のしわざとされ、夜、川で漁をする者が、川に転がる火の玉を見たという。

㊜天狗、川天狗

天狗火

『随筆辞典　奇談異聞編』柴田宵曲編　『相州内郷村話』鈴木重光編　『動物妖怪譚』日野巖

天狗揺すり〔てんぐゆすり〕　山小屋などで夜になると小屋を揺さぶられるという怪異。

神奈川県丹沢山中では、小屋を揺さぶられたとき、飛び出すと怪我《けが》をするので我慢していると、天狗の赤い鼻が屋根を突き破って出てきたなどの話がある。

㊜天狗

『登山全書　六　山の神秘』「天狗の正体」岩科小一郎

天狗笑い〔てんぐわらい〕　山中で物凄い笑い声が聞こえてくること。埼玉県入間郡飛村では、高岩という岩山に天狗がおり、四六時中、通行人に叫んだり笑ったりしたという。

その声は誰の耳にも聞こえるわけではなく、特定の人のみに聞こえるそうである。

㊜天狗

『登山全書　六　山の神秘』「天狗の正体」岩科小一郎

テンゴーサマ
↓天狗

テンコロ転ばし［てんころころばし］　岡山県邑久《おく》郡でいう妖怪。現れる場所が決まっていて、夜間その場所を通ると、テンコロがコロコロと坂を転がっていくのが見えるという。

テンコロとは砧《きぬた》（衣打ち台）のことだが、それに使う柄のついた木槌《きづち》のこともテンコロといっているので、そうした木槌のような形のものが転がってくるということなのだろう。

㊜槌《つち》の子

『岡山文化資料』2巻6号　『綜合日本民俗語彙』民俗学研究所編

テンコロバシ　青森県八戸市でいう妖怪。雨模様の晩に出る光り物で、大きな丸い光がグルグル転がって坂を上下するという。

『綜合日本民俗語彙』民俗学研究所編

テンサラバサラ
↓ケサランパサラン

テンジ　伊豆諸島八丈島の昔話に登場する妖怪。山荒らしや山火事を防ぐため、山番が頂上に小屋を建てて住んでいたが、そこにテンジという妖怪が現れていろいろと悪戯《いたずら》した。

あるとき、テンジが黄八丈《きはちじょう》を着た美しい娘に化けてきたので、山番が腕を強く引っ張って小屋に引き入れようとすると、腕と見えたのは竹だった。山番が鉈《なた》でその竹を切ってしまうと、テンジは悲鳴をあげて逃げていった。

次の晩、腕を返せと騒ぐテンジに山番が竹棒を投げ返すと、テンジは「ヒャッヒャッ」と高笑いを残して去っていった。しばらくすると、島は大旱魃《だいかんばつ》で飢饉《ききん》となった。

山番は食うものがなくてぐったりしていたが、そこにテンジが現れて、山芋や山ブドウを小屋の中にどっさり投げ入れていった。山番はこれで命を繋《つな》ぐことができ、テンジに感謝したということである。

『日本の民話　二十六　沖縄・八丈島篇』伊波南哲・浅沼良次編

テンジ

↓テッジ

天井下［てんじょうくだり］　鳥山石燕『今昔画図続百鬼』に天井から逆さまにぶら下がる妖怪として描かれており、【むかし茨木童子は綱が伯母と化して破風をやぶりて出、今この妖怪は美人にあらずして天井より落。世俗の諺《ことわざ》に天井見せるといふは、かかるおそろしきめを見する事にや】と記されている。

天井を見せるとは、石燕が活躍した時代の流行語で、「人を困らせる」意味だったらしい。石燕の妖怪は言葉遊びで作られたものが多く、この天井下《てんじょうくだり》も例外ではないようである。

『鳥山石燕　画図百鬼夜行』高田衛監修・稲田篤信・田中直日編　『怪』5号「絵解き　画図百鬼夜行の妖怪」多田克己

天井嘗［てんじょうなめ］　鳥山石燕の『画図百器徒然袋』に、長い舌で天井を嘗《な》めている妖怪が描かれており、【天井の高は灯くらうしへ冬さむしと言へども、これ家さくの故にもあらず。まったく比怪のなすわざに

天井下がり（天井下）

天井嘗め（天井嘗）

て、ぞっとするなるべしと、夢のうちに思ひぬ】と記されている。

『画図百器徒然袋』は吉田兼好の『徒然草』から多くの題材を得ており、この天井嘗めも第55段の【天井の高きは、冬寒く、燈暗し】という件《くだり》から採られている。

　兼好の時代の住宅は、夏場のことを考えて、天井を高く作るのがよいとされていたらしい。天井が高い部屋は冬期は寒く、灯火も届かずに薄暗い部屋となってしまう。

　石燕はこれを家作のためではなく、天井嘗なる妖怪が、灯火を届かないようにしているのだといっているのだろう。

『鳥山石燕　画図百鬼夜行』高田衛監修・稲田篤信・田中直日編

天吊し［てんづるし］　山梨県北巨摩《きたこま》郡の進藤某という家でいう妖怪。

　夜中に稚児《ちご》のようなものが天井より下りてくるのだという。

『口碑伝説集』北巨摩教育会編　『綜合日本民

俗語彙』民俗学研究所編

天帝少女〔てんていしょうじょ〕

↓産女《うぶめ》

天火〔てんぴ〕　愛知県、岐阜県、佐賀県、熊本県でいう怪火。テンピ、テンカともいう。

　愛知県渥美郡では、夜間に自分の行く手が昼間のように明るくなるようなものだという。

　これは岐阜県揖斐《いび》郡藤橋村でいう天火《てんぴ》と同じもののようで、天火《てんぴ》は夏の夕方、不意に空を飛ぶもので、大きな音をたてるという。

　佐賀県東松浦郡では、現れると天気がよくなり、屋内に飛び込むと病人が出るという。熊本県玉名郡では、天上より落ちてくる提灯大の火の玉で、屋根に落ちると火事になるといって恐れられた。この佐賀県、熊本県でいう天火《てんぴ》は『絵本百物語　桃山人夜話』や『甲子夜話』にある天火《てんぴ》と同じもののようである。

『甲子夜話』によれば、肥前の佐賀地方には時として天空より火の玉が落ちてくるという。これが地に落ちると転々としてどこに止まるか分

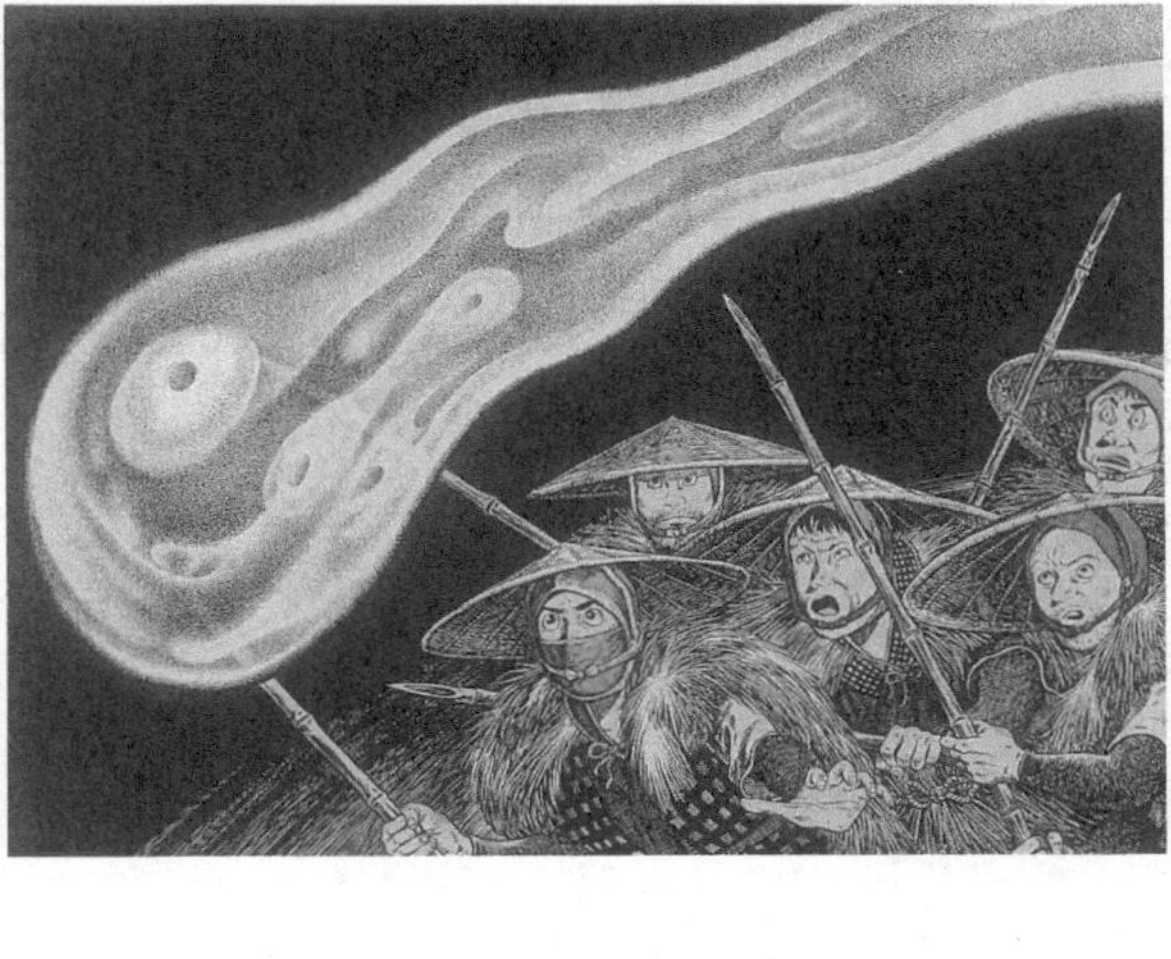

天火

からず、放っておくと人家に入って火事を起こすので、見つけた人々は念仏を唱えながら追いまわし、郊外まで追い出すという。

また、『筆のすさび』には、念仏ではなく雪《せっ》駄《た》で扇《あお》いで追い払う方法が記され、肥前で家を消失した人が、「この度の火災は、某の屋根に降りかかった天火を某が雪駄で追い退《の》け、それが私どもの家に移って起こったものです。ゆえに新築の費用は、ぜひ某に払わせるように、お取り計らいを願います」という請願書を代官に出した話が書かれている。

『大語園』巌谷小波編 『旅と伝説』通巻149号「美濃揖斐郡徳山村郷土誌」国枝春一・広瀬貫之 『日本随筆大成』日本随筆大成編集部編 『竹原春泉 絵本百物語 桃山人夜話』多田克己編

テンマル 群馬県甘楽《かんら》郡秋畑村(甘楽町)でいう怪物。人間の死体を食いにくるもので、これを防ぐために、死体には埋葬した上から目《め》籠《かご》をかぶせておくという。

『民間伝承』通巻139号「狼弾きの竹」井野口章次 『綜合日本民俗語彙』民俗学研究所編

天満山三万坊(てんまんざんさんまんぼう)密教系の祈禱秘経『天狗経』にある全国代表四十八天狗の一つに数えられているが、美濃(岐阜県)の天狗とあるだけで、詳細は不明。

㊜天狗

『天狗考 上』知切光歳 『図集天狗列伝 西日本編』知切光歳

と

トイコシンプク

↓コシンプ

トイセコッチャカムイ

↓コロポックル

トイチセウンクル

↓コロポックル

トイポクンオヤシ 地下のお化けという意味の妖怪。樺太《からふと》アイヌの人々に伝わっている。地下に潜《ひそ》んだまま姿は現さず、身体の一部だけを地表から露出して人間を驚かせる。

林野を女性が歩いていると、行く手に突然きのこのようなものが現れ、ピョコピョコと起き上がったり下がったりする。

このとき、あわてずに前をまくり、「お前さんのだけが立派だというの？　私のだって負けないわよ。したいのならしましょうよ」といいながら性交のしぐさを真似《まね》ると、トイポクンオヤシは満足して退散してしまう。

また、女のトイポクンオヤシもいて、男性の前に現れる。地表にカラス貝のようなものを露出し、ゆらゆらさせているという。

この場合も相手を誉めて、「やりたいならやろう」といいながら、その動作を真似ると退散するそうである。

このような性器だけを現す妖怪は珍しく、日本では他に例をみない。

江戸時代の戯画などには、8本の頭が男根になっているヤマラノオロチや、顔が女性器になった開き女といった妖怪が描かれているが、それらは今でいう漫画であり、創作された妖怪である。

『えぞおばけ列伝』知里真志保編訳

トイポクンペ
↓トイポクンオヤシ

灯台鬼〔とうだいき〕『平家物語』『源平盛衰記』『和漢三才図会』にあるもの。
鳥山石燕の『今昔百鬼拾遺』には、唐人風の男が頭上に燭台を立てた姿で描かれ、【軽大臣遣唐使たりし時、唐人大臣に唖《おし》になる薬をのませ、身を彩り頭に灯台をいただかしめて、灯台鬼と名づく。その子弼宰相入唐して父をたづぬ。灯台鬼涙をながし、指をかみ切り、血を以て詩を書して曰、
我元日本華京客（われはもとにつほんくはけいのかく）汝是一家同姓人（なんぢはこれいつけどうせいのひと）為㆑子為㆑爺前世契（ことなりおやとなるぜんぜのちぎり）隔㆑山隔㆑海変生辛（やまをへだてうみをへだてへんぜうからし）経㆑年流㆑涙蓬蒿宿（としをへてなみだ

をながすほうかうのやど）逐レ日馳レ思蘭菊親（ひをおひおもひをはらすらんぎくのしん）形破二他郷一作二灯鬼一（かたちたきやうにやぶれてとうきとなる） 争帰二旧里一寄二斯身一（いかでかきうりにかへりてこのみをよせん）】と解説されている。

『平家物語』（長門本、延慶本）や『源平盛衰記』には、鹿《しし》ヶ谷事件で鬼界ヶ島に流された俊《しゅ》寛僧都《んかんそうず》を、かつて俊寛の召使いだった有王が、苦心の末に捜し出して再会する場面がある。灯台鬼の話は、俊寛と有王の再会の様子をたとえる部分に挿入されている。

『鳥山石燕 画図百鬼夜行』高田衛監修・稲田篤信・田中直日編 『源平盛衰記』塚本哲三編

道通様［どうつうさま］ 岡山県にある神社。猿田彦命《さるたひこのみこと》を祭神とし、神使は蛇とされている。

昔、2人の娘を持つ女が、夫の浮気に腹を立て、浮気相手を殺してほしいと道通様《どうつうさま》へ願かけした。

やがて呪われた女は肺病のようになり死んだが、同時に呪った女の娘が2人とも原因不明の病気にかかり、しかも、家の中のあちらこちらに蛇が姿を見せるようになった。

娘がいよいよ危なくなったとき、なぜか娘の腹や喉《のど》からキャキャキャキャと蛇の鳴く声が盛んに聞こえ、やがて2人の娘が死ぬと、家の中からたくさんの蛇が現れ、ぞろぞろと道通様のほうへ帰っていったという。

『岡山の怪談』佐藤米司

トウバイ

→トウビョウ

トウビョウ 四国、中国地方でいう憑き物。トンベ神（徳島県）、トンボ神（香川県）、トボ神（香川県）、トウバイ（島根県）ともいい、当廟、土瓶神などと書かれる。

姿の見えない小狐ともいうが、普通は10cm～15cmほどの首に金色の輪がある蛇をいう。飼うと金持ちになるといわれ、飼い主の意思で人に憑いたり災いをもたらすと信じられた。

トンボ神持ちとよばれる家では、人目のつかない台所の床下などに土製の瓶《かめ》を置き、そこに蛇を入れて、人間と同じ食事や酒を与えるとか、屋敷内に放しているといわれる。

蛇は75匹の群れをなしており、ふだんは目に見えるのだが、憑きに出るときは姿を隠すなどという。これに憑かれると、身体の節々《ふしぶし》が激しく痛むそうである。

『日本の憑きもの』石塚尊俊『日本昔話事典』稲田浩二・大島建彦・川端豊彦・福田晃・三原幸久編『綜合日本民俗語彙』民俗学研究所編

豆腐小僧〔とうふこぞう〕 主に黄表紙（江戸時代中期から刊行されはじめた滑稽文学）などに登場する妖怪で、『狂歌百物語』には盆に豆腐を載せた小僧の姿が描かれている。

どのような妖怪かは不明だが、一つ目小僧や河童も、手に豆腐を持つ姿で描かれることがあるので、何かしら関係があると思われる。

『江戸化物草紙』アダム・カバット

百目鬼〔どうめき〕 栃木県宇都宮市大曾の伝説に登場する妖怪。

豆腐小僧

その昔、藤原秀郷《ひでさと》が宇都宮の辺りを通りかかったとき、白髪の老人が現れて、「汝《なんじ》は万民のため悪鬼を退治されると聞いている。明神山続きに大曾村という村があるが、その北西に兎田という馬捨て場がある。そこでしばらく待たれよ」というなり消えてしまった。

秀郷は不思議に思いながらもその場所に行き、待っていると丑三《うしみ》つ時頃、悪風が吹き出し、身の丈3mもあろうかという鬼が現れた。刃《やいば》のような毛を生やしたその鬼は、百もの目で四方を見渡しながら死馬に食らいついた。

秀郷はさっそく重藤《しげとう》の弓に山鳥の羽の矢をつがえ、南無《なむ》八幡《はちまん》と唱えながら放つと、狙い違《たが》わず矢は鬼の胸に突き刺さった。鬼は悲鳴をあげながら逃げていき、やがて明神山の後ろ辺りで倒れた。秀郷の郎党が我先《われさき》に討ち取ろうとするが、その身体から火炎を吹き、毒気を吐いているので、近づくことができなかった。

そこに本願寺の智徳上人がやって来て、水晶の数珠《じゅず》を手に呪文を唱え、「汝、我が法力をもって得脱《えだつ》せよ」と頭を打った。

すると、その炎は衰えて人の形となり、百の目も消えていった。一同は大いに喜び、上人の教えに従って鬼の死体をそこに葬った。

以来、その場所を百目鬼《どうめき》とよぶようになったという。

栃木県の民芸品にふくべ（瓢）細工の鬼面があるが、これはこの話にちなんで魔除けとして作られたものだという。

『鬼の系譜』中村光行　『宇都宮市六十周年誌』宇都宮市役所編

どうもこうも　熊本県八代市の松井家に伝わる『百鬼夜行絵巻』にあるもの。一つの身体に首が2つついた化け物として描かれている。

石川県、長野県、高知県などでは、どうもこうもは昔話として知られている。腕のたつ2人の医者が腕比べをしたが、お互いの首を同時に切り落としてしまったので、どうにもこうにもならなかったという内容である。

『別冊太陽　日本の妖怪』『日本昔話通観二

どうもこうも

十一 徳島・香川』稲田浩二・小沢俊夫編
『日本昔話名彙』柳田国男監修・日本放送出版協会編

トゥレンパ
→トゥレンペ

トゥレンペ　アイヌ民族に伝わる個人、集団の守護神のようなもの。トゥレンパ、ドジカムイ、ドレンペともよばれ、憑神《つきがみ》と訳される。

個人のトゥレンペには、生まれたときから憑いているものと、後天的なものの2種類があり、どんな人でも先天的なトゥレンペは1つから最大3つまでは憑いているという。

熊や狼などの動物、火の神、雷の神といった自然現象の神と、人によってトゥレンペは違い、そのため、人それぞれの性格や能力に違いが出るのだという。

後天的に憑くトゥレンペは、病気のときに一時的に憑いてもらう力の強い神や、神に協力したときの御礼《おれい》として後ろ楯になってくれる神、個人の行いに無関係に憑いて病気や災いをよぶ神などがある。

『アイヌの霊の世界』藤村久和　『歴史と民俗アイヌ』更科源蔵　『自然と文化』一九八四秋季号「アイヌの妖怪」萱野茂

通り悪魔〔とおりあくま〕『世事百談』や『思出草紙』など、江戸時代の随筆にあるもの。通り魔、通り者ともいって、人に取り憑いて乱心させるという。

『思出草紙』にはこんな話がある。

夕方に剃刀《かみそり》を研いでいたある武士が、ふと障《しよう》子《じ》の隙間から外を見ると、甲冑《かっちゅう》を着て槍や長刀《なぎなた》を引っ提げた武者が三十数騎、板塀の上に居並んでこちらを睨《にら》んでいた。それは世にも恐ろしい光景だった。

しかし、この武士は心得のある者だったので、剃刀を投げ捨て、平伏して臍《へそ》の下に意識を集中するようにして心を静めた。

しばらくして顔を上げてみると、武者たちの姿は消えていたが、塀の向こうの家に乱心する者が出て、人に傷を負わせて自らも自害するという大騒動が起きたという。

通り悪魔を見て狼狽《ろうばい》すると、必ず乱心して不慮の災禍を蒙《こうむ》るので、心を落ち着けてこれに打ち克《か》つことが肝心だと記されている。

通り悪魔の姿は実にいろいろとあるようで、『世事百談』は白い襦袢《じゅばん》を着た怪しい男だったと記している。

『随筆辞典　奇談異聞編』柴田宵曲編　『大語園』巌谷小波編　『妖怪の民俗学』宮田登

通り魔〔とおりま〕

↓通り悪魔

通り者〔とおりもの〕

↓通り悪魔

ドジカムイ

↓トゥレンペ

年殿〔としどん〕　鹿児島県薩摩郡下甑《しもこしき》島でいう来訪神。大晦日の晩、鬼のような顔をした年《とし》殿《どん》が、山から首のない馬に乗って、鈴を鳴らしながらやって来るという。

現在は年越しの晩に若者が鬼のような扮装を

して各戸をまわる年中行事になっていて、悪い子を懲《こ》らしめ、悔い改めるよういい聞かせると、歳餅《としもち》という餅を与えて帰っていく。

この餅は齢《とし》を1つ取ることができる餅といわれ、もらわないと齢を取れないと信じられている。歳餅はいわゆるお年玉である。

『旅と伝説』通巻76号「年中行事調査標日」柳田国男『目でみる民俗神 一』萩原秀三郎

刀自待火〔とじまちゃーびー〕 沖縄県でいう怪火。

提灯ほどの火の玉で、他からきた火の玉と合わさってゆらゆらと明滅するという。

那覇市首里には刀自《とじ》待火の由来譚《ゆらいたん》が伝わる。

首里に、ある仲のいい夫婦がいた。その妻に横《よこ》恋慕《れんぼ》した男が妻を待ち伏せて「お前の夫は、お前の帰りが遅いので川に身を投げて死んだ」と嘘をいう。妻はこれを悲しみ、自分も身を投げて死んでしまい、以来、この夫婦の無念の火である刀自待火が出るという。

刀自とは妻のことで、これは遺念火《いねんび》と同じも

トシドン（年殿）

のと思われる。

㊇遺念火、

『郷土研究』第5巻第3号「琉球妖怪変化種目二」金城朝永 『日本妖怪変化語彙』日野巌・日野綏彦 『妖怪お化け雑学事典』千葉幹夫

ドチ 岐阜県加茂郡八百津町、郡上郡でいう河童。鼈《すっぽん》のようなもので、これが化けるとカワランベになるという。ドチロベ、ドチガメの「ドチ」も同じである。

㊇河童、鼈

『河童の世界』石川純一郎

ドチガメ

↓ドチ

ドチロベ

↓ドチ

ドチロンベ

↓ドチ

徳利転がり〔とっくりころがり〕

↓徳利まわし

徳利まわし〔とっくりまわし〕 香川県多度津郡でいう怪異。徳利転《とっくりころ》がりともいう。二升徳利をまわすような音をたてて転がってくるもの。実際に徳利が転がるわけではなく、音だけの怪異のようである。

『民間伝承』通巻47号「妖怪語彙」三宅周一

鳥取の牛鬼〔とっとりのうしおに〕 鳥取市や気高《けだか》町でいう怪火で、牛鬼とよばれている。雨の夜に、笠や蓑に蛍のような火が隙間なく群がり、打ち払ってもまた別の火が取りついて、前が見えなくなるほどだという。

出る場所はだいたい決まっていて、湖山池では青島付近によく現れたそうである。

また、出雲国（島根県北東部）でも同じような怪火があり、こちらも牛鬼とよんでいたと『異説まちまち』に見える。

㊇牛鬼、蓑火《みのび》、蓑虫、川蛍《かわぼたる》

『因伯伝説集』荻原直正 『随筆辞典 奇談異聞編』柴田宵曲編

ドテンコ

↓槌《つち》の子

百々目鬼〔どどめき〕　鳥山石燕の『今昔画図続百鬼』に、腕にたくさんの目がついた女として描かれており、【函関外史にいわく、「ある女生れて手長くして、つねに人の銭をぬすむ。忽腕に百鳥の目を生ず。是鳥目《ちょうもく》（注・銭のこと）の精也。名づけて百々目鬼と云」。外史は函関以外（注・箱根から先）の事をしるせる奇書也。一説にどどめきは東都の地名ともいふ】と記されている。

『鳥山石燕　画図百鬼夜行』の解説によれば、石燕の【どどめきは東都の地名ともいふ】にあたる地名は、轟橋《とどろきばし》と早稲田の間の江戸牛込榎町にあったものではないかとしている。

　この解説は「東都」を江戸とみなして牛込榎町の地名をあてたようだ。東京に限らず、ドドメキに類する地名はドウメキ、ドメキ、トドロキの名で各地にみられ、その由来は川や淵の流れの音に関係しているそうである。

　栃木県宇都宮市にも百目鬼《どうめき》という地名があり、ここには百の目を持つ鬼の伝説があった（百目

百々目鬼

鬼参照)。

百目鬼は百の目を持つ妖怪で、腕に目のある女ではないのだが、石燕のいう「東都」を仮に宇都宮とすれば、百々目鬼はこの百目鬼をモデルにした可能性もある。

余談かもしれないが、栃木県下都賀郡粟野町には、熊野神社の宝物を埋めたという百目塚があり、この塚に一文銭を供えると、百倍になって戻ってくるという伝説があった。

一文銭は鳥目ともよばれた穴あき銭で、ここでも百々目鬼との繋がりが見えてくる。

『鳥山石燕 画図百鬼夜行』高田衛監修・稲田篤信・田中直日編 『日本伝説名彙』柳田国男監修・日本放送出版協会編

共潜き［ともかづき］ 三重県志摩郡でいう海中の妖怪。

曇天の日に海女《あま》が潜《もぐ》っていると、海中で自分そっくりの人を見ることがある。海面に出てみても自分の船以外に船はなく、再度潜ってみると、やはりそっくりの人がいるという。

これに出会うとニッコリと笑いかけられ、アワビをくれたりする。その場合は後ろ手にしてもらえばよいそうで、そのまま受け取ったり、手を引かれて海中に引き込まれたりすると、命はないという。

自分と瓜二つの人がアワビを差し出して近寄ってきて、アッと思う間に網のようなものを被《かぶ》せられたが、持っていた鑿《のみ》で網を突き破り、命からがら逃げたという話もある。

静岡県賀茂郡南崎村(南伊豆町)の海女にも同様の怪異があったようで、「海に入るとおれに似た人がいる」といって、潜るのを嫌がる女房を、船上の夫が「この馬鹿っ」と再び潜らせたら、女房は死んでしまったという話が伝わっている。

志摩地方ではこのような怪異にあわないよう、頭巾《ずきん》や衣服、道具などに九字や星形の印をつけて魔除けにしたという。

『志摩の海女』岩田準一 『日本怪談集 妖怪篇』今野円輔編著 『綜合日本民俗語彙』民俗

土用坊主

学研究所編　『現代民話考　三　偽汽車・船・自動車の笑いと怪談』松谷みよ子

土用坊主〔どようぼうず〕　神奈川県津久井郡青根村（津久井町）でいう民間神。土用になると庭に現れるというもの。

　土用の間に土を動かすのは土用坊主の頭を引っ掻《か》くことになるので、土いじりや草むしりは忌むという。これは民間信仰でいう土公神《どくじん》のことのようである。

　春は竈《かまど》、夏は門、秋は井戸、冬は庭と、土公神は季節によって移動するものと考えられ、土公神のいる場所の土を動かすと、祟りがあるといわれた。もともとは陰陽道《おんみょうどう》などでいわれたものらしい。

『綜合日本民俗語彙』民俗学研究所編　『民間信仰辞典』桜井徳太郎編

トリイザシ

→トリダシ

トリイダシ

→トリダシ

トリダシ　福岡県宗像郡神湊町（玄海町）で、急に何者かが憑いて神通力を得ることをいう。山に薪《たきぎ》取りに行った老婆が帰るとき、薪の中の神に乗り移られた話がある。正直な女性に憑きやすいそうで、その神通力を使って1000人の人を助けると元に戻るという。

佐賀県東松浦郡七山村のトリイザシ、四国や九州でいうトリイダシも同じものと思われ、トリイダシは稲荷や地蔵の霊が憑いた者がさまざまな占いをし、医者が見放したような病人を治したこともあるという。

『綜合日本民俗語彙』民俗学研究所編

ドレンペ

↓トゥレンペ

泥田坊［どろたぼう］　鳥山石燕の『今昔百鬼拾遺』に、目が1つしかなく、泥田から上半身だけを出した妖怪として描かれており、【むかし北国に翁あり。子孫のためにいささかの田地をかひ置て、寒暑風雨をさけず、時々の耕作おこたらざりしに、この翁死してよりその子酒に

泥田坊

ふけりて農業を事とせず。はてにはこの田地を他人にうりあたへければ、夜な夜な目の一つあるくろきものいでて、田かへせ田かへせとののしりけり。これを泥田坊といふとぞ】と記されている。

石燕の解説を読む限り、田を残して死んだ農民が妖怪化し、放蕩《ほうとう》息子とその田を買った者に対して恨み言をいっているように思える。

しかし、石燕の描いた数多くの妖怪は、世間で思われているような妖怪図鑑的なものではなく、すべて絵解き遊びで作られたものではないかという多田克己の説がある。

多田克己の「絵解き　画図百鬼夜行の妖怪」にある泥田坊の解釈によれば、北国とは田地につくられたので吉原田圃《よしわらたんぼ》とよばれた、江戸の遊廓・新吉原を意味し、泥は放蕩の蕩とを掛けており、翁が死ぬということは翁亡くす、つまり置なくすであり、質草を流してしまうことだという。こうした語呂合わせを組み合わせて、新吉原そのものを妖怪という形で描いたというのである。

このような方法で読み解いていくと、泥田坊の「田を返せ」という台詞《せりふ》も、吉原にふさわしいものになってくる。多田克己はこの台詞を田を戻せという意味ではなく、田を耕せという意味にとれるとして、それ以上の詮索はしていないが、田を耕すとは男女の性交を意味する隠語であり、一つ目は男性シンボルの隠語でもある。

つまり、「田を返せ」の泥田坊の声は、そのまま客引きの言葉とも受け取れるのである。

石燕は表向きには妖怪としての話を描いているが、裏を返せば新吉原そのものを記しているといえるようである。

『鳥山石燕　画図百鬼夜行』高田衛監修・稲田篤信・田中直日編　『怪』3号「絵解き　画図百鬼夜行の妖怪」多田克己

トンチ

↓コロポックル

トンボ神〔とんぼがみ〕

↓トウビョウ

ナオ筋〔なおすじ〕
↓縄筋《なわすじ》

長井戸の怪〔ながいどのかい〕　新潟県佐渡郡金泉村（相川町）に伝わる怪異。

ある雨の日、八蔵という者が長井戸とよばれる海域で釣をしていた。ふと海底を見ると、そこに1本の蛇の目傘があった。

八蔵が着物を脱いで海に入ろうとすると、どこからか「しばらく待て」という声が聞こえた。空耳かと思い、気を取り直して海に入ろうとすると、今度は大きな声で「しばらく待て」と聞こえた。

さすがに恐ろしくなった八蔵が裸のまま船を漕いで逃げようとすると、海底にあった傘が髪の毛がざんばらになった女の姿に変化して追いかけてきた。八蔵は夢中で船を漕ぎ続け、やっとのことで浜辺に着くと、後ろから「ああ、とうとう逃がしてしまった。惜しいことをした」

長井戸の妖怪（長井戸の怪）

という声が聞こえた。

この話が村中に伝わると、力自慢の長吉という者が「俺が退治してくれる」といって、あるとき長井戸へと向かった。

しばらく何事もなかったので、「俺の強さに恐れをなしたのかな」などと得意になっていると、たちまち海は大時化《おおしけ》となり、高波のうねりに乗って件《くだん》の怪女が現れた。さすがの長吉もこれには恐れおののき、命からがら逃げ出した。やがて長吉はこれが原因で寝込み、まもなく死んでしまったという。

『越佐の伝説』小山直嗣『越後佐渡の伝説』小山直嗣

長門普明鬼宿坊〔ながとふみょうきしゅくぼう〕山口県の天狗であること以外は不明。密教系の祈禱秘経『天狗経』にある全国代表四十八天狗の一つに数えられているもの。
㊟天狗
『天狗考 上』知切光歳『図集天狗列伝 西日本編』知切光歳

ながふ
↓蜃気楼《しんきろう》

ナガミ
↓ナマハゲ

泣き婆〔なきばばあ〕
↓夜泣き婆

波切大王〔なきりだいおう〕
↓ダイダラボッチ

名細の小次郎〔なぐわのこじろう〕
↓伊草《いぐさ》の袈裟坊《けさぼう》

和のわ〔なごのわ〕
↓蜃気楼《しんきろう》

ナゴミタクリ
↓ナマハゲ

ナゴメタクレ
↓ナマハゲ

茄子婆さん〔なすばあさん〕比叡山七不思議の一つに数えられる怪異。
織田信長の比叡山焼き討ちなど、比叡山に異変があるときに、茄子《なす》のような紫色の顔色をした67歳～68歳ほどの婆が鐘撞堂《かねつきどう》に現れ、鐘を鳴らして事前に変事を知らせるという。

『近江むかし話』滋賀県老人クラブ連合会編

灘沖の時化火〔なだおきのしけび〕 愛媛県喜多郡喜多灘、櫛生（長浜町）の海上でいう怪火。2月から3月頃の北風が吹く雨の日の深夜に現れることが多く、数里にわたって連なったり数珠玉《じゅずだま》を散らしたように見える。

この怪火は灘沖で溺死した者の怨霊であるといういい伝えもあり、現れたときは必ず海が大《おお》時化《しけ》になるという。

『旅と伝説』通巻35号「伊予の伝説」横田伝松

灘幽霊〔なだゆうれい〕 長崎県五島地方でいう船幽霊。磯幽霊ともいう。

島や船舶に化けて人を惑わすもので、船に乗って人間と漕ぎ寄せ競争することもあるという。これに負けると船は沈められる。他の地方の船幽霊と同じように柄杓《ひしゃく》を貸せという。

㊂船幽霊

『綜合日本民俗語彙』民俗学研究所編

那智滝本前鬼坊〔なちたきもとぜんきぼう〕 奈良県吉野、和歌山県熊野で修行する修験者たちを守護する大天狗とされている。密教系の祈禱秘経『天狗経』にある全国代表四十八天狗の一つに数えられているもの。
㊂天狗
『天狗考 上』知切光歳 『図集天狗列伝 西日本編』知切光歳

七尋女〔ななひろおんな〕
↓七尋女房《ななひろにょうぼう》

七尋蛙〔ななひろがえる〕 栃木県下都賀《しもつが》郡大平町でいう怪異。

昔、この地方の城が落城した際、堀を越えて逃げようとした城主の娘が、堀の幅を七尋《ななひろ》まで数えたときに敵の矢が刺さって死んでしまった。

以来、恨みを残して死んだ娘の霊は蛙と化し、一尋、二尋と数え、七尋目でキャーッという悲鳴のような声を上げるという。

七尋女房

『下野の伝説』尾島利雄

七尋女房〔ななひろにょうぼう〕 隠岐島の海《あ》士《ま》町や鳥取県でいう妖怪。七尋女《ななひろおんな》ともいう。

海士町の七尋女房は背丈七尋もある大女で、山道を行く者にさまざまな怪異をなした。武士に斬られてからは、恐ろしい形相の石と化したという。現在も海士町日ノ津には、恐ろしい顔をした巨大な女房ヶ石が残っている。

鳥取県各地でも、背丈や首が七尋もある怪女の話が伝わっている。

『隠岐島の伝説』野津龍 『日野川の伝説』立花書院編

ナナミタクリ

↓ナマハゲ

鍋笥マジムン〔なびけーまじむん〕

↓飯笥《ミシゲー》マジムン

鍋おろし〔なべおろし〕

↓釣瓶《つるべ》下《お》ろし

ナベソコ狸〔なべそこたぬき〕 岡山県新見市でいう憑き物。鼬《いたち》よりも少し大きな動物で、一般でいう狸とは違うものだという。

ナベソコ狸を飼う家は金持ちになるといわれ、正月は主人が裃《かみしも》を着けて迎えるという。

『日本の憑きもの』石塚尊俊　『綜合日本民俗語彙』民俗学研究所編

鯰〔なまず〕　池や沼の主《ぬし》としての鯰《なまず》の話など、鯰に関する怪しい話は少なくない。

『甲子夜話』には琵琶湖の大鯰の話がある。

文政7年（一八二四年）3月、琵琶湖に黒い奇妙なものが浮かび上がったので、漁師たちが舟で近寄ってみると、それは巨大な魚だった。銛《もり》で突くと、急に風が吹き出し、黒い不気味な波がたちはじめたので、急いで逃げ帰った。

翌日、人数を整えて再び挑んだ漁師たちは、今度は一度に数十本の銛をその巨大魚に打ち込んだ。網をかけて陸に引き上げてみれば、それは三間（約5m50㎝）もの巨大な老鯰だった。

腹を割《さ》いてみると、何十枚という小判とともに、溺死者を食っていたものか、2人分の髑髏《どくろ》が出てきた。秋の大時化《おおしけ》のときなど、湖中に黒

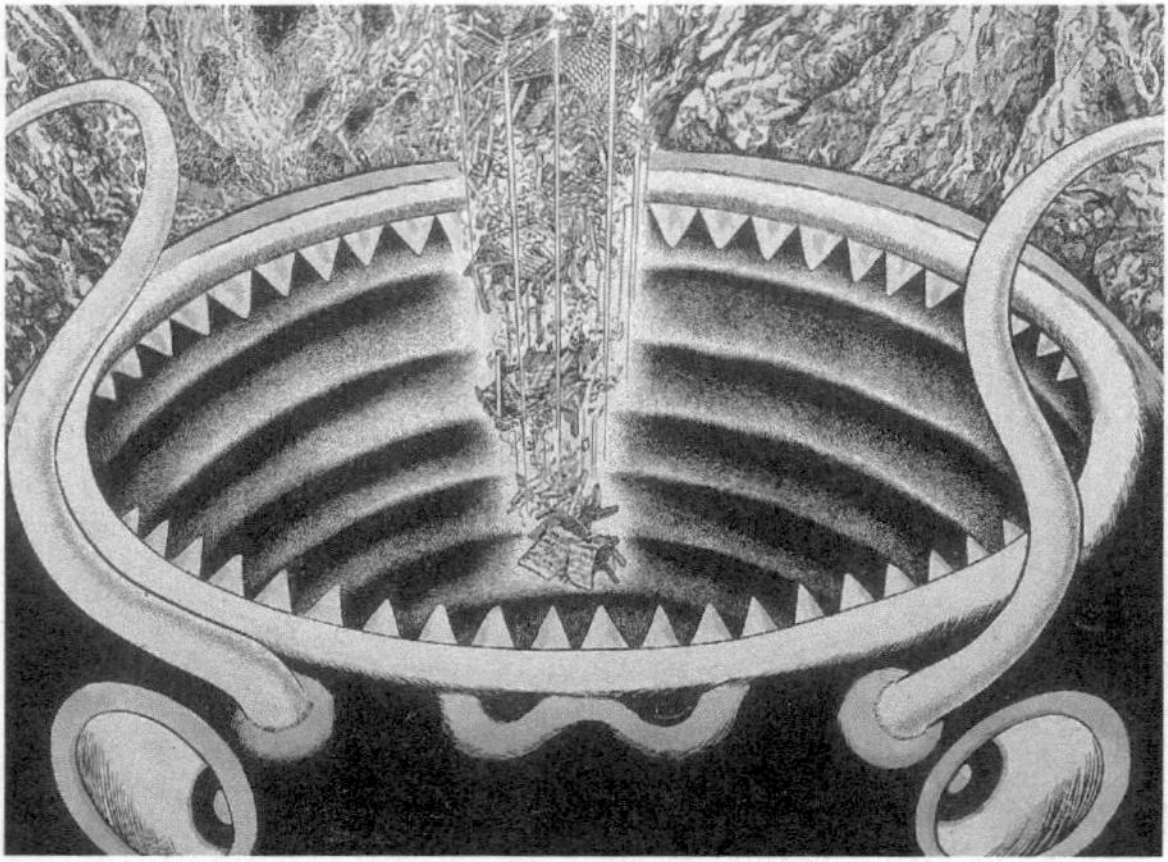

なまず神（鯰）

い影が見えることがあり、これを黒龍だと土地の者は騒いでいたが、その正体はこの大鯰だったことが分かったという。

琵琶湖にはビワコオオナマズという日本最大の鯰が棲息しているが、通常でも1m以上、体重20kgほどの大きさなので、5mというのはまさに化け物である。また、大鯰は地震の原因と信じられたこともあった。地中の大鯰が動くことで地震が起こるといわれていた。『動物妖怪譚』によれば、地震と鯰が結びつけられたのは、江戸中期のことではないかとしている。茨城県鹿島郡では、鹿島神宮にある要《かな》石《めいし》が大鯰を押さえているので、同地方は地震が少ないともいわれていた。

『動物妖怪譚』日野巌『随筆辞典　奇談異聞編』柴田宵曲編

鯰ギツネ〔なまずぎつね〕岡山県、広島県、山口県でいう妖怪。

農村の川などで、夜の小川のほとりを歩いていると、大きな魚が水面に上ってくるようなガボガボという音がする。川を覗き込むと、今度は上流で同じ音がする。急いで上流に行くと、また更に上流で音がするという。

これは齢《とし》を経た鯰が悪戯《いたずら》しているのだという。ギツネの意味は不明。

『自然と文化』一九八四秋季号「山陽路の妖怪」平川林木

ナマトヌカナシ　鹿児島県大島郡瀬戸内町でいう妖怪、あるいは民間神。

8本の角、8本の足、8本の尾を持った大きな牛で、2月はじめの壬《みずのえ》の日に行われるお迎え祭りと、4月のはじめの壬の日に行われるお送り祭りの際に現れるという。

恐ろしい存在ではあるが、農耕の神として信仰されていたという。

『民俗神の系譜』小野重朗

ナマハゲ　秋田県男鹿《おが》半島でいう鬼、あるいはその行事。1月15日の小正月（現在は大晦日の12月31日）の晩、村の青年たちが鬼に仮装して、「泣く子はいねェがァ」「怠け者の嫁コはいねェ

ナマハゲ

がァ」などといって家々をまわり歩く行事だが、もともとは怠け者の象徴であるナモミ（火がた）を剝《は》ぎにくる鬼だった。

ナマハゲの起源については諸説あるが、男鹿市相川の伝えでは、漢の武帝が5匹の鬼とともに男鹿半島の真山、本山に住みつき、その鬼たちが忠実に働くので1月15日だけは里に下りて、好きにふるまってよいと許されたなどという。

小正月に訪問する異人の類は全国各地に見られるもので、年神様《としがみさま》（歳徳神《としとくじん》）との結びつきが指摘されている。

ナマハゲと同様の行事は東北地方に広く分布しており、ナガミ（岩手県久慈）、ナゴミタクリ（岩手県上閉《かみへ》伊《い》郡）、ナモミ（岩手県下閉伊郡）、ナモミハギ（秋田県由利郡、河辺郡）、ナゴメタクレ（青森県西津軽）、ナナミタクリ（岩手県釜石市）、ナモミタクリ（岩手県遠野市）、ヒカタタクリ（岩手県遠野市）などとよんでいる。

㊜アマメハギ、スネカ、年殿《としどん》

『秋田の伝説』野添憲治・野口達二　『民間信仰辞典』桜井徳太郎　『目でみる民俗神　一』萩原秀三郎　『綜合日本民俗語彙』民俗学研究所編

浪小僧〔なみこぞう〕　静岡県浜名郡伊佐見村曳馬野（浜松市）の伝説にある妖怪。

昔、田仕事を終えたある少年が小川で足を洗っていると、草むらの中から「もしもし」という声が聞こえた。

見れば、親指ほどの大きさの子供がいて、「私はこの前の海に棲む浪小僧というものです。先日の大雨でうかうかと陸に上がったのですが、日照りにあって、とても家までたどり着けそうもありません。どうか海まで連れていってください」という。

少年は気の毒に思って、その子供を海に連れていってやった。その後、なおも日照りが続き、少年の田畑の作物も枯れてしまった。

途方に暮れた少年が海辺に立っていると、海からちょこちょこと先日の子供がやって来て、

な行

浪小僧

「先日はありがとうございました。旱魃《かんばつ》でお困りのご様子。私の父は雨乞いの名人ですから、さっそく雨を降らせてもらいましょう。なお、今後は雨の降るときには東南で、雨が上がるときには南西で、あらかじめ浪を鳴らしてお知らせします」というと、姿を隠してしまった。まもなく大雨が降り、少年や村人たちは大いに助かった。

以来、この地方では、浪の音によって天気予知ができるようになったという。

この浪小僧は、静岡県女子師範学校郷土研究会が編集した『静岡県伝説昔話集』に載せられたことにより、その名前が世に知られるようになった。

この話は浜松市で採取したようだが、浜松辺りには断片的ではあるが、似た話が残っていて、補足として同書に載せられている。以下、重要と思われる部分を引用しておく。【昔、弘法大師が和地村大山あたりにいらした頃、猪が出て付近を荒して困るので、之を防ぐために麦藁《むぎわら》人形を作り、猪をおどした。それからは猪が出ない様になったが、さてその麦藁人形がかう云った。「今より後は人々に雨風を知らせん」そこで遠州灘に入れた。其後は天気の悪い時は浪が音を立てる様になった。この浪の音は三河でも駿河でも聞く事が出来ると云ふ（浜松市）】

また、藁人形については、つぎのような話も載せられている。

【昔、遠州秋葉神社を造る時、藁人形を作り、之を使った所非常によく働き、その上其の年は大豊作だった。仕事も終ったのでこの藁人形を川に流さねばならなかった。人々は非常に之を惜んで、藁人形に向ひ流された後もよく豊作になるやう、天気の具合等を教へてくれる様にと頼んだ所、其後、間もなく海が鳴って、その音で天気が予知出来る様になったと云う（浜松市）】

これらの話に共通していることは農耕であり、登場する小童《こわらべ》（または人形）は水（雨）を司るものとされている。

このことから考えると、どうやらこの浪小僧

嘗女

は河童の仲間のようである。
㊜河童
『静岡県伝説昔話集』静岡県女子師範学校郷土研究会編

嘗女〔なめおんな〕『絵本小夜時雨』にあるもの。男を嘗《な》める癖を持った阿波国（徳島県）のある富豪の家の娘のこと。

その舌はざらざらとして猫の舌のようなので、猫娘ともよばれたという。妖怪ではなく、奇人の類である。

『百鬼繚乱　江戸怪談・妖怪絵本集成』近藤瑞木編

ナマムメ筋〔なまむめすじ〕
↓縄筋

ナメラ筋〔なめらすじ〕
↓縄筋

ナモミ
↓ナマハゲ

ナモミタクリ
↓ナマハゲ

ナモミハギ
↓ナマハゲ

奈良大久杉坂坊〔ならおおひさすぎさかぼう〕 密教系の祈禱秘経『天狗経』にある全国代表四十八天狗の一つに数えられているものだが、詳細は不明。

㊂天狗

『天狗考 上』知切光歳 『図集天狗列伝 西日本編』知切光歳

鳴釜〔なりがま〕 鳥山石燕の『画図百器徒然袋』に、釜を被《かぶ》った毛だらけの妖怪として描かれており、【白沢避怪図曰（はくたくひかいのづにいわく） 飯甑作レ声鬼名ニ（はんそうなすこえをきをなづく） 斂女ニ有ニ此怪一則（れんじょとあるこのくわいとき） 呼ニ鬼名一其怪忽自滅（きのなをよべばそのくわいたちまちおのずからめっす） 夢のうちにおもひぬ】と記されている。

鳴り釜、釜鳴りは、何かの前兆として釜が音を出すとされたもので、占いの方法としてもよ

鳴釜

く知られたものだった。

岡山県吉備《きび》津神社では釜鳴り神事とよばれ、竈《かまど》の下に埋められた温羅《うら》という鬼の首によって占うものだという。

『閑窓瑣談』には、釜鳴りの音は歛女《れんじょ》という鬼のしわざであり、釜鳴りの前から三尺ほど（約90cm）離れて「歛女」と叫ぶと、かえって家の福になるなどと記されている。

石燕が描いた鳴釜は、『百鬼夜行絵巻』にある釜の妖怪をモデルとし、こうした釜鳴りの鬼のことを描いたのだろう。

㊜温羅
『鳥山石燕　画図百鬼夜行』高田衛監修・稲田篤信・田中直日編　『江戸文学俗信辞典』石川一郎編

縄筋〔なわすじ〕　香川県坂出市でいう怪異。ナオ筋ともいう。

悪魔や化け物が通る道で、先が見えないほど細長い一本道だという。ここに家など建てると、必ず不吉なことがあるといわれている。

同様の怪異を岡山市東河原、西河原、赤磐《あかいわ》郡赤坂町ではナメラ筋、ナマムメ筋とよび、そこに家など建てると、病人が絶えないという。

『日本怪談集　幽霊篇』今野円輔編著　『岡山の怪談』佐藤米司

ナンジャモンジャ　各地でいう名無しの木。何の木か分からない木を指すときに使うよび名で、地方によっては怪しい伝説が伝わる。

長野県南佐久郡大沢村地家（佐久市）の仁王堂境内にあるナンジャモンジャは、伐《き》ろうとした者が怪我《けが》をしたり病気になったりし、焼こうとすると、その者の家が火事になると伝えられていた。ある年、落雷のために枯れてしまったのだが、これを片づけた若者たちがことごとく病死したり、若死にしたという。

『日本伝説名彙』柳田国男監修・日本放送出版協会編　『南佐久郡口碑伝説集』南佐久教育会編

納戸ばあさ〔なんどばあさ〕
→納戸婆

納戸ばじょ〔なんどばじょ〕
↓納戸婆

納戸婆〔なんどばばあ〕　奈良県、兵庫県、香川県、岡山県、宮崎県などでいう妖怪。岡山県赤磐《あかいわ》郡高月村（山陽町）では、頭のはげ上がった婆さんで、ホーッという声を出しながら出てくるという。庭箒《にわぼうき》で叩くと縁の下に逃げ込んでしまうといわれている。
香川県東部では子供を隠してしまう隠し神のようなものだという。岡山では納戸ばあさ、宮崎では納戸ばじょともいう。
『自然と文化』一九八四秋季号「讃岐・阿波・伊予の妖怪」武田明　『岡山の怪談』佐藤米司
『綜合日本民俗語彙』民俗学研究所編

に

二階わらし〔にかいわらし〕
↓座敷わらし

苦笑〔にがわらい〕　熊本県八代市の松井家に伝わる『百鬼夜行絵巻』に描かれているもの。

苦笑

もともとの絵柄は室町時代の『百鬼夜行絵巻』に見える。

『別冊太陽　日本の妖怪』

肉吸い〔にくすい〕　三重県熊野山中でいう妖怪。18歳〜19歳くらいの美女に化けて現れ、ホーホーと笑いながら人に近づき、「火を貸してくれ」という。うっかり提灯を貸すと火を消され、その間に襲われて肉を吸い取られてしまう。そのため、夜の山に入る者は火縄を携えて、火種を絶やさなかったそうである。

ある猟師が山の中の化け物に銃弾を撃ちつけたところ、その化け物は骨と皮だけで、肉がなかった。これが肉吸いの正体らしい。

『南方随筆』南方熊楠　『紀州おばけ話』和田寛

二恨坊の火〔にこんぼうのひ〕　仁光坊の火ともいう。『本朝故事因縁集』『諸国里人談』『百物語評判』『宿直草』にある怪火。

摂津国高槻庄二階堂村（大阪府茨木市二階堂）に3月から7月の曇天の夜に現れ、鳥のように飛びまわっては樹木や家の棟に止まる。

その火をよく見れば、炎の中に人の顔が見え、見物人が多いときには、恥ずかしがるように飛び去ってしまうという。

『本朝故事因縁集』によれば、かつてこの村に一人の山伏がいて、一生のうちに2つの恨みを持っていたため二恨坊とよばれていたという。二恨坊は死んでから魔道に堕ち、邪心の炎が消えずにこの火になったのだという。

また『諸国里人談』では、日光坊という山伏の怨念が火となったとしている。

あるとき、日光坊は村長にその妻の病気を治す祈禱を頼まれた。その効験があって妻の病気は平癒《へいゆ》したが、村長は日光坊と妻が密通していると疑い、日光坊を殺害してしまった。

病気平癒の感謝もされず、しかも殺される羽《は》目《め》にあった日光坊は、この2つの恨みを晴らすように火となって現れたのだという。

『百物語評判』『宿直草』では、仁光坊という美男僧が代官の妻の策略で殺され、その恨みで仁光坊の火となったことになっている。

『随筆辞典 奇談異聞編』柴田宵曲編 『江戸怪談集（上）』高田衛編／校注 『江戸怪談集（下）』高田衛編／校注 『大語園』巌谷小波編 『日本随筆大成』日本随筆大成編集部編

偽汽車〔にせきしゃ〕 各地でいう狐狸の怪異。鉄道が開通した頃、通るはずのない深夜などに、汽車の走る音や汽笛が聞こえたり、運転士が前方より突進してくる汽車の幻を見ることがあった。

これは狐や狸、狢《むじな》の悪戯《いたずら》とされた。汽車に化けているうちに、本物の汽車にはねられて死んだという話が各地に伝わっている。

東京都葛飾区亀有《かめあり》の見性寺には、汽車に化けてはねられた狢を供養する塚が今でもある。

『現代民話考 十一 狸・むじな』松谷みよ子 『現代民話考 三 偽汽車・船・自動車の笑いと怪談』松谷みよ子

日光山東光坊〔にっこうざんとうこうぼう〕 栃木県日光山に棲むという天狗。密教系祈禱秘経『天狗経』の全国代表四十八天狗の一つ。

(参)天狗

『天狗考 上』知切光歳 『図集天狗列伝 東日本編』知切光歳

新田山佐徳坊〔にったざんさとくぼう〕 群馬県太田市金山でいう天狗。密教系の祈禱秘経『天狗経』にある全国代表四十八天狗の一つに数えられているもの。

(参)天狗

『天狗考 上』知切光歳 『図集天狗列伝 東日本編』知切光歳

入道坊主〔にゅうどうぼうず〕 青森県三戸《さんのへ》郡、福島県、愛知県南設楽《みなみしたら》郡でいう妖怪。見上げるほどに高くなるという見越《みこ》し入道《にゅうどう》の類。

南設楽郡作手村では、はじめは三尺（約90cm）ほどの小坊主が現れ、近づくにつれて高くなり、一丈（約3m）ほどにもなる。

こちらから「見ていたぞ」と声をかければ助かるが、逆に向こうからいわれると殺されてしまうという。

福島県では鼬《いたち》が化かしているものとし、鼬が人の肩に立っているので、あまり見上げると喉《のど》を噛《か》みつかれるという。
出会ったら、手を肩にやり、鼬の足を摑《つか》んで地面に叩きつければ退治できるという。
(参)見越し入道、次第高《しだいだか》、高入道《たかにゅうどう》、高坊主、伸び上がり、乗り越し、見上げ入道、ユーリー
『愛知県伝説集』愛知県教育会編 『民間伝承』通巻38号「妖怪名彙」蒲生明 『妖怪談義』柳田国男 『日本妖怪変化語彙』日野巌・日野綏彦

入内雀〔にゅうないすずめ〕 実方雀《さねかたすずめ》ともいう。

一条天皇の時代（在位九八六年～一〇一一年）、天皇の侍臣《じしん》だった藤原実方が、藤原行成《ゆきなり》に「歌はおもしろいが実方はバカだ」と陰口をたたかれた。これに腹を立てた実方は、殿上《てんじょう》で行成と口論をはじめ、行成の冠を取り上げて庭に投げ捨ててしまうという暴挙に出た。

この事件によって、実方は陸奥《むつ》（東北地方）へ左遷され、都を慕いながら死んだ。実方の霊

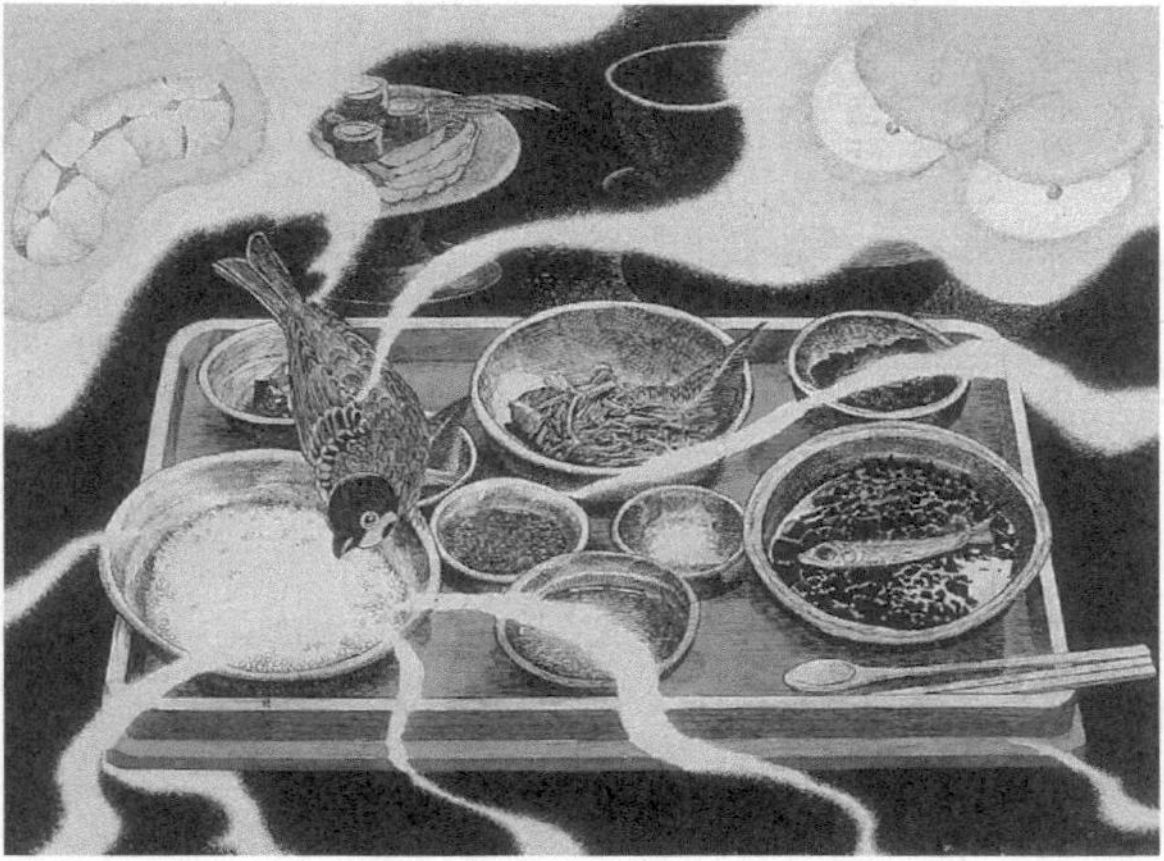

入内雀

は雀となり、京の清涼殿《せいりょうでん》に現れて台盤《だいばん》（食事を盛る台）の飯をついばんだという。

鳥山石燕の『今昔画図続百鬼』にも、【藤原実方奥州に左遷せられる。その一念雀と化して大内に入り、台盤所の飯を啄《つつき》しとかや。是を入内雀と云】という解説とともに、実方と雀の絵が描かれている。

『日本伝奇伝説大事典』乾克己・小池正胤・志村有広・高橋貢・鳥越文蔵編『鳥山石燕 画図百鬼夜行』高田衛監修・稲田篤信・田中直日編

乳鉢坊〔にゅうばちぼう〕 鳥山石燕の『画図百器徒然袋』に瓢簞小僧《ひょうたんこぞう》とともに描かれているもので、【へうたん小僧に胆を消して青ざめたりしが、乳ばち坊の泉ばちのおとに夢さめぬとおもひぬ】と記されている。

乳鉢《にゅうばち》とは固体の薬などを入れてすり潰すための鉢をいうが、乳鉢坊の姿は摺鉦《すりがね》として描かれている。

摺鉦は小さな撞木《しゅもく》で打つ芝居の鳴物の一種で、念仏踊りにも用いられた。

摺鉦の妖怪は室町時代の『百鬼夜行絵巻』にも描かれており、石燕はこれをモデルにしているらしい。

『鳥山石燕 画図百鬼夜行』高田衛監修・稲田篤信・田中直日編

如意ヶ嶽薬師坊〔にょいがたけやくしぼう〕京都市の如意ヶ嶽でいう天狗。密教系の祈禱秘経『天狗経』にある全国代表四十八天狗の一つに数えられているもの。

(参)天狗

『天狗考 上』知切光歳『図集天狗列伝 西日本編』知切光歳

如意自在〔にょいじざい〕鳥山石燕の『画図百器徒然袋』に描かれた妖怪で、【如意は痒《かゆき》ところをかくに、おのれがおもふところにとどきて、心のごとくなるよりの名なれば、かく爪のながきも痒ところへ手のとどきたるばけやうかなと、夢心に思ひぬ】とある。

如意《にょい》とは仏具の一種で、僧侶が使う孫の手のようなものである。室町時代の『百鬼夜行絵巻』には空を飛ぶ如意の妖怪が描かれているが、石燕はこれをモデルにしているらしい。

『鳥山石燕　画図百鬼夜行』高田衛監修・稲田篤信・田中直日編

人魚〔にんぎょ〕　各地の海でいう妖怪。『日本書紀』には推古天皇の27年（六一八年）に、大阪で漁師の網に人魚がかかった記述があり、これが文献上での人魚の初見とされる。子供のようだが人間でも魚でもなく、なんというものかまったく分からなかったという。

古くは人魚の出現は吉兆とされていたが、時代が下るにつれてまったく逆のことが語られるようになり、人魚が現れるのは大津波や暴風雨の前兆であるなどといわれた。

また、八百比丘尼《やおびくに》の例のように、人魚の肉は不老不死の妙薬とされるが、この伝えは一般的ではないようで、人魚を殺したり食べたりすると後で悪いことが起こるともいわれる。

『諸国里人談』には、ある漁師が人魚を殺して

人魚

しまったがために大風や地震が起こって、漁師の村は崩壊してしまったという。
『動物妖怪譚』日野巌　『随筆辞典　奇談異聞編』柴田宵曲編

人形の霊〔にんぎょうのれい〕
→夜の楽屋

人狐〔にんこ〕
→狐憑き

ニントチカムイ
→ミンツチ

人面樹〔にんめんじゅ〕　鳥山石燕の『今昔百鬼拾遺』に人の頭がなっている木が描かれており、【山谷にあり。その花人の首のごとし。ものいはずしてただ笑ふ事しきりなり。しきりにわらへば、そのまま落花すといふ】と解説されている。

会津を中心とした奇談集『老媼茶話』には、大食国という西南海上千里（約4000㎞）の彼方《かなた》にある国の山谷に、人の首のような笑う花が咲く樹があると記されているが、この話はもともと中国の文献にあるもの。
『鳥山石燕　画図百鬼夜行』高田衛監修・稲田篤信・田中直日編

ぬ

ぬうりひょん
→ぬらりひょん

鵺〔ぬえ〕　鵼、奴延鳥とも表記される。今日では頭が猿、手足が虎で尻尾《しっぽ》が蛇という源頼政《よりまさ》が退治した怪物のことをいうようだが、本来の鵺は、夜中や夜明けに寂し気な声で鳴く鳥のことをいう。

古くは『古事記』『万葉集』にその名前が見え、夜の森などで消え入るような寂しい声で鳴くので、いつしか凶鳥と見なされるようになった。宮中ではことのほか鵺の鳴き声に敏感だったようで、鵺が鳴いたので祓《はら》いの行事をしたという記録がいくつも見られる。

鵺の正体は低い山地に棲息するトラツグミ（スズメ目ヒタキ科ツグミ亜科）のことだとさ

鵺《ぬえ》（鵼）

れており、夜または夜明け、曇りの日に、「ヒィィー……、ヒョォー」という哀調を帯びた声で鳴く。その声色は確かに不吉の前兆を感じずにはいられないといった風である。

源頼政が退治したという鵼の話は、『平家物語』『源平盛衰記』『十訓抄』などに見られる。『平家物語』の話は次の通りである。

近衛天皇（二条院、後白河院、鳥羽院、高倉院とする場合もある）が毎夜、ものに怯《おび》えるので、さまざまに手を尽くしたが一向に治らない。毎晩、丑刻《うしのとき》になると、東三條の森から黒雲の怪物が現れ、それが御所を覆うと天皇は必ず怯えだすのだった。

似たようなことが堀河天皇のときにもあり、そのときは源義家が鳴弦《めいげん》（弓を鳴らして魔除けをすること）をして解決した。

その前例にならい、今回は源三位《げんさんみ》頼政に黒雲退治の命令が下された。

頼政は猪早太《いのはやた》という従者とともに待ち伏せをし、丑刻になって現れた例の黒雲に矢を射ると、手応えがあって怪物が落ちてきた。それは頭が猿、身体は狸、手足は虎、尾は蛇という怪物で、鳴き声が鵼のようだったという。

以上のように、頼政が退治したのは鵼ではなく、鳴き声が鵼によく似た怪物だった。

後に、怪物の死体はうつぼ船で川に流されたが、それが流れ着いたとされる大阪市都島や兵庫県蘆屋市には、祟りを恐れてその死体を埋めたとする鵼塚が今でも残っている。

『続妖異博物館』柴田宵曲　『神話伝説辞典』朝倉治彦・井之口章次・岡野弘彦・松前健編　『動物妖怪譚』日野巌　『日本未確認生物事典』笹間良彦

抜け首〔ぬけくび〕

→轆轤首《ろくろくび》

ぬっぺっぽう　鳥山石燕の『画図百鬼夜行』に一頭身で肉の塊《かたまり》のような姿で描かれている妖怪。喜多村筠庭の『嬉遊笑覧』や、『化物づくし』『狂歌百物語』『妖怪絵巻』などにも、その名が見える。

ぬっぺふほふ（ぬっぺっぽう）

具体的な話がないのでどういう妖怪かは不明だが、名前からしてのっぺら坊の一種と考えてよさそうである。

墓地や廃寺に現れるといわれているが、これは藤沢衛彦の『妖怪画談全集 日本篇 上』に【古寺の軒に一塊の死肉の如くに出現するぬっぺらぼふ】という解説に拠《よ》ったもので、背景が寺のように見えるからという、絵からの想像にすぎないようである。

『鳥山石燕 画図百鬼夜行』高田衛監修・稲田篤信・田中直日編 『妖怪画談全集 日本篇上』藤沢衛彦

布がらみ〔ぬのがらみ〕 青森県三戸《さんのへ》郡田子町長坂でいう妖怪。

昔、長坂に布沼という大きな沼があった。この沼には布がらみという奇怪な主《ぬし》が棲むといわれ、人々から怖れられていた。

布がらみは布に化けて沼の畔《ほとり》の垣根にかかり、人がそれを見て、取ろうとすると、たちまち伸びて人にからみつき、沼に引き込んだ。

この布がらみに妻と娘を沼に引き込まれた男が、この主を退治しようと決心し、神のお告げによって、鳩の卵を1つ持って布沼に出かけた。男が沼の畔で一心に神に祈っていると、沼がにわかに音をたてて水がざわめいた。

その瞬間、男が鳩の卵を割って沼に投げ込むと、大音響とともに、布がらみの死体が浮かび上がったという。沼の主といっているところから、蛇のようなものかもしれない。

『青森の伝説』森山泰太郎・北彰介

沼御前〔ぬまごぜん〕 福島県大沼郡金山町沼沢沼（湖）に伝わる伝説の妖怪。

その昔、沼沢沼の周囲は鬱蒼《うっそう》とした木立で、常に霧がたちこめ、霧ヶ窪とよばれていた。

沼には雌雄の大蛇がいて、近寄る者にことごとく害をなしたので、時の領主佐原十郎義連が退治することにした。

義連は家来とともに船に乗り、沼の中央辺りで大蛇を罵った。すると、今までの晴天が嘘のように暗くなり、雷鳴轟《とどろ》いて水面が沸き立ち、やがて沼から大入道が現れた。

これこそ大蛇の化身と、義連たちは武器を持って立ち向かったが、船が大波に翻弄《ほんろう》されて思うように戦えず、そのうち津波のような大波に全員が呑まれてしまった。

岸に残っていた家来たちは、ただオロオロするばかりだったが、そのうち沼から大きな水柱がたち、巨大な蛇が姿を現した。

見れば、その首には義連が組みついており、蛇は刀で斬られて苦しんでいた。

さしもの大蛇も、とうとう義連たちによって退治されてしまった。義連はこの大蛇の頭を切り落とすと、沼の畔《ほとり》の須崎に埋めて、後難排除、住民安堵《あんど》のために一社を設けた。これが今に残る沼御前社《ぬまごぜんしゃ》なのだという。

『老媼茶話』には次のような話がある。

正徳3年（一七一三年）の頃、山谷三右衛門という猟師が、朝早くに沼沢沼へ鴨猟に出かけた。すると、沼の彼方《かなた》の岸に、20歳くらいの美女が、腰から下を水に浸けて鉄漿《かね》つけをしていた。その長い黒髪は、優に二丈（約6m）は超えていた。

かねてからここには沼御前《ぬまごぜん》という主がいると聞いていた三右衛門は、これは正《まさ》しく変化《へんげ》の者に違いないと、すぐさま鉄砲を構えて火蓋《ひぶた》を切った。弾《たま》はみごとに命中し、女は胸板を射抜かれてそのまま水中に姿を消した。

すると、水底が雷電のように鳴りだし、たちまち黒雲がたちこめて水面がざわつきはじめた。三右衛門は大いに驚いて逃げ帰ったが、幸いにして何の祟りもなかったという。

『会津ふるさと夜話』小島一男　『大語園』巌谷小波編　『近世奇談集成　一』高田衛校訂代表　高田衛・原道生責任編集

ぬらりひょん　鳥山石燕の『画図百鬼夜行』に頭の大きな爺の姿で描かれた妖怪。ほかにも『化物づくし』『百怪図巻』といった妖怪の絵巻物に描かれている。いずれも解説はなく、どのような妖怪かは不明。
一般にはぬらりひょんの名前で知られるが、

ぬらりひょん

石燕だけは、ぬうりひょんと名づけている。

妖怪の総大将で、勝手に他家に上がり込んでお茶をすする妖怪などといわれるが、そのような記述のある古い資料は見あたらない。

藤沢衛彦の『妖怪画談全集　日本篇　上』には、【まだ宵の口の灯影にぬらりひょんと訪問する怪物の親玉】という解説があるが、藤沢が何をもってこれを親玉としたのかは不明である。おそらくは絵から想像したものにすぎないと思われる。

勝手に他人の家に上がり込むといったふるまいも、佐藤有文の『日本妖怪図鑑』などの児童書で作られたものであろう。

また、岡山県備讃灘辺りでは海坊主の類にぬらりひょんという妖怪がいる。海上に人の頭くらいの玉が浮かんでいるのを船人が取ろうとすると、ヌラリと外れて底に沈み、またピョンと浮かんでくる。これを何度も繰り返して人をからかうという。

『鳥山石燕　画図百鬼夜行』高田衛監修・稲田

塗壁

篤信・田中直日編『自然と文化』一九八四秋季号「山陽路の妖怪」平川林木

塗壁〔ぬりかべ〕福岡県遠賀《おんが》郡の海岸地方でいう妖怪。

夜道を歩いていると、突然、行く手が壁になり、どこへも行けなくなってしまうという。こうしたときは、棒で下のほうを払えば壁は消えるそうである。

『妖怪談義』柳田国男

塗坊〔ぬりぼう〕長崎県壱岐地方でいう妖怪。夜の山道を歩いていると、山側から突き出てくるものという。どういうものが出てくるのかは資料に記されていないので分からないが、出現場所は決まっているそうである。

『続壱岐島方言集』山口麻太郎『綜合日本民俗語彙』民俗学研究所編

塗仏〔ぬりぼとけ〕鳥山石燕の『画図百鬼夜行』に、目玉を飛び出させた人間が仏壇から出てきたような形で描かれている。石燕は何も解説していないため、どのような妖怪かは不明である。

　ほかにも『化物づくし』『百怪図巻』『化物絵巻』といった妖怪の絵巻物にも塗仏《ぬりぼとけ》は描かれ、目玉が飛び出ているところは石燕と同じだが、すべて真っ黒い坊主のような姿で、背中の辺りに長い毛髪、もしくは魚のひれのようなものがついている。

　これは石燕の絵にはない特徴なのだが、いずれの巻物にもなんの解説もない。

　また、佐藤有文の『日本妖怪図鑑』という児童書には、びろーんという妖怪が紹介されている。白いお玉杓子《たまじゃくし》に手足や顔がついたような姿をしており、別名が塗仏とされている。「びろ・びろ・びろーん」と呪文を唱えて仏様に化けようとしたのだが、失敗してそのような姿になったという。塩をかけると消えてなくなるなどの解説は創作だろう。

『鳥山石燕　画図百鬼夜行』高田衛監修・稲田篤信・田中直日編　『妖怪図巻』多田克己編　『日本妖怪図鑑』佐藤有文

塗仏

ぬるぬる坊主〔ぬるぬるぼうず〕　鳥取県米子の近くの海岸に現れた妖怪。海坊主の類。

　草相撲をとるような体格のよい若者が夜の海岸を歩いていると、一つ目で胴まわり二尺（約60㎝）あまりの杭《くい》のような怪物がもたれかかってきた。気の強い若者は、これに組みつこうとするが、相手の身体がぬるぬるなので思うようにいかない。やがてお互いに疲れてきたところで、若者は怪物を帯で縛り上げ、自宅近くの柿の木に括《くく》りつけておいた。

　翌朝になってから見てみれば、それは見たこともない怪物だった。古老がいうには、これは海坊主というもので、人を見ればもたれかかり、身体の油をなすりつけようとする。きっと体が痒《かゆ》いのだろう、ということだった。

　この話は水木しげるの『日本妖怪大全』にあるが、もともとは『因伯伝説集』に引用されている『因幡怪談集』の「海坊主」によるもので、これをぬるぬる坊主と名づけたのは同氏のようである。

濡れ女子

㊜海坊主
『因伯伝説集』荻原直正　『日本妖怪大全』水木しげる

濡れ女子〔ぬれおなご〕　長崎県対馬、壱岐、愛媛県宇和、温泉郡怒和島《ぬわじま》、二神島《ふたがみじま》などでいう妖怪。

怒和島、二神島では髪の毛を濡らして海から出てくる女の妖怪だという。宇和地方では海から現れるとはいわないが、洗い晒《ざら》しの髪の毛をした女で、人を見ればニタリと笑う。人が気を許して笑うと、一生執念深くつきまとうという。そのため、別名を笑い女子《おなご》というそうである。

対馬南部（長崎県）では雨夜に濡れそぼった姿で現れる女の妖怪で、壱岐島では海や沼から全身ずぶ濡れになって出てくる女怪だという。どちらも濡れ女と同じものであろう。

㊜磯女《いそおんな》、濡れ女
『自然と文化』一九八四秋季号「讃岐・阿波・伊予の妖怪」武田明　『宇和地帯の民俗』和歌森太郎編　『対馬南部方言集』柳田国男編　『続壱岐島方言集』山口麻太郎　『綜合日本民俗語彙』民俗学研究所編

濡れ女〔ぬれおんな〕　鳥山石燕の『画図百鬼夜行』や『化物絵巻』『化物づくし』などの妖怪絵巻に蛇体の女として描かれた妖怪。とくに解説されていないところをみると、かつてはよく知られた妖怪だったと思われるが、具体的な話は見あたらない。

しかし藤沢衛彦の『妖怪画談全集　日本篇上』には、参考にした資料こそ分からないものの、蛇体の濡れ女の話がある。

文政2年（一八一九年）のこと。越後と会津の境をなす川岸には柳の古木が多く自生していたが、周辺は蛇や恙虫《つつがむし》という毒虫の巣になっており、しかも川は渦を巻くほどの激流だったので、近寄る者は少なかった。

しかし、その柳の枝は柳梱《やなぎこり》の材料に適していたので、利用しない手はないと、ある村の若者たちが何艘《なんそう》かの船で出かけることにした。

いざ作業に取り掛かった若者たちだが、不馴

濡れ女

れなために思うように捗《はかど》らず、そのうち一艘の船が知らないうちに流されてしまった。流された船が川の三つ俣にきたとき、若者たちはそこで一人の女が髪の毛を洗っているのを見た。

「こんな場所で髪を洗うなんてどんな女だ」と皆が思っていると、たちまち船中に悲鳴が上がり、全員が必死になって船を漕ぎ出した。

やがて仲間の船と合流すると、他の仲間たちは顔を青くして震えている訳《わけ》を訊《き》いた。「どうした、大蛇でも見たか？」と尋ねると、顔色の悪い者たちは「濡れ女だ」と恐れながらいった。

他の仲間たちは「そんなものいるわけがない」といって、止めるのも聞かずに例の三つ俣のほうに行ってしまった。

船が見えなくなると、残った若者たちは急に恐くなって、自分たちの村へ無我夢中で船を漕ぎ進め、やっとのことで村に辿《たど》り着いた。

その途中、遥か彼方《かなた》から恐ろしい叫び声が幾度となく聞こえた。制止を振り切って行った他の仲間たちは、濡れ女にやられたらしく、二度と帰ってくることはなかった。

濡れ女の尻尾《しっぽ》は三町（約327m）先までも届くので、見つかったら最後、どんなに逃げても必ず巻き返されてしまうという。

以上が『妖怪画談全集 日本篇 上』にある濡れ女の話である。物語では直接その姿が出ていないものの、尻尾が三町まで届くという表現は、蛇体をした女の妖怪と見て差支《さしつか》えないのだろう。

同様の話は『東北怪談の旅』と『日本未確認生物事典』に見られるが、どちらも資料名は挙げられていない。

民俗伝承での濡れ女は赤子を抱いて海岸に現れるものとして島根県石見に伝わっている。

人に会うと、赤子を抱いてくれと頼み、頼まれた人が赤子を抱いていると、海に入ってしまう。そして入れ替わりに海から牛鬼が現れる。気づいたときは、抱いていた赤子が石のように重くなって手から離れなくなり、そのうちに牛鬼に突き殺されてしまう。

そのため、赤子を抱いてくれと頼まれたときは、必ず手袋をしてから抱くものだといわれ、牛鬼が出てきたら手袋ごと放ってしまえばよいという。

このように、石見の濡れ女は牛鬼の斥候《せっこう》のような役割と考えられているようだが、牛鬼は美女に化けることがあるので、ここでいう濡れ女は牛鬼が化けたものかもしれない。

牛鬼に追われたある男が小屋に逃げ込むと、小屋の周囲をぐるぐるまわり、女の声で「残念だ、残念だ」といいながら去っていったという話もある。

㊫磯女《いそおんな》、濡れ女子《おなご》
『妖怪画談全集 日本篇 上』藤沢衛彦『日本未確認生物事典』笹間良彦『綜合日本民俗語彙』民俗学研究所編『妖怪の民俗学』宮田登『東北怪談の旅』山田野理夫『鳥山石燕 画図百鬼夜行』高田衛監修・稲田篤信・田中直日編

濡れ嫁女〔ぬれよめじょ〕

↓濡れ女子《おなご》

ね

猫南瓜〔ねこかぼちゃ〕　和歌山県西牟婁郡《にしむろ》に伝わる怪異。

猫を殺して埋めたら、その猫の口から毒のある南瓜《かぼちゃ》が生えてきたという話で、殺した者に食わせるために、猫の執念から生えたものだという。

同様の話は他の地方にも見られ、神奈川県横須賀市浦賀には、南瓜ではなくキュウリがなったという話がある。

『牟婁口碑集』雑賀貞次郎　『神奈川の伝説』永井路子・萩坂昇・森比左志

猫憑き〔ねこつき〕　各地でいう怪異。猫をいじめたり、殺したりすると、その猫の霊が取り憑いて苦しめるというもの。

『天草島民俗誌』には、猫を虐待して殺した男が原因不明の病気となり、占ったら猫の怨霊が憑いているとのことだったので、猫の供養をすると回復したとの話が記されている。

『天草島民俗誌』浜田隆一　『日本怪談集　妖怪篇』今野円輔編著　『現代民話考　十　狼・山犬・猫』松谷みよ子

猫股〔ねこまた〕　猫又とも表記される。尻尾《しっぽ》が二股になるまで齢《とし》を経た猫のことで、さまざまな怪しいふるまいをすると恐れられた。

鎌倉時代には猫の怪異として知られており、藤原定家の『明月記』には、天福元年（一二三三年）8月2日の条で、南都《なんと》に猫股という化物が出て一夜に7、8人を食らい、死んでしまう者が多いなどとあり、目は猫のごとく、形は大きい犬のようだと記されている。

『明月記』の猫股は狂犬病のことだとする説もあるが、猫股といえば、やはり猫の怪異とされていたようである。

猫股は山奥に潜《ひそ》んでいるものとされ、『宿直草』や『曾呂利物語』には、深山で人間に化けて現れた猫股の話があり、民間伝承の猫股も山間部に多く伝わっている。

猫又（猫股）

越中（富山県）の猫又山とか会津（福島県）の猫魔ヶ岳のように、猫股伝説がそのまま山名になっている場合もある。

　また、飼い猫が古くなって猫股となることもあり、それがために長い年月にわたって猫を飼うものではないとか、齢を経た飼い猫は家を離れると山に入って猫股になるといった俗信が各地に伝わっている。

㊂化け猫

『日本伝奇伝説大事典』乾克己・小池正胤・志村有広・高橋貢・鳥越文蔵編　『民間信仰辞典』桜井徳太郎編　『日本未確認生物事典』笹間良彦

猫娘〔ねこむすめ〕

→嘗女《なめおんな》

禰々子〔ねねこ〕

　子々コとも表記される。群馬、茨城、千葉を流れる利根川でいう河童。利根川流域を転々と移動し、禰々子がいるとされた流域では必ず禍《わざわ》いがあったという。

茨城県北相馬郡利根町加納新田の加納家には、禰々子の像なるものが祀られており、次のような伝説がある。

利根の禰々子は女の親分河童で、機嫌が悪ければ川の堤を崩して田畑を水浸しにし、牛馬や人間を水に引き入れて溺死させていた。

あるとき、加納家の先祖が禰々子を生け捕りにし、二度と悪さをしないと約束させて放してやったという。以来、加納家では屋敷の片隅に禰々子を祀り、縁結び、安産、金儲けなどに御利益のある神とされた。

㊫河童

『利根川図志』赤松宗旦・津本信博訳 『河童の系譜』安藤操・清野文男 『日本伝説叢書下総の巻』藤沢衛彦

ネブザワ 鹿児島県奄美大島でいう妖怪。ケンムンのあだ名とされる。

昔、ネブザワとユネザワという漁師がいた。ユネザワの妻が美しいのを羨《うらや》んだネブザワは、ユネザワを打ち殺し、その妻に求婚した。浜に打ち上げられた夫の死体から真実を知った妻は、仇《かたき》を山に誘い込み、釘でネブザワの手を木に打ちつけて夫の復讐を果たした。

取り残されたネブザワの前に神様が現れ、「お前はユネザワを殺した以外に悪行はないので許してやるが、人間にはしておけない」といって、ケンムンの姿にしたという。

これがケンムンの起源だといわれ、そのためにケンムンはネブザワとよばれることを嫌うのだという。

『季刊 民話』一九七六秋第8号「奄美物語二」恵原義盛

ネブッチョウ 埼玉県秩父でいう憑き物。

家に憑く蛇で、主人の思ったことを察して行動すると信じられた。

ネブッチョウの家に恨まれると、身上を潰され、取り殺されるとして恐れられたという。

『憑物』「憑物耳袋」倉光清六

寝肥［ねぶとり］『絵本百物語 桃山人夜話』にあるもの。

寝肥り（寝肥）

　よく肥えた女の寝姿が描かれ、以下の言葉が添えられている。

【寝肥は病名にて寝惚堕といい、女の病気の一つである。俗に「寝はばかり」といって寝坊を戒《いまし》めた詞《ことば》である。

　昔、奥州に女があり、十布（編みが十筋ある筵《むしろ》）の菅薦《すげこも》に自分は七布に寝て男を三布に寝かせた。

　和歌に「みちのくの　十布のすげごも　七布には　きみをねさせて　われは三布ねん」と詠んだ。

　寝肥は寝ると必ず大鼾《おおいびき》をかいて色気なく、ものごとにつけて騒々しいから愛想も尽きる。寝相の悪い女は、これも変化の一つである。奥州にて寝相の悪いことを寝肥というのである】と、『竹原春泉　絵本百物語　桃山人夜話』に解説されている。

『絵本百物語　桃山人夜話』以外には寝肥《ねぶとり》という妖怪は見られないので、これ以上のことは不明である。

『竹原春泉 絵本百物語 桃山人夜話』多田克己編

の

野馬〔のうま〕 島根県邑智《おおち》郡日貫でいう妖怪。一つ目で人を襲っては食らってしまう妖怪だという。

『日本妖怪変化語彙』日野巌・日野綏彦

野鎌〔のがま〕 高知県、徳島県の山間部や、愛媛県宇和でいう妖怪。

高知県吾川郡名野川村津江（吾川《あがわ》村）では、野山で何でもないのに転び、鎌傷のような傷がつくのを「野鎌《のがま》が食う」などという。

徳島県祖谷《いや》地方では、葬式の穴掘りで使った鎌や鍬《くわ》は7日間は墓場に置いておき、それから持って帰らないと野鎌になるといって戒《いまし》められたという。

野鎌で切られたときには、「仏の左の下のおみあしの下の、くろたけの刈り株なり、痛うはなかれ、はやくろうたが、生え来さる」という

ノウマ（野馬）

呪文を唱えるそうである。
㊜鎌鼬《かまいたち》
『旅と伝説』通巻174号「土佐の山村の『妖物と怪異』」桂井和雄　『祖谷山民俗誌』武田明　『近世土佐妖怪資料』広江清編　『宇和地帯の民俗』和歌森太郎編

ノシ
↓カワエロ

野宿火〔のじゅくび〕『絵本百物語　桃山人夜話』にある怪火。

　誰が焚《た》いたものかは分からないが、山中や田舎道《いなかみち》で人もいないのにチラチラと燃える火を見ることがあり、消えたと思うと、また燃えはじめ、燃えたと思うと、また消える。こういう火を野宿火《のじゅくび》というのだと『絵本百物語桃山人夜話』の著者はいっている。

【きつね火にもあらず、草原火《そうげんび》にてもなく、春は桜がり秋は紅葉がりせしあとに火もえあがり、人のおほくさわぎうた唱う声のするは、野宿の火というものならん】ともあるので、そうした火のまわりに人の賑やかな声も混じることがあったのだろうか。

『竹原春泉　絵本百物語　桃山人夜話』多田克己編

ノタバリコ
↓座敷わらし

ノツゴ　愛媛県宇和、高知県宿毛《すくも》市でいう妖怪。夜道を歩く者の足にまとわりつくという。

　土地により伝えが異なり、愛媛県南宇和郡内海村柏では、何もないのに足がもつれて歩けなくなる状況を「ノツゴに憑かれた」といい、同村油袋では「草履《ぞうり》をくれ」といって追いかけてくるものがノツゴであるという。

　後者の場合は草鞋《わらじ》の乳《ち》（紐を通すための輪になった部分）や草履の鼻緒《はなお》を投げてやると離れるという。

　同郡城辺町では夜道でギャッという奇声をあげる鳥のようなもので、草鞋の乳を投げると驚いて声を出さなくなるという。

　また、同郡一本松町小山では、夜道でワアワア、オギャアオギャアと赤ん坊の泣き声を出すもので、姿は見えぬものとされている。

北宇和郡三間町曾根では、隠れんぼうをしている子供を隠してしまう妖怪として恐れられ、同郡広見町では母親の乳が出ないために栄養失調で死んだ子供がノツゴになるといい、夜道で通行人を見つけると、ギャッという鳴き声を上げて、草鞋の乳に食いついてくるという。やはりここでも、草鞋の乳を与えれば消えてしまう。

高知県幡多《はた》郡橋上村楠山（宿毛《すくも》市）では、夜の山道で赤ん坊の泣き声を上げるもので、草鞋の乳を与えて退散させるのは他の地域と同じである。

足にまとわりつく、草履の乳を投げ与えると退散するといった特徴は、群馬県や新潟県のオボとまったく同じだといえる。

こうした妖怪は、かつて日本中にあった間引《まび》きなどの習俗や、子供の葬送方法がその背景にあるようである。

㊜足まがり、オボ、コロビ、脛《すね》こすり

『宇和地帯の民俗』和歌森太郎編　『日本民俗事典』大塚民俗学会編　『ふるさとの伝説　四 鬼・妖怪』伊藤清司監修・宮田登編　『日本の火の神信仰と憑きもの』石田隆義　『旅と伝説』通巻174号「土佐の山村の『妖物と怪異』」　桂井和雄

野槌〔のづち〕　野之霊、乃豆知とも表記される。槌《つち》形をした怪蛇で、槌の子の類とされている。

その名は古くから知られており、『古事記』『日本書紀』には萱野姫《かやのひめ》（草野姫とも）の別名として野槌（野椎《のづち》とも）の名が出てくる。

『古事記』には、萱野姫はイザナギ、イザナミが天地山海樹木の次に生んだ野の神、草の親神として記され、兄弟神の山の神である大山津見《おおやまづみ》と夫婦となり、諸神を生んだとある。

記紀神話には萱野姫が蛇だという記述が見受けられないようだが、大山津見が蛇体だとする説があることから、萱野姫も蛇体の神と見てよさそうである。

野槌

時代が下って仏教が盛んになると、野槌は仏教説話の中にも取り入れられるようになり、鎌倉時代成立の『沙石集』には、徳のない僧侶が野槌に生まれ変わったという話がある。

仏法を己の名利《みょうり》のために学び、口は達者だが智慧《ちえ》の眼がなく、信の手もなく、戒《いまし》めの足もない僧侶は、死してから口だけはあるが目鼻や手足のない野槌に生まれ変わるという内容である。

ここでいう野槌は深山に棲む槌形の蛇であり、人を見れば襲って食ってしまうとあるので、現在でいう槌の子と同じものといえる。

江戸時代の百科事典である『和漢三才図会』によれば、野槌は深山の木の穴に棲むもので、大きいものは直径五寸（約15㎝）、長さは三尺（約90㎝）あるという。頭と尾が均等の太さで、柄のない槌に似ていることから野槌とよばれ、和州（奈良県）吉野の山中の菜摘川（夏実川）や清明滝（蜻螟滝）で往々にこれを見かける。人を見れば坂を転がり下って人の足に嚙《か》みつく。ただし、登りは極めて遅いので、この蛇に出会ったら急いで高い所へ登れば追ってこない、などと解説されている。

民俗伝承での野槌は、奈良県、徳島県や北陸、中部地方にその名が伝わっていたが、昭和40年頃からの槌の子ブームの影響で、各地でさまざまに呼ばれていた槌形の怪蛇は、槌の子の呼称に統一されてしまったようである。

㊂槌の子

『綜合日本民俗語彙』民俗学研究所編　『沙石集』無住／筑土鈴寛校訂　『校註　日本文学大系　一』中山泰昌編　『和漢三才図会』寺島良安編・島田勇雄・竹島淳夫・樋口元巳訳注
『綜合日本民俗語彙』民俗学研究所編

のっぺら坊〔のっぺらぼう〕　ぬっぺら坊、ぬっぺらぼんともいう。顔のパーツが一切ない卵のような顔の妖怪。

小泉八雲の『怪談』にある狢《むじな》の話がよく知られている。

ある男が東京赤坂の紀国坂《きのくにざか》で目鼻口のない女に出会い、驚き逃げて蕎麦《そば》の屋台の主人にそのことを話すと、蕎麦屋の主人も卵のような顔だったという。

これは狢（川獺《かわうそ》だという説もある）のしわざとされているが、多くの場合、のっぺら坊は狐狸が化けたものとされていたようである。『新説百物語』にも、何か動物のようなものが化けたと思われるのっぺら坊の話がある。

京都二条河原で目、口、鼻、耳のないヘチマのような大きさの頭をした化け物が、ものもいわずに這《は》いまわっていたというもので、ここではぬっぺりほうとよばれている。

その化け物に裾をつかまれた者が、後でその裾を見ると、何の毛とも分からぬ太い毛が10本ほどもついていたという。

しかし、正体不明の場合もあり、『曾呂利物語』には都の御池《おいけ》町（京都市中京区）の空家にのっぺら坊の化け物が出た話がある。

七尺（約2m10㎝）もの大きな坊主のようで、しきりに唐臼《からうす》を踏み鳴らしていたというものだが、こちらは何とも名前がついていない。

㊜ずんべら坊、ぬっぺっぽう
『江戸怪談集（中）』高田衛編／校注　『続妖異博物館』柴田宵曲　『続百物語怪談集成』太刀川清校訂・高田衛・原道生編

野鉄砲〔のでっぽう〕『絵本百物語　桃山人夜話』にある妖怪。狸か栗鼠《りす》のような姿で描かれ、【北国の深山に居る獣なり。人を見かけ蝙蝠《こうもり》のごとき物を吹き出し、目口をふさぎて息を止め、人をとり食ふなり】とある。

同書には続けて次のようにある。夕暮れ頃、道行く人の顔にあたって目を塞《ふさ》ぎ、生き血を吸う動物のようである。これは猯《まみ》という動物の齢《とし》を経たもので、蝙蝠が齢を経てなる野衾《のぶすま》や、深山でいう野かげ（注・未詳）と同じものであるという。この害を避けるには、巻耳という草を懐中に入れておけばよい、とある。

ムササビのような動物のことのようだが、詳細不明。猯、野衾については別項を参照。

㊜猯、野衾
『竹原春泉　絵本百物語　桃山人夜話』多田克

野寺坊

己編

野寺坊〔のでらぼう〕　鳥山石燕の『画図百鬼夜行』に、荒れた鐘撞堂《かねつきどう》の前にボロボロの袈裟《けさ》を着た坊主として描かれた妖怪。石燕による解説はなく、どのような妖怪かは不明。

『鳥山石燕　画図百鬼夜行』高田衛監修・稲田篤信・田中直日編

野火〔のび〕　土佐長岡郡国府村（高知県南国市）でいう怪火。

『民間伝承』通巻12号に高村日羊が寄せた記事の中にあるのだが、分かりにくい箇所もあるので、全文を引用しておく。

【野火は怪火にて傘程の火は忽《たちま》ち砕けて数十の星となり時に地上四五尺を数百間も走る、草履《ぞうり》に唾《つば》して之を招けば忽消えて頭上に来り煌々《こうこう》空中を舞ふ】とある。

『民間伝承』通巻12号「妖怪」高村日羊

伸び上がり〔のびあがり〕　愛媛県北宇和郡下波村や徳島県祖谷《いや》地方でいう妖怪。見越し入道の類。

野火

見上げるほどに背が高くなっていくもので、川獺《かわうそ》の化けたものとされた。

　出会ったときは、地上から一尺（約30㎝）のところを蹴って、目を逸《そ》らせば消えてしまうと伝えられている。

㊫見越し入道、見上げ入道、次第高《しだいだか》、高入道《たかにゅうどう》、高坊主、入道坊主、乗り越し、ユーリー

『妖怪談義』柳田国男『綜合日本民俗語彙』民俗学研究所編『祖谷山民俗誌』武田明

野衾〔のぶすま〕　ムササビのこと。古くは怪しい動物とされたようで、鳥山石燕の『今昔画図続百鬼』には、【野衾は鼯《むささび》の事なり。形蝙蝠《こうもり》に似て、毛生いて翅《はね》も即肉なり。四の足あれども短く、爪長くして、木の実をも喰ひ、又は火焔をもくへり】とある。

　火焔を食うというのは、夜道を行く人の松明《たいまつ》を消してしまうことからの俗説らしい。

　また、ムササビは人畜を襲って生き血を吸うとも信じられていた。

『梅翁随筆』には、現在の東京都千代田区神田に出没したムササビが猫を襲って生き血を吸っていたという記事が見える。

『鳥山石燕　画図百鬼夜行』高田衛監修・稲田篤信・田中直日編『随筆辞典　奇談異聞編』柴田宵曲編『竹原春泉　絵本百物語　桃山人夜話』多田克己編

野襖〔のぶすま〕　高知県幡多《はた》郡でいう妖怪。

　夜道の行く手に襖《ふすま》のような壁ができるもので、上下左右どこを撫でても果てるところがない。野襖だと気がついた途端に、人間が気絶してしまうものだという。

　野襖に立ち塞がれたときには、落ち着いて煙草《たばこ》を2、3服すると、自然と消失するものだと伝えられている。

越前石徹白《いとしろ》（岐阜県郡上郡白鳥町および福井県大野郡和泉村）でも、野襖の名前こそないが、狸が道に襖を張ると向こうに行けなくなるという伝承がある。

『民間伝承』通巻38号『越前石徹白民俗誌』宮本常一

登戸の婆〔のぼとのばば〕
↓寒戸《さむと》の婆

野守〔のもり〕
↓野守虫

野守虫〔のもりむし〕『折々草』『漫遊記』にある怪蛇。

信州松代（長野市）のある若者が、友人と山に柴刈りに行ったとき、大きな蛇に足元からくるくると巻きつかれた。

若者は強力者《ごうりきもの》だったので、友人より鎌を受け取って蛇を切り裂いた。見れば、その蛇は全長一丈（約3m）あまりで、6本の足に6本の指が生えている。胴体は桶のように太いが、頭や尾はそれに比べると細くなっていた。

若者が武勇の証《あかし》に死体の一部を持ち帰ったところ、父親は「それは山の神に違いない。必ず祟りがあるだろう」といって、若者を家から締め出してしまった。

しかたなく若者は小屋に住んだが、2日〜3日経つと蛇の死体がとても臭くなり、若者にも

野《の》守《もり》（野守虫）

臭いが移って、それが原因で病気となった。

医者をよんで薬をもらい、入浴することでようやく死臭もとれて、病気も治り、身心ともに回復した。

医者がいうには「これは蛇ではなく、野守という虫である。井に生ずる虫を井《い》守《もり》、家に生ずる虫を家《や》守《もり》といい、野に生ずる虫を野《の》守《もり》という」ということであった。

それから3年後、若者は官木を伐採した罪で処刑されてしまう。人々は若者の不運を、野守虫を殺してしまったことへの祟りだろうと噂しあったという。

『怪談名作集』日本名著全集刊行会編　『大語園』巌谷小波編

乗り越し〔のりこし〕　岩手県遠野辺りでいう妖怪。

はじめは小さな影法師のようで、はっきりしないのでよく見ようとすると、だんだんと背が高くなり、やがては人家の屋根を乗り越してしまうという。

これに出会ったら、下に見下ろすようにすればよいそうである。

(参)見越し入道、見上げ入道、次第高《しだいだか》、高入道《たかにゅうどう》、高坊主、入道坊主、伸び上がり、ユーリー

『日本妖怪変化語彙』日野巌・日野綏彦　『綜合日本民俗語彙』民俗学研究所編

は

パーントゥ　沖縄県でいう妖怪の児童語。鬼神という意味もある。

宮古島群島島尻では、毎年旧9月吉日の厄払いに、泥と草で仮装したパーントゥという異人が登場する。

『全国幼児語辞典』友定賢治編　『自然と文化』一九八四秋季号「琉球列島の草荘神」比嘉康雄

パウチ　アイヌ語で淫魔とか淫乱の神と訳される。

ふだんは異界のシュシュランペッという川の畔《ほとり》に住み、いつも男女入り乱れて裸で踊っている。ときおり人間世界の山野に来ては、男女を

誘惑して踊りの仲間に加えるという。

パウチに取り憑かれると、淫乱で騒々しい性格になるといわれ、人間が浮気をするのはパウチが取り憑いたからだといわれている。

体内よりパウチを追い出すには、狐憑きの場合と同様、殴ったり川に投げ込んだりという荒療治を試してみるそうである。

また、石狩川の上流にある層雲峡《そううんきょう》は、パウチ・チャシ、またはパウチカラ・コタンとよばれ、パウチが造った砦と伝えられている。

ここでのパウチは川を行く舟人を誑《たぶら》かす女神とされ、その昔、夜盗の一団が石狩川のカムイオペッカウシ（神様が陰部をさらけだすところ）とよばれる崖《がけ》を通ったとき、ここで踊っていたパウチに心奪われ、死んでしまったという伝説がある。

『えぞおばけ列伝』知里真志保編訳　『アイヌ伝説集』更科源蔵　『歴史と民俗　アイヌ』更科源蔵

馬鹿〔ばか〕

↓シラミ

ハカゼ　岩手県九戸《くのへ》郡山形村、高知県でいう憑き物。

九戸郡山形村では、神様の遊んでいるところに行きあたると、打ち倒されたり病気になるといい、そういう状況をハカゼにあったなどという。

岩手とは遠く離れた高知県でも同様のことがいわれ、こちらは神様ではなく無縁仏や非業《ひごう》の死を遂げた者の霊のしわざとしている。

岩手県でも高知県でも、こういう病気は祈禱者にみてもらうことになっている。

㊂風

『綜合日本民俗語彙』民俗学研究所編　『日本の憑きもの』吉田禎吾

履物の化け物〔はきもののばけもの〕　佐々木喜善の『聴耳草紙』に記されている怪異。

履物を粗末にするある家で、夜中に下働きの女が一人でいると、外のほうから「カラリン、コロリン、カンコロリン　まなぐ三まなぐ三ツ

ハカゼ

に歯二ん枚」という声が聞こえた。

その後は、毎晩のようにその声が聞こえるので、女はそこの奥さんとともに正体を暴《あば》くことにした。

夜、例の声が聞こえはじめたときに戸の隙間《すきま》から覗いて見ると、そこには履物の化け物がいた。化け物は歌いおわると、物置の隅に消えていったという。その物置は、いつも履物を投げ捨てていたところだった。

これは粗末にされた履物が化けて出たものらしく、歌の内容からすると、下駄《げた》の化け物のようである。

『聴耳草紙』佐々木喜善

獏〔ばく〕　動物園などで見られる獏とは違い、中国由来の幻獣である。悪夢を食べるという想像上の動物。

中国の古書『本草綱目』によれば、象の鼻、犀《さい》の目、牛の尾、虎の足を持ち、身体は熊に似ているという。

中国では獏の毛皮や画図は邪気を払うものと

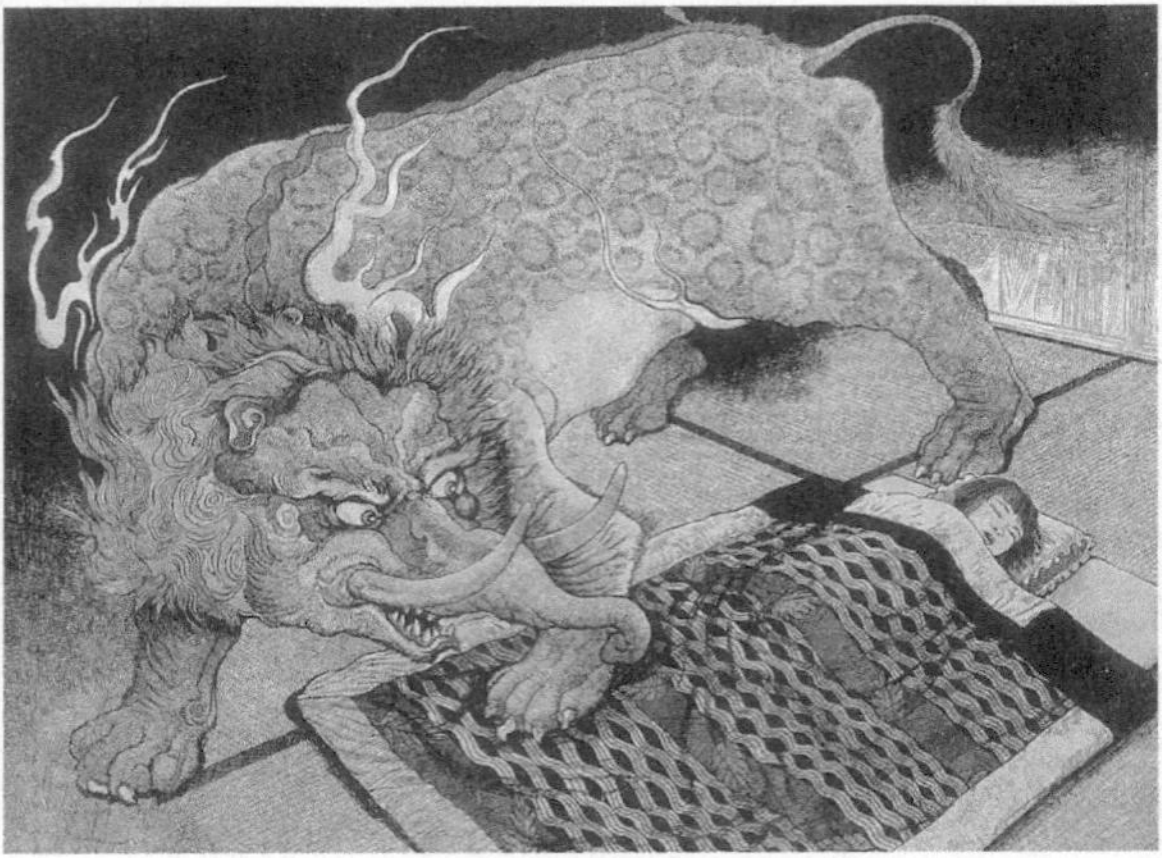

獏

され、その知識が日本に輸入されると、悪夢を払う、つまり食べてしまうと解釈されるようになった。

『酣中清話』には、中国の『大典祠部中職』に十二神将の莫奇という神が夢を食うという記述があり、これが獏と混同されたのではないかとしている。

江戸時代には、正月2日の初夢に際して、宝船の図を枕の下に入れて置く風習があり、その図に獏の姿や文字を書き入れると良い夢が見られると信じられていた。紙ではなく、直《じか》に獏の姿を描いた箱枕もあったようである。

㊂白沢《はくたく》

『江戸文学俗信辞典』石川一郎編 『日本未確認生物事典』笹間良彦 『動物妖怪譚』日野巌

白蔵主〔はくそうず〕『絵本百物語 桃山人夜話』にある化け狐。

昔、甲斐国（山梨県）の夢山の麓《ふもと》に弥作という猟師が住んでおり、狐を捕まえてはその皮を売って生計を立てていた。

夢山には齢《とし》を経た白狐がいて、子をたくさん生んだものの、ほとんどを弥作に捕らえられてしまったので、恨みを抱いていた。

あるとき、この狐は弥作の伯父にあたる宝塔寺の白蔵主《はくそうず》に化け、弥作のもとを訪ねた。そして「殺生の罪は来世の障《さわ》りとなるゆえ、狐を捕ることを止めよ」といって、銭一貫目を与え、狐の罠《わな》を持ち帰った。

やがて、金を使いはたした弥作が、再び金をもらおうと宝塔寺に赴くと、狐は寺に先まわりして本物の白蔵主を食い殺し、伯父になりすました。

以来、50年にわたって宝塔寺の住職に化けていたが、倍見の牧というところで鹿狩りが行われたとき、人に混じって見物していたため、犬に噛み殺されて、その正体を現した。

その白狐の尾には、白銀の針のような毛が生えていた。人々は祟りを恐れて、里の山陰《やまかげ》に塚を築き、祠を建てて祀った。それを今も伝えて狐の杜という。

白蔵主

能狂言の「吼噦《こんかい》」はこの話を基に、「人たるもの、悪事と知りつつ悪の道に入ることは、畜生の心と同様の振る舞いである」という戒《いまし》めを込めて作られたものである。

これにより、狐が法師に化けることを白蔵主といい、また法師が狐に似た行いをすることをも白蔵主というようになったのである、などとある。

甲斐の白蔵主との関連は不明だが、『諸国里人談』には伯蔵主《はくぞうす》という化け狐の話がある。

江戸小石川伝通院《でんずういん》の正誉覚山上人が京都から帰ってきたとき、道中で伯蔵《はくぞう》という僧と一緒になった。伝通院で学問をするようになった伯蔵は、授業に遅れをとるどころか、毎度の法問内容を前日に語ったりしたので、同僚の僧たちは驚くばかりだった。

しかしあるとき、熟睡してうっかり狐の正体を現してしまい、伯蔵はこれを恥じて姿を消してしまった。

姿を消したものの、伝通院内に棲んではいたようで、夜毎に仏法を論じたりして、宝永（一七〇四年～一七一一年）の頃まで存命したという。

元来この狐は下総国飯沼（茨城県水海道市）にいたもので、弘教寺にも同様の伝説があるという、などとある。

伝通院にいた伯蔵主は、現在は伝通院近くに沢蔵主《たくぞうす》稲荷として祀られている。

㊫狐

『竹原春泉　絵本百物語　桃山人夜話』多田克己編『随筆辞典　奇談異聞編』柴田宵曲編

白沢〔はくたく〕本来は中国の霊獣。『和漢三才図会』には次のようにある。

東望山（江西省）にいるもので、よく人の言葉を発し、王者が有徳でその徳が明照幽遠なときに姿を現す。昔、黄帝《こうてい》が巡狩して東海に至ったとき、白沢の忠言によって世の中の害を除いたなどと、中国の『三才図会』を引いて解説している。

森羅万象に通じた白沢は、黄帝に中国には1

万1520種もの妖怪がいると教えた。黄帝はそれを画家に命じて描かせ、天下の人々に示し、それらの害を未然に防ごうとしたという。この画図は白沢より教えられたので『白沢図』とよばれたが、現在には伝わっていない。

日本での白沢は獏《ばく》と混同されていたようで、邪気や悪病を払う縁起のよいものとして、画や像をお守りとした。

悪病を払うということから、かつては漢方薬を扱う店にその像がよく置かれていた。その姿は人面をした獏のようなもので、顔には3つの目が、両脇腹にもそれぞれ3つの目があり、計9つの目を有している。

東京都目黒区の五《ご》百羅漢寺《ひゃくらかんじ》にある獏王像も、本来は白沢像である。

㊜獏

『江戸文学俗信辞典』石川一郎編 『日本未確認生物事典』笹間良彦 『和漢三才図会』寺島良安編・島田勇雄・竹島淳夫・樋口元巳訳注

羽黒山金光坊〔はぐろざんこんこうぼう〕山形県羽黒山でいう天狗。密教系の祈禱秘経『天狗経』にある全国代表四十八天狗の一つに数えられているが、羽黒山での大天狗は三光坊と水《すい》天狗《てんぐ》円光坊《えんこうぼう》であるという。

㊜天狗

『天狗考 上』知切光歳 『図集天狗列伝 東日本編』知切光歳

歯黒べったり〔はぐろべったり〕『絵本百物語 桃山人夜話』にある妖怪。角隠《つのかく》しをつけた女の姿で、顔には目鼻がなく、ただお歯黒をつけた口だけがある。【歯ぐろべったりをうる里女とも、東国にてはのっぺら坊ともいう。多くは狐狸の化けそこないしなり】とあり、ある人が古い神社の前を通ると、顔を伏せた一人の女がいて、振り向いた女の顔には目鼻がなく、ただ口ばかりが大きくて、げらげらと笑ったということも記されている。

普通、のっぺら坊といえば顔の部品がまったくない妖怪だが、『絵本百物語 桃山人夜話』は歯黒べったりもその仲間だとしている。

『竹原春泉　絵本百物語　桃山人夜話』多田克己編

化け蟹〔ばけがに〕

↓蟹坊主

化け蜘蛛〔ばけぐも〕

↓大蜘蛛、女郎蜘蛛《じょろうぐも》

化け草履〔ばけぞうり〕

↓履物《はきもの》の化け物

禿狸〔はげだぬき〕

↓屋島の禿狸《はげだぬき》

化け狸〔ばけだぬき〕

↓狸

化け灯籠〔ばけとうろう〕　栃木県日光市の二《ふた》荒山《らさん》神社内にある灯籠《とうろう》の怪異。

　夜になってからこの灯籠に火を入れると、たちまち火が瞬《また》いて、見る見るうちに油が尽きて消えてしまう。何度やっても同じなので、怪しんだ者たちが毎晩のように刀で灯籠に斬り掛かった。やがて灯籠いっぱいに刀傷ができた頃、やっと普通の灯籠として機能しはじめたという。

化《ば》け灯籠《どうろう》（化け灯籠《とうろう》）

化け灯籠は鎌倉時代に奉納された銅製の灯籠で、今でも受け皿部分に無数の刀傷が確認できる。

また、この灯籠を灯《とも》すことにより周囲の物が二重になって見えるとか、灯籠そのものが変化したともいわれている。

『大語園』巌谷小波編　『二荒山神社由緒書』二荒山神社編

化け猫〔ばけねこ〕　怪異をなす猫のことで、古文献や民俗伝承に多くみることができる。同じ猫の怪異でも、猫股は尻尾《しっぽ》が2つに分かれるほど齢《とし》を経た猫だが、理由もなく猫を殺すと化けて出るなどと、化け猫は老猫に限らないようである。ただし、齢を経た猫のほうが化け猫になる確率は高かったようで、昔は猫を飼う年数に限度があった。

広島県山県郡では7年以上飼った猫は主人を殺すといい、茨城県や長野県では12年、沖縄県国頭《くにがみ》地方では13年目になると化け猫になるといっていた。こうした禁忌はほぼ全国に見ることができる。

化け猫のなす怪異はさまざまで、人間に変化する、手拭いを被って踊る、言葉を喋《しゃべ》る、山に潜《ひそ》み、狼を従えて旅人を襲う、祟りを及ぼす、死体を操る、人に憑く、などといったことが挙げられる。

宮城県牡鹿郡網地島や島根県隠岐島では、猫が人間に化けて相撲を取りたがるという変わった例もある。

㊫猫股、猫南瓜《ねこかぼちゃ》、猫憑き、山猫

『日本俗信辞典』鈴木棠三　『現代民話考　十　狼・山犬・猫』松谷みよ子

化けの火〔ばけのひ〕　『周遊奇談』にある怪火。

近江国堅田村（大津市）では、四季を問わず曇天の夜は化けの火というものが現れた。

まずは琵琶湖の岸から小さな火が出て、地上から四尺〜五尺（約1m 20㎝〜1m 50㎝）のところを飛びまわり、山の手のほうに移動しながら三尺（約90㎝）ほどになる。

その炎の中には人の顔がありありと見え、時には上半身だけの男が2人、手を組み合って相撲を取っているようにも見えるという。

この火の正体を見届けようと、ある剛胆な男が田圃《たんぼ》の畔《あぜ》に隠れて待っていたところ、夜半になってその火が現れ、一旦、山に行ってから男の近くまでやって来た。

男は田舎相撲を取るような力持ちだったので、火が来るなり飛びかかった。しかし、組みついたと思った途端、五、六間（約9m～10m90cm）先の田圃まで投げ飛ばされてしまった。いかなる剛胆者でも、この火にはかなわなかったという。

『大語園』巌谷小波編

化け火〔ばけび〕

↓化けの火

化け古下駄〔ばけふるげた〕　岩手県の昔話に登場する器物の妖怪。

陸前国（宮城県）寒風沢のある町を、夜中になると「鼻痛い、鼻痛い」と、不思議な声を出

化け古下駄

して歩くものがいた。

村の若者たちがその声の主を暴《あば》こうと待ち伏せしていると、声は聞こえるものの、姿がなく、声のする辺りで棒を振り回しても、なんの手応えもなかった。

そんなことがあった頃、若者の一人が近くの藪で、何者かがワイワイと騒ぐような声を聞いた。立ち聞きしていると、人間の声とは思えない声で、「古蓑、古笠、古太鼓、続いて古下駄、古割籠《ふるわりご》、どんどんぱきぱきぱっさばさ」と歌って、踊っているようだったが、「今夜は不思議な晩だから止めろ止めろ」という声とともに、静かになった。

翌晩、若者は仲間とともに再びその場所に行ってみると、藪の中には古蓑、古笠、古太鼓の胴、古下駄、古割籠など、海中から上げられたものがたくさん集まっていた。少し離れたところに、片方の鼻が欠けた大きな古下駄があったので、若者たちは「さては鼻痛いといっていたのはこやつのしわざで、このものどもが化けるのか」といって、辺りにあるものと一緒に焼き捨てた。それからは怪事は起こらなくなったという。

『大語園』巌谷小波編

ハゴロモマンジョ
↓アモレオナグ

婆娑婆娑〔ばさばさ〕
↓波山《ばさん》

波山〔ばさん〕『絵本百物語　桃山人夜話』に、火を吹く鶏のような姿で描かれた怪鳥で、【波山は俗間に婆娑婆娑といへり。伊予の山中にてはばさばさの化とて子供をおどせり。夜ふけて山家の門口をばさばさとたたくゆへ、戸を明みれば何もなきこと度々なり。常に深藪にすみて人目にかからず。火をふくといへども、狐の息と同じ。橘子が随筆にばさばさは庭鳥の大いなるに類せりとしるせり。犬鳳凰《いぬほうおう》といふものあれどもいまだ慥《たしか》ならず】などとある。
【橘子が随筆に】にあたる橘は誰を指すのか調査不足で分からないが、橘南谿、橘茂世、橘宗

波山

雪らのいずれかが記した随筆に婆娑婆娑の記述があるのであろうか。

『竹原春泉　絵本百物語　桃山人夜話』多田克己編

橋姫〔はしひめ〕橋の袂《たもと》にいるとされた境の神。橋の守護神であるとともに、外敵の侵入を防ぐといわれ、古くからある大きな橋に祀られている。

橋姫は嫉妬深い神といわれ、橋の上で他の橋を誉めたり、または女の嫉妬をテーマとした『葵上』や『野宮《ののみや》』などの謡《うたい》を謡《うた》うと、必ず恐ろしい目にあうという。

古くは水神信仰の一つとされ、橋の袂に男女二神を祀ったのがはじまりではないかとされている。摂津の長柄橋、近江の瀬田橋などに祀られていたことが知られるが、最も有名なのが宇治の橋姫である。

宇治の橋姫の由来については諸説あるが、『艶道通鑑』には次のような説話がある。

ある司《つかさ》の長男が隣家の美しい娘と夫婦の約束

をしていたが、南向こうに住む娘と契《ちぎ》ってしまい、隣家の女のことは忘れてしまった。

大いに怒った隣家の娘は、貴船《きふね》神社に参詣した後、宇治川に7日7晩身を浸し、生きながらにして鬼と化した。そして薄情な男を取り殺し、その一族までをも呪い殺した。

そこで人々はその怨霊を鎮めるため、宇治橋に橋姫として祀った。宇治の橋姫は嫉妬深い神なので、婚礼の際には宇治橋を渡ることを忌んだという。これと同じ話が『平家物語』の「剣の巻」や、謡曲『鉄輪《かなわ》』にも見える。

また、鳥山石燕は『今昔画図続百鬼』で、丑《うし》の刻参《ときまい》りの服装で半身を川に浸した橋姫の姿を描き、【橋姫の社は山城の国宇治橋にあり。橋姫はかほかたちいたりて醜し。故《ゆえ》に配偶なし。ひとりやもめなる事をうらみ、人の縁辺を妬《ねたみ》給ふと云】と、異説を記している。

かつて宇治橋の南側には三の間とよばれる張り出しがあり、そこに橋姫が祀られていたが、現在は橋西詰の神社に祀られている。

橋姫

『日本伝奇伝説大事典』乾克己・小池正胤・志村有広・高橋貢・鳥越文蔵編　『大語園』巌谷小波編　『幻想世界の住人たち　日本編』多田克己　『鳥山石燕　画図百鬼夜行』高田衛監修・稲田篤信・田中直日編

芭蕉精〔ばしょうのせい〕　芭蕉の精が人の姿となって現れ、さまざまな怪異をなすもの。

鳥山石燕の『今昔百鬼拾遺』には芭蕉の変化として描かれており、【もろこしにて芭蕉の精《せい》人《ひと》と化して物語せしことあり。今の謡物《うたいもの》はこれにより作れるとぞ】と、謡曲『芭蕉』のことについて触れている。

石燕がいうように、謡曲の『芭蕉』は中国の怪奇説話『湖海新聞』などを題材にしたもので、芭蕉の精が人の姿となって現れる話になっている。

芭蕉の怪異は江戸時代の文献にいくつも見ることができ、『中陵漫録』には次のような話がある。

昔、信州の某寺の僧が夜更《よふ》けまで書を読んで

芭蕉の精（芭蕉精）

いたとき、美女がどこからか現れて、僧を誘った。僧は大いに怒り、刀で斬りつけたところ、美女は血を流しながら逃げて行った。

翌朝、その血痕を辿《たど》って行くと、庭に植えられた芭蕉まで続いており、芭蕉は枯れて倒れていた。これを聞いた人々は、芭蕉が変化したものだろうと語ったという。

予（『中陵漫録』の著者佐藤成裕）、この話が信じられず、後に琉球《りゅうきゅう》（沖縄）の人に会ったとき、琉球の蕉園のことを尋ねてみた。その人が語るに、琉球人は芭蕉から糸を取り、その布から衣服を作るので、山野に芭蕉を多く植えている。それを蕉園というのだが、夜更けてから一人でそこを通ると、必ず芭蕉の怪異にあう。

芭蕉の変化は必ず婦人の形をしており、とくに害はない。ただ、それを見た者が驚くだけである。日本刀を持っていればこの怪異にあわずに済む、と語った。

この話を聞いて、（佐藤成裕が）はじめて信州の話を信じることができた。大きな葉を持つ芭蕉は草の中でも王様のようなもので、そのために怪しいふるまいをなすのだろう、などと考察している。

『植物怪異伝説新考』日野巌　『随筆辞典　奇談異聞編』柴田宵曲編　『鳥山石燕　画図百鬼夜行』高田衛監修・稲田篤信・田中直日編

畑怨霊〔はたおんりょう〕『日本妖怪大全』には【昔、凶作で餓死した人々を葬式もしないでほうっておくと、妖怪になって出ると信じられていたものである】とある。

この他、畑怨霊という名前での話は見つからないため、詳細は不明。

『日本妖怪大全』水木しげる

バタバタ　和歌山県、広島県、山口県でいう音の怪異で、『紀伊続風土記』『筆のすさび』『岩邑怪談録』『譚海』『碌々雑話』などにみえる。

和歌山県では城下の宇治という町に出たので、宇治のこだまともよばれた。冬の夜明け頃、バタバタという音が東から聞こえはじめ、アッという間に家の前を通り過ぎて西に去っていくものという。

広島県では城下の六丁目という町でよく聞かれた。夜になると杖で畳を叩くような、空中で筵《むしろ》を打って塵《ちり》を払うような音が聞こえる。その音の方向に行ってみると、今度は違う方から聞こえてくるという。

この土地では狐狸のしわざだとか、触ると瘧《おこり》になる石の精のしわざとかいわれ、その石はバタバタ石とよばれたという。

『岩邑怪談録』には破多破多という字があてられ、山口県岩国での話がある。

文久年間（一八六一年～一八六四年）の秋から冬にかけての時期に起こった現象で、夜四つ時（午後10時頃）から翌朝未明まで、バタバタという渋紙を打つような、大きな団扇《うちわ》を激しく使うような音が町中で聞こえたという。

これと同じような現象は高知県にもあり、狸のしわざとして畳叩きとよんでいる。

㊜畳叩き

『紀州おばけ話』和田寛 『妖怪談義』柳田国男 『岩邑怪談録』広瀬喜尚 『譚海』津村淙庵 『随筆辞典 奇談異聞編』柴田宵曲編

機尋（はたひろ） 鳥山石燕の『今昔百鬼拾遺』に、機《はた》で織られた布が蛇のようになった姿で描かれた妖怪で、【はたひろはある女夫の出てかへらざるをうらみ、おりかかれる機をたちしにし、その一念ははたひろあまりの蛇となりて夫の行衛をしたひしとぞ。自二君之出一矣不三復理二残機一（君が出でしより、まだ残機をおさめず）と唐詩にもつくれり】とある。

『鳥山石燕 画図百鬼夜行』によれば、文中の詩は張九齢の『自君之出矣』であり、あなたが私のもとを去ってより、残り余った織物は、未完成のまま織機に置きっぱなしにしてあるという意味だという。

帯が蛇と化した蛇帯《じゃたい》と同じように、女の邪心と蛇身とを掛けて描いた妖怪のようである。

『鳥山石燕 画図百鬼夜行』高田衛監修・稲田篤信・田中直日編

働きわらし（はたらきわらし）

機尋

↓座敷わらし

バチ蛇〔ばちへび〕

↓槌《つち》の子

魃鬼〔ばっき〕

↓魃《ひでりがみ》

髪魚〔はつぎょ〕　栗本丹洲『異魚図賛』に、【髪魚帯レ髪形如ニ婦人一出ニ滇池一肌白無レ鱗】とあるもの。『動物妖怪譚』は中国の人魚のようなものとしている。

滇池《てんち》とは雲南省昆明県の南にある池のことで、髪魚《はつぎょ》という名の怪魚あるいは人魚の話は日本では見つからないようである。

『動物妖怪譚』日野巌

八天堂〔はってんどう〕

↓長壁《おきかべ》

八百八狸〔はっぴゃくやだぬき〕

↓隠神刑部狸《いぬがみぎょうぶだぬき》

花子さん〔はなこさん〕　一九八〇年代後半あたりから全国の小学校を中心に噂された妖怪。学校霊花子さん、トイレの花子さんなどともよ

花子さん

ばれた。

　誰もいないトイレの個室をノックして「花子さーん」とよびかけると返事があるというものだが、花子さんとの接触の仕方は学校によりまちまちで、声だけではなく、おかっぱ頭の少女が現れる話もあった。

　口裂け女、人面犬などの都市伝説の後に流行したため、最近の話のような印象があるが、昭和20年代には岩手県の小学校で3番目の花子さんとして語られていた。3番目とはトイレの奥から3番目という意味で、そこに入ると、「3番目の花子さん」と声をかけられ、便器から白い手が出てくるといわれていた。

『現代民話考　七　学校』松谷みよ子

脛巾脱ぎ〔はばきぬぎ〕『中南拾遺』にあるもので、和歌山県伊都《いと》郡花園村の棕櫚《しゅろ》山でいう怪異。

　脛巾《はばき》とは旅歩きや農作業をするときに足に巻く脚絆《きゃはん》のことで、この妖怪は夜にこの山を通ると、知らない間に脛巾を剝ぎ取ってしまうという。

『紀州おばけ話』和田寛

浜遊び〔はまあそび〕
→蜃気《しんき》楼《ろう》

浜姫〔はまひめ〕 石川県江沼郡橋立村（加賀市）でいう妖怪。磯女や濡れ女子《おなご》の類。

山には山姫、浜には浜姫、辻には辻姫というものがいるといわれていた。

浜姫はとても美しい女で、あまりにきれいなので気味が悪くなるほどだという。また、浜姫に見られると影を呑まれるので、その人は死んでしまうという。

(参)磯女、濡れ女、濡れ女子
『加賀江沼郡昔話集』山下久男

孕のジャン〔はらみのじゃん〕
→ジャン

針女〔はりおなご〕 『日本妖怪大全』によると、針女は四国宇和島（愛媛県南部）の妖怪で、濡れ女子《おなご》または笑い女子《おなご》ともいうとあり、ざんばら髪の先が鉤針《かぎばり》になっていて、これで男を引っ

針女

掛けて連れて行くなどとある。

針女の特徴とされたこれらのものは、本来、『宇和地帯の民俗』の濡れ女子の特徴である。

針女という名前は、水木しげるが髪の毛の先端が鉤針になっているという、濡れ女子の特徴を強調して命名したものと思われる。

『日本妖怪大全』水木しげる『宇和地帯の民俗』和歌森太郎編

バリヨン 新潟県三条市でいう妖怪。

夜中に通行人があると、背中に飛び乗って頭をかじる。そのため、夜道を行くときには、金鉢を被《かぶ》るのが安全だという。バリヨンとは負われたいという方言で、この妖怪を家に連れ帰ると金《きん》の入った瓶だった話もある。

バリヨン、ウバリヨン、オボサリテイ、バロウ狐、バロンバロン、ブッツァリティといった妖怪たちは、昔話に見られる。

昔話研究ではこれらを財宝発見型の取っつく引っつく系統の昔話に分類し、もともと度胸のある者が富を得るという趣旨のものだが、同じ財宝発見型の話でも、取っつく引っつく系は最も内容が崩れかかったものとしている。

参考例に和歌山県有田郡での取っつく引っつくを紹介してみよう。

昔、ある村によい爺と悪い爺がいた。あるとき、よい爺が山で仕事をしていると、どこからか「取っつこうか、くっつこうか」という声がする。

あんまりしつこくその声が聞こえるので、「取っつかば取っつけ、くっつかばくっつけ」と爺がいうと、不意に両方の松林から金と銀が飛んできて、肩や背中にうんと乗った。

それを家に持って帰って、婆さんと眺めていると、隣家の悪い爺がやって来て、たいそう羨ましがった。

隣の爺はさっそく真似《まね》をしようと、次の日に山へ入って行くと、案の定、左右の山の中から「くっつこうか、取っつこうか」という声が聞こえる。爺が「くっつかばくっつけ、取っつかば取っつけ」と背を向けると、松の木の上から

オバリヨン（バリヨン）

松脂《まつやに》が飛んできて、どんと乗った。

　家に帰るなり「婆さん今帰った、早く火をつけて見せろ」というので、婆が火を持って近くにいくと、その火が松脂に燃え移って、爺は大《おお》火傷《やけど》をした。

　この取っつく引っつく系の昔話に比べると、バリヨンの類はそういう名前の妖怪がいて人に害をなすとか、あるいは狐狸の悪戯《いたずら》だとして退治するような話になっており、財宝を得る部分が消失してしまっている。

　さらに伝説化して特定の峠や坂道、屋敷に出没する妖怪とする地方も少なくない。

『越後三條南郷談』外山暦郎　『日本昔話事典』稲田浩二・大島建彦・川端豊彦・福田晃・三原幸久編　『神話伝説辞典』朝倉治彦・井之口章次・岡野弘彦・松前健編

バロウ狐〔ばろうぎつね〕
↓バリヨン

バロンバロン
↓バリヨン

板遠山頓鈍坊〔はんえんざんとんどんぼう〕密教系祈禱秘経『天狗経』にある全国代表四十八天狗の一つに数えられている。詳細不明。

㊜天狗

『天狗考　上』知切光歳

返魂香〔はんごんこう〕　死者の魂を呼び戻すと信じられた、返魂樹《はんごんじゅ》から作られた霊香。

鳥山石燕は『今昔百鬼拾遺』にて、漢の武帝が死別した夫人の魂を返魂香で呼び戻した話を絵とともに記している。

『鳥山石燕　画図百鬼夜行』高田衛監修・稲田篤信・田中直日編

ハンザキの怪異〔はんざきのかいい〕　ハンザキとは中国地方でいう大山椒魚《おおさんしょううお》のことで、身体が半分に裂かれても生きていることから名づけられたものだという。

このハンザキの巨大なものが現れて、人畜に害をなしたという伝説が岡山県、広島県、鳥取県に伝わっている。

岡山県真庭郡湯原町には、役場近くにはんざきセンターという大山椒魚飼育施設があり、その片隅にハンザキ大明神という祠がある。

文禄（一五九二年～一五九六年）のはじめ、旭川の竜頭淵（現在のはんざきセンター付近）に巨大なハンザキがいて、そばを通る牛馬や人間を襲った。三井彦四郎という若者が退治したが、その引き上げられた大ハンザキは、体長は10mあまり、胴まわりは5mもあった。

やがてハンザキの祟りか、彦四郎の一家は死に絶えてしまい、後難を恐れた村人たちはハンザキを神として祀った。これがハンザキ大明神のはじまりだという。

鳥取県日野郡江府町の日野川会見《えみ》ヶ淵《ふち》にも同様の伝説があり、国道181号線沿いの会見ヶ淵前には、ハンザキの怨霊を封じ込めた「南無阿弥陀仏」の石碑が今なお立っている。

広島県神石郡神石町犬瀬には、ハンザキが美しい若者に魅入ったという話が伝わっているので、怪獣のように害をなすだけではなく、河童のように人間に対して懸想《けそう》するものとも信じられていたようである。

『岡山の伝説』立石憲利　『因幡伯耆の伝説』野津龍　『広島の伝説』若林慧・村岡浅夫

ハンダンミー
↓キジムナー

般若〔はんにゃ〕　現在では鬼女の意味にされているが、もともと般若は梵語《ぼんご》の鉢羅若那（プラジナ）の俗語形で、真理を認識し、悟りを開くはたらきを持った最高の智慧《ちえ》の意味がある。その智慧の究極として諸法皆空を詳しく説いたものが『大般若経《だいはんにゃきょう》』であり、簡潔に説いたものが『般若心経』であるという。

『善庵随筆』『嬉遊笑覧』などの江戸時代の随筆によれば、般若が鬼女と結びついたのは、謡曲『葵上』の影響によるものという。

源氏の正妻である葵の上に嫉妬した六条御息所《ろくじょうみやすどころ》は、生霊《いきりょう》となって葵の上を苦しめた。そこで六条御息所を追い払うために聖が読経すると、「あらあら恐ろしの般若声や。これまでぞ怨霊この後又も来るまじ」と、読経の声が鬼のよう

般若

に恐ろしく聞こえたといって退散してしまう。

これは謡曲『葵上』のクライマックスにあたる部分だが、この話からいつしか六条御息所役が着けている鬼面を般若とよぶようになったのだという。

『嬉遊笑覧』には、般若坊という南都の僧が鬼女の面を作ったので、そのため鬼女の面を般若とよぶようになったという説も見える。

これらは俗説だともされているが、いずれにしろ般若は能の鬼女面のことであり、鬼女の総称ではないことは確かなようである。

能の世界では般若を生成《なまなり》、中成、本成の3つに分け、『葵上』『道成寺』『安達原』を三鬼女としている。

生成は怒りと悲哀をないまぜにした醜女《しこめ》で、『鉄輪《かなわ》』に出てくる人妻が代表とされる。

中成はさらに白般若、赤般若、黒般若に分けられる。具体的な例を挙げると、色白で高貴な女がなる『葵上』の白般若、怒りで顔面を真っ赤にした『紅葉狩』の赤般若、最後に生きながらに鬼となった『安達原』の黒般若に三分されるという。

本成は怒りのあまりに蛇体となってしまった『道成寺』が挙げられる。

馬場あき子は、自著『鬼の研究』に野上豊一郎の「般若＝半蛇説」を引き、生成、中成、本成について考察している。

般若となるのは女性であり、女性の邪心はしばしば蛇身にたとえられた。そのため、怒りのあまり蛇体となった『道成寺』の女は本成なのだという。

『葵上』は途中で得脱するので中成であり、『鉄輪』は自力で鬼（蛇）になれず、貴船《きふね》の神の力によって果たしたので生成と、鬼というよりは蛇を尺度にした分類だったのではないかとしている。

従って本来の般若に相当するのは半蛇の中成であり、そもそも般若面は『葵上』に用いられた面だったと記されている。

さらに、六条御息所の生霊が般若声を恐れて退散したというのは、梵語での般若の意味「悟りを開くはたらきを持った最高の智慧」に掛けて、般若声に促されて得脱したと見ることができるとしている。

舞台に出てくる般若の着衣が鱗紋《うろこもん》なのも、本来は鬼ではなく蛇だったことを意味しているようだ。

㊜安達ヶ原の鬼婆、清姫、橋姫

『鬼の研究』馬場あき子　『江戸文学俗信辞典』石川一郎編　『日本「鬼」総覧』「男のオニ、女のオニ」中村光行

ひ

ヒウリ

↓フリー

比叡山法性坊〔ひえいざんほうしょうぼう〕京都府と滋賀県の境にある比叡山に棲む天狗。密教系の祈禱秘経『天狗経』にある全国代表四十八天狗の一つ。

㊜天狗

『天狗考　上』知切光歳　『図集天狗列伝　西日本編』知切光歳

ヒカタタクリ

↓ナマハゲ

引きフナダマ〔ひきふなだま〕

↓引《ひ》き亡霊《もうれん》

引き亡者〔ひきみょーじゃ〕三重県志摩辺りでいう海の怪異。引き亡霊《もうれん》ともいう。

深夜に漁をしていると、海面の一部だけが真っ白に光って見えることがある。そのとき、漁師たちは瞬間的に船板を踏み鳴らす。すぐに散ってしまうのは魚群だが、そのまま動かない場合は引き亡者《みょーじゃ》であるという。

引き亡者は船につきまとったり、進行方向の先へ先へとまわっては進行をためらわせ、最後には海底に引き込もうとする。名前の由来も、仲間に引き込もうとすることによる。

『旅と伝説』通巻156号「志摩の漁夫の昔がたり」岩田準一

引き亡霊〔ひきもうれん〕三重県志摩郡、度《わた》

会《らい》郡でいう海の怪異。

潮流の関係で、満ち潮と引き潮の境に、海草や海の塵芥《ちりあくた》が寄り集まる場所がある。志摩郡の漁師はこれをナイバとよぶが、風のない夜にここを通ると、時おり燐光《りんこう》が燃え揺らぐのを見るという。これを引き亡霊《もうれん》といったそうである。

志摩郡の隣に位置する度会郡では、船幽霊のことをこうよんでいる。

『旅と伝説』通巻156号「志摩の漁夫の昔がたり」岩田準一『志摩の海女』岩田準一『綜合日本民俗語彙』民俗学研究所編

火消婆〔ひけしばばあ〕家の中の提灯や行灯《あんどん》の火を消してしまうといわれている妖怪。吹き消し婆とか、吹っ消し婆などと書かれることがあるが、本来は火消婆である。

鳥山石燕は『今昔画図続百鬼』に姿を描き、【それ火は陽気なり。妖は陰気なり。うば玉の夜の暗きには、陰気の陽気にかつ時なれば、火消ばばもあるべきにや】と記している。

漆黒の闇夜は陰気が支配する時合なので、本

吹き消し婆（火消婆）

来は苦手である火（陽気）を消す妖怪が現れてもおかしくない、という意味である。

　火消婆という妖怪は『今昔画図続百鬼』以外に見あたらず、同書の解説の内容からも、石燕が創作した妖怪という可能性が強い。

　なお、石燕の妖怪画を模写した鍋田玉英画の『怪物画本』には、火消婆ではなく、ふっ消し婆という名前で見える。

『鳥山石燕　画図百鬼夜行』高田衛監修・稲田篤信・田中直日編

肥後阿闍梨〔ひごあじゃり〕　密教系の祈禱秘経『天狗経』にある全国代表四十八天狗の一つに数えられているもの。天狗の研究家である知切光歳によれば、この天狗は熊本県熊本市金峰山の天狗であるという。
(参)天狗
『天狗考　上』知切光歳　『図集天狗列伝　西日本編』知切光歳

彦山豊前坊〔ひこざんぶぜんぼう〕　福岡県と大分県の境にある英彦《ひこ》山に祀られる天狗。九州の天狗の元締格。密教系の祈禱秘経『天狗経』にある全国代表四十八天狗の一つ。
(参)天狗
『天狗考　上』知切光歳　『図集天狗列伝　西日本編』知切光歳

膝に目のある化け物〔ひざにめのあるばけもの〕
→目だらけの化け物

ヒザマ　鹿児島県奄美群島沖永良部《おきのえらぶ》島でいう妖怪、もしくは怪火。

　沖永良部島ではもっとも恐れられる邪神であり、火事が起こるのはヒザマのしわざと信じられていた。

　ヒザマは鶏のような姿をしており、頰が赤く、羽は胡麻《ごま》塩色《しおいろ》をしている。そのため沖永良部島では、同じような特徴を持つ鶏を嫌って飼わなかったそうである。

　ヒザマは空の瓶《かめ》や桶に宿るとされ、それを阻止するためには、常に水を入れておくか伏せておく。家にヒザマが憑くと、すぐにユタ（巫《み》女《こ》）をよんで追い出しの儀式をしたそうで、そ

ヒザマ

れほど恐れられた邪神であるという。

また、恵原義盛の「奄美大島の妖怪」によれば、ヒザマは火玉と書き、かなり明るい火の玉で、スーッと流れて飛んで消えるものだという。その現れた場所か消えた場所のいずれかの土地に、火事が起こるとされているそうである。

これは沖縄でも同じようなことがいわれ、こちらは火玉（魂）と書いて、フィーダマとよんでいる。

㊂火玉、タマガイ

『沖永良部島民俗誌』柏常秋　『自然と文化』一九八四秋季号「奄美大島の妖怪」恵原義盛

『綜合日本民俗語彙』民俗学研究所編

ビシャガツク　福井県坂井郡でいう怪異。

冬のみぞれが降る夜道で、後ろからビシャビシャと足音が聞こえることがある。これをビシャがつく（憑くか？）というそうである。

京都府京丹後市大宮町五十河にも同様の怪異が伝わり、こちらはピシャどんといっている。雨の降る日に西山の百合道を歩いていると、後ろからピシャピシャとついてくるものがおり、振り返ると黒い衣を着た小坊主のようなものが見え、足を止めると音も止まって小坊主の姿も見えなくなるという。

『妖怪談義』柳田国男 『綜合日本民俗語彙』民俗学研究所編 『丹後の民話 第一集 いかがのはなし』丹後民話研究会編

ピシャどん

↓ビシャガック

ビジンサマ 長野県上伊那郡、茅野市と佐久郡立科町をまたぐ蓼科山《たてしなやま》の怪異。山の神の類。『民間伝承』68号に金子総平が寄稿した文章にあるもので、参考までに全文引用する。【山に住むもの、その通る日は山仕事をやめる。信州上伊那の川島村（辰野町）の奥山で見た人の話、黒雲に包まれた丸い玉で下に赤青などの色のビラビラがさがっている。大きさは両手で抱えられないくらいのもの、木の唸る音で通る。晴れた日の午後2時頃。これと同じものを蓼科山で見た人があると（信州、下諏訪聞書）】

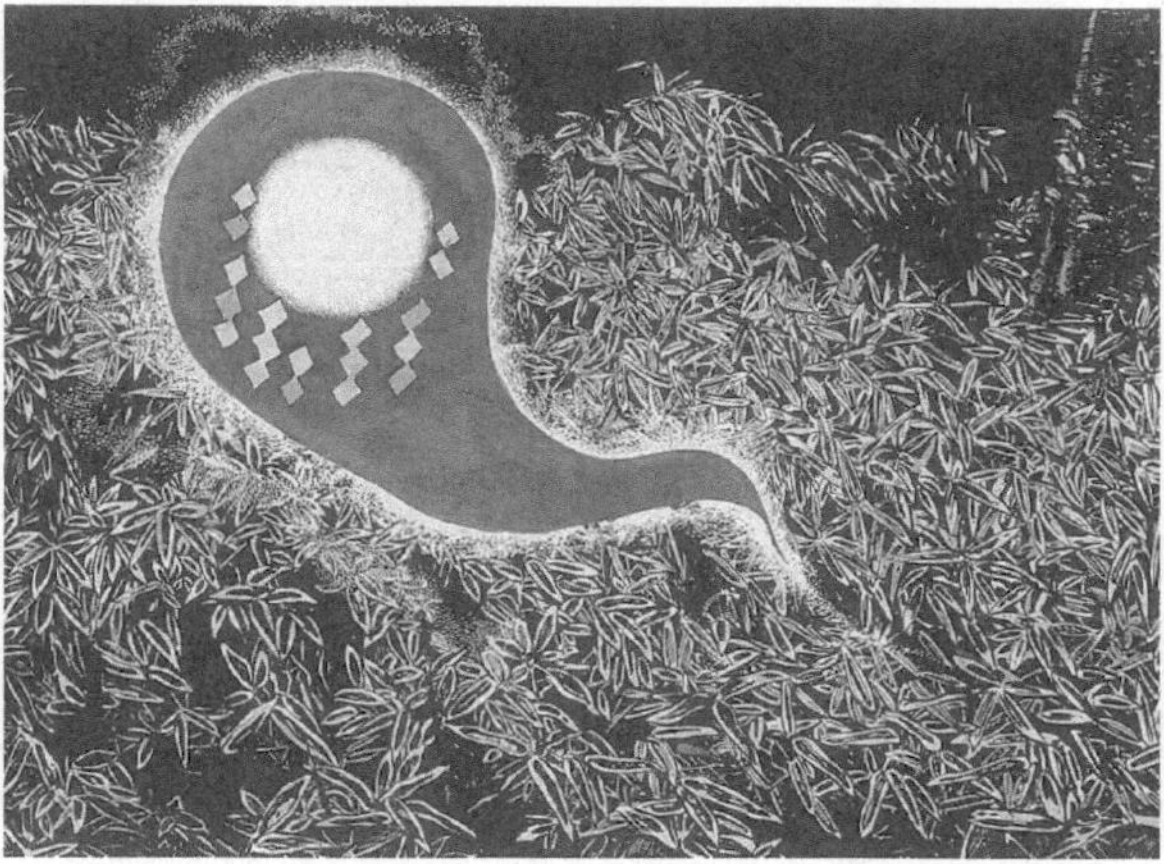

ビジンサマ

ビジンサマが通る日には山仕事を休むのは全国的に見られる山神信仰と同じである。山の神の祭日には山仕事は一切やらず、山へ入ることを禁じている地方は多い。禁を犯して入ると、必ず恐ろしい目にあうといわれる。

『民間伝承』通巻68号

常陸筑波法印〔ひだちつくばほういん〕 茨城県筑波山でいう天狗。密教系の祈禱秘経『天狗経』にある全国代表四十八天狗の一つ。

㊂天狗

『天狗考 上』知切光歳 『図集天狗列伝 東日本編』知切光歳

火玉〔ひだま〕 沖縄地方で、死人が出る前や、火災が起きる前兆として現れる怪火や人魂のこと。ヒーダマ、フィーダマともいう。

男は青い火、女は赤い火といわれ、子供や大人によって大きさは違う。

『沖縄の御願ことば辞典』によれば、火玉は屋根すれすれのところを重みのあるような感じで横に尾を引いて流れるもので、それが出た家からは厄が去り、落ちていった家には厄が憑くといったそうである。

石垣島ではピダマとよび、天から下りてくるもので、火事を起こすという。その煙は天に昇って雲となり、ピダマはその雲に乗ってまた天に帰るという。

㊂タマガイ、ヒザマ

『沖縄の御願ことば辞典』高橋恵子 『日本妖怪変化語彙』日野巌・日野綏彦

ピダマ

→ヒダマ

ヒダマガヒ

→ヒダマ、タマガイ

ヒダリ神〔ひだりがみ〕

→ヒダル神

ビタリガミ

→ヒダル神

ヒダル神〔ひだるがみ〕 主に西日本でいう憑き物。餓鬼憑きの類。ヒダリ神、ダリ神、ダリ仏、ダリ、ダル、タニ、ダニ、ダラシ、ヒムシ、

ひだる神（ヒダル神）

ヒンドなどともいう。

だるい、ひだるいという言葉からきた名称といわれ、これに憑かれると空腹感を覚え、身体の自由を奪われて動けなくなる。ひどい場合はそのまま死に至ることもあるという。

こうしたときは僅かでも食べ物を口に入れたり、食べ物を近くの藪に投げたりすると回復するといわれる。手のひらに米と書いてそれを嘗《な》めるとか、何か着ているものを後ろに投げるとよいという地方もある。

現れる場所は、四ツ辻や峠の辻、行き倒れがあった場所などと、たいていは決まっている。山道に多いようだが、土地によっては海上や磯、火葬場などでも憑かれることがある。

ヒダル神の正体は、横死者、変死者の浮かばれない霊とするのが一般的だが、山の神や水神のしわざとする地方もある。

現代でも稀《まれ》にヒダル神に憑かれることがあり、主に山間部で語り継がれている。

一説には、急激に血糖値が下がるとヒダル神

魃

に憑かれたときと同じ状態になるそうである。また、二酸化炭素中毒でも同様の状態になるそうで、植物が腐敗したときに発生する二酸化炭素が、山中のヒダル神の正体ではないかという説もある。

㊜餓鬼憑き

『日本昔話事典』稲田浩二・大島建彦・川端豊彦・福田晃・三原幸久編『妖怪談義』柳田国男『綜合日本民俗語彙』民俗学研究所編

ヒダルゴ

↓ヒダル神

ヒチマジムン

↓シチ

棺のマジムン〔ひつぎのまじむん〕

↓龕《がん》の精、山羊《やぎ》マジムン

びっくり坂〔びっくりざか〕

↓頬撫《ほおな》で

魃〔ひでりがみ〕鳥山石燕は『今昔画図続百鬼』に、手足が一本ずつしかない猿のような姿で魃《ひでりがみ》を描いており、【一名を旱母といふ。もろこし剛山にすめり。その状、人面にして獣身なり。手一つ足一つにして走る事風の如し。凡《およそ》此神出る時は、旱して雨ふる事なし】と記している。

同様の解説は『和漢三才図会』にもあり、同書が引いた『本草綱目』によれば、魃の身長は二尺～三尺（約60㎝～90㎝）ほど、裸形で目は頭のてっぺんにあり、走れば風のように速く、現れると大日《おおひ》照《で》りとなるとある。

魃は日本の妖怪ではなく、もともと古代中国の書『山海経《せんがいきょう》』にある旱魃《かんばつ》を起こす怪物である。日本の文献にその名があっても、出現したなどの具体的な話はないようである。

『鳥山石燕　画図百鬼夜行』高田衛監修・稲田篤信・田中直日編『和漢三才図会』寺島良安編・島田勇雄・竹島淳夫・樋口元巳訳注

飛頭蛮〔ひとうばん〕

→轆轤《ろくろ》首《くび》

一声よび〔ひとこえよび〕　岐阜県大野郡の山間部でいう怪異。

山仕事をする者たちは、一声よびは妖怪が人

一声叫び（一声よび）

間によびかけるものだから、人をよぶときには必ず二声続けてよべと戒《いまし》めているという。
これとまったく同じことがアイヌの間にも伝わっており、うっかり返事をするとよくないことが起こるといわれている。
㊫カヨーオヤシ
『綜合日本民俗語彙』民俗学研究所編

人魂〔ひとだま〕 人間の魂が形を現して飛び回ること。その目撃談は古今を通じて多くの書物に残されている。

『和漢三才図会』では次のように記している。

思うに、人魂は頭が円く平たく、尾は杓子《しゃくし》に似て長く、色は青白でかすかに赤みを帯びている。地上三丈～四丈（約9m～12m）ばかりを静かに飛び、遠近定まらず、落ちると壊れて光を失う。煮ただれした麩餅《ふもち》のようで、落ちたところには小さな黒い虫が多くいる。虫の形は小さな黄金虫《こがねむし》か、まいまい虫に似ているが、何というものかはよく分からない。

たまたま自分の身体から魂が出て行くのを体験したものがあり、物が耳の中から出て行くなどといって、日ならずして死んだ。

しかし、死ぬ者のすべてから魂が出て行くわけではない。畿内《きない》の繁華の地では一年のうちに病死する人の数は幾万とも知らないが、人魂の火が飛ぶのは10年のうち、ただ1、2度見るだけである、などとある。

人魂が家から飛び出したり、逆に人魂が家に入ったりすると、まもなくその家から死人が出るという伝えは各地で聞くことができ、現代でも多くはないが目撃者はいる。

『和漢三才図会』寺島良安編・島田勇雄・竹島淳夫・樋口元巳訳注 『不知火・人魂・狐火』神田左京

一つ足〔ひとつあし〕 徳島県、高知県でいう妖怪で、雪の上に片方だけの足跡を残す。
㊫一本足、一本だたら
『日本妖怪変化語彙』日野巌・日野綏彦 『綜合日本民俗語彙』民俗学研究所編

一つ目小僧〔ひとつめこぞう〕 目一つ小僧と

一つ目小僧

もいう。普通は目が一つしかない小僧のことをいうが、背丈が3m以上もある大入道のことをいうこともある。

一般によく知られた妖怪だけあって、その話は江戸時代の怪談本や随筆、民俗資料に多く見ることができる。平秩東作の『怪談老の杖』にある話は次の通り。

昔、江戸四谷に小島屋喜右衛門という者が住んでいた。麻布の武家方に鶉《うずら》を売ったが、代金が不足だから屋敷で渡すというので、その家まで鶉を届けることにした。

屋敷に着くと八畳敷の間に通され、ここでしばらく待っておれといわれて、鶉だけは奥に持っていかれてしまった。

その部屋はいたるところに雨漏りの跡があり、敷居や鴨居も下がり、襖《ふすま》も破れていた。

「こんなボロ家なのに支払いは大丈夫だろうか」と思いながら、喜右衛門は煙草《たばこ》をふかして待っていた。

すると、いつの間にか部屋に10歳くらいの小僧がやってきて、床の間に掛けてある掛け軸を、巻き上げてはハラハラと落とし、また巻き上げては落とすということを繰り返した。

喜右衛門は、掛け軸が傷んで、自分のしわざにされてはかなわないと、「そういう悪さはしないものだ。掛け物が傷んでしまうではないか」と注意した。

すると、振り返りながら「黙っていよ」という小僧の顔には、目が一つしかなかった。喜右衛門は悲鳴をあげて倒れてしまった。

その声に驚いた屋敷の者は、喜右衛門を駕籠《かご》に乗せて送り返し、鶉の代金は先方より届けにきた。

その後も度々使いの者を寄越し、身体の調子などを尋ねてくれたが、その使いの者のいうことには、「実は自分の屋敷では年に4、5回ほど怪しい出来事がある。この春も殿様の居間に小さな子供がいて、菓子箪笥《かしだんす》の菓子を食べていたので、奥方が何者かと尋ねると、黙っていよといって消え失せた。ただ黙っていよというだけで、悪さはしないのだ。ただ世間体《せけんてい》もあるので、このことは他には知らせないようお願いしたい」ということだった。

喜右衛門も20日ばかりで元気になり、その後は何事もなかったという。

このように特定の家にだけ現れる例は珍しいほうで、その他は屋外で出会うことのほうが多かったようである。

『会津怪談集』には、会津若松の本四ノ丁辺りに出た一つ目童子の話がある。

ある侍屋敷に仕える少女が、夕方に裏の菜園にいったとき、8つか9つくらいの子供に出会った。近所の子かと気にしないでいると、その子が「お姉さん、お金欲しい？」という。少女が「欲しい」と答えると、子供が「これか」というので、その顔を見ると、耳も鼻もなく、一つしかない目がじっと睨《にら》んでいた。

少女はそのまま気絶してしまい、心配して探しにきた屋敷の者に助けられたという。

『岡山の怪談』には、一口坂の一つ目小僧という話がある。久米郡久米南町上籾今井谷の丸山に一口坂という坂があり、夜になってここを通ると、古松の枝の上から青白い光を発しながら、一つ目小僧が飛び出てくるという。驚いて腰を抜かすと、長い舌でペロリと一口舐《な》めるので、この坂はいつとはなしに一口坂とよばれるようになったのだという。

京都府比叡山では、修行の身でありながら俗界で遊び歩く破戒僧の前に一つ目小僧（一眼一足法師とも）が現れ、鉦《かね》を鳴らして戒《いまし》めたという。これは天台第十九代座主慈忍和尚の生まれ変わりだといわれている。

また、静岡県や南関東には、旧暦2月8日と12月8日（事八日《ことようか》）の夜に一つ目小僧が来るという俗信があった。

それらの地方では、2月8日、12月8日には竿の先に目籠《めかご》をつけ、庭先に高く掲げて魔除けとした。籠には目がたくさんあるので、一つ目小僧はこれを恐れると信じられたのである。籠に柊《ひいらぎ》を刺しておくこともあり、一つ目を突き刺すという呪いの意味があるという。

伊豆の初島では、2月8日、12月8日は目一つ小僧が白水《しろみず》を飲みにくるといい、柊を目籠に刺して白水と共に屋外に置き、屋内では赤飯を食べる。赤飯を食べないと目一つ小僧が帳面に記し、後に疫病を流行させるという。

静岡県田方郡田中村では、12月8日になると一つ目小僧がやって来て、家の中を覗いては、家族の運を決めて帳面に書いていく。その帳面を道祖神に預け、次の2月8日にそれを受け取りにくるのだが、道祖神に「あの帳面はどうした」というと、道祖神は「あれは子供たちが焼いてしまった（伊豆地方では、正月15日の道祖神祭で、子供が集まって道祖神像を火の中に入れて燃やす風習がある）」というそうである。

南関東では、一つ目小僧とともにミカリ婆がやって来るとする場合が多い。

㊜ミカリ婆、目一つ五郎

『綜合日本民俗語彙』民俗学研究所編　『会津ふるさと夜話　二』川口芳昭　『岡山の怪談』

佐藤米司『幻想世界の住人たち　日本編』多田克己『旅と伝説』通巻69号「年中行事調査種目（六）」柳田国男『随筆辞典　奇談異聞編』柴田宵曲編

一つ目入道〔ひとつめにゅうどう〕一つしか目のない大入道のこと。各地の民話や伝説に見られる。

和歌山県日高郡日高町には、次のような話が伝わっている。

昔、上志賀に川瀬という庄屋があった。あるとき、庄屋の家で働く若い男が、衣奈（由良町）まで刀を届けることになった。衣奈の届け先までは何度か行ったことがあったので、若者はすぐに出かけた。

途中、殿様や嫁入りではないが、立派な行列に出会った。若者は不思議に思って、松の木に登って見物することにした。

やがて行列が近づくと、若者がいる松の木の下で止まってしまった。見れば、やけに大きな駕籠《かご》があった。若者は動くに動けず、木の上で

一つ目入道

小さくなって隠れていた。

そのうち、駕籠の中から大男が現れたが、それは顔の真ん中に大きな目のある大入道だった。思わずあげてしまった若者の声に気づいた大入道が、するすると木を登りはじめた。

若者は主人から預かっていた刀を抜くと、登ってきた大入道の頭を斬った。大入道は悲鳴をあげながら逃げて行き、大勢の供の者たちもかき消えるようにいなくなってしまった。

後は何事もなく、若者は無事に届け先に刀を納めたという。

『紀州おばけ話』和田寛
一目入道〔ひとつめにゅうどう〕　新潟県佐渡島の加茂湖でいう妖怪。

その昔、加茂湖には一目入道という水神がいた。あるとき、湖畔の潟端というところで馬に乗って遊んでいたら、馬主に見つかって捕まってしまった。

一目入道は毎日魚を届けるという約束で許してもらうと、「これに毎日魚を掛けておくが、鉤《かぎ》だけは必ず返すように」と、馬主に瑠璃《るり》の鉤を渡した。

以降、一目入道は毎日きちんと魚を届けるようになった。

しかしあるとき、馬主は鉤を湖に返さず、潟端中の堂の観音の白毫《びゃくごう》（仏の眉間にあって光を放つという白い毛）に使ってしまったので、その日以来、毎年正月15日には、一目入道が子分を連れて戦いにくるようになった。

そこで、この観音堂を守る家では、この日は一晩中、仏前で祈禱を捧げ、さらに村の青年たちが、堂の境内を取り囲んで護衛することにした。16日の朝になると、一目入道たちは鬨《とき》の声をあげて退散したそうである。

水神とよばれていることや、馬に悪戯《いたずら》するところなど、河童のような妖怪と思われるが、どの資料にも一目入道が河童であるとは記しておらず、ただ、加茂湖の主とか水神としている。

また、正月15日に訪れるという特徴は、小正月の来訪神との関連もあるようだ。

巖谷小波の『大語園』では一目入道を〝いちもく入道〟としているが、これは間違いのようである。

両津市潟端には一目入道ゆかりの観音堂が今でも残されており、地元では「ひとつめ観音」とよんでいる。このことから、一目入道はひとつめ入道とよぶのが正しいと思われる。

㊂河童

『日本伝説叢書　佐渡の巻』藤沢衛彦　『大語園』巖谷小波編　『越後佐渡の伝説』小山直嗣

一つ目の化け物〔ひとつめのばけもの〕　広島県福山市宇治島でいう妖怪。

人を食ってしまう恐ろしい妖怪で、食い残した骨を松の木にかけていた。

貝を採りに数人で宇治島へ行くと、いつの間にか他の者と同じような恰好をして一つ目の化け物が混じっている。

貝採りに行く者たちはこれを心得ており、帰るとき、行った人数が揃ったら早々に船を出す。すると、一つ目の化け物は悔しがって地団駄を

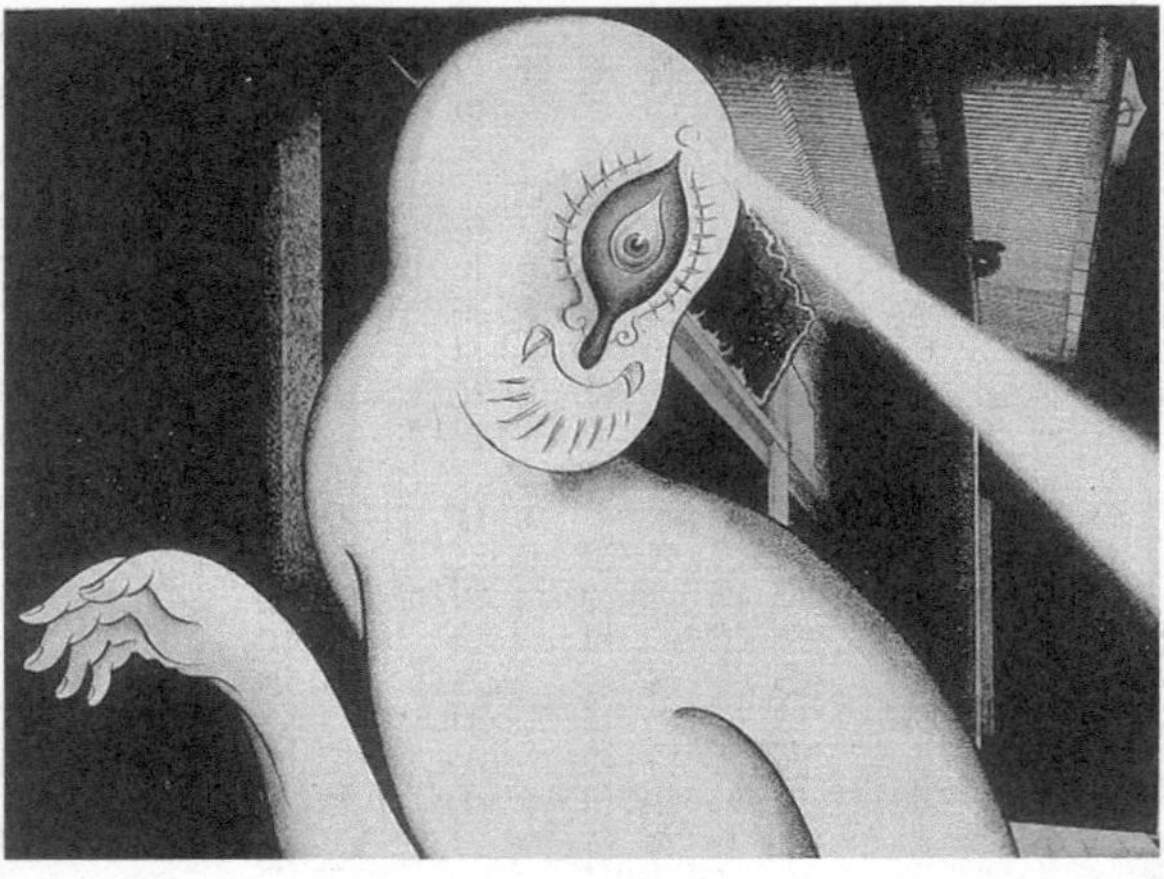

一つ目坊

踏むという。

また、この島に水を汲みに上がった者が、不意に「誰じゃ」と大声で怒鳴られ、ショック死したこともあったという。

水を汲んだら、その柄杓《ひしゃく》を置いておかないと、後から一つ目の化け物が追いかけてくるといわれたそうである。

『吉備の伝説』土井卓治編著

一つ目坊〔ひとつめぼう〕熊本県八代市の松井家に伝わる『百鬼夜行絵巻』に描かれているもの。

目が一つしかなく、額に赤い穴があって、そこからなにか噴き出している様が描かれている。絵と名前しかないため、詳細は不明。

『別冊太陽 日本の妖怪』

火取魔〔ひとりま〕石川県江沼郡山中町でいう怪異。蟋蟀《こおろぎ》橋近くを通ると提灯の火がスーッと細くなり、通り過ぎるとまた明るくなる。土地の人はこれを火取魔のしわざだという。

『民間伝承』通巻33号「ウバノホトコロ」長岡博男『綜合日本民俗語彙』民俗学研究所編

飛縁魔〔ひのえんま〕『絵本百物語 桃山人夜話』に女の妖怪として描かれたもので、【顔かたちうつくしけれども、いとおそろしきものにて、夜な夜な出て男の精血を吸い、ついにはとり殺すとなむ】などと記されている。

これは丙午《ひのえうま》の女は男を食い潰すという迷信から創られた妖怪のようである。

『竹原春泉 絵本百物語 桃山人夜話』多田克己編『図説日本民俗学全集』藤沢衛彦

火の車〔ひのくるま〕『奇異雑談集』『新著聞集』『譚海』『因果物語』『今昔物語集』といった説話集や怪談集に見られる怪異。

生前の行いがよくない者が死ぬとき、牛頭《ごず》、馬頭《めず》といった地獄の獄卒が、猛火《ひ》に包まれた火の車を牽いて迎えに来るというもの。場合によっては、生きながらにして迎えがやって来ることもある。

『因果物語』には、ある庄屋の強欲な妻が火の車（火車という表記になっている）に取られた話がある。

河内国八尾に弓削《ゆげ》（大阪府八尾市弓削町）という土地があり、ある夜、八尾の庄屋が平野街道の弓削を通ったとき、向こうから松明《たいまつ》を灯《とも》してやって来るものがあった。

飛ぶような速さで近づくのを見れば、松明と見えたのは大きな光で、その中に八尺（約2m40cm）ばかりの大男が2人で若い女の両手を持って引きたてていた。

その女は弓削の庄屋の女房だった。八尾の庄屋はただ恐ろしくて見送り、夜が明けてから弓削の庄屋の様子を聞きに使いを出した。すると、弓削の庄屋の女房はここ4、5日間は病気で寝込んでいるということだった。

この女房は心だてがよくなく、けちな性格で、人につらくあたり、下働きの者に食べさせる食事も満足に与えていなかった。

それから3日後にかの女房は死んだが、生きながら地獄に堕ちたのだということである。

他の怪談本では火に包まれた車と獄卒が描かれる場合が多いが、『因果物語』には刀を差した2人の武士のような姿が描かれている。

火の車は、後に、死体を奪う猫の怪異と混同されるようになり、近代では、火車といえば猫の妖怪を指すようである。

㊂火車
『江戸怪談集（下）』高田衛編／校注　『続妖異博物館』柴田宵曲　『江戸文学俗信辞典』石川一郎編

ヒバゴン　昭和45年頃、広島県比婆《ひば》郡西城町付近の山林に出現したという猿人のようなもの。身長は150cmほど、全身が薄茶色の毛で覆われ、頭は逆三角形ぎみで、前屈《まえかが》みで歩く猿のようなものだったという。

5年で30回以上の目撃例が挙げられ、比婆山に現れたことからヒバゴンと名づけられた。

『ふるさとの伝説　四　鬼・妖怪』伊藤清司監修・宮田登編　『微笑』一九八〇年12月13日号

火走り〔ひばしり〕新潟県南蒲原郡本成寺村

（三条市）、大面村（栄町）でいう怪火。

汽車の通る時間でもないのに、真夜中の線路を一直線に音もなく走る火が現れることがあるという。鼬《いたち》などの悪戯《いたずら》だといわれる。

『越後三條南郷談』外山暦郎

狒々〔ひひ〕　比々とも書く。日本各地の山間部でいう妖怪。

怪力を有した大きな猿のようなもので、人を攫《さら》ったり、食ってしまうという。

岩見重太郎の狒々退治でよく知られた妖怪だが、もともと狒々は中国の妖怪で、『和漢三才図会』は中国の『本草綱目』を引いて、次のように記している。

狒々は西南夷（中国西南部の蛮夷国）に棲息する。形は人のようで、大きいものは一丈（約3m）あまりある。身体は黒く、毛で覆われ、毛髪は自然のままに垂らしている。顔は人に似ているが、唇が長く、人を見るとよく笑うもので、笑うと上唇が目を覆ってしまう。走るのがとても速くて、人を見つけては襲って食ってし

狒々

まう。人を捕まえると、まず笑ってから食うという。

日本でいう狒々は大きな猿や齢《とし》を経た猿のことをいうようで、土地によっては人の考えを読み取る覚《さとり》のようなものとされたり、山童《やまわろ》（狒々の特徴の一つである山で笑うということが、山ワラハ→山童となったとする説もある）や山人《さんじん》などと混同されていたりもする。

㊂猿神、覚、山童

『和漢三才図会』寺島良安編・島田勇雄・竹島淳夫・樋口元巳訳注『日本未確認生物事典』笹間良彦『日本怪談集　妖怪篇』今野円輔編著

火間虫入道〔ひまむしにゅうどう〕　鳥山石燕の『今昔百鬼拾遺』に、縁の下から上半身を現し、行灯《あんどん》の油を嘗《な》めている様が描かれており、【人生勤にあり。つとむる時は匱からずといへり。生て時に益なく、うかりうかりと間をぬすみて一生をおくるものは、死してもその霊ひまむし夜入道となりて、灯の油をねぶり、人の夜作をさまたぐるとなん。今訛《なま》りてヘマムシとよぶは、へとひと五音相通也】と記されている。

江戸時代の文字遊戯《あそび》にヘマムシ入道というものがある。「へのへのもへじ」のように片仮名のヘマムシで目鼻口をあらわし、入道で身体をつくるものである。

石燕の絵にはそのような文字遊戯は見られないが、絵解き遊びはしているようである。

多田克己の「絵解き　画図百鬼夜行の妖怪」によると、火間虫《ひまむし》とはゴキブリのことだという。『本草綱目』にはゴキブリの雄は火虫《ひむし》あるいは灯虫《ひむし》（燭蛾、火取り虫とも）という蛾《が》だとあり、灯燭《ほあかり》を見ると火を奪おうとするように飛んできて、やがては灯油の中に没して死ぬことから、愚か者が己の欲のために身を投げることに譬《たと》えられたという。

火間虫入道が行灯《あんどん》の油を嘗《な》めているのは、こうしたことが下敷きになっているのではないかとしている。

『鳥山石燕　画図百鬼夜行』高田衛監修・稲田

篤信・田中直日編『怪』1号「絵解き　画図百鬼夜行の妖怪」多田克己

ヒムシ
↓ヒダル神

ヒメンジョロウ
↓片足上臈《かたあしじょうろう》

百目〔ひゃくめ〕　水木しげるの『日本妖怪大全』によれば、身体中に百もの目がついた化け物で、人に会うと目玉が一つ飛び出してどこまでもついてくるとある。

　どのような資料を参考にしたのかは不明だが、その形のモデルにしたと思われる挿絵がC．G．ユング著『変容の象徴』の中にある。同書には百目鬼として紹介されている。ちなみにこの絵は、『AYAKASHI　江戸の怪し』（二〇〇七年、太田記念美術館発行）に百々眼鬼の名で収録され、葛飾北斎一門の絵師による画稿と解説されている。

　『日本妖怪大全』水木しげる

百鬼夜行〔ひゃっきやこう〕　ヒャッキヤギョ

百目

ウとも読まれる。夜間にさまざまな異形の者が列をなして歩くこと。

百鬼夜行が出現する日は決まっていたようで、『拾芥抄』によれば、正月・2月子日《ねのひ》、3月・4月午日《うまのひ》、5月・6月巳日《みのひ》、7月・8月戌日《いぬのひ》、9月・10月未日《ひつじのひ》、11月・12月辰日《たつのひ》がそれぞれ百鬼夜行日に定められている。

百鬼夜行に出会うと遠近《おちこち》の者がみな死んでしまうといわれたため、百鬼夜行日にあたる夜は外出を控えたという。

百鬼夜行に出会ったという話は、『江談抄』『今昔物語集』『宇治拾遺物語』『大鏡』などに見える。

『今昔物語集』には、右大臣藤原良相の長男の大納言左大将藤原常行が出会った百鬼夜行の話がある。

たいへんな女好きとして知られた常行は、あるとき愛人に逢うために夜中に出かけ、美福門《びふくもん》辺りで東大宮大路のほうから大勢の人が火を灯《とも》してやって来るのに行き会った。人に見られたくない常行は身を隠し、その行列を覗き見ていた。すると、それは人ではなく、鬼の行列だった。

鬼は常行に気がついて捕まえにくるが、すぐに行列へ戻っていく。そこに首領らしき鬼がやって来たが、これも戻っていって、「尊勝真言《そんしょうしんごん》があるぞ」と叫んだ。

すると、鬼たちは火を消して逃げ散った。常行の服の襟には、尊勝陀羅尼《だらに》が縫い込んであったので、思わぬところで助かったという。

魔除けの呪文は尊勝陀羅尼の他、「カタシハヤ、エカセニクリニ、タメルサケ、テエヒ、アシエヒ、ワレシコニケリ」と唱えれば、百鬼夜行の害を避けられると『拾芥抄』にある。

『日本伝奇伝説大事典』乾克己・小池正胤・志村有広・高橋貢・鳥越文蔵編　『動物妖怪譚』日野巌　『洛中洛外怪異ばなし』京都新聞社編　『日本妖怪変化史』江馬務

日向尾畑新蔵坊〔ひゅうがおばたけしんぞうぼう〕　宮崎県の天狗らしいが、詳細不明。密教系の祈禱秘経『天狗経』にある全国代表四十八天狗の一つに数えられているもの。

㊂天狗

『天狗考 上』知切光歳 『図集天狗列伝 西日本編』知切光歳

ヒョウスへ

→ヒョウスベ

ヒョウスベ 佐賀県、宮崎県を中心にした九州でいう河童。ヒョウスヘ、ヒョウズンボ、ヒョウスボともいう。

宮崎県から熊本県の山間部にかけては、春秋の彼岸《ひがん》にヒョウヒョウと鳴きながら渓流伝いに川と山とを行き来するという。

その鳴き声からヒョウスベとよばれるようになったといわれるが、名前の由来には諸説あり、武神の兵主神《ひょうずしん》に関わるものともいわれている。

笹間良彦の『日本未確認生物事典』には、昼は川に隠れ、夜になると現れて人に悪戯《いたずら》をするとあり、ヒョウスベの笑い声につられて笑うと死ぬ、などとある。この記述は『百鬼夜行』の

ひょうすえ(ヒョウスベ)

中にあるという。

確かに、鳥山石燕は『画図百鬼夜行』において、にやけたような顔をしたヒョウスベを描いているが、そこには解説は一切ない。おそらく笹間氏の解説は佐藤有文の『日本妖怪図鑑』からの引用だと思われる。

同書は佐藤氏による創作がふんだんに盛り込まれた妖怪の児童書であり、【人と出あうと、ヒッヒッヒッと笑うが、もらい笑いすると熱を出して死ぬという】などの記述がある。

『鳥山石燕 画図百鬼夜行』高田衛監修・稲田篤信・田中直日編 『河童考』飯田道夫 『日本未確認生物事典』笹間良彦 『山島民譚集』柳田国男 『日本妖怪変化語彙』日野巌・日野綏彦 『日本妖怪図鑑』佐藤有文

兵主部〔ひょうすべ〕

→ヒョウスベ

ヒョウスボ

→ヒョウスベ

ヒョウスンボ

瓢簞小僧

↓ヒョウスベ

ヒョウズンボ

↓ヒョウスベ

瓢箪小僧〔ひょうたんこぞう〕 鳥山石燕の『画図百器徒然袋』に、乳鉢坊《にゅうばちぼう》とともに瓢箪《ひょうたん》頭の妖怪として描かれており、【へうたん小僧に肝を消して青ざめたりしが、乳ばち坊の泉ばちのおとに夢さめぬとおもひぬ】とある。

古来日本では、瓢箪のような中身が虚《うつ》ろなものには霊が籠《こも》りやすいと考えられていた。そのためか、瓢箪には呪術的な俗信が多く、庭に瓢箪を作ると変事があるとか、瓢箪を吊るしておくと病気にならないなどといわれる。

このようなものに悪い霊が入り込めば、妖怪として現れるのは当然のことといえよう。

『鳥山石燕 画図百鬼夜行』高田衛監修・稲田篤信・田中直日編

ヒョウトク

↓竈神《かまどがみ》

屛風闚〔びょうぶのぞき〕 鳥山石燕の『今昔百鬼拾遺』には、【翠帳紅閨に枕をならべ、顚鸞倒鳳の交《まじわり》あさからず、枝をつらね翼をかはさんとちかひし事も佗《あだ》となりし胸三寸の恨《うらみ》より、七尺の屛風《びょうぶ》も猶《なお》のぞくべし】とある。

七尺の屛風とは、秦の始皇帝が荊軻《けいか》に殺されかけたときに飛び越えたといわれる、咸陽宮の屛風のことらしい。石燕は中国の古典よりヒントを得て、この妖怪を描いたようだ。

『鳥山石燕 画図百鬼夜行』高田衛監修・稲田篤信・田中直日編

日和坊〔ひよりぼう〕 鳥山石燕の『今昔画図続百鬼』に、山の岩肌に浮き出た坊主のように描かれており、【常州の深山にあるよし。雨天の節は影見えず。日和《ひより》なれば形あらはるると云。今婦人女子てるてる法師といふものを紙にてつくりて、晴をいのるのは、この霊を祭れるにや】とある。

民俗学者の宮田登によれば、照々坊主《てるてるぼうず》のことを西日本では日和坊主《ひよりぼうず》といったそうで、白い坊主頭の場合は晴れを祈願し、黒い坊主頭は雨乞いに使われたという。

照々坊主は江戸時代あたりに作られたものらしく、古代の人形による呪術の転化した形と考えられている。

また、日和坊は中国の日照りの神である魃《ひでりがみ》と同じものだという説もあり、その神に晴天を祈るため、中国の祈願方法を導入したのが照々坊主のはじまりだともいう。

中国で照々坊主にあたるのは掃晴娘という人形で、箒《ほうき》を持った女の形だそうである。

『鳥山石燕 画図百鬼夜行』高田衛監修・稲田篤信・田中直日編 『妖怪お化け雑学事典』千葉幹夫 『江戸文学俗信辞典』石川一郎編

比良山治郎坊〔ひらさんじろうぼう〕 滋賀県大津市比良山の大天狗。密教系の祈禱秘経『天狗経』にある全国代表四十八天狗の一つ。
㊂天狗
『天狗考 上』知切光歳 『図集天狗列伝 西日本編』知切光歳

蛭持ち〔ひるもち〕 島根県邑智《おおち》郡でいう憑き物で、蛭《ひる》を飼っている家のことをいう。

昔、某村に蛭を助けたことによって金持ちになった家があった。その家では正月元旦だけは雑煮を食わずにそのまま神棚にあげる。すると雑煮は蛭に化してしまうという。

同じような話は石見国安濃《あのう》郡刺鹿村(大田市付近)にもあり、蛭の外道《げどう》持ちとよばれている。

そうした家では、元旦の雑煮の椀《わん》には蛭がたくさん詰まっているから雑煮は食わないのだという。この外道持ちの蛭は、兵庫県のどこかの神社から分けてもらうそうである。

『綜合日本民俗語彙』民俗学研究所編 『民間伝承』通巻15号「蛭持」牛尾三千夫 『動物界霊異誌』岡田建文

琵琶牧々〔びわぼくぼく〕 鳥山石燕の『画図百器徒然袋』に頭が琵琶の妖怪として描かれ、【玄上牧馬《げんじょうぼくば》と言へる琵琶はいにしへの名器にして、ふしぎたびたびありければ、そのぼく馬のびはの転にして、ぼくぼくと言ふにやと、夢のうちにおもひぬ】と記されている。

琵琶牧々

玄上《げんじょう》（玄象）と牧馬《ぼくば》というのは宮中秘蔵の琵琶の名器で、特に玄上のほうは、内裏《だいり》が火事の際に自然と飛び出したり、鬼が盗んで朱雀門《すざくもん》（羅城門《らじょうもん》とも）の上で奏《かな》でていたなどという逸話を持っている。

室町時代の『百鬼夜行絵巻』に見える琵琶の妖怪と、琵琶の名器の名前をヒントに、石燕はこうした妖怪を描いたのであろう。

『鳥山石燕　画図百鬼夜行』高田衛監修・稲田篤信・田中直日編

火を貸せ〔ひをかせ〕　愛知県北設楽《きたしたら》郡三輪村大字川合（南設楽郡鳳来町）でいう河童の怪異。ある夜、小石久右衛門という力持ちが、大字長岡と川合の間にある亀渕の近くを通ったとき、後ろから来た小さな女の子に「久右衛門、火を貸せ」といわれた。

かねてからこの辺りに河童が出ると聞いていた久右衛門は、いきなり腰から大煙管《おおぎせる》を抜いてその少女の頭に打ちつけた。

すると少女の姿は消え、同時に久右衛門は身体が痺《しび》れて気を失ってしまった。やがて朝になってから気がつき、這《ほ》う這《ほ》うの体《てい》で家に帰りついた。亀渕の河童のしわざであろうと、人々は噂したという。

㊂河童

『愛知県伝説集』福田祥男『綜合日本民俗語彙』民俗学研究所編

ピンザマヅモノ

↓山羊《やぎ》マジムン

ヒンド

↓ヒダル神

人形神〔ひんながみ〕 富山県礪波《となみ》辺りでいう一種の憑き物。この地方では急に財産家になった家があると、あの家はヒンナを祀っているなどという。

『民間伝承』通巻140号に寄せられた佐伯安一の「礪波のヒンナ神」によれば、ヒンナとは人形のことで、これを作るのにはいくつかの方法があるという。表現に分かりづらい部分があるので、引用してみる。

人形神

【これは墓場の土を三年の間に持って来て三千人の人に踏ませた土で作った人形だといひ、これより一層念の入った話になると、七つの村の七つの墓場から持って来た土を人の血で捏《こ》ねて自分の信ずる神の形に作り、更に人のよく通る所へ埋めて千人に踏ませたものだともいふ】などとある。

また、三寸（約9㎝）ほどの人形を1000個作り、これを鍋で煮ると、1体だけ浮かび上がるものがある。これはコチョボといって、1000の霊が籠《こも》った人形だという。

これらヒンナ神を祀ると欲しいものは何でも持ってきてくれ、用事をいいつけておかないと「今度は何だ、今度は何だ」と催促する。

そのためヒンナ神を祀っている家は急に裕福になるのだという。

しかし、一度ヒンナ神を祀ると、死んでも離れないといわれ、ヒンナ神を祀っている者が死ぬときは非常に苦しんで、遂には地獄に堕ちるというリスクもあるそうである。

『民間伝承』通巻140号「礪波のヒンナ神」佐伯安一　『綜合日本民俗語彙』民俗学研究所編

貧乏神〔びんぼうがみ〕各地でいう貧乏をもたらす神。窮鬼《きゅうき》ともいう。

昔話や随筆、落語の貧乏神は、ボロを着た汚い爺や小男が多く、怠け者の家に好んでやって来て、押し入れなどに棲みつくとされた。

民間伝承では、囲炉裏《いろり》に関係した俗信で語られ、愛媛県北宇和郡津島町では囲炉裏の火をやたらに掘ると貧乏神が出るといい、新潟県岩舟郡朝日村では、年越しの夜に囲炉裏で大火を焚《た》くと、貧乏神が熱がって逃げて行き、福の神がやって来るといわれていた。

年越しの夜に貧乏神を追い出すというのは、節分の豆撒《まめま》きにも通じるものがある。

文京区春日の牛天神の脇には貧乏神を祀った祠がある。これには次のような由来がある。

小石川に住むある旗本が、ある年の暮れ、貧乏神の画像や御酒《みき》、洗米などを用意して、「我らは数年間貧乏なり。年中貧乏ではあるが、こ

貧乏神

れといった悪いこともなかった。これも尊神（貧乏神のこと）の加護のお陰である。一社建《こん》立《りゅう》して尊神を崇敬するので、少しは貧窮を免れ、福を分け与えて下され」といって、屋敷内に貧乏神を祀った。

その後、少しは利益があったとみえ、貧乏を福へと転じる神として、牛天神の境内に移されたのだという。

このように、貧乏神は丁重に祀ることで福の神に転化する場合もあったのである。

『耳嚢』根岸鎮衛・長谷川強校注 『民間信仰辞典』桜井徳太郎編 『日本民俗事典』大塚民俗学会編

ふ

フィーダマ

↓ヒダマ

風狸〔ふうり〕 鳥山石燕の『今昔百鬼拾遺』に、大風のなかで木登りをする狸のように描かれた妖怪で、【風によりて巌《いわ》をかけり、木にのぼり、そのはやき事飛鳥の如し】と解説が記されている。

『和漢三才図会』によれば、風狸《ふうり》は風母《ふうぼ》、平猴《へいこう》、風生獣、狤⿰犭屈《きつくつ》ともいい、中国嶺南（広東・広西地方）の山林に多くいるもので、日本にいるとは聞かないとしている。

続けて中国の『本草綱目』を引いて、次のように解説している。

風狸の大きさは狸か川獺《かわうそ》くらいで、小さな猿に似ている。目が赤く、尾は短い。色は青黄で黒っぽく、豹のような文様がある。

あるいは全体に毛がなく、ただ鼻から尾にかけて青毛が生えているという。

昼はじっとして動かず、夜は風に乗じて岩や木を鳥が飛ぶように素早く飛びまわる。

人が網で捕らえると、人を見て恥ずかしがるような素振《そぶ》りをし、叩頭《こうとう》して憐れみを乞うような仕草をする。

打ち叩くと忽《たちま》ち死ぬが、口に風を受けると生き返る。骨や脳を砕いておけば、生き返ること

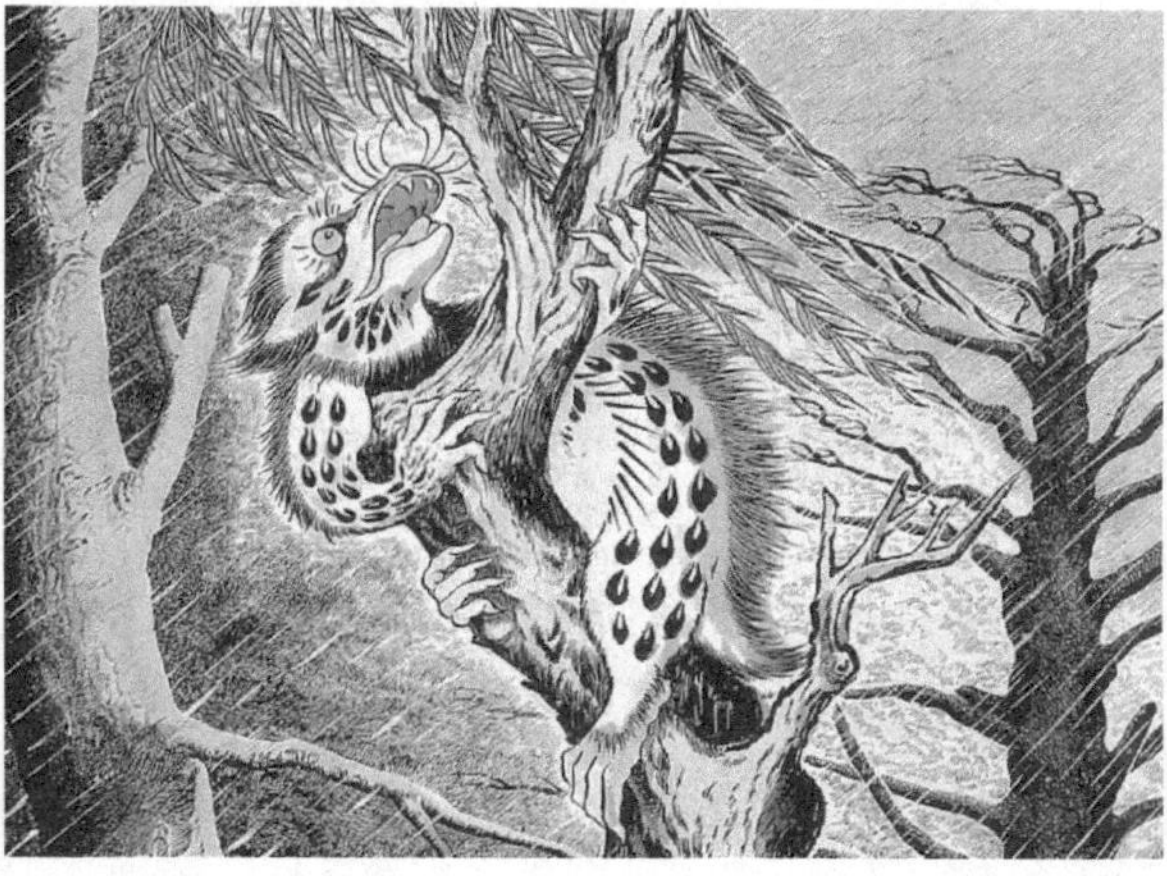

風狸

はない。

一説に、刀で斬っても刃が通らず、火で焼いても焦げず、打っても皮袋のようで手応えがない。鉄で頭を砕いても、風が吹けば生き返る。ただ、石菖蒲で鼻を塞《ふさ》げば死ぬという。

風狸は東南アジアに棲息するヒヨケザルのこととされている。

ヒヨケザルが日本にいるというのは聞いたことがないが、根岸鎮衛の『耳嚢』には日本にも風狸の話があるとして、次のように記している。

風狸は狸の一種で、野に出て、ある種類の草を抜き、梢《こずえ》に止まった鳥を見つけると、その草をかざす。すると、不思議にも鳥が落ちてくる。風狸はそれを餌《えさ》としている。

その草はどういうものか不明だが、ある人がこれを見届け、風狸からその草を奪って鳥を落とそうと木に登った。

そして草をかざすと、鳥とともにその人も落ちてしまったという。

『鳥山石燕 画図百鬼夜行』高田衛監修・稲田篤信・田中直日編『耳嚢』根岸鎮衛・長谷川強校注『和漢三才図会』寺島良安編・島田勇雄・竹島淳夫・樋口元巳訳注

吹き消し婆《ひけしばばあ》〔ふきけしばばあ〕

↓火消婆

文車妖妃〔ふぐるまようひ〕　鳥山石燕『画図百器徒然袋』に、文箱《ふばこ》から手紙を引き出す妖女として描かれている妖怪で、【歌に、古《いに》しへの文見し人のたまなれやおもへばあかぬ白魚となりけり。かしこき聖のふみに心をとめしさへかくのごとし。ましてや執着のおもひをこめし千束の玉章には、かかるあやしきかたちをもあらはしぬべしと、夢の中におもひぬ】とある。

『諸国百物語』には「艶書《えんしょ》の執心、鬼と成りし事」という話がある。

ある寺の稚児《ちご》に恋文が届くが、稚児はそれを縁の下に捨てていた。いつしか、その恋文に籠《こも》った執念が鬼と化し、寺を訪れる人をことごとく襲ったという。

この文車妖妃も、手紙の執心が妖怪化したものなのであろう。

『鳥山石燕 画図百鬼夜行』高田衛監修・稲田篤信・田中直日編 『江戸怪談集（下）』高田衛編／校注

袋担ぎ〔ふくろかつぎ〕 長野県埴科《はにしな》地方でいう妖怪。夕方、子供が隠れんぼうをしていると、神隠しにしてしまうという。
㊜隠し神
『郷土研究』1巻4号 『日本妖怪変化語彙』日野巌・日野綏彦

袋下げ〔ふくろさげ〕 長野県北《きた》安曇《あずみ》郡大町（大町市）でいう狸の怪異。繁った高い木の下を通ると、狸が白い袋を下ろしたという。
㊜狸
『北安曇郡郷土誌稿』7号 長野県信濃教育会北安曇部会編 『綜合日本民俗語彙』民俗学研究所編 『妖怪談義』柳田国男

袋狢〔ふくろむじな〕 鳥山石燕『画図百器徒然袋』に大きな袋を担《かつ》いだ狢《むじな》として描かれ、【穴のむじなの直《あたり》をするとは、おぼつかなきこ

袋狢

とのたとへにいへり。袋のうちのむじなも同じことながら、鹿を追ふ猟師のためには、まことに袋のものをまさぐるがごとくならんと、夢のうちにおもひぬ】とある。

穴の狢の直《あたり》をするとは、手に入れていないものの評価は難しいという意味の諺《ことわざ》である。

石燕はこの諺と、室町時代の『百鬼夜行絵巻』にみえる宿直袋《とのいぶくろ》を担いだ猿顔の女の妖怪をモデルにして袋狢を描いたようである。

『鳥山石燕 画図百鬼夜行』高田衛監修・稲田篤信・田中直日編

フサマラー 沖縄県八重山郡の波照間《はてるま》島で旧暦7月に行われる、ムシャーマ行事の際に登場する雨乞いの神。

祭りのときには、子供たちが全身に蔓草《つるくさ》を巻きつけてフサマラーに扮する。

『自然と文化』一九八九秋季号「琉球列島の草荘神」比嘉康雄

富士山陀羅尼坊〔ふじさんだらにぼう〕 富士山に棲む天狗。富士太郎ともいう。密教系の祈禱秘経『天狗経』にある全国代表四十八天狗の一つ。
㊜天狗
『天狗考 上』知切光歳 『図集天狗列伝 西日本編』知切光歳

衾〔ふすま〕 新潟県佐渡島でいう怪異。

夜道などで、いきなり大きな風呂敷のようなものが覆《おお》い被《かぶ》さってくることをいう。

これはどんな名刀でも斬ることができないが、一度でも鉄漿《かね》つけした歯であれば嚙み切ることができる。そのため、佐渡では男でも鉄漿つけをしたものだという。

ちなみに、衾《ふすま》とは綿入れ蒲団が普及する以前の夜具蒲団のことである。

『佐渡の昔話』不苦楽庵主人 『綜合日本民俗語彙』民俗学研究所編

二口女〔ふたくちおんな〕『絵本百物語 桃山人夜話』にあるもの。
その昔、下総（千葉県）の千葉に、ある継母《ままはは》がいた。この継母は自分の子供だけ愛して、先

二口女

妻の子供にはろくに食事を与えず、ついには餓死させてしまった。

その子が死んでから49日目、家では薪《まき》割りをしていたが、男が斧を振り上げたとき、妻が後ろを通りかかって、頭をぱっくりと割られてしまった。

命に別状はなかったものの、その傷口はやがて口のようになった。頭蓋骨の一部は歯に、肉は舌にそっくりだった。

しかも不思議なことに、傷はある時刻になると必ず痛みだす。耐え難い痛さなのだが、その開いた傷口に何か食べ物を入れると、たちまち痛みは治まった。

そうこうしているうちに日にちが経ったある日、傷口から、「心得違いから先妻の子を殺してしまった。間違いだった、間違いだった」という声が聞こえるようになったという。

これは邪悪な心が招いた、いわば業病《ごうびょう》ともいうべきものである。

『絵本百物語 桃山人夜話』は後頭部にも口の

ある女の姿と、その女の蛇のような髪の毛が頭の口に食べ物を運んでいる様を描き、【まま子をにくみて食物をあたえずして殺しければ、継母の子、産れしより首筋の上にも口ありて、食をくはんといふを髪のはし蛇となりて食物をあたへ、また何日もあたへずなどしてくるしめけるとなん。おそれつつしむべきは、まま母のそねみなり】と記している。

二口女は飯食わぬ女房、口なし女房、蜘蛛女《くもおんな》房という昔話としても知られ、その正体は鬼女、山姥《やまうば》、蜘蛛とされている。

ほぼ全国的に分布する昔話で、あるケチな男が飯を食わない女房を求めていると、ある日突然、嫁にしてくれという女（二口女）がやって来るというものである。

東日本と西日本とで、その伝わる昔話の内容が若干異なるが、男が留守のときに、後頭部の口で大食いするところは共通している。

女房が二口女だと分かった男は、追い出そうとするが、女房は「桶を作ってくれ」と頼み、それに男を入れて山へ担《かつ》いでいく。

男は途中で逃げ出して菖蒲《しょうぶ》の中に隠れる。追いかけてきた女房（山姥、鬼女）は菖蒲が苦手で入れない。その日が5月5日だったので、それ以来、この日は菖蒲を家の軒に挿して、山姥や鬼女を退散させるようになったとするのが、主に東日本に伝わる話である。

西日本では、女房の正体を山姥や鬼女とはせずに、蜘蛛とする例が多い。男を桶に入れるまでは同じだが、男が逃げたのを見て「今晩、蜘蛛になって殺しにいく」と仲間に話す。

これを聞いた男は家に来た蜘蛛を火にくべて殺してしまう。このことから、「夜蜘蛛は親に似ていても殺せ」の諺《ことわざ》ができたという。

昔話の二口女はもともと人間ではなく、山姥、鬼女、蜘蛛などがその正体とされているので、『絵本百物語　桃山人夜話』の二口女とは異なる妖怪ということになりそうである。

『竹原春泉　絵本百物語　桃山人夜話』多田克己編『日本昔話事典』稲田浩二・大島建彦・

川端豊彦・福田晃・三原幸久編『日本伝奇伝説大事典』乾克己・小池正胤・志村有広・高橋貢・鳥越文蔵編

ブチ
↓鞭

扶持借り〔ふちかり〕
↓狢《むじな》

渕猿〔ふちざる〕『老媼茶話』にある河童の類。「釜渕川猿」と題しているが、文中では渕猿としている。

天文8年（一五三九年）8月、芸州高田郡吉田（広島県安芸高田市）の釜ヶ渕に渕猿という化け物が出没した。通行人を渕に引きずり込むというので、近辺の民家や商家は門を閉じてしまい、城下の往来が途絶えてしまった。

そこで毛利家に仕える荒源三郎元重という武士が、単身水中に入って渕猿を退治した。

渕猿とは俗にいう川太郎（河童）のことで、頭に窪みがあり、そこの水を奪われると途端に弱ってしまう。

渕猿

源三郎は渕猿を水面より引き上げ、頭を左右に振りまわすことで水をこぼし、弱ったところを退治したという。

また、荒源三郎の渕猿退治は『芸藩通志』にも見え、そこでは猳国《かこく》という妖怪を退治したことになっている。

猳国は中国四川省の西南の山中に棲む猿のような妖怪で、婦女子を攫《さら》っては自分の子供を生ませるというものである。

『芸藩通志』を著した当時の知識人は、猿に似た河童のようなものということで、猳国と書いたと思われる。

どうやら渕猿とよばれているものは、淵に棲む猿に似た妖怪のことで、広島県や四国でいう猿猴《えんこう》のことを指しているようである。

㊂河童

『近世奇談集成 一』高田衛校訂代表 高田衛・原道生編『山島民譚集』柳田国男

フッコ

↓経立《ふったち》

経立〔ふったち〕 青森県、岩手県でいう妖怪。動物が齢《とし》を経ると怪しい能力を身につけ、怪異を起こすという。

岩手県遠野では、猿の経立、犬の経立、雄鶏《おんどり》の経立といって、恐ろしいものだと伝わっている。猿の経立は女を好み、ときおり人間の女房を攫《さら》うこともあるという。

青森県上北郡野辺地ではヘェサンともいう。

これに類するものは他の土地にもあり、愛知県北設楽郡の山間部では、齢を経た猿や、山犬、狐などの動物は怪しいふるまいをするといい、フッコとよんでいる。

また、愛媛県大三島で年老いた動物のことをフルセとよぶが、これも経立と関係がありそうである。

『遠野物語』柳田国男『綜合日本民俗語彙』民俗学研究所編『日本怪談集 妖怪篇』今野円輔編著『自然と文化』一九八四秋季号「陸中の妖怪」菊池敬一『日本妖怪変化語彙』日野巌・日野綏彦

ブッツァリティ
↓バリヨン

布団被せ〔ふとんかぶせ〕 愛知県幡豆《はず》郡一色町の佐久島でいう怪異。

柳田国男編の『海村生活の研究』には、フワッと来てスッと被《かぶ》せて窒息させるとある。資料としてはこれだけで、詳細は不明。

『海村生活の研究』柳田国男編 『日本怪談集 妖怪篇』今野円輔編著

ブナガイ
↓ブナガヤ

ブナガヤ 沖縄県でいうキジムナーの別名。ブナガ、ブナガイ、ブナンガヤーともいう。
『「ブナガヤ」実在証言集』によれば、とくに大宜《おおぎ》味《み》村周辺でいわれる名前のようである。
㊫キジムナー
『「ブナガヤ」実在証言集』山城善光 『日本民俗誌大系 一 沖縄』「南島説話」佐喜真興英 『現代民話考 一 河童・天狗・神かくし』松谷みよ子

ブナガヤ火(ブナガヤ)

フナシドキ　長崎県壱岐でいう怪魚で、船内に入ってきて人を食うという。

フナシドキとは小判鮫《こばんざめ》のことだが、怪しい魚とされていたのだろうか。

『日本妖怪変化語彙』日野巌・日野綏彦

船亡霊〔ふなもうれん〕　和歌山県有田郡の海上でいう怪異。船幽霊。

海で遭難した者が亡霊となり、死んだときに乗っていた船とともに現れる。日本人の霊に限らず、樫野崎で難破したトルコ軍艦の船亡霊を見た人もいるという。

大勢の亡霊がやって来て船べりに顎《あご》をかけ、声をかけることもあり、こういう場合は、船に備えつけの竈《かまど》の灰を船べりに撒《ま》くと、去っていくという。しかし、薪《まき》を束ねていた縄をいっしょに燃やした灰だと効き目はない。

底の抜けた柄杓《ひしゃく》を投げ与えれば去るというのは、各地の船幽霊と同じである。

㊫船幽霊

『民間伝承』通巻37号「亡霊船」浜口彰太

船幽霊

船幽霊〔ふなゆうれい〕 全国各地でいう海上の怪異。海のない地方では河川や湖沼にも現れる。

　民俗資料や江戸時代の怪談本、随筆などに多く見られ、海または河川湖沼で死んだ、浮かばれない霊が、船とともに姿を現し、生きている者を仲間に引き入れようとするもの。

　土地ごとに名前や特徴、対処方法があるが、多くの場合は時化《しけ》の晩や霧の深い晩に、柄杓《ひしゃく》を貸せといって現れ、柄杓を渡すとたちまち水を入れられて船は沈没してしまう。

　そのため、船には底を抜いた柄杓を用意するものだといわれている。

　船幽霊を大別すると、1．船と亡霊がセットになって現れ、柄杓を貸せなどという。2．船のみが現れ、それを本物の船だと思っていると、思わぬ事故を起こす。帆船や汽船と、その時代に応じた船が出現する。これは幽霊船ともいう。3．亡霊だけが現れ、船中に入り込んだり、声をかけたりする。最終的には亡者の仲間にしようとする。4．海坊主や怪火、怪光の類。5．漕いでも船が進まなくなったり、あるはずのないところに岩山の幻影を見せる、人声や怪音が聞こえるといった怪異。1〜5のミックス型およびその他、などに分けられるようである。

『綜合日本民俗語彙』民俗学研究所編　『神話伝説辞典』朝倉治彦・井之口章次・岡野弘彦・松前健編

ブナンガヤー
→ブナガヤ

不落々々〔ぶらぶら〕 鳥山石燕の『画図百器徒然袋』に、人の口にも見えるような破れたところから炎を吐いている提灯《ちょうちん》の妖怪として描かれているもので、【山田もる提灯の火とは見ゆれども、まことは蘭ぎくにかくれすむ狐火なるべしと、ゆめのうちにおもひぬ】と記されている。

　提灯の妖怪は、よく知られているわりには資料が少なく、多くの場合は提灯火《ちょうちんび》のような怪火とされている。

　この不落々々《ぶらぶら》も提灯のお化けとして描かれて

ふらり火

はいるが、実は狐火のことなのだと石燕はいっている。

『鳥山石燕　画図百鬼夜行』高田衛監修・稲田篤信・田中直日編

ふらり火〔ふらりび〕鳥山石燕の『画図百鬼夜行』や作者不詳の『化物づくし』などに見られる怪火。

炎の中央に羽のある犬、もしくは鳥が描かれているが、どのようなものかは不明である。ふらふらする怪火のことをいうのだろうか。

『鳥山石燕　画図百鬼夜行』高田衛監修・稲田篤信・田中直日編

フリー　アイヌの人々に伝わる怪鳥。網走海岸の洞窟にいた巨鳥はヒウリ、十勝川上流の新得《しんとく》の山奥にいたものはフレウとよばれる。

人でも獣でも攫《さら》ってしまう怪鳥で、昔話やカムイユカラ（神謡）では、鯨も鷲掴《わしづか》みにしてしまうほどの巨鳥として伝えられている。

『日本妖怪変化語彙』日野巌・日野綏彦　『カムイユカラと昔話』萱野茂

ブリブリ
↓棒振《ぼうふ》り

古空穂〔ふるうつぼ〕　鳥山石燕の『画図百器徒然袋』に矢を入れる靫《うつぼ》の妖怪として描かれ、【そそ野に命をいたづらに奈須野の原の野干《やかん》をいたる三浦の介上総介が古うつぼにやと、夢の中におもひぬ】と記されている。

　那須野の原で九尾《きゅうび》の狐を射たという、三浦介と上総介の、往時の栄光を忘れられた靫が妖怪化した、という意味であろうか。

『鳥山石燕　画図百鬼夜行』高田衛監修・稲田篤信・田中直日編

フルセ
↓経立《ふったち》

古杣〔ふるそま〕　高知県土佐郡、香美郡、幡《は》多《た》郡、長岡郡、徳島県祖谷《いや》地方などでいう山中の怪異。
　夜、山小屋にいると、斧でカーンカーンと木を伐《き》ったり、ズイコズイコと木を挽《ひ》く音が聞こえ、木の倒れる物凄い音がする。ところが朝に

古杣

なって、音のしたところに行っても、別に変わったことはない。これは伐木《ばつぼく》に打たれて死んだ樵《きこり》の霊のしわざだという。

長岡郡の深山では日中でもこれらの音を聞くことがあり、「いくぞう、いくぞう」などと伐採のときの掛け声も交じる。

また、室戸市の野根山辺りでは、音だけではなく山小屋を揺すったりもするという。

『土佐の妖怪』市原麟一郎 『綜合日本民俗語彙』民俗学研究所編 『妖怪談義』柳田国男 『旅と伝説』通巻174号「土佐の山村の『妖物と怪異』」桂井和雄 『日本民俗誌大系 十 未刊資料一』「祖谷山村の民俗」高谷重夫

古山茶の霊〔ふるつばきのれい〕 鳥山石燕の『今昔画図続百鬼』に椿の大木が描かれ、【ふる山茶《つばき》の精怪しき形と化して、人をたぶらかす事ありとぞ。すべて古木は妖をなす事多し】とある。

石燕は具体的な話を記していないが、古椿の怪異は文化文政（一八〇四年～一八三〇年）の怪談流行時には広く知られていたものらしい。

椿の怪異は民間伝承にいくつかある。

岐阜県不破郡青墓村（大垣市）では、円墳の上にある椿を化け椿とよんでいる。

かつてこの円墳を掘ったことがあり、古鏡や骨片などが出てきた。掘った者は祟りを受けて死んだので、付近の者たちが塚を元通りにして、その上に椿を植えたのだという。

夜、この円墳のそばを通ると、椿が美女に化けて路傍で光っているという。

肥後（熊本県）では、椿で擂粉木《すりこぎ》を作ると、木心坊という妖怪になるといわれている。

現代でも病人を見舞いに行くときは、椿を持っていってはいけないという俗信がある。

椿の花の落下は普通の花とは違い、花弁の元からボタリと落ちるので、あまり気持ちのいいものではない。この様子が、人がポックリと死ぬのを思い起こさせるので、見舞いには禁物の花との俗信が生まれたのであろう。

古椿に限らず、妖怪視される植物には、何かしら怪しげなイメージがつきまとっているようである。

『鳥山石燕　画図百鬼夜行』高田衛監修・稲田篤信・田中直日編『植物怪異伝説新考』日野巌『日本伝説名彙』柳田国男監修・日本放送出版協会編

震々〔ぶるぶる〕鳥山石燕の『今昔画図続百鬼』に、トコロテンが女の姿をとったような、全身がぶるぶると震えた幽霊のように描かれたもので、【ぶるぶる、又ぞぞ神とも臆病神ともいふ。人おそるる事あれば、身戦慄してぞっとする事あり。これ此神のえりもとにつきしなり】とある。

恐怖を感じたときに首筋がぞっとするのは、この震々が襟元に取り憑いたからだと石燕はいっている。

『鳥山石燕　画図百鬼夜行』の解説によれば、ぞぞ神とは恐怖のために全身の毛をそそけだたせる神で、臆病神は敵に後ろを見せる心を生じさせる神だという。

震々

『鳥山石燕 画図百鬼夜行』高田衛監修・稲田篤信・田中直日編

フレウ

↓フリー

フンゴロボーシ

↓河童

フンヅゥチ

↓ミンツチ

文福茶釜〔ぶんぶくちゃがま〕 秋田県南秋田郡戸賀村浜塩谷（男鹿市）でいう怪異。

夜、村の真ん中にある大榎のそばを通ると、文福茶釜（たんなる茶釜のことか）が吊り下がってきたという。

茂林寺《もりんじ》の文福茶釜については、茂林寺の釜の項目を参照のこと。

㊟茂林寺の釜

『民間伝承』通巻38号「妖怪」牧田茂

ぶんぶん岩〔ぶんぶんいわ〕 島根県鹿足《かのあし》郡日原町須川でいう石の怪異。

夜、この岩のそばを通ると、「去年も19、今年も19、ぶうん、ぶうん」と歌いながら糸車をまわす音が聞こえたという。

かつて、19歳の娘が糸を紡《つむ》いでの帰り道、この岩の辺りで殺された。その恨みからこのような怪異が起こるようになったという。

須川八幡神社の宮職が慰霊の祭りをしてやると、以降は現れなくなったそうである。

『石見日原の民俗』沖本常吉編 『日本怪談集 幽霊篇』今野円輔編著

へ

平家一族の怨霊〔へいけいちぞくのおんりょう〕 滅亡した平家一族の怨霊が怪異をなすというもの。謡曲『船弁慶』や、小泉八雲の『怪談』にある耳なし芳一の話など、芸能や文芸で知られ、山口県の壇ノ浦などでは伝説として平家にまつわる怪異が語られていた。

関門海峡を渡るときに平家一門の話をすると海上に怪異が起こるといわれたほか、平家滅亡の命日の朝早くに海峡を通ると、必ず海上一面

ぶんぶん岩

に霧がたちこめ、その中に大勢の人影らしいものが蠢《うごめ》いているなどといわれた。

　このときに話し声をたてると、平家の亡霊によって船を転覆させられるので、船中での会話は禁物とされたという。

(参)平家蟹《へいけがに》、耳なし芳一

『長門周防の伝説』松岡利夫　『怪談の世界』山田野理夫

平家蟹〔へいけがに〕　香川県高松市、山口県下関市でいう怪異。

　源平合戦で戦死した平家の武士たちの恨みが、壇ノ浦や屋島の浦の海底にたまって、蟹に化したもので、恐ろしい鬼の顔が張りついたような甲羅《こうら》をもっている。

　恨みが凝って鬼面の蟹となった話は、明石の浦の武文蟹や尼崎の浦の島村蟹など他にもある。

(参)平家一族の怨霊

『日本未確認生物事典』笹間良彦　『日本伝説叢書　讃岐の巻』藤沢衛彦

平四郎虫〔へいしろうむし〕　山梨県西八代郡

六郷町でいう怪虫。平四郎という者が冤罪《えんざい》で打ち首になり、その怨みで虫となったというもの。畑に現れて農作物を全滅させたという。

『六郷町誌』山梨日日新聞社編『ふるさとの伝説 三 幽霊・怨霊』伊藤清司監修・宮田登編

幣六〔へいろく〕 鳥山石燕の『画図百器徒然袋』に、御幣《ごへい》を持った異形の者として描かれ、【花のみやこに社さだめず、あらぶるこころましみ、神のさわぎ出給ひしにやと、夢心におもひぬ】と記されている。

石燕の文からはどういう妖怪かは分からないが、その姿は室町時代の『百鬼夜行絵巻』にある、御幣を振りかざして走る赤い鬼のような妖怪をモデルにしているようである。

『鳥山石燕 画図百鬼夜行』高田衛監修・稲田篤信・田中直日編

へェサン
↓経立《ふったち》

べか太郎〔べかたろう〕 熊本県八代市の松井家に伝わる『百鬼夜行絵巻』に描かれているもの。二頭身の身体で、おかっぱ頭、両目を指で下げてあかんべーをしている。

絵と名前のみなので詳しいことは不明。

『別冊太陽 日本の妖怪』

ヘコ
↓狢

ヘジゴロ
↓河童

べとべとさん 奈良県宇陀《うだ》郡でいう怪異。

夜道を行くと、後ろから誰かがつけているような音が聞こえることがある。このとき、道の片脇に寄って、「べとべとさん先へお越し」というと、足音がしなくなるという。

『民俗学』2巻5号『妖怪談義』柳田国男『綜合日本民俗語彙』民俗学研究所編

蛇憑き〔へびつき〕 福岡県久留米でいう憑き物。蛇に憑かれると、歩くときに蛇行するようになり、手の指の間から蛇の舌を出すようにな

べとべとさん

るという。

『日本妖怪変化語彙』日野巌・日野綏彦

蛇蠱〔へびみこ〕　香川県小豆島でいう家筋に憑く蛇の憑き物。

昔、小豆島の海岸に一棹《ひとさお》の長持ちが漂着した。それを見た村民は互いに占有権を主張したが、結局、中身を分配しようということになった。

そして長持ちを開けてみると、中には蛇がたくさんいた。その蛇は占有権を主張した者たちの家に、それぞれ入り込んでいった。これが小豆島に伝わる蛇蠱《へびみこ》の元祖なのだという。

蛇蠱の家筋の者が憎く思った相手は、憎いと思われた瞬間から悩まされ、最後には蛇が内臓に食い込んできて殺されてしまうという。

『憑物』「諸国憑物雑話」宮武省三

部屋ぼっこ〔へやぼっこ〕
→座敷わらし

ペロリ太郎〔ぺろりたろう〕
→べか太郎

ペンタチコロオヤシ　樺太《からふと》アイヌに伝わる妖怪。

名前は松明《たいまつ》をかざすお化けの意味で、夜中に松明を持って横行し、さまざまな怪異をなすという。

ある村の村長が夜道でこの妖怪に出会ったときは、妖怪がかざす松明で、夜道が真昼のように明るかったという。

また、樺太東海岸北部のコタンケシという村の村長が、夜道でこの妖怪に出会い、刀で刺し殺したところ、その正体はワタリガラスだったという。

『えぞおばけ列伝』知里真志保編訳

ほ

ほいほい火〔ほいほいび〕

↓ジャンジャン火

封〔ほう〕『一宵話』にあるもの。

徳川家康が駿府《すんぷ》にいた頃のこと。ある朝、御庭に肉人《にくじん》ともいうべき妙なものが現れ、指のない手で天を指して立っていた。

御庭が大騒ぎとなったので、仕方なく家康にどうするかを尋ねると、人目につかないところに追いやれとのことなので、城から離れた小山に追いやった。

ある人がこのことを聞くと、それは『白沢《はくたく》図《ず》』に出ている封《ほう》というもので、その肉を食べれば多力になり、武勇も大いに増したものをと、残念そうに語ったという。

『日本随筆大成』日本随筆大成編集部編

箒神〔ほうきがみ〕ハハキガミともいう。

鳥山石燕の『画図百器徒然袋』に、頭が箒《ほうき》になった異形の者が描かれ、【野わけはしく吹けるあした、林かんに酒をあたたむるとて、朝きよめの仕丁のはきあつめぬるははきにやと、夢心におもひぬ】とある。

この箒神は、吉田兼好の『徒然草』や白楽天（中国唐代の詩人）の詩などからヒントを得て創作されたものとされる。

一方、民間でいう箒神は、人間のお産に立ち会う神とされた。箒は掃き出す道具であるため、長居の客を追い出したいときや、お産を軽く済

箒神

ませたいときの呪具として使われた。

　箒を産神《うぶがみ》とする地方は多く、お産に立ち会う神は山の神と便所神、または杓子神《しゃくしがみ》と箒神であるという。そのために、女性が箒を跨《また》ぐと難産になるという伝承が広く伝わっている。

『鳥山石燕　画図百鬼夜行』高田衛監修・稲田篤信・田中直日編『民間信仰辞典』桜井徳太郎編『宿なし百神』川口謙二

伯耆大仙清光坊〔ほうきだいせんせいこうぼう〕鳥取県の伯耆《ほうき》大山《だいせん》でいう天狗。密教系の祈禱秘経『天狗経』にある全国代表四十八天狗の一つに数えられているもの。
㊫天狗
『天狗考　上』知切光歳『図集天狗列伝　西日本編』知切光歳

彭侯〔ほうこう〕鳥山石燕の『今昔百鬼拾遺』には、獅子とも猿とも見分けのつかない動物が描かれており、【千歳の木には精あり。状黒狗《くろいぬ》のごとし。尾なし。面人に似たり。又山彦とは別なり】とある。

江戸時代の百科辞典である『和漢三才図会』は、中国の『本草綱目』を引いて次のように彭《ほう》侯《こう》を解説している。

彭侯は木の精である。千歳の木には精がいて、その形は尻尾《しっぽ》のない黒犬のようで、顔は人面である。煮て食べられ、味は犬に似ている。呉の時代、敬叔という人が大樟木《おおくすのき》を伐《き》ったとき、血とともに動物が出てきた。これが彭侯であるという。思うに彭侯は木魅《こだま》のことで、俗にいう山彦とは違ったものである。

このように、彭侯はもともと日本でいう妖怪ではなく、中国産であることが分かる。

ちなみに、呉の時代の彭侯の逸話は『捜神記』にあるもので、内容は次の通り。

三国時代、呉の孫権のときに建安郡（福建省）の太守陸敬叔が、樟《くすのき》の大木を伐らせたことがあった。斧を2、3度打ち降ろしたところで突然血が流れ出し、木が倒れると人間の顔をした犬のようなものが中から出てきた。敬叔は「これは彭侯だ」とい

彭侯

って、煮て食べてしまった。犬のような味がしたという。

『捜神記』によれば、彭侯の名は『白沢図』（白沢という妖怪が中国におけるすべての妖怪、魔神の類を黄帝に解説し、それを記したもの）にあるものだという。

『鳥山石燕　画図百鬼夜行』高田衛監修・稲田篤信・田中直日編『和漢三才図会』寺島良安編・島田勇雄・竹島淳夫・樋口元巳訳注『捜神記』干宝・竹田晃訳

坊主狐〔ぼうずぎつね〕
↓坊主狸

坊主子〔ぼうずこ〕
↓芝天《しばてん》

坊主狸〔ぼうずだぬき〕　徳島県美馬郡半田町でいう化け狸。

　坊主橋ぎわの藪の中に坊主狸とよばれる狸がいた。夜、この藪のそばを通ると、いつの間にか頭を坊主刈りのように剃られるという。

　これは藪に棲む狸のしわざとされた。そのためこの狸を坊主狸とよび、藪のそばに架かる橋を坊主橋というのだそうである。

　このように人の頭を坊主にしてしまう動物は他の土地にもいる。

　岡山市半田山の坊主狐とよばれた狐は、人を化かして頭を丸坊主にしてしまうという。

　また、群馬県高崎市倉賀野町の養法寺に棲む狢《むじな》も、人を化かして坊主頭にしたそうで、養法寺狢とよばれた。

(参)狸
『阿波の狸の話』笠井新也『岡山の怪談』佐藤米司『伝説の倉賀野』徳井敏治

疱瘡神〔ほうそうがみ〕　疱瘡《ほうそう》（痘瘡《とうそう》、天然痘《てんねんとう》）を流行させる神。痘《いも》の神ともいう。
　疱瘡は痘瘡ウィルスによる伝染病で、疫病でも最も恐ろしいものとされた。感染力や死亡率が高く、罹《かか》ると高熱を発し、顔面などに小豆大《あずきだい》の赤い発疹《はっしん》ができるのが特徴である。古くは豌《わん》豆瘡《ずがさ》、裳瘡《もかさ》とよばれ、疫病神や疱瘡神がもたらすものと信じられた。

疱瘡が流行ったときには神仏に祈願するより方法がなかったようで、平安時代には疱瘡神を送りだす鬼気祭などが盛んに行われた。

近世では、疱瘡は新羅《しらぎ》からきたものなので、三韓《さんかん》降伏の神である住吉大明神を祀ったり、疱瘡神を祀ることで軽く済むように願った。

また、疱瘡神は赤い色を忌み嫌うとされ、疱瘡に罹った者のまわりに赤色の物を置くなどの俗信もあった。

これらの風習は種痘《しゅとう》による予防が普及するまで続けられたが、地方によっては予防接種が一般化してからも疱瘡神を村外に送りだす祭事が行われ、桟俵《さんだわら》に御幣《ごへい》を立てたものに赤飯（疱瘡の際にできる赤い瘡を模したものらしい）などを供え、村境や川に流したという。

ちなみに疱瘡は一九八〇年にWHO（世界保健機関）から絶滅宣言が出されている。

『日本民俗事典』大塚民俗学会編　『民間信仰辞典』桜井徳太郎編

疱瘡婆〔ほうそうばばあ〕　只野真葛の『奥州波奈志』にある妖怪。

文化年間（一八〇四年～一八一八年）の初期、七ヶ浜村大須（宮城県宮城郡）という村で疱瘡《ほうそう》が大流行して大勢の人が死んだ。それと同時に、何ものかが墓を荒らして遺体を奪ったり、食い散らかすという事件が起こった。

村人たちは遺体を深く埋めて上から大石を載せ、魔除けの祈禱をして被害を食い止めようとしたが、その努力も空しく、衣服や毛髪を残したまま遺体がなくなることが続いた。

人々は「疱瘡婆《ほうそうばばあ》という怪物が死体を食いたいがために疱瘡を流行《はや》らせて人を死なせるのだ」などと噂しあった。

やがて、名主の息子が3人とも疱瘡で死亡した。名主はせめて遺体だけは怪物の餌食《えじき》にさせまいと、17人で運んだ大石を塚の上に載せ、夜は番人と猟師2人を見張りに立たせた。

2、3日は何事もなかったが、怪物をおびき寄せようと松明《たいまつ》を弱めたある夜、ついに怪物が現れたとみえ、土を搔《か》き掘る音が聞こえてきた。

疱瘡婆

猟師が銃を持って忍び寄ると、相手は人の気配を感じたか、ものすごい音をたて、柴の木立ちをなぎ倒して走り去った。その晩はなんとか遺体も無事ですみ、それきり怪物は現れなくなった。

それから2、3年後のある市の立つ日、中年の女房と年老いた女房が買い物に出かけたところ、山のほうを見ていた老いた女房が何者かを見て、恐怖のあまり失神してしまった。人々に介抱《かいほう》され、やっと息を吹き返し、連れの女に助けられて帰ったが、なぜ気を失ったかと尋ねても、老女は怯えたように固く口を閉ざして誰にも話そうとしなかった。

それから3年が過ぎた頃、やっと老女が打ち明けていうには、あのとき見たのは赤い顔に白髪《しらが》が覆いかぶさった一丈（約3m）あまりもある老婆のような怪物で、それが自分のほうを睨《にら》みつけていた。あれが死人を食い荒らす化け物ではないかと考えたら、恐ろしさのあまり、総身の力も心も抜けたようになってしまった、ということだった。
この老婆の怪物こそ、疱瘡婆なのだという。
『江戸の奇談』江口照雪
蓬萊山〔ほうらいさん〕
↓蜃気楼《しんきろう》
ボーコー 埼玉県戸田市辺りでいう怪鳥、あるいは恐いものの総称。
夏のはじめの夕方に鳴き声を聞くことがあり、子供たちは「ボーコーが鳴くから早く帰ろう」といい合ったり、親には「ボーコーが来るから早く寝ろ」などといわれたという。
『新曾上戸田の民俗』戸田市史編纂室編
ボーシン 三重県志摩でいう海の怪。船幽霊。
雨の夜に沖合いで漁をしていると、ときおりこのボーシンに出会うという。ボーシンは船べりに後ろ向きに並んで腰掛けていたりするが、タテ棒（船腹を焦《こ》がすのに用いる木の火箸《ひばし》）で撫《な》でると、みんな海に落ちてしまう。
ハヤ緒（櫓《ろ》の緒）の隙間《すきま》から覗くと、ボーシンなら姿は見えないといわれ、風に逆らって走る亡者船《もうじゃぶね》の場合も、ハヤ緒の隙間から覗くと、帆ばかりで船は見えないという。
㊟船幽霊
『旅と伝説』通巻156号「志摩の漁夫の昔がたり」岩田準一『志摩の海女』岩田準一
ボーズノコ
↓芝天《しばてん》
頰撫で〔ほおなで〕 山梨県南都留郡道志村大羽根でいう怪異。
小暗い小道を通ると、青白い手が暗闇から現れて、ぬっぺりと頰を撫《な》でるという。
同じような怪異は長野県の顔撫ぜ、宮城県のびっくり坂がある。
『道志七里』伊藤堅吉『日本怪談集 妖怪篇』今野円輔編著『綜合日本民俗語彙』民俗学研究所編
棒振り〔ぼーふり〕 高知県吾川郡大崎村寺村（吾川村）、神谷村（伊野町）、越知町野老山《ところやま》でいう音の怪異。
山中で棒を振るような音をたてて通るものと

頬撫で

いう。越智町野老山では夜の山道でビコービコーと鳴ってくるものと伝わっている。

大崎村寺村では、これに出会ったときはうつ伏せになってやり過ごすとよいという。

神谷村ではブリブリともよび、姿を見せず、山中で手杵《てぎね》を振るような音をたてて来るものという。

ある人が紙漉《かみす》き場から張り板を担《かつ》いで山道を歩いていたとき、あまりにも重いので板を立ててひと休みしていると、後ろからブリブリが来て板にぶつかり、引っ繰り返ったという話もある。

音だけの怪異ではなく、目には見えないが実体のある怪異と信じられていたようである。

『日本妖怪変化語彙』日野巌・日野綏彦『旅と伝説』通巻174号「土佐の山村の『妖物と怪異』」　桂井和雄

ホグラ
↓河童

ボコ　岩手県遠野で、炉の灰を掘ると出てくる妖怪。秋田県のアク坊主などと同様、教訓的な妖怪なのであろう。

㊫アク坊主

「遠野物語拾遺」柳田国男

ホゼ　岩手県九戸《くのへ》郡山形村でいう怪異。

十円玉ほどの光る玉がポッポッと飛ぶのを女性が見ることがあり、それを見ることで、女は自分が妊娠したことを知るという。その光が自分の胎内に入ると、それは赤ん坊のホゼになる。

ホゼとは生命力そのものをいうらしく、魂とは別物なのだという。

『日本怪談集　妖怪篇』今野円輔編著

ボゼ　鹿児島県吐噶喇《とから》列島の悪石島でいう精霊や妖怪のこと。

旧暦7月16日の盆踊りには、青年たちの仮装（シュロ皮やビロウ、クバの葉などで身を隠し、仮面を被《かぶ》ったもので、手足には赤い泥を塗る）によるボゼが現れ、ボゼマラとよばれる棒で女性を突っついたり、子供を脅《おど》したりして帰って

細手（細手長手）

行く。ボゼは山からやって来て、再び山に帰っていくという。

『自然と文化』一九八九年秋季号「南九州の草木神」向山勝貞『神々の原郷』小野重朗

細手長手〔ほそてながて〕岩手県遠野でいう怪異。細手の怪ともいう。

座敷わらしの一種とされ、こんな話がある。土淵村字火石（遠野市）の某家の奥座敷に泊まった客人が、神仏を祀る次の間の襖《ふすま》の隙間《すきま》から、細くて長い手が出てくるのを見た。その手はまるで招くような仕草をしていた。

その後、この客人は津波にあって、一家全滅してしまったという。

また、同村の別の家でも、座敷の長押《なげし》から細く赤い手がぶら下がっているのが目撃された。それはちょうど2、3歳の子供ぐらいの手なのだが、腕が二尺（約60㎝）と長く、まるで蔓《つる》のようだった。

その後まもなく、この家は洪水で土蔵や長屋を流されてしまったという。

このように、細手長手は吉凶禍福《きっきょうかふく》の前兆として現れるのだと伝わっている。

(参)座敷わらし

『遠野のザシキワラシとオシラサマ』佐々木喜善

牡丹灯籠〔ぼたんとうろう〕お露《つゆ》という美女の亡霊が、恋する新三郎という若者の元に通い、最後には命を奪ってしまうという怪談。

これは三遊亭円朝（幕末～明治期の噺家《はなしか》）が作った『怪談牡丹灯籠』で、中国明代の怪異小説集『剪灯新話』「牡丹灯記」の翻案とされる。「牡丹灯記」は円朝以前にも『奇異雑談集』や『伽婢子』で和訳され、上田秋成や鶴屋南北なども「牡丹灯記」を下敷きにした「吉備津《きびつ》の釜」や『阿国御前化粧鏡』といった作品を残している。

『日本伝奇伝説大事典』乾克己・小池正胤・志村有広・高橋貢・鳥越文蔵編『洛中洛外怪異ばなし』京都新聞社編『江戸怪談集（中）』高田衛編／校注

払子守

払子守〔ほっすもり〕 鳥山石燕の『画図百器徒然袋』に仏具の払子《ほっす》の妖怪として描かれ、【趙州無の則に、狗子にさへ仏性ありけり。まして伝灯をかかぐる坐禅の床に、九年が間うちふつたる払子の精は、結加趺坐《けっかふざ》の相をもあらはすべしと夢のうちにおもひぬ】とある。【趙州無の則に、狗子にさへ仏性ありけり】は禅宗の趙州和尚の問答の中で、狗子仏性、または趙州狗子とよばれる有名な公案《こうあん》である。犬に仏性があれば、禅寺で長年使われた払子にも仏性があるはずだと石燕はいっている。
『鳥山石燕 画図百鬼夜行』高田衛監修・稲田篤信・田中直日編

骨女〔ほねおんな〕 鳥山石燕の『今昔画図続百鬼』に骨だけの女として描かれ、【これは御伽ぼうこに見えたる年ふる女の骸骨、牡丹の灯籠を携《たずさ》へ、人間の交《まじわり》をなせし形にして、もとは剪灯新話のうちに牡丹灯記とてあり】と記されている。
石燕が描いた骨女は、『伽婢子』「牡丹灯籠」

に出てくる女の亡霊、弥子（三遊亭円朝の『怪談牡丹灯籠』ではお露《つゆ》にあたる）のことをいっている。

　これとは別物だと思うが、『東北怪談の旅』にも骨女という妖怪がある。安永7年〜8年（一七七八年〜一七七九年）の青森に現れたもので、盆の晩、骸骨女がカタリカタリと音をたてて町中を歩いたという。

　この骨女は、生前は醜いといわれていたが、死んでからの骸骨の容姿が優れているので、人々に見せるために出歩くのだという。

　魚の骨をしゃぶることを好み、高僧に出会うと崩れ落ちてしまうという。

㊫牡丹灯籠

『鳥山石燕　画図百鬼夜行』高田衛監修・稲田篤信・田中直日編　『東北怪談の旅』山田野理夫

骨傘〔ほねからかさ〕　鳥山石燕の『画図百器徒然袋』に、鳥のような形をした傘の妖怪として描かれており、【北海に鴟吻と言へる魚あり。かしらは龍のごとく、からだは魚に似て、雲をおこし雨をふらすと。このからかさも雨のゑんによりてかかる形をあらはせしにやと、夢のうちにおもひぬ】とある。

　鴟吻《しふん》とは鴟尾《しび》ともいわれ、鯱《しゃちほこ》のことであるという。

　名古屋城にある金の鯱は有名だが、これは雨を降らすと考えられたことから、火災除けの呪物とされた。

　石燕はこの鴟吻から雨と結び、傘を連想したのだという。

『鳥山石燕　画図百鬼夜行』高田衛監修・稲田篤信・田中直日編

ほのに打てる〔ほのにうてる〕　香川県三豊郡五郷村（大野原町）でいう怪異。山中で不意に気分が悪くなることをいう。

　そういうときは、家に入る前に箕《み》をかざすか、盆の窪の毛を2、3本抜いて道に放るといいと伝えられている。

㊫風

『綜合日本民俗語彙』民俗学研究所編

ホメク　奈良県吉野郡野迫川《のせがわ》村でいう怪異。狐や狸が声を発することをいうもので、遠くから人を呼ぶときにはホーッという高く長い声を出すという。

『綜合日本民俗語彙』民俗学研究所編

ホヤウ　アイヌの人々が伝える、日高から西部の湖沼にいるとされた神または悪神。洞爺湖《とうやこ》などの湖沼の主《ぬし》とされる。

翼を持った蛇で、頭と尾は細く、鼻先が鑿《のみ》のように尖《とが》っている。常に悪臭を放ち、近寄れば皮膚が爛《ただ》れ、焼け死ぬこともあるという。

ホヤウとは蛇のことで、ラプシヌプルクル（羽の生えた魔力を持つ神）、ラプウシオヤウ（翼を持つ蛇神）ともよばれる。

冬は冬眠し、夏場に活動するという蛇の習性から、夏の間や火のそばではその名を口にすることを戒《いまし》められた。そのためサクソモアイェプ（夏にはいわせぬ者）ともいう。

『えぞおばけ列伝』知里真志保編訳　『カメラ紀行　アイヌの神話』文／更科源蔵・写真／掛川源一郎　『アイヌ伝説集』更科源蔵　『人類学雑誌』29巻10号「アイヌの妖怪説話続」吉田巖

法螺〔ほら〕
↓出世螺《しゅっせぼら》

暮露々々団〔ぼろぼろとん〕　鳥山石燕『画図百器徒然袋』にぼろ蒲団《ぶとん》の妖怪として描かれているもので、【普化《ふけ》禅宗を虚無僧《こむそう》と言ふ。虚無空をむねとして、いたるところ薦《こも》むしろに座してもたれりとするゆへ、薦僧《こもそう》とも言ふよし。職人づくし歌合に、暮露暮露《ぼろぼろ》ともよめれば、かの世捨て人のきふるせるぼろぶとんにやと、夢の中におもひぬ】と記されている。

石燕の『画図百器徒然袋』に描かれた妖怪は、吉田兼好の『徒然草』から多く題材を得て描かれている。

暮露々々団《ぼろぼろとん》もその一つで、『徒然草』第115段に出てくる、ぼろぼろのエピソードより創作された妖怪のようである。

暮露暮露団(暮露々々団)

ぼろぼろとは石燕の解説のように普化宗《ふけしゅう》の僧のことで、いわゆる虚無僧のことだという。

この普化宗の僧であるぼろぼろと、ぼろ蒲団を題材に、石燕は暮露々々団という妖怪を描いたのだろう。

『鳥山石燕　画図百鬼夜行』高田衛監修・稲田篤信・田中直日編

ポンエカシ　アイヌ語では「小さい老翁」という意味。

十勝平野東部の池田町や本別町辺りの沼に伝わっている。

頭が禿《は》げたポンエカシ（小さい老爺）だか、ポンフッチ（小さい老婆）だか、どちらかはっきりしないが、ときどき「フンッ」という大きな声を出す。

海に行きたくなると大水を出すという。

『北海道伝説集アイヌ篇』更科源蔵　『日本妖怪変化語彙』日野巌・日野綏彦

ポンフッチ
↓ポンエカシ

ま

マー 沖縄でいう妖怪。牛の鳴き声をする怪物だという。

また、鹿児島県では妖怪を意味する児童語でもある。

『郷土研究』5巻2号「琉球妖怪変化種目一」金城朝永『日本妖怪変化語彙』日野巌・日野綏彦『全国幼児語辞典』友定賢治編

舞首〔まいくび〕『絵本百物語 桃山人夜話』にあるもの。

寛元（一二四三年〜一二四七年）の頃、伊豆国真鶴が崎（神奈川県真鶴町）の祭りのときに、小三太、又重、悪五郎という3人の悪者が、酒の席で喧嘩《けんか》をはじめた。

やがて3人は刀を抜いて争い、互いに斬り落とした首は海に落ちた。ところが3人は首だけになっても争いをやめず、互いに首を食いあい、夜には火を吹き、昼は海水が渦を巻いて巴の様を見せた。そのため、その付近は巴ヶ淵とよば

舞首

た、などと記されている。

しかし、絵の讃には、【三人の博徒勝負のいさかひより事おこりて公にとらはれ、皆死罪になりて、死がいを海にながしけるに、三人が首ひとところによりて、口より炎をはきかけ、たがひにいさかふこと昼夜やむことなし】とあり、本文と違った説明がされている。

『竹原春泉　絵本百物語　桃山人夜話』多田克己編

枕返し〔まくらがえし〕　各地でいう怪異。

朝、目を覚ますと、寝る前は頭の下にあったはずの枕があらぬところへ飛んでいることがある。これは人が寝ているときに枕返しという妖怪が現れて移動させるのだと考えられていた。

その姿は子供や坊主のようにいわれるが、鳥山石燕の『画図百鬼夜行』には小さい仁王のような姿で描かれている。

静岡県磐田郡水窪村山住（浜松市天竜区水窪町山住）では枕小僧とよばれ、家に棲みつく霊のようにいわれる。

山住神社の宮司宅の一室にいたもので、そこに一人で寝ていると、1mに満たない身長の枕小僧が現れて、悪戯《いたずら》をしたり、枕を返したりするといわれていた。

枕小僧は香川県大川郡奥山村（さぬき市多和）でも伝えられ、大窪寺という寺の寺務所で寝ていると現れるという。

子供の姿をしており、寝ている人の足の上にただ立っているだけだが、枕小僧が現れると、身体の自由がきかなくなるという。

東北地方では座敷わらしが枕を返すといわれ、佐々木喜善の『遠野のザシキワラシとオシラサマ』にはいくつかの例話がある。

和歌山県日高郡龍神村小又川では、樹木の精が枕を返すという話が伝わっている。

昔、この辺りにあった檜《ひのき》の大木を、7人（8人とも伝わる）の杣人《そまびと》が切り倒した。

その晩、7人が枕を並べて寝ていると、小坊主が現れて、枕を一つ一つ返していった。翌朝になると、枕を返された7人全員が死んでい

枕返し

という（8人の場合は、経文を唱えていた男だけが助かり、7人が死んでしまう）。これは檜の精のしわざであるとされている。

以上は何者かが現れて枕返しをするというものだが、寺院などでは仏の霊験を物語るときに枕返しが取り上げられることがある。

栃木県下都《しもつ》賀《が》郡大平町の大中寺には枕返しの間という部屋があり、ここで寝ると、寝たときとは枕が逆になっているとか、本尊に足を向けて寝ると枕を返されるとかいわれる。

また、『岐阜の大勢』によれば、美濃国小金田村（岐阜県関市）の白山寺の観音は枕翻《まくらがえし》の観音とよばれ、堂にいると不思議と眠くなるそうで、居眠りをしているときの夢の中で枕が翻《かえ》されれば念願成就の証《あかし》といわれたという。

平安後期に書かれた『大鏡』には、死んでも枕を返すなという遺言だったのに、通常の葬儀をしてしまったために蘇生することができなかった話が、藤原義孝の箇所にみえる。

民俗学者の宮田登は『妖怪の民俗学』の中で

枕返しの俗信について触れており、枕というものは別の世界（夢の中）へ移動するための呪具であり、その別世界に魂が行っている間に枕を返すことは、世界を逆転させてしまうことになるといっている。

つまり、夢は肉体から魂が抜け出て別世界へと行っている状態であり、そのときに枕を動かされると、魂は肉体へ戻ることができなくなってしまうというのである。

そのために昔は枕を蹴飛ばしたり、粗末に扱うことを固く戒《いまし》めたのだという。

枕返しという妖怪は、このような背景に基づいて生まれた妖怪のようである。

㊂座敷わらし、枕小僧

『遠野のザシキワラシとオシラサマ』佐々木喜善　『大中寺の伝説　七不思議』中島俊教　『妖怪の民俗学』宮田登　『綜合日本民俗語彙』民俗学研究所編　『南紀土俗資料』森彦太郎編　『紀伊日高民話伝説集』日高地方公民館連絡協議会編　『紀州おばけ話』和田寛　『大語園』巌谷小波編　『鳥山石燕　画図百鬼夜行』高田衛監修・稲田篤信・田中直日編

枕小僧〔まくらこぞう〕静岡県周智《しゅうち》郡奥山村（浜松市天竜区水窪町）でいう妖怪。

山住神社の宮司宅の一室にいたもので、一人でその間に寝ていると、三尺（約90㎝）くらいのものが現れて、悪戯《いたずら》したり枕を返したりしたという。

㊂枕返し

『遠野のザシキワラシとオシラサマ』佐々木喜善

孫太郎〔まごたろう〕

↓手洗鬼《てあらいおに》

マジムン　沖縄県沖縄本島でいう妖怪の総称。マジモンともいう。

人間、動植物、器物などが化けた魔物という意味。アフィラーマジムン、牛マジムンなどと、なになにマジムンというような使い方をされる。

『郷土研究』5巻2号「琉球妖怪変化種目一」金城朝永　『日本妖怪変化語彙』日野巖・

日野綏彦『全国幼児語辞典』友定賢治編

マジモン
↓マジムン

マジャムン
↓マジムン

魔筋〔ますじ〕
↓縄筋《なわすじ》

マズムヌ
↓マジムン

待ち犬〔まちいぬ〕
↓送り犬

松の精霊〔まつのせいれい〕『古今百物語評判』に「参州加茂郡長興寺門前の松童子にばけたる事」としてあるもの。

昔、三河国（愛知県）加茂郡の長興寺の門前に二龍松という古い2本の松があり、その松の精霊が2人の童子姿となって寺の者に硯と紙を所望し、「客路三川風露秋（かくろさんせんふうろのあき）　袈裟一角事二勝遊一（けさいつかくしやうゆふをことす）　二龍松樹千年寺（じ

松の精霊

りやうしようじゆせんねんのてら）古殿苔深僧白頭（こでんこけふかしてそうはくとう）」の句を残したという。

　他にも山形市の千歳山に伝わる松の精霊と阿《あ》古耶姫《こやひめ》の話など、松の精霊が人の姿となって現れた話は多い。

『続百物語怪談集成』太刀川清校訂・高田衛・原道生編『信達民譚集』近藤喜一

マド　徳島県三好郡三名村（山城町）、那賀郡、海部郡でいう妖怪。

　徳島県那賀郡、海部郡の境にあたる切越峠では、全身が毛に覆われた六尺（約1m80cm）あまりの化け物のことをいい、農具である鎌をうまそうに食うという。

『土佐の妖怪』市原麟一郎『綜合日本民俗語彙』民俗学研究所編

マドウクシャ
→火車《かしゃ》

マドー　群馬県多野《たの》郡でいう妖怪で、マドウカともいう。

　上野村ではマドーモンといって、姿はなく恐ろしいものとして伝わる。葬式のときに嵐を起こし、遺体を奪ってしまう。これは火車《かしゃ》のことをいっているらしい。

　また万場町（神流《かんな》町）では子供が隠れんぼをしていると神隠しにしてしまう妖怪としている。隠されたときは屋根に昇って「戻せ、返せ」と鉦《かね》を叩き箕《み》を振るそうである。

(参)火車、隠し神
『日本民俗文化資料集成　七　憑きもの』「群馬の憑きもの」後藤忠夫『綜合日本民俗語彙』民俗学研究所編

マブイ　沖縄でいう霊魂のことで、魂と表記される。生霊《いきりょう》にあたるものはイチマブイ、死霊にあたるものはシニマブイなどという。

　マブイは驚いた瞬間に抜け出てしまう場合があり、これをマブイ落《う》としという。

　抜け出た人には病気や無気力など、さまざまな障害が起こる。離れたマブイを取り戻すにはユタ（巫女《みこ》）に頼んで、マブイツケ、マブイコメをしてもらうという。

『日本妖怪変化語彙』日野巖・日野綏彦『旅と伝説』通巻184号「まぶり・たましひ」金久正『沖縄の御願ことば辞典』高橋恵子

マブイ落とし〔まぶいうとし〕

↓マブイ

マブイ籠め〔まぶいこめ〕

↓マブイ

魔法様〔まほうさま〕

↓キュウモウ狸

猯〔まみ〕 魔魅とも表記する。狸の異称。東京都港区麻布狸穴町はマミアナと読むことからも、狸と同一視していたことが分かる。

しかし『和漢三才図会』では狸とは違う動物とされ、山間の穴に棲むもので、形は小さい猪狆《ぶたのこ》に似ており、その肉は土気を帯びて、野獣の中では最も甘美で、痩せた人や水膨れが癒えないで死に瀕《ひん》した者を治すなどとある。

西日本でいう豆狸は、マミ狸、つまりこの猯《まみ》のことをいうらしい。

㊂狸、豆狸

『和漢三才図会』寺島良安編・島田勇雄・竹島淳夫・樋口元巳訳注『日本妖怪変化語彙』日野巖・日野綏彦『日本未確認生物事典』笹間良彦

豆狸〔まめだぬき〕 西日本でいう化け狸。猯《まみ》の転訛《てんか》だともいわれる。

山陽地方ではマメダとよんでおり、山村の納《なん》戸《ど》にいるものとされる。旧家の納戸に入ると、ときおり3歳～4歳児くらいの大きさの白髪《しらが》の老婆が、ちょこんと座っていることがあるそうである。

また、酒造が盛んな兵庫県灘では、かつては酒蔵に豆狸が1、2匹くらいいないと、良い酒ができないといわれていた。

この地方の豆狸は、夜中に酒樽から酒がこぼれるような音をたてたり、箒《ほうき》を持って走るような音をたてたという。

徳島県の豆狸は、夜になると山頂に火を灯《とも》すといい、この火が現れた翌日は必ず雨天になる

豆狸

と伝わっている。

豆狸は人に憑く性質もあるようで、特に大阪の豆狸は、人によく憑いて困らせたそうである。岡田建文の『動物界霊異誌』には、次のような報告がある。

明治40年（一九〇七年）に大阪市東区谷町7丁目（大阪市中央区）の某に豆狸が憑いて、医者ではどうしようもないため霊能力者がよばれた。霊能力者が患者の部屋に入ると、書棚の後ろに2、3匹の豆狸が見えたが、他の家族には見えなかった。

やがて霊能力者が術を施すと、患者の左腕に瘤《こぶ》ができて、それが手首から人さし指に移動していった。すると指先から、灰色の水飴《みずあめ》のようなものが出てきて畳に落ちた。それは小さな饅《まん》頭《じゅう》ほどの大きさになり、迅速にキリキリと旋回した後に動かなくなった。

そのとき、たまたま巡査が巡回に来て、家の戸口に立つと、その饅頭のようなものは突然すごい勢いで巡査の胸に取りついた。それと同時に巡査は狂乱状態になり、サーベルを振りまわしながら谷町8丁目の方に疾走した。

その後、巡査がどうなったかは分からないが、患者はそれきり全快したという。

これらと同じものかどうかは分からないが、『絵本百物語　桃山人夜話』にも豆狸の話があるので、紹介しておく。

豆狸の大きさは犬と同じぐらいで、いたって賢く、普通の狸とは違うものである。西国に多く、東国には少ない。人を誑《たぶら》かすときには陰嚢《いんのう》を広げて座敷に見せかけるか、あるいはこれを被《かぶ》って異形の形を現す。

元禄（一六八八年～一七〇四年）の頃、南部藩の魯山という俳諧師《はいかいし》が日向（宮崎県）の高千穂を訪れたとき、一人の風雅の友に出会った。誘われるままにその人の家に泊まったところ、さまざまな御馳走《ちそう》でもてなされた。

やがてその主人と両吟の連句をはじめたが、魯山が煙草《たばこ》の吸い殻を座敷に落とした途端、八畳敷の座敷は一気に捲《まく》り上げられた。

気がつくと、魯山は野原に投げ出されていて、辺《あた》りには家らしきものは見当たらなかった。もちろん、さきほどの風流人もいない。

不思議なことだと里人《さとびと》に語ると、それは狸のしわざだといわれたという。

『日本妖怪変化語彙』日野巌・日野綏彦　『旅と伝説』通巻28号「豆狸の話」鷲尾三郎　『動物界霊異誌』岡田建文　『自然と文化』一九八四秋季号「山陽路の妖怪」平川林木　『竹原春泉 絵本百物語 桃山人夜話』多田克己編

魔物筋〔まものすじ〕

↓縄筋《なわすじ》

麻桶毛〔まゆげ〕

↓麻桶《あさおけ》の毛

マユンガナシ　沖縄県石垣市市川平でいう来訪神。真世神司などと表記される。

節祭のときに異郷から神が来訪し、蓑笠姿で家々を訪問しては、家族繁栄、豊穣を祝福する祝詞《のりと》を唱える。

『自然と文化』一九八九秋季号「琉球列島の草

迷い家

荘神」比嘉康雄

迷い家〔まよいが〕岩手県遠野でいう怪異。山中にある無人の屋敷で、いつの間にか迷い込むことから迷い家という。

人の気配がないのに火鉢には湯気が立ち上る鉄瓶《てつびん》がかかり、廏《うまや》には馬もいる。こういう家に行きあたった者は、どんな物でもいいから品物を持って帰るものだといわれる。

ある欲のない女は、山男の家ではないかと思って急に恐ろしくなり、何も持ち出さずに逃げ帰った。

後日、川で洗い物をしていると、川上から赤い椀《わん》が流れてきた。これを穀物を量る器にしたところ、穀物が減らなくなり、その家は栄える一方になったという。

女が無欲だったため、椀のほうから女のもとにやってきたのだといわれる。

この不思議な屋敷に再度行こうと思っても、それらしい屋敷は見あたらないそうである。

『遠野物語』柳田国男　『綜合日本民俗語彙』

民俗学研究所編

迷い火〔まよいび〕　山口県岩国市の怪談を集めた『岩邑怪談録』にある怪火。

山田某という者が尾津というところの沖へ遊びに行き、暮れになって帰ると、天地の沖から迷い火が多く現れ出た。その火の中には、たくさんの人の顔が見えたという。

迷いとは成仏できない霊のことだろうか。

『岩邑怪談録』広瀬喜尚

迷い船〔まよいぶね〕　福岡県遠賀《おんが》郡、玄海町（宗像市）でいう海上の怪異。船幽霊の類。

盆の月によく現れるもので、月の明るい晩、風に逆らって行く帆船を見たり、周囲に何もないのに人の声を聞いたりするという。

玄海町鐘崎（宗像市）では迷い船が出るのは盆の内だけに限られているそうで、盆の15日の晩に漁に出ることはタブーとされていた。

昔、4人の漁師がそのタブーを守らずに鯖《さば》漁に出て大漁に恵まれたが、海面に人の首が浮かんで、笑ったり転がったりしはじめたので、急

迷い船

見上入道（見上げ入道）

いで逃げ帰ると、魚と思ったのはすべて草鞋《わらじ》で、しばらくしてから4人は狂い死にしたという話が伝わっている。
福岡県の沿岸では、遭難者の浮かばれない霊のことを迷いという。暴風雨の夜、海上で怪火を見ることがあり、これを迷い仏とか、迷いなどとよぶ。迷い船も、そうした浮かばれぬ遭難者の霊のしわざとされている。
㊂船幽霊
『旅と伝説』通巻56号「船幽霊など」桜田勝徳
『綜合日本民俗語彙』民俗学研究所編

み

見上げ入道〔みあげにゅうどう〕　新潟県佐渡島でいう妖怪。見越し入道の類。

夜中に小さな坂道を登って行くと現れる。はじめは小坊主のような形で行く手に立ち塞《ふさ》がり、おやと思って見上げると高くなって、見ている者は後ろに倒れてしまう。

これに出会ったときは、「見上げ入道、見越した」という呪文を唱え、前に打ち伏せば消えてしまうという。

㊫見越し入道、次第高《しだいだか》、高入道《たかにゅうどう》、高坊主《たかぼうず》、入道坊主、伸び上がり、乗り越し、ユーリー

『佐渡の昔話』不苦楽庵主人　『妖怪談義』柳田国男

ミカエリバアサン

→ミカリ婆

ミカリ婆〔みかりばばあ〕　神奈川県、千葉県、東京都などでいう妖怪。箕借《みか》り婆、目借《めか》り婆さん、ミカワリ婆ともいう。

土地ごとに若干の違いがあるが、旧暦12月8日もしくは2月8日に家に訪れるという一つ目の婆さんで、箕《み》や人間の目を借りていってしまうという。そのため、12月8日もしくは2月8日には、ミカリ婆が来ないように各家で籠《かご》や笊《ざる》を棟や戸口に出しておいた。

ミカリ婆は一つ目のため、たくさん目（編み目）があるものを怖がるからだという。

逆に、目が多いので喜ぶという土地もある。

みかり婆（ミカリ婆）

横浜市港北区鳥山町裏ノ谷戸には、12月8日にミカリ婆が来るという。ミカリ婆が来ないように、12月1日にはツヂョー団子を作って、串に3個刺して戸口に出しておく。

ツヂョー団子とは、庭に落ちこぼれた米で作った土穂団子のことである。ミカリ婆はとても欲張りで、火をくわえて飛んできて、土に落ちた米粒までも拾うという。

そのため、あらかじめツヂョー団子を作ってミカリ婆が来ないようにするのだが、それでも12月8日になるとミカリ婆はやって来るので、目のたくさんある目籠や笊を棟に上げたり、戸口に出しておくのだという。

その他、横浜市の各地域では、一つ目小僧や八つ目小僧、ヨウカゾウ（ヨウカドウ）という厄神とともに現れるなどと、狭い地域内でもさまざまにいわれているようである。

12月8日、2月8日というのは、民俗行事の事八日《ことようか》の日にあたる。

事《こと》とは祭りとか斎事のことを意味しており、12月8日を一年の行事の終わりとして正月を迎え、2月8日は正月明けとするが、正月行事そのものを事ととらえる地方では逆に伝えている。

事八日は地方により解釈が違うが、だいたいは12月と2月の8日を節日《せちにち》とし、餅を搗《つ》いたり、麦飯を炊いたりして忌籠《いみごも》りをする。この日は仕事をせず、家に籠《こも》っていなければならないとする地域が多い。

物忌《ものいみ》の期間中は家に籠っているわけだが、この祭事のための忌籠りが、いつしか化け物が来るから家の中に籠もる、と解釈されたようである。

ミカワリまたはミカリという言葉は、千葉県の辺りでは物忌という意味として使われていたことから、ミカリ婆とは事八日の祭事の産物であると考えられる。

(参)一つ目小僧

『事八日』「ミカリ婆さんの伝承」大谷忠雄『事八日』「ミカワリと三隣亡」小島瓔禮『民間伝承』通巻120号・121号「ミカリバアサンの

日」石井進『民間伝承』通巻145号「ミカリバアサマの日　続」稲垣純男　『民間信仰辞典』桜井徳太郎編

見越し入道〔みこしにゅうどう〕　各地の民俗資料や『宿直草』『煙霞綺談』『百物語評判』といった怪談本、随筆などに見られる。

見上げれば見上げるほど大きくなる妖怪で、夜道や坂道の突きあたりに現れる。

これに類する妖怪はほぼ全国に分布しており、見越し入道（御輿《みこし》入道も含む）もしくは見越しという呼称の分布においては、北は福島県、南は熊本県に及ぶ。

正体不明とする地方が多いのだが、狐狸や鼬《いたち》といった、変化能力に優れた動物のしわざだとする土地もある。

福島県南会津郡檜枝岐《ひのえまた》では鼬が化けたものとし、見上げれば見上げるほど大きくなっていく。これにつられて顔を上げていくと、喉笛《のどぶえ》を鼬に嚙《か》みつかれて殺されるという。

檜枝岐での見越し入道は手桶や鉈《なた》、提灯など、手に必ず何か持っており、その持ち物こそが鼬の本体なのだという。そのため、持ち物を狙って叩き殺せば退治できるそうである。

見越し入道の正体を狐狸だとするのは古い文献にも見られ、『宿直草』にも狸が見越し入道に化けるなどの記述が見える。

『煙霞綺談』には見越し入道に出会った者が熱病に罹《かか》ったという話があり、一種の疫病神だとしている。

民俗伝承には疫病をもたらした話は見られないが、命を奪うとは各地でいうことである。

岡山県小田郡では、見越し入道に出会ったら頭のほうから足元にかけて見ていかねばならないといい、逆に足元から頭のほうを見上げると、見越し入道に食われてしまうという。

長崎県壱岐島では、志原村平川堤の旧街道によく現れたそうで、頭の上でワラワラワラという笹の葉の音をたてる。「見越し入道、見抜いたぞ」といえば消え失せてしまうが、そのとき黙って通ると、竹が前に落ちてきてその人は死んでしまうという。

見越し入道に出会ったときの対処としては、「見越した」「見抜いた」と唱えるほか、度胸を据えて煙草《たばこ》を吸っていたら消えたとか（神奈川）、差金《さしがね》で見越し入道の高さを測ろうとしたら消えた（静岡）などの例もある。

余談になるが、岡山県の一部地方ではがんばり入道と混同されているようで、便所に現れて「尻を拭こうか、尻を拭こうか」といったとか（これは狐が化けていたという）、大晦日の夜に便所で「見越し入道ホトトギス」を三遍唱えると、必ず見越し入道が現れるなどといわれている。

㊂次第高《しだいだか》、高入道《たかにゅうどう》、高坊主《たかぼうず》、入道坊主、伸び上がり、乗り越し、見上げ入道、ユーリー

『岡山の怪談』佐藤米司　『壱岐島民俗誌』山口麻太郎　『檜枝岐民俗誌』今野円輔　『民間伝承』通巻47号「妖怪名彙」伊藤最子　『民間伝承』通巻35号「妖怪の名前」佐伯隆治　『日本怪談集　妖怪篇』今野円輔編著　『江戸怪談集（上）』高田衛編／校注　『綜合日本民俗語彙』民俗学研究所編

ミサキ　本来は主神に従属してその神の先駆《さきが》けとなる神や、主神の使いを意味する。狐は稲荷神のミサキであり、烏は熊野や厳島《いつくしま》信仰のミサキとされている。

このミサキが憑き物と結びついているのは西日本に多く、岡山県南部地方でいうミサキは狐の憑き物を意味する。

西日本では、ミサキといえば祀られることのない霊を指す場合が多く、不慮の死をとげた人の霊が怨霊と化し、人に憑いて病気にすることをいう。

多くの場合、ミサキは風を伴うものとされ、ミサキ風などといって、この風にあたると熱病になるというのは、広くいわれていることである。

㊂風

『民間信仰辞典』桜井徳太郎編　『日本妖怪変化語彙』日野巌・日野綏彦　『綜合日本民俗語

飯笥《みしげー》（飯笥マジムン）

彙』民俗学研究所編

ミサキ風〔みさきかぜ〕

→ミサキ

飯笥マジムン〔みしげーまじむん〕　沖縄県でいう器物の妖怪。古くなった杓文字《しゃもじ》が化けたもので、鍋笥《なびげー》（杓子《しゃくし》）の場合は鍋笥マジムンという。

ある農民が夜道でうずくまっている一頭の牛を見つけ、自分の牛小屋に入れて砂糖黍《さとうきび》の葉を与えると、これが実によく食べた。

翌朝、牛小屋を覗《のぞ》いてみると、そこには牛の姿はなく、うず高く積み上げられた黍《きび》の上に1本の杓文字があるだけだった。

また、夜中に戸を叩くものがあるので開けてみたら、1本の杓文字があるだけだったなどの話がある。

こういう怪異があるので、古くなった杓文字や杓子は捨てるものではないという。

捨てられた器物は夜中のゴミ捨て場で毛遊《もうあそ》び（夜間、野外で男女が遊ぶこと）をするといわれ、こんな話がある。

夜中に蛇皮《じゃび》線《せん》の賑やかな音がするので、ある男が頬被《ほおかむ》りして仲間に入り、さんざん飲んだり舞ったりしているうちに夜明けとなった。1人、2人と去って皆いなくなったが、その男は疲れたのでそのまま寝てしまった。

目が覚めてみたら、そこは杓文字や杓子、箸などが散乱する床下だったという。

『郷土研究』5巻3号「琉球妖怪変化種目二」金城朝永　『日本怪談集　妖怪篇』今野円輔編著

水蜘蛛〔みずぐも〕

→女郎蜘蛛《じょろうぐも》

水の精〔みずのせい〕『今昔物語集』にある怪異。

ある夏の夜、陽成院の御殿の池近くに住む者が西の台所で寝ていると、三尺（約90㎝）ばかりの翁《おきな》が現れて、しきりに人の顔を撫《な》でまわした。男が眠ったふりをして見ていると、その翁は池の辺りで消えてしまった。

水精《すいせい》の翁《おきな》（水の精）

この噂を聞いたある武士が、その正体を暴《あば》こうと待ち伏せしていると、夜半過ぎに件《くだん》の翁が現れた。武士はすぐさま翁を縛り上げ、火を灯《とも》してみると、それは浅黄《あさぎ》の裃《かみしも》を着た翁だった。

話しかけても返事をせず、しばらくすると「盥《たらい》に水を入れてくれないか」というので、大きな盥に水を入れて持ってきてやった。

翁は首を伸ばして盥の中の水影を見ると、「我は水の精ぞ」と叫んで水に入ってしまい、後にはただ縄だけが残っていた。

盥の水をそっくり池の中へ流したが、それ以降は二度と現れなかったという。

『今昔物語集』馬淵和夫・国東文麿・今野達校注/訳『日本神話と伝説』藤沢衛彦

溝出〔みぞいだし〕『絵本百物語 桃山人夜話』にあるもので、葛籠《つづら》から白骨が抜け出ている様が描かれ、【ある貧人の死したるを、すべきやうなければつづらに入て捨てたりしに、骨と皮とおのずから別て、白骨つづらを被おどりくるしとぞ】と記されている。

溝出

どんな人間でも、遺体を粗末に扱うと必ず怪異があるということを意味しているらしいが、溝出《みぞいだし》の名前は『絵本百物語　桃山人夜話』以外に見あたらず、詳細は不明である。

『竹原春泉　絵本百物語　桃山人夜話』多田克己編

ミソカヨー　長野県南佐久郡でいう怪異。

この地方では大晦日に山へ入ることを忌む風習があり、これを破ると、山中で「ミソカヨーイ」という叫び声を聞くという。何者かと振り返ろうとしても首が回らないといわれる。山の神や鬼のしわざとされている。

北牧村馬越（小海町）では、天狗が「みそかだぞう」と声をあげるといって、こちらも同じ言葉を叫べばよいが、黙っていると天狗に攫《さら》われてしまうという。

『南佐久郡口碑伝説集』南佐久教育会編　『旅と伝説』通巻128号「南佐久郡北牧村民俗語彙」武田明　『綜合日本民俗語彙』民俗学研究所編

御嶽山六石坊〔みたけざんろくせきぼう〕　長野県御嶽山《おんたけさん》でいう天狗。六尺坊ともいう。密教系の祈禱秘経『天狗経』にある全国代表四十八天狗の一つに数えられている。
㊂天狗
『天狗考　上』知切光歳　『図集天狗列伝　東日本編』知切光歳

ミチバタ
→キジムナー

虬〔みづち、みずち〕　蛟、蛟龍とも書く。古い時代に信じられた蛇神で、『日本書紀』には仁徳《にんとく》天皇の時代の話として次のようにある。

吉備中国（岡山県倉敷市玉島）の川嶋川（高梁川）の分岐する所に虬がいた。その毒気にあてられて通行人が死んでしまうので、笠臣《かさのおみ》の祖、県守《あがたもり》という者が退治することになった。

県守は淵に3個の瓢簞《ひょうたん》を投げ入れ、これを沈められたら自分は負けとするが、沈められなければ退治すると宣言した。

虬は鹿に化けて瓢簞を沈めようとするが、ついに沈めることができず、県守は水に入って虬を退治したという。

ミヅチのミヅは水を意味しており、チはノヅチ、イカヅチなどに共通するチで、物の精霊を表す古語とされている。すなわち、ミヅチは水の精霊を意味することになる。

ミヅチは蛟龍、蛟なども書くが、これは中国由来の龍の一種のことである。

『和漢三才図会』は中国の『本草綱目』を引いて次のように解説している。

蛟は龍属である。長さは一丈（約3m）あまり、蛇に似て鱗《うろこ》がある。四足で、形は広く楯のようである。小頭で頸《くび》は細く、頸のまわりに輪のように白い模様がある。

よく魚を率いて飛ぶが、鼈《すっぽん》がいれば魚はその難から免れる。

『山海経』によれば、魚が2600匹になると、蛟が来て、その長《おさ》となるという。

また、閩中《びんちゅう》（福建省）で不時に暴雨があり、山水が溢れて家々が流出したが、土地の者は蛟が出てきたからだといった。

蛟や蜃《しん》が歳久しく山穴に隠れていると変化して、必ず風雨を呼んで出てくる。後に龍となり、あるいは海に入るという、などとある。

『日本未確認生物事典』によれば、日本の虬は、たまたま中国の蛟龍にあてはめたものだとしている。

いずれにしてもミヅチは水神の性格を有した蛇神とされていたようで、日本各地に伝説として語られている。

また、東北や北陸では河童のことをミヅチ、ミヅシ、メドチなどとよぶが、これはミヅチに由来した名前であることは間違いない。

『日本神話と伝説』藤沢衛彦　『日本未確認生物事典』笹間良彦　『和漢三才図会』寺島良安編・島田勇雄・竹島淳夫・樋口元巳訳注　『河童考』飯田道夫

ミッツドン

↓河童

三目八面〔みつめやづら〕　高知県土佐郡土佐山村高川の中山でいう妖怪。

目が3つに顔が8つある妖怪で、通行人を襲っては食っていたという。

これを土佐山の豪族永野若狭守の弟である注連太夫という者が聞いて、山鎮めの御幣《ごへい》を立てた後に三目八面のいる山へ火を放った。

すると、三目八面は暴れに暴れまくり、やがて地響きをたてて死んでしまった。

このとき、山は焼けたものの鎮めのために立てた御幣だけは残っていた。高川集落には、この話にちなんで、鎮め石、鎮め所という字名《あざな》があるという。

三目八面の姿については目が3つに顔が8つあるというだけで、これだけではどんな姿をしているのか分からない。

伝説の最後には、死骸は隣村へ跨《また》がるほどあったとあるので、蛇のような長い身体を持っていたのかもしれない。そうすると、高知県香美郡物部《ものべ》村で語られている八《や》面頰《つらお》と同じである可能性もある。

『土佐の伝説』桂井和雄

蓑火

蓑火〔みのび〕 滋賀県の琵琶湖でいう怪火。

5月頃、淋雨《りんう》濛々《もうもう》とした夜など、湖水を往来する船人の蓑に、蛍のような火が点々とつく。そのとき、静かに蓑を脱ぎ捨てれば火は消えるが、慌《あわ》てて火を払ったりすると、微塵《みじん》に砕けてますます火が増えるという。

これは琵琶湖で溺死した人たちの怨霊の火だと伝わるが、この話を自著で紹介した井上円了は、一種のガスによる現象だとしている。

蓑火と同じ怪異は各地にみられ、新潟県や福井県では蓑虫または蓑ボシ、千葉県印旛《いんば》沼《ぬま》では川蛍、鳥取県では牛鬼《うしおに》などとよんでいる。

また、鳥山石燕の『今昔百鬼拾遺』にも蓑火という怪火が描かれており、【田舎道などによなよな火のみゆるは多くは狐火なり。この雨にきるたみのの嶋とよみし蓑より火の出しは陰中の陽気か。又は耕作に苦める百姓の臑の火なるべし】とある。

【たみのの嶋】とは難波七瀬の一つ田蓑嶋のことで、『古今和歌集』の紀貫之の歌などで詠《よ》まれているが、この地には蓑火のような話は伝わっていないようである。

㊜蓑虫、川蛍、鳥取の牛鬼
『不思議辨妄』井上円了 『井上円了妖怪学講義』平野威馬雄編著 『怪し火・ばかされ探訪』角田義治 『鳥山石燕 画図百鬼夜行』高田衛監修・稲田篤信・田中直日編

蓑虫〔みのむし〕 秋田県仙北郡、新潟県中蒲原郡、新潟市、三条市、福井県坂井郡などでいう怪火。新潟県では蓑虫の火、蓑ボシともいう。

雨の降る晩、夜道や船中で蓑に蛍のような火が取りつくことがあり、これを蓑虫という。狼《ろう》狽《ばい》して払うと、火は数を増やして身体中を包むようになり、火勢はますます熾烈《しれつ》になる。

蓑に限らず、傘や衣服にもつくといい、雨が降っていなくても出ることもあるという。

大勢でいるときでも一人にしか見えないことがあり、そういう状態を蓑虫に憑かれたという。逆に、そこに居合わせた者全員に取り憑くこともある。これに憑かれたときはマッチなどで火を灯《とも》すか、慌てずにじっとしていれば消えてしまう。

火とはいっても熱くはなく、物を燃やすこともない。この怪火は信濃川流域に多いといわれ、中蒲原郡大秋村では、秋が最も出やすい時期だという。『北越奇談』や三条市の伝承では、笠の雫《しずく》が火の粉に見えることを蓑虫といっている。

福井県坂井郡では、雨の晩に野道を行くと、笠の雫の大きいものが正面に垂れ下がり、払おうとすると脇に退き、やがて大きな水玉となって下がって、次第に数が増えて目を眩《くら》ませるものを蓑虫というそうである。大工と石屋にだけはつかないという特徴を伝えている。

また、秋田県仙北郡角館《かくのだて》町付近では、寒い晴れた日に、蓑や被《かぶ》り物の端についてキラキラ光るものを蓑虫とよび、いくら払っても尽きないものだという。

これらの怪異を狐狸のしわざとする場合もあり、新潟県では鼬《いたち》、三条市では狐、坂井郡ではこれを狸のしわざとしている。

同じような怪異は滋賀県琵琶湖の蓑火、千葉県印旛沼の川蛍《かわぼたる》、鳥取の牛鬼《うしおに》などがある。

(参)蓑火、川蛍、鳥取の牛鬼

『越後三條南郷談』外山暦郎『井上円了妖怪学講義』平野威馬雄編著『妖怪談義』柳田国男『北越奇談』崑崙橘茂世『旅と伝説』通巻77号「雪道を歩む」武藤鉄城

蓑草鞋〔みのわらじ〕 鳥山石燕の『画図百器徒然袋』に、身体が蓑と草鞋《わらじ》になった妖怪として描かれたもので、【雪は鵝毛に似て飛でさんらんし、人は鶴裳をきてたつて徘徊せし、その蓑の妖くはゐにやと、夢の中におもひぬ】と記されている。

石燕は多くの妖怪を描いているが、そのほとんどが絵解き遊びの要素が含まれている。この妖怪も、蓑と草鞋の付喪神《つくもがみ》というよりは、遊び絵として描かれたものと思われる。

『鳥山石燕 画図百鬼夜行』高田衛監修・稲田篤信・田中直日編

耳切り坊主〔みみちりぼーじ〕 沖縄県でいう

妖怪もしくは幽霊。

黒金座主という天台宗の僧が幻術を悪用したため大村御殿という人物に殺され、その怨霊が耳切り坊主になったという。

沖縄の子守唄には、鎌や小刀で耳を切るような化け物として歌われている。

『折口信夫全集 16』「沖縄採訪手帖」折口信夫『日本妖怪変化語彙』日野巌・日野綏彦『郷土研究』5巻2号「琉球妖怪変化種目 一」金城朝永『旅と伝説』通巻17号「琉球の伝説」金城朝永

耳なし芳一〔みみなしほういち〕小泉八雲の『怪談』でよく知られるようになった、平家の怨霊に悩まされる盲目の琵琶法師。

長州（山口県）赤間ヶ関にいた琵琶法師の芳一は、『平家物語』の壇ノ浦合戦を語らせると鬼神でさえ涙を流すといわれるほどの琵琶の名手だった。

ある夜、阿弥陀《あみだ》寺に身を寄せていると、芳一の琵琶の魅力にひかれて平家の亡霊が現れ、安

耳なし芳一

徳天皇陵の前で壇ノ浦合戦の段を語ることになった。

それが幾日か続いたので、命が危ないと察した阿弥陀寺の和尚は、魔除けとして芳一の身体に経文《きょうもん》を書きつけたが、耳だけ書き忘れてしまったため、夜になって現れた平家の亡霊に耳をちぎられてしまった。

芳一は耳はなくなったものの、それ以降は琵琶法師としての名声がますます高まり、裕福に暮らしたという。

小泉八雲以前にもこの話は『臥遊奇談』などの江戸期の書物に見え、また、同様の話が各地で昔話として語られ、琵琶法師の名前も、うん市や団市などと違う名前になっている。

『日本伝奇伝説大事典』乾克己・小池正胤・志村有広・高橋貢・鳥越文蔵編　『神話伝説辞典』朝倉治彦・井之口章次・岡野弘彦・松前健編

妙義山日光坊〔みょうぎざんにっこうぼう〕群馬県妙義山でいう天狗。密教系の祈禱秘経『天狗経』にある全国代表四十八天狗の一つに数えられている。

(参)天狗

『天狗考　上』知切光歳　『図集天狗列伝　東日本編』知切光歳

妙高山足立坊〔みょうこうさんあしだてぼう〕新潟県妙高山でいう天狗。密教系の祈禱秘経『天狗経』にある全国代表四十八天狗の一つに数えられている。

(参)天狗

『天狗考　上』知切光歳　『図集天狗列伝　東日本編』知切光歳

妙多羅天女〔みょうたらてんにょ〕

↓弥三郎婆《やさぶろうばばあ》

ミンキラウヮー　鹿児島県奄美大島でいう妖怪で、耳無豚と表記される。

夕方や夜間に一人で道を歩いていると、向こうから耳のない仔豚《こぶた》のようなものがやって来て、しきりに人の股を潜《くぐ》ろうとする。股を潜られると、命を取られるか、性器をだめにされてしまうという。

耳無豚《みんきちうわ》(ミンキラウヮー)

これを避けるには、とっさに足を交差させて立てばよいという。その状態で股を潜られても、何の災いもないそうである。

出現場所は大体決まっていたそうで、名瀬市内だけでも3、4ヵ所あったという。1匹、もしくは複数で現れ、その出現時にはクレゾールのような匂いがするという。

また、ミンキラウヮーは影がないともいわれる。

参カタキラウヮ、ユナワ

『奄美怪異談抄(稿本)』恵原義盛 『日本怪談集 妖怪篇』今野円輔編著 『自然と文化』一九八四秋季号「奄美大島の妖怪」恵原義盛

ミンツチ アイヌの人々に伝わる河童。

昔、アイヌの世界をオキクルミ神が治めていた頃、海から大勢の疱瘡神《ほうそうがみ》が訪れて、たくさんのアイヌたちが病に倒れた。

そこで、オキクルミ神は61体のチシナプカムイ(蓬《よもぎ》を十字に組んで作った人形)を作って疱瘡神と戦わせた。

60体のチシナプカムイは戦死したが、最後に残ったチシナプカムイの大将によって、疱瘡神は全滅した。この戦いで水死したチシナプカムイがミンツチになったと伝説は伝える。

魚族を支配する神でもあり、漁師たちに漁運を授けるが、それと引き換えに水死者の犠牲も増えるという。

人間や牛馬を水に引き込んだり、人に憑いたりと、ふるまいは本土の河童とあまり変わらないが、悪さをするだけではなく、旭川や沙流《さる》川《がわ》では人を守護するミンツチの話もある。

その姿は土地によって多少の違いがあるようで、日高静内町の染退川では12歳くらいの子供のようで、よく石の上にいるとし、石狩川では頭が禿《は》げて男女の区別があるもの、十勝平野東部の池田町では小さい老婆だか老爺だか分からない姿で、ときどき「フンッ」という大きな音をたてるという。

ミンツチという呼称は、本土の影響からか東北地方に広く分布するミヅチ系の呼称に属する

ミンツチ

といわれる。

アイヌの古老によれば、ミンツチとは本土の人がいうものであり、アイヌにはシリシャマイヌ（山側の人）という独自の呼称があるという。

ミンツチは山の狩猟で獲物をもたらすものとも信じられており、禿頭《はげあたま》であるという特徴や山側の人という異名を持つことから、山の神の性質も兼ね備えているようである。

『河童の世界』を著した石川純一郎は、ミンツチは本土の河童の影響はかなり受けているものの、根底にはアイヌの信仰基盤の上に成立した特異なものだとしている。

㊜河童、ポンエカシ、キムナイヌ
『河童の世界』石川純一郎　『北海道伝説集アイヌ篇』更科源蔵　『山東民譚集』柳田国男

ミンツチカムイ
↓ミンツチ

ミンツトノ
↓ミンツチ

む

ムィティチゴロ　鹿児島県徳之島阿布木名でいう妖怪。

ある場所を夜通ると、一つ目の豚に出会うという。これをムィティチゴロとよんでいる。

しきりに人の股を潜《くぐ》ろうとし、潜られた者は死んでしまう。そのため、これに出会った場合は、足を斜交《はすか》いにして歩いたという。

ムィティチゴロは目一つ五郎のことだと思われる。九州で目一つ五郎といえば、一つ目小僧のような妖怪のことだが、徳之島では豚の妖怪とされている。

㊜目一つ五郎
『季刊　民話』一九七六秋第8号「奄美物語」田畑英勝　『日本怪談集　妖怪篇』今野円輔編著

百足〔むかで〕
↓大百足《おおむかで》

麦搗き峠〔むぎつきとうげ〕　岡山県勝田郡古吉野村河原（勝央町）にある峠。

この峠を夜間通ると、麦を搗《つ》くようなカスーカスーという音が聞こえたという。狐が麦を搗くのだといわれた。

『民間伝承』通巻95号「小豆とぎ」大藤時彦

無垢行騰〔むくむかばき〕鳥山石燕の『画図百器徒然袋』に、行騰《むかばき》（武士が馬に乗るときに使う用具）の妖怪として描かれたもので、【赤沢山の露ときへし河津三郎が行騰にやと、夢心におもひぬ】と記されている。

河津三郎とは『曾我物語』に曾我十郎、五郎の父として登場する歴史上の人物で、後に一門の工藤祐経に暗殺されてしまう。

石燕はこの河津三郎が使っていた行騰が、無垢行騰という妖怪になったとしている。

『鳥山石燕 画図百鬼夜行』高田衛監修・稲田篤信・田中直日編

ムクリコクリ
↓蒙古高句麗《もくりこくり》

ムケーイヌ
↓送り犬

狢

貉〔むじな〕　日本各地の民俗伝承や、怪談集、随筆に多く見ることができ、狐狸とともに化けることの巧みな動物とされる。

現在の辞書類では貉《むじな》は穴熊の異称とされているが、地方によっては狸と同一視されたり、狸と貉が入れ替わっていたりする。

また、山形県南部では、貉といえば狐を意味していた。

新潟県佐渡島では狸のことを貉とよび、長野県北安曇《きたあずみ》郡小谷村でも貉といえば狸のことで、本貉《ほんむじな》は万福とよんでいた。

江戸時代においては、東北や佐渡では貉はいるが狸はいないとし、関西や九州では狸はいるが貉はいないといわれていたそうである。

貉の文献上の初見は『日本書紀』のようで、推古天皇の35年の条に、【春二月、陸奥国に貉有り。人となりて歌をうたう】とある。

このころより貉は怪しい動物とされていたようである。

㊀狸

『日本俗信辞典』鈴木棠三『日本未確認生物事典』笹間良彦『民俗学辞典』民俗学研究所編

貉の提灯〔むじなのちょうちん〕　茨城県東茨城郡でいう怪火。

木の上などに、提灯のような赤い色をした火の玉が現れる。貉《むじな》の提灯は光がぼんやりしていて光芒がないのでそれと分かるという。

『茨城の民俗』13号「むじなの提灯と化けたお月様」更科公護

鞭〔むち〕　高知県高岡郡黒岩村（越知町）、土佐郡土佐山村でいう怪異。

黒岩村では、田の上を鞭《むち》を振りまわすような音をたてて非常に強い風が吹くものといい、この風に当たると悪い病気に罹《かか》るという。

土佐山村では牛馬に憑くものとされ、牛馬を曳《ひ》いて夜道を行くとき、鞭の鳴るような音が幾度となく牛馬のそばを通り過ぎる。こんなときは牛馬に目隠しをしないと、必ず取り殺されてしまうという。

高岡郡日下村（日高村）ではブチとよび、野山で不意にビューッと鳴ってくるもので、皮膚に鋭い刃物で切ったかのような傷ができるという。

『旅と伝説』通巻174号「土佐の山村の『妖物と怪異』」桂井和雄

ムラサ 隠岐島都万《つま》村でいう海上の怪異。

この地方では夜光虫の光る潮のことをニガシオというが、その中にときおり丸く固まってボーッと光っているものがある。ここに船が乗り掛かると、パッと散ってしまう。

また、暗夜に突然海が明るくなってチカッと光ることがある。これはムラサという化け物に憑かれたのだという。

こんなときは、刀か包丁を竿《さお》の先につけて、艫《とも》の海面を左右に数回切るとよいと伝わる。

『沿海手帖』「島根県隠岐郡都万村」大島正隆

『綜合日本民俗語彙』民俗学研究所編

め

夫婦火〔めおとび〕 長野県上伊那郡東箕輪村（箕輪町）でいう怪火。三日町と長岡の両方の土地から、夜になると火の玉が飛び出し、2つの火の玉が逢瀬《おうせ》を楽しむという。

昔、この村にいた若い男女が結ばれぬ恋の果てに死を選んだ。魂は一つに結ばれたが、死体は別々に葬られたので、こうして火の玉となって出会うという。

『伊那の伝説』岩崎清美

目競〔めくらべ〕 鳥山石燕の『今昔百鬼拾遺』に、目玉のついたたくさんの髑髏《どくろ》が描かれ、【大政入道清盛、ある夜の夢に、されからうべ東西より出て、はじめは二つありけるが、のちには十、二十、五十、百、千、万、のちにはいく千万といふ数をしらず。入道もまけずこれをにらみけるに、たとへば人の目くらべをするやう也しよし。平家物語にみえたり】とある。

『平家物語』「物怪之沙汰《もののけのさた》」の怪異で、平清盛が福原にいたときのことであるという。

たくさんの髑髏はやがて一つにまとまり、四、

目競

五丈（約12m～15m）ほどの巨大な髑髏になった。清盛が少しも恐れずに睨《にら》み返していると、霜露《しもつゆ》が陽に溶けるようにして消えてしまったという。

石燕はこの怪異を目競《めくらべ》と名づけたのである。

『鳥山石燕　画図百鬼夜行』高田衛監修・稲田篤信・田中直日編　『平家物語』水原一校注

飯食わぬ女房〔めしくわぬにょうぼう〕

→二口女《ふたくちおんな》

目だらけの化け物〔めだらけのばけもの〕山梨県西山梨郡の昔話にある怪異。

昔、ある男が夜遅く行逢橋という橋を通ると、子供を抱いた女の子に出会って、子供の足袋《たび》の紐を結び直してくれと頼まれた。

男が子供の着物の裾を捲《まく》り上げると、身体中に目がついていて、ギョロリと睨《にら》んだ。

男は驚いて逃げ出し、お宮の境内にくると、掃除をしている爺がいた。今しがた見た化け物の話をすると、爺はいきなり自分の尻を捲り上げて、それはこんなものだったかと訊《き》く。

見ると、その爺も身体中が目だらけだった。男はそのまま気絶してしまったという。似たような話が山形県や福島県にも伝わり、膝や腹に目のついた化け物になっている。福島県檜枝《ひのえ》岐《また》に伝わるものは次の通り。

昔、ある人が村の外れを歩いていると、足の膝に目のある人に出会った。驚いて急いで村に帰ってくると、折よく人に出会ったので、「今、村外れで膝に目のある人に出会った」と話したところ、その人は「膝に目は誰にでもあるべ」と、自分の膝の目を見せたという。

『続甲斐昔話集』土橋里木 『綜合日本民俗語彙』民俗学研究所編 『東北の伝奇』畠山弘 『檜枝岐民俗誌』今野円輔

メドチ

↓河童

メドツ

↓河童

目一つ小僧〔めひとつこぞう〕

↓一つ目小僧

目一つ五郎〔めひとつごろう〕 長崎県、宮崎県、鹿児島県でいう妖怪。宮崎県、鹿児島県ではメヒトツゴロという。一つ目小僧や、一つ目入道の類。宮崎県では、暗いところに現れる一つ目の化け物だとしている。

㊂一つ目小僧、一つ目入道

『日本妖怪変化語彙』日野巌・日野綏彦 『綜合日本民俗語彙』民俗学研究所編

メンドン 鹿児島県でいう妖怪の児童語。鹿児島県揖宿《いぶすき》郡山川町で毎年1月16日に行う厄除け行事にはメンドンという異人が現れる。

『全国幼児語辞典』友定賢治編 『日本妖怪変化語彙』日野巌・日野綏彦

面霊気〔めんれいき〕 鳥山石燕『画図百器徒然袋』に面の妖怪として描かれ、【聖徳太子の時、秦《はた》の川勝《かわかつ》あまたの仮面を製せしよし。かく生けるがごとくなるは、川勝のたくめる仮面にやあらんと、夢心におもひぬ】とある。

聖徳太子の臣だった秦川勝は猿楽《さるがく》の祖とされている。

森殿

世阿弥の『風姿花伝《ふうしかでん》』には、聖徳太子が秦川勝に66番の物真似《ものまね》を命じ、太子自身が66の面を作って秦川勝に与えたという猿楽のはじまりを説いた文がある。

面霊気はこのエピソードをもとに描かれたものである。

『鳥山石燕 画図百鬼夜行』高田衛監修・稲田篤信・田中直日編

も

森殿〔もいどん〕 南九州一帯でいう祟りの激しい民間神およびその聖地のこと。森山《もいやま》、森山殿《もいやまどん》ともよばれるように、大きな樹木や森などに祀られ、その敷地内のものはたとえ葉っぱ一枚でも持ち帰ったり、燃やしたりとすると、たちまち祟りにあうという。

『民俗神の系譜 南九州を中心に』小野重朗

亡者の陰火〔もうじゃのいんか〕

→川蛍《かわぼたる》

亡者船〔もうじゃぶね〕 青森県下北郡東通村

尻屋崎、岩手県九戸郡、愛知県知多郡日間賀島などでいう船幽霊。

九戸郡では盆に海へ出ると亡者船に出会うといい、淦取《あかと》り（船中に溜まった水を掻《か》き出す柄《ひ》杓《やく》のようなもの）を貸せという。これに出会ったら鬼の豆（節分の豆か）を撒《ま》くと消え失せるという。

青森県尻屋崎の亡者船は、人を食った鮫《さめ》が化けるものだとし、港まで入って来ることがあるという。ところが、船が港に入ったように見えるだけで、実際の船は見あたらないという。これに出会ったときは、味噌を水で溶かしたものを流すとよいそうである。

愛知県の日間賀島の亡者船も、盆の16日に現れるといわれ、これに出会ったら髪の毛を燃やすか、魚を焦《こ》がすとよいと伝わっている。

㊂船幽霊

『旅と伝説』通巻112号「尻屋の夜話」山口弥一郎『九戸郡誌』岩手県教育会九戸郡部会編『沿海手帖』「愛知県知多郡日間賀島」瀬川清子『日本妖怪変化語彙』日野巌・日野綏彦『綜合日本民俗語彙』民俗学研究所編

魍魎〔もうりょう〕罔兩、方良とも表記される。鳥山石燕の『今昔画図続百鬼』には、耳の長い子供のような姿をした魍魎が、墓場から死体を引きずり出している様が描かれ、【形三歳の小児の如し。色は赤黒し。目赤く、耳長く、髪うるはし。このんで亡者の肝《きも》を食ふと云】と記されている。

魍魎はもともと中国由来の妖怪で、中国の『淮南子《えなんじ》』にも石燕の解説と同様の記述が見える。中国古代の『左伝』では魍魎は水沢の神とあり、江戸時代の百科事典である『和漢三才図会』では、魑魅魍魎《ちみもうりょう》の魑魅を山神、魍魎を水神としている。

水神としての魍魎は、『日本書紀』に見える水の神罔象も関係しているようである。イザナミノミコトが火の神カグツチを生んだとき、陰部を焼かれて死に至ったが、その臨終間際に生まれたのが罔象女（美都波女）である。

魍魎

魍魎が水神であることや子供の姿をしているということから、日本では後に河童と混同して考えられるようになった。

さらに、死体（肝）を好んで食するということから、死体を奪う火車《かしゃ》とも同一視されるようになったらしい。

㊜河童、火車

『鳥山石燕 画図百鬼夜行』高田衛監修・稲田篤信・田中直日編『和漢三才図会』寺島良安編・島田勇雄・竹島淳夫・樋口元巳訳注『日本未確認生物事典』笹間良彦

亡霊船〔もうれいせん〕 和歌山県有田郡や福島県でいう船幽霊。海難者が死んだときに乗っていた船や亡霊となって現れること。

有田郡の場合は、出現するのはたいてい荒天の雨の夜で、死んだときに乗っていた船の形で現れる。汽船から身投げした者ならばその汽船、帆船ならその帆船である。

その船を実在の船と間違うと、船は難破するといわれている。しかし、度胸を据えて、注意深く見れば、変なことが起こっても判別しやすく、難を逃れることができるという。

例えば、強風のときに自分の船と反対の方向から帆船がやってきて前を横切ったり、船灯が帆船ならば前にあるはずなのに後ろについていたりすることなどであるという。

福島県でも小雨の晩に出現するといい、普通の船は追い風で走るのに、亡霊船は向い風で走るという。亡霊船はとても速く、追いかけられたらとても逃げ切れないといわれるが、そんなときには底を抜いた柄杓《ひしやく》や飯をどっさり海に放ればよいと伝わっている。

㊜船幽霊

『民間伝承』通巻37号「亡霊船」浜口彰太

亡霊火〔もうれいび〕　東日本各地の海上でいう怪異。

宮城県牡鹿郡女川《おながわ》町では、夜の海を漁船が行くと、突然、前方に帆船などが出現し、衝突を避けようと航路を変更しても、また前方に現れる。しかたなく船を止めて凝視すると、たちまち船形を失い、燐光が遠く疾走する。遭難した者たちの亡霊のしわざだといわれる。

㊜船幽霊

『綜合日本民俗語彙』民俗学研究所編

亡霊ヤッサ〔もうれんやっさ〕　千葉県銚子市、海上郡の海上でいう船幽霊。

霧の深い日や時化《しけ》の日に漁に出ると、沖のほうが薄明るくなり、「モウレン、ヤッサ、モウレン、ヤッサ、いながー(柄杓《ひしやく》)貸せえ」という声が聞こえる。

モウレンとは亡霊、ヤッサとは船を漕ぐ掛け声で、その声が段々と近づいてくると、突然、海中より大きな手が出てきて、「柄杓を貸せ」とはっきりした声でいう。このとき柄杓を与えると、船に海水を入れられて沈没するので、底を抜いた柄杓を与えるのだという。

これは海難事故で死んだ者たちが、自分たちだけ死んでしまったことを怨んで、仲間を増やそうとしているのだという。

㊜船幽霊

『房総の伝説』平野馨

木魚達磨〔もくぎょだるま〕　鳥山石燕の『画図百器徒然袋』に、木魚《もくぎょ》と達磨《だるま》が合体したような妖怪として描かれ、【杖払木魚客板など、禅床のふだんの仏具なれば、かかるすがたにもばけぬべし。払子《ほっす》守《もり》と同じものかと、夢のうちにおもひぬ】と記されている。

　木魚は不眠を象徴する魚を象《かたど》ったものといわれ、修行僧たちを戒《いまし》める意味があるという。達磨にも9年の不眠修行という伝説がある。木魚達磨は仏具の付喪神《つくもがみ》というよりも、不眠をテーマとした創作妖怪なのだろう。

『鳥山石燕　画図百鬼夜行』高田衛監修・稲田篤信・田中直日編

目々連〔もくもくれん〕　鳥山石燕の『今昔百鬼拾遺』に、廃屋の障子に無数の目が現れた様が描かれ、【煙霞《えんか》跡なくして、むかしたれか栖《すみ》し家のすみずみに目を多くもちしは、碁打《ごうち》のすみし跡ならんか】と記されている。

　つまり、碁盤に注がれた碁打師の目の念が、

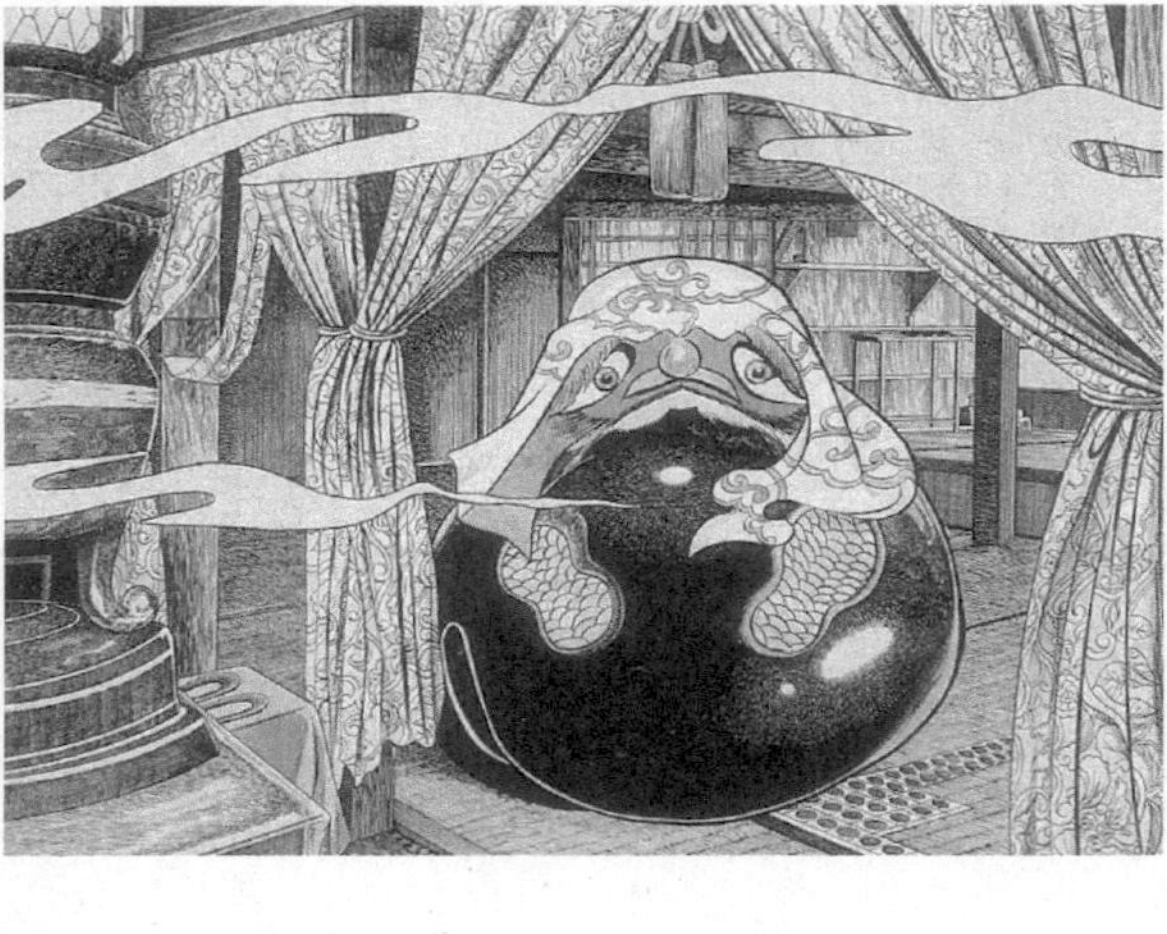

木魚達磨

目々連

家の隅々に籠《こも》って現れたのだろうか、ということである。おそらくは石燕の創作だろう。『東北怪談の旅』にも目々連の話が収録されているが、似たような話に名前をあてはめただけと思われる。

『鳥山石燕　画図百鬼夜行』高田衛監修・稲田篤信・田中直日編　『東北怪談の旅』山田野理夫

蒙古高句麗〔もくりこくり〕　和歌山県でいう妖怪。3月3日は山に、5月5日は海に現れる。麦畑では人の形をして、たちまち高く、低くなり、一顕一消《いっけんいっしょう》する。神子浜では鼬《いたち》のようなものだといい、夜の麦畑で人の尻を抜く。

海上では海月《くらげ》のような形をしているものとされ、群れて漂っている。これは蒙古《もうこ》襲来時に水死した人の霊魂なのだという。

『続南方随筆』南方熊楠

モシリシンナイサム　アイヌの人々に伝わる妖怪。さまざまな動物に化けては人間をつけねらうという。

路傍に大きな牡鹿《おじか》がいたと思ったら、たちまちいなくなってしまう。こんなときはモシリシンナイサムに狙われている証拠だという。

また、萱野茂の「アイヌの妖怪」によれば、モシリシンナイサムは白黒の斑《まだら》模様のある馬ほどの大きさの化け物で、村外れの湿地帯などに現れるという。

その姿や足跡を見ると、長生きできずに一生を不幸で過ごすことになるそうである。

名前は国の化け物、またはモシリ（国の）・シンナイ・サム（別の・側）という意味で、もとは他界からくるモノという意味だったと、『えぞおばけ列伝』の編訳者である知里真志保はいっている。

『えぞおばけ列伝』知里真志保編訳　『自然と文化』一九八四秋季号「アイヌの妖怪」萱野茂　『人類学雑誌』29巻10号「アイヌの妖怪説話続」吉田巌

物の怪〔もののけ〕　物の気とも表記される。

古くは霊魂をタマとよび、幸をよぶ温厚な霊

物の怪

を和魂《にぎみたま》、つまり善神とし、邪悪で災いをもたらすものを荒魂《あらみたま》としてモノとよんだ。モノには鬼、悪霊、悪神、精霊といった意味があり、モノノケのケ（気）は病を意味していた。『枕草子』には病気の種類を挙げた箇所があり、胸のケ、脚のケとともに、モノノケが記されている。すなわちモノノケとは、モノのはたらきかけで罹《かか》る病気をいっていたのであり、後に、病気の原因となる悪霊そのものを意味する言葉として使われるようになる。

モノノケの初見は『日本後紀』の天長7年（八三〇年）閏《うるう》12月の条とされ、【僧五口を請じ金剛般若経を読み奉る。兼ねて神祇官をして解除せしむ。物怪を謝するなり】とある。

もともとモノノケという言葉は中国由来のようで、『史記』や『原鬼』といった書物の中に、物怪は見ることも聞くこともできない妖怪の類だという記述がある。

それが仏教とともに伝来し、日本に古くからあった霊魂の思想と重なりながら広まっていったと考えられている。

『王朝貴族の病状診断』服部敏良　『日本の幽霊』池田弥三郎　『日本伝奇伝説大事典』乾克己・小池正胤・志村有広・高橋貢・鳥越文蔵編　『神話伝説辞典』朝倉治彦・井之口章次・岡野弘彦・松前健編

木綿ひき婆〔もめんひきばあ〕　福岡県でいう妖怪。

福岡の屋敷町の空き地に大きな落葉樹の木があり、その木が風に吹かれると綿繰り車の音のようで、その音が聞こえると木綿《もめん》ひき婆だといって恐れたという。

その木の下で白髪《しらが》の婆さんが綿繰り車をまわしているといわれ、人がそばにいくと、恐ろしい目で睨《にら》むという。

『民間伝承』通巻43号「妖怪名彙」水野葉舟

百々爺〔ももんじい〕　鳥山石燕の『今昔画図続百鬼』に、爺の妖怪として描かれており、【百々爺未詳。愚按ずるに、山東に摸捫窠《ももんが》と称するもの、一名野襖《のぶすま》ともいふとぞ。京師の人小

百々爺

児を怖しめて啼《なき》を止むるに元興寺《がごぢ》といふ。ももんぐはとがごしと、ふたつのものを合せて、ももんぢいといふ欤。原野夜ふけてゆききたえ、きりとぢ、風すごきとき、老夫と化して出て遊ぶ。行旅の人これに遭へば、かならず病むといへり】とある。

関東、中部地方では、モモンガは動物であるとともに化け物を意味する児童語だった。京都ではガゴジ（元興寺）という言葉がモモンガに相当する。

また、モモンジイは東京都、神奈川県、山梨県、静岡県東部でいう妖怪の児童語として知られていた。さらに江戸時代には、尾の生えたものや毛深いものを嫌っていう場合にモモンジイという言葉が使われ、鹿や猪の肉のこともそうよんだ。鹿、猪の肉を商う店のことをモモンジ屋ともいったそうである。

石燕は百々爺はモモンガとガゴジの合成語かもしれないとし、よく分からないとしながらも野に出没する老人の妖怪だといっている。

妖怪として描いているものの、鹿や猪の肉などをキーワードにして、何かしらの絵遊びをしているものと思われる。

『鳥山石燕　画図百鬼夜行』高田衛監修・稲田篤信・田中直日編

もり火〔もりび〕
↓もる火

茂林寺の釜〔もりんじのかま〕　鳥山石燕の『今昔百鬼拾遺』には、【上州茂林寺に狸あり。守霍といへる僧と化して寺に居る事七代、守霍つねに茶をたしみて茶をわかせば、たぎる事六、七日にしてやまず。人のその釜を名づけて文福と云。蓋文武火のあやまり也。文火とは緩火也。武火とは活火也】とある。

　これは群馬県館林市の茂林寺《もりんじ》に伝わる伝説の茶釜のことである。大林正通禅師より10代の住職に仕えた守鶴《しゅかく》という僧が持っていた茶釜で、いくら湯を汲んでも尽きず、福を分け与えるという意味から分福茶釜とよばれた。

　守鶴という僧は実は千数百年の歳を重ねた古

茂林寺の釜

狸で、10代目の住職に仕えていたとき、正体を現したまま居眠りをしているところを寺の者に見つかって、もう寺にはいられないと去ったという。

一説によると、分福茶釜は守鶴の化身であり、その証拠には、人気《ひとけ》の無い夜中などには、茶釜に尾が生えたり、手足が出たりすることがあるといわれた。茶釜は直径60㎝ほどの大きさで、今でも茂林寺の宝物として秘蔵されている。童話の文福茶釜は、この伝説をモデルに創作されたものである。

『鳥山石燕 画図百鬼夜行』高田衛監修・稲田篤信・田中直日編 『大語園』巌谷小波編 『ふるさとの伝説 七 寺社・祈願』伊藤清司監修／責任編集

もる火［もるひ］ 青森県五所川原市でいう怪火。もり火《び》ともいう。雨の夜、水死、首吊りのあった場所に現れるという真っ青な火。

頭から胴にあたる部分は人の指より太いほどで、足の部分がぶらりと下がっている。

空中にふわふわと浮かび、これの悪口をいうと、その人についてまわる。打てば細かく砕けるが、やはり人についてまわるという。

出会った場合は念仏を唱えると去るといい、灯火のある部屋には入ってこないともいう。

地元では化け物のなかでも最も恐ろしいものと恐れている。

また、宮崎県東諸県郡、南那珂郡でも、亡霊が灯《とも》す怪火をもり火とよんでいる。

㊂亡霊火《もうれいび》、亡者《もんじゃ》

『津軽口碑集』内田邦彦 『日本妖怪変化語彙』日野巌・日野綏彦

モンジャ 青森県西津軽郡、北津軽郡の海岸でいう怪異。漢字では亡者となる。

モジャ、モジャ火ともよばれ、海難者の霊が帰宅することをいう。

モンジャが帰ってくると、庭で足を叩くような音をたて、寒いから火を焚《た》けなどという。または、台所の板の間でバタバタと着物の砂を払い、流しでザーッと手を洗う音をたてる。

モンジャ

西津軽郡館岡（木造《きづくり》町）では、これをモレ（亡霊）火といって、夜中に大戸を叩く音をたてたという話がある。

北津軽郡小泊《こどまり》村では、浜で火を焚くとモンジャが火にあたりにくるという。

ある年、沖合いで漁船が沈んで大勢の漁師が死んだことがあり、遺族たちが浜で火を焚いたら、伝説通りに幽霊が現れたという。

モンジャは人に憑くこともあるようで、西津軽郡鰺《あじ》ヶ沢町のある者が、夜になると身体が水をかけられたように寒くなり、震えがきた。ゴミソ（男の祈禱師）に相談したところ、「これは海のモンジャが憑いている。この仏は4人組で、何とかして浮かべてもらいたくて憑いたのだ」といったという。

㊜亡霊火《もうれいび》、もる火

『津軽の民俗』森山泰太郎『日本怪談集　妖怪篇』今野円輔編著

や

ヤウシケブ　礼文華（虻田《あぶた》郡豊浦町）の山の洞《どう》窟《くつ》にいたという大蜘蛛《おおぐも》で、アイヌの人々の昔話に登場する。

1ヘクタールほどの大きさの全身真っ赤なお化け蜘蛛で、暴れては村を破壊して人々を困らせた。見兼ねたレブンカムイ（海の神）が海中に引き入れるが、以来、ヤウシケブは大ダコと化して漁師たちを襲うようになる。

また、『カムイユカラと昔話』には、石狩を守護するヤオシケプカムイという蜘蛛の神が、悪い神から人を救うという昔話が紹介されている。

『昔話北海道　第一集』森野正子　『カムイユカラと昔話』萱野茂

野干〔やかん〕　射干とも表記される。狐、もしくは狐に似た動物。

『燕石雑誌』『箋注倭名類聚抄』『翻訳名義集』『松屋筆記』といった随筆や辞書類には、狐の別名、もしくは狐に似てそれよりも小型の動物

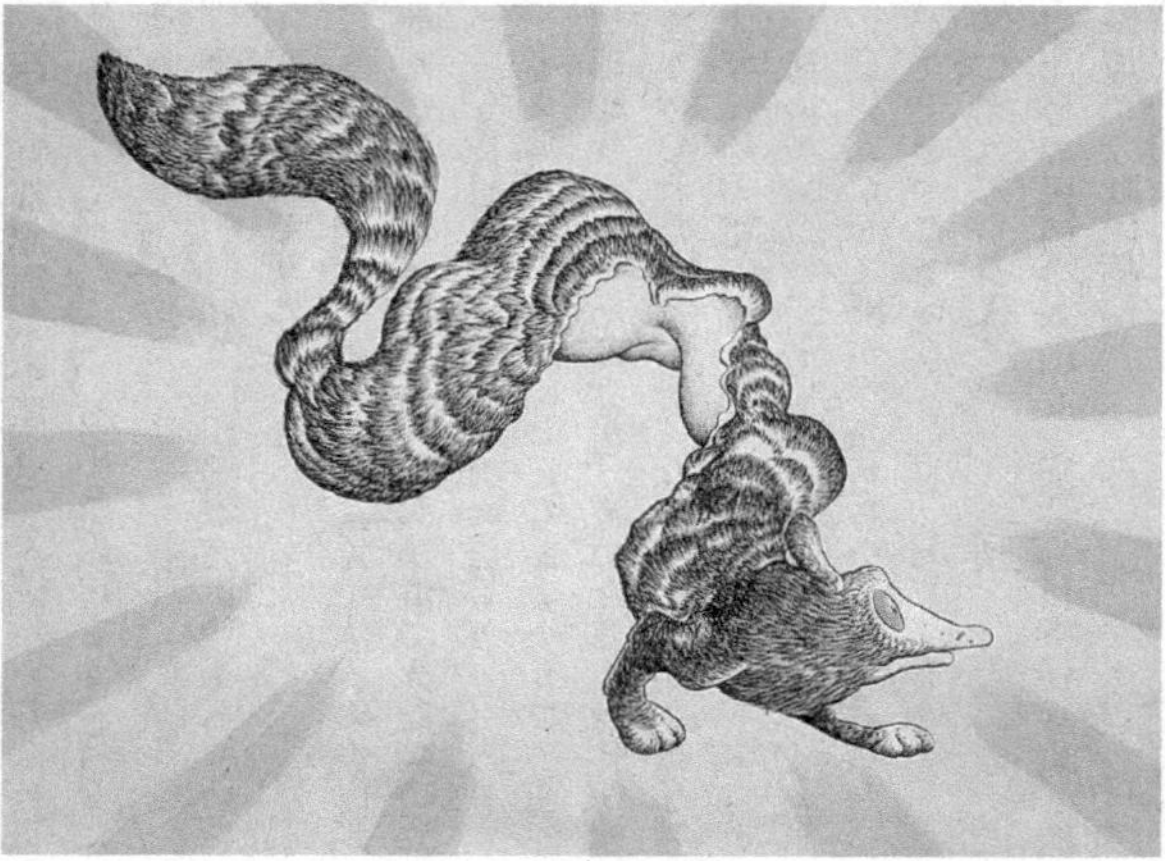

野干

で、よく木に登り、色は青黄色で犬のようだが、群れて夜鳴くのは狼のようである、などとある。

また、野干は射干（しゃかん？）の転訛《てんか》だともある。

射干とは西南アジアやアフリカに棲息するジャッカルのことで、日本には荼枳尼天《だきにてん》が乗る霊獣として入ってきた。

荼枳尼天信仰が稲荷や荼枳尼天を祀る飯綱《いづな》明神の信仰と結びついたとき、日本にはジャッカルはいないので、ジャッカルによく似た狐に置き換えられたようである。これにより、野干は狐と同一視されるようになったらしい。

㊜飯綱、稲荷神、狐
『日本狐憑史資料集成』金子準二編著 『日本未確認生物事典』笹間良彦

薬缶坂〔やかんざか〕
↓薬缶まくり

薬缶づる〔やかんづる〕 長野県長野市辺りでいう怪異。

夜遅く森の中を通ると、木の上から薬缶が下がってくるという。

『綜合日本民俗語彙』民俗学研究所編 『妖怪談義』柳田国男

薬缶まくり〔やかんまくり〕 長野県伊那郡大鹿村鹿塩でいう怪異。

丸山というところを夜に通ると、ガランガランと薬缶《やかん》を振る音がするという。音だけで薬缶はないといわれる。

これと似たような話は各地にあり、かつての豊多摩郡（東京都杉並区）には、薬缶坂とよばれる坂があり、夜、そこを一人で通ると、薬缶が転がり出たなどと伝わっている。

『鹿塩の民俗』下伊那郡大鹿村教育委員会編 『日本怪談集 妖怪篇』今野円輔編著

山羊《ひつぎ》マジムン〔やぎまじむん〕 沖縄県でいう、棺の板が化けた山羊《やぎ》の化け物。
羽地村真喜屋（名護市）のある者が、深夜の道で真っ白い山羊を見つけ、稲嶺の浜に追いつめて縛っておいた。男はそのまま帰宅して、そのことを妻に語ると、話し終わった途端に発熱し、死んでしまった。

　妻は不審に思って稲嶺の浜まで来てみると、縛られていたのは山羊ではなく、棺の板きれだったという。

　棺ではなく、骨壺が山羊に化けて害をなしたという話もある。この他、ピーシャーヤナムン、ピンザマヅモノという山羊の妖怪もあるが、どのようなものかはよく分からない。

『山原の土俗』島袋源七『現行全国妖怪辞典』佐藤清明

夜行さん［やぎょうさん］　徳島県でいう怪異。節分、大晦日、庚申《こうしん》の夜、夜《や》行《こう》日（参照：百鬼夜行）などの日に、夜行さんという鬼が首のない馬に乗って徘徊《はいかい》するというもの。

　これに出会うと蹴り殺されるといい、地にひれ伏して草履《ぞうり》を頭に載せておけば助かると伝わる。

　三好郡山城谷村政友（山城町）では、節分の夜になると、片目で鬚《あごひげ》の生えた夜行さんという鬼がやって来て、お菜のことなどを話している

夜行さん

と毛の生えた手を出すという。

高知県高岡郡越知町野老山《ところやま》辺りでは、ヤギョーとよび、どんな姿をしているのかは不明だが、錫杖《しゃくじょう》をジャンコジャンコ鳴らして夜の山道を通るものだという。

夜行さんと首切れ馬は必ずしもペアになっているわけではなさそうで、逆に首切れ馬だけが現れる伝承のほうが多い。

徳島県吉野川の下流地方から香川県東部にかけては、首切れ馬のことを夜行さんとよび、節分の夜に現れるといっている。

徳島県祖谷《いや》地方の首切れ馬も、大晦日または節分の晩に現れ、四ッ辻に行くとその姿が見えるという。

このような首切れ馬の伝承は、各地に広く分布している。

㊂首切れ馬

『民間伝承』通巻26号「節分」武田明『自然と文化』一九八四秋季号「讃岐・阿波・伊予の妖怪」武田明『旅と伝説』通巻174号「土佐の山村の『妖物と怪異』」桂井和雄『妖怪談義』柳田国男『綜合日本民俗語彙』民俗学研究所編

疫病神〔やくびょうがみ〕さまざまな病気をはびこらせる悪神。行疫神、疫神、役病神ともいう。

人が病気になるのは、古くは目に見えぬ霊的存在のしわざと信じられ、特に流行性の強い病気や不治の病の類は疫病神や鬼、怨霊などのしわざとされた。

古代・中世の朝廷では、春に花が散るのとともに疫病神が分散するとの考えをもとにした鎮花祭、疫病神をあらかじめ都の境でもてなしてその侵入を防いだ道饗祭など、さまざまに疫病神を追い出す祭事が営まれた。

疫病神をもてなして追い出すという祭事は民間レベルでも盛んに行われ、村の境に注連縄《しめなわ》を張って疫病神の侵入を防ぐなど、現代の民俗資料にもたくさんの事例がみられる。

『日本伝奇伝説大事典』乾克己・小池正胤・志

野狐

村有広・高橋貢・鳥越文蔵編『民間信仰辞典』桜井徳太郎編

野狐［やこ］ 単に野に棲む狐という意味もあるが、九州では憑き物とされ、憑かれた状態を野狐憑きという。

普通の狐とは違って色は白いとも黒いともいい、鼠より少し大きく、猫よりも小さい動物とされ、目に見えないとする場合もある。

常に大勢連れ立っていることから、長崎県平戸では野狐の千匹連れという言葉がある。

九州南部では野狐が憑くと、代々家に憑くといわれ、人間だけではなく牛馬に憑くこともあるという。

野狐持ちの人と仲の悪い者に憑いて害をなすというのが一般的で、鹿児島郡吉田町では野狐に憑かれると、たいていは半病人のようになってしまうという。

長崎県の壱岐ではヤコオともよび、人に憑くのはもちろん、これに火傷の傷跡や疱瘡《ほうそう》の発疹を舐《な》められると死ぬと伝えられている。

これを防ぐには、疱瘡になった者は蚊帳《かや》の中に入れて周囲に麻稈《おがら》の灰をまき、刀剣を置いておくのがよいとされている。この地での野狐は人の腋《わき》に潜《ひそ》むことがあるともいう。

㊂狐、狐憑き

『民間信仰辞典』桜井徳太郎編　『日本の憑きもの』石塚尊俊　『綜合日本民俗語彙』民俗学研究所編

夜行遊女〔やこうゆうじょ〕

↓産女《うぶめ》

野狐憑き〔やこつき〕

↓野狐

弥五郎〔やごろう〕　宮崎県、鹿児島県でいう巨人。ヤゴロドン、大人《おおひと》弥五郎ともいう。

他の土地でいうダイダラボッチのような話がある他、古代隼人《はやと》族《ぞく》の族長だったなど、さまざまな由来が語られる。

宮崎県日南市飫肥《おび》、北諸県《きたもろかた》郡山之口町、鹿児島県曾於《そお》郡大隅町では、毎年11月に大きな弥五郎の人形が練り歩く祭りが行われている。

また、島根県邑智《おおち》郡田所村大字鱒淵字臼谷（瑞穂町）には、9mほどの小さな滝があり、その滝壺を弥五郎淵とよんでいる。

昔、弥五郎という巨人が石臼を背負ってこの地を通り、過って滝に落ちて死んでしまったことから、弥五郎淵とよぶのだという。

『日本妖怪変化語彙』日野巌・日野綏彦　『妖怪談義』柳田国男

ヤゴロドン

↓弥五郎

弥三郎婆〔やさぶろうばばあ〕　山形県、福島県、新潟県、静岡県でいう妖怪。小池婆や鍛冶《かじ》が媼《ばばあ》の類。新潟県弥彦山に伝わるものがよく知られている。

昔、弥彦山の麓に弥三郎という者がいて、年老いた母親とともに暮らしていた。

あるとき、山中で狼に襲われ、高い木に逃げ登ると、狼たちが次々と肩車をして弥三郎に近づいてきた。しかし、今一歩というところで数が足りない。

「弥三郎の婆をよんでこい」と一匹の狼がいうと、やがてムラムラと黒雲が湧き、雲の中から毛だらけの腕が伸びて弥三郎の首をつかんだ。

弥三郎が刀でその腕を斬り落とすと、黒雲も狼も散り散りになっていなくなった。

狼がなぜ自分の母親をよんだのだろうと、不思議に思いながら家に帰ると、母親は蒲団《ふとん》をかぶってウンウン唸っていた。弥三郎が今の出来事を母親に話すと、母親はその斬り落とした腕を見せろという。

弥三郎が腕を取り出すやいなや、母親は「これは俺《おら》の腕だっ」と叫んで、肩から血を流しながら逃げていったという。

弥三郎の母親はとっくの昔にこの鬼に食われていたという。

この話には異説がいろいろとあって、弥三郎婆は後に改心して妙多羅天女《みょうたらてんにょ》という神となり、弥彦の宝光院に祭祀されるようになったとか、弥三郎婆を古い三毛猫として、狼ではなく狐のボスのように伝えるものもある。

ちなみに、宝光院では今でも妙多羅天女を祀っており、これには次のような伝えもある。

昔、佐渡国雑太郡の小沢に老婆がいた。ある年の夏の夕方、老婆が近くの山に登って涼んでいると、一匹の老猫が現れた。老婆はその猫を可愛がり、猫が砂の上に転がると、老婆もそれを真似《まね》たりしていた。

すると、どういうわけか急に身体が涼しくなったので、たいそう快く感じられた。そこで何日も同じことを繰り返していると、老婆の身体はたいへん軽くなって、飛行自在の通力《つうりき》を得た。天に昇り地を走り、身体に毛を生やして形相もすっかり恐ろしくなった。やがては屋根を突き破って、雷鳴を轟かせながら虚空を飛び去った。

その後、海を渡って弥彦に至り、神通力をもってしきりに雨を降らした。土地の者はこれに困り、祠《ほこら》を設けて老婆を妙多羅天女として崇《あが》めると、暴威もようやく治まった。ただし、一年に一度だけ妙多羅天女が佐渡に帰ることがあり、そのときは必ず激しい雷鳴を起こして越後の国中を脅《おびや》かすという。

　山形県には、安倍貞任《さだとう》一族の渡会《わたらい》弥三郎宗長という武士が、その母が変化した鬼の腕を切るという話がある。弥三郎婆はこの話をもとに小池婆のような猫や狼の怪異が混ざってできた伝説のようである。妙多羅天女を祀る堂は山形県東置賜《ひがしおきたま》郡高畠町にもある。


『羽前の伝説』戸川安章　『小県郡民譚』小山真夫　『随筆辞典　奇談異聞編』柴田宵曲編　『静岡県伝説昔話集』静岡県女子師範学校郷土研究会編　『ふるさとの伝説　四　鬼・妖怪』伊藤清司監修・宮田登編

屋島の禿狸〔やしまのはげだぬき〕　香川県高松市屋島でいう化け狸。太三郎狸《たさぶろうだぬき》ともいう。

　その昔、平家の大将小松重盛が、矢傷で死にかけた夫婦の狸を助けてやった。以来、狸は恩義を感じて、代々平家の守護を誓った。禿狸《はげだぬき》はその子孫だという。

　やがて平家が滅亡すると、禿狸は故郷の屋島に戻って屋島寺の守護神となり、300の眷属《けんぞく》を従

屋島の禿（屋島の禿狸）

える四国の狸の総大将となった。

大寒《だいかん》の日に、四国各地から屋島に集まった眷属の狸たちに、禿狸はかつて自分が見た義経の八艘飛《はっそうと》びや、弓流しといった屋島の源平合戦の様子を幻術で見せたという。

後に、長旅から帰ったところを猟師に撃たれて死んでしまい、死後は阿波《あわ》（徳島県）に移り棲んだといわれる。

嘉永（一八四八年～一八五四年）の頃、阿波郡林村の若い髪結いの女に憑いて、吉凶の予言をしたなどの伝説がある。

現在は高松市の屋島寺に蓑山《みのやま》大明神として祭祀されている。

(参)狸
『酒買い狸の誕生』赤塚盛彦

ヤズクサエ 岩手県下閉伊《しもへい》郡普代村多田名部の賽《さい》の神峠でいう妖怪。

人を騙《だま》す狸で、本当に騙されると死んでしまうと恐れられた。

これを飼っていた家があったそうで、憑いてきたときには何か食べ物をやると離れたという。

(参)狸
『沿海手帖』「岩手県下閉伊郡普代村・重茂村」桜田勝徳『綜合日本民俗語彙』民俗学研究所編

安松火〔やすまつび〕静岡県浜名郡芳川村字安松（浜松市）でいう怪火。

昔、安松に平野という浪人が住んでいた。ある夏の夜、下働きの男を伴って外出した帰途に、あまりの暑さに浪人は道ばたの瓜を盗んで食べてしまった。

そのことを世間に知られたくない浪人は、口封じとばかりにその下働きの男を殺してしまった。そして男の母親をよびつけて、死体を引き取らせた。

母親はたいそう悔しがり、金火箸《かなひばし》で息子の頭を突き刺して川に運ぶと、「もし悪いことをして殺されたのなら下に流れよ。悪くもなくて殺されたのなら川上に流れよ」といって息子の死体を川に投げ込んだ。

するとうと死体はずんずん川上に上っていった。それを見た母親は、「それだけの魂があるなら、きっと仇《あだ》をとれ」といい帰ってしまった。それから毎晩、盥《たらい》ほどもある火の玉がころころと村中を転がるようになり、浪人の家に上がり込んでは消えるという出来事が繰り返されるようになった。そこで村人は祠《ほこら》を設け、その男の霊を祀ることにした。浪人の家はまもなく絶えたという。

『静岡県伝説昔話集』静岡県女子師範学校郷土研究会編

八十松火〔やそまつび〕　静岡県浜名郡神久呂村神ヶ谷（浜松市）でいう怪火。

神ヶ谷神田原の水神様の池から、入野村一本松を経て、浜名湖に流れる川に現れたもので、昔、八十松《やそまつ》という小僧が主人の金をこの地で失《な》くして自殺し、その霊が夜な夜な現れて金を探すのだという。

『静岡県伝説昔話集』静岡県女子師範学校郷土研究会編

ヤツインゲ
→オキナ

八束脛〔やつかはぎ〕　群馬県利根郡月夜野町後閑でいう巨人。

昔、夜になると何者かがやって来て、畑の作物を根こそぎ盗んでいくということがあった。困った村人が交替で見張りを立てると、藤蔓《ふじづる》の籠《かご》を背負った大男が現れ、作物を無造作に引き抜いては、籠がいっぱいになるまで入れ、地響きをたてて帰っていった。

見張りの者は腰を抜かさんばかりに驚いたが、その大男の後を追って山に入り、垂直に切り立った大きな岩の前まできた。その岩には洞窟《どうくつ》があり、大男はそこに掛けられた藤蔓を伝わって入っていった。

見張りの者は飛んで帰り、今までのことを村人に報告した。相談の結果、藤蔓を切ってしまえば、巨人も村には下りて来られないだろうということになり、早速この藤蔓を切ってしまった。それからは大男は現れなくなったのだが、しばらくすると、村に猛烈な勢いで疫病が流行した。

これは大男の祟《たた》りに違いないということになり、村人たちは大岩の洞窟へ行ってみることにした。洞窟の中には大男のものと思われる大きな骨が散乱しており、脛《すね》の骨などは足首の部分までで8掴みもあった。

村人たちはこの骨を拾い集め、手厚く供養して、この疫病が治まることを祈願した。そのためか、村の疫病はようやく鎮まったという。この大男がいた大岩には今も八束脛《やつかはぎ》神社が祀られている。

別説では、この大男の正体を奥州で活躍していた安部氏（安部貞任ら）の残党だとする話もある。

群馬県の水上《みなかみ》には、この安部氏に関係する伝説が多く残されており、安部氏の子孫だという人たちが今でもいるそうである。

『上州の伝説』都丸十九一・池田秀夫・宮川ひろ・木暮正夫『ふるさとの伝説　四　鬼・妖怪』伊藤清司監修・宮田登編

ヤッテイ様［やっていさま］岡山県北部、島根県、鳥取県などでいう神の使い。

ヤッテイ狐、オヤテイ様ともよばれ、島根県や鳥取県ではヤッテという。

人に憑く狐が多い岡山県でも、ヤッテイ様だけは人に憑かないといわれ、オイツキ様（祭神が宇賀魂命《うがたまのみこと》、保食神とされることから、稲荷神と無関係ではないとされている）という農村の神のお使いとされている。稲荷のお使いは狐だが、このヤッテイ様も狐のような動物のようである。

オイツキ様とヤッテイ様を祭祀する家に何か凶事が起こるとき、あらかじめ「キャーン、キャーン」と、ふつうの鳴き声とは違う尾を引いたような声で知らせるといわれ、それでも気がつかないでいると、雨戸を叩いて知らせるという。頭人《とうにん》（ヤッテイ様を祀る祠《ほこら》の主人）がそれに気がつくと、すぐに一升枡《ます》に米を入れて、家の角に置いて礼を述べるという。

真庭郡落合町上河内の熊野神社に奉納された銅板絵馬には、2匹のヤッテイ様が浮き彫りになっており、兎と狐と狼を足したような姿で描かれている。

これは本書の編著者が同神社の宮司さんより聞いた話だが、宮司さんは幼少の頃、ヤッテイ様に守られたことがあるという。熱を出してうなされていたとき、母親がふと見ると、宮司さんのまわりに白い獣（ヤッテイ様）がいたというのである。その後は、うそのように熱が引いたという。今でも時々、人の首を絞めるようなギャーッというヤッテイ様の鳴き声を聞くことがあるとのことだった。

『日本の火の神信仰と憑きもの』石田隆義
『日本民俗文化資料集成　七　憑きもの』「岡山県美作地方」三浦英宥

八つ目小僧〔やつめこぞう〕
↓ミカリ婆

八面頬〔やつらお〕　八面王とも表記される。高知県香美郡物部《ものべ》村でいう妖怪。頭が8つある大蛇のようなもので、物部村にはこれの墓と称する大きな石積みが各所に見られるという。

『村のあれこれ』松本実

夜道怪〔やどうかい〕　埼玉県秩父郡、比企郡小川町大塚などでいう怪異。宿かい、ヤドウケともいう。子供を連れ去ってしまうようにいわれている。

比企郡小川町大塚では宿かいとよび、白装束で行灯《あんどん》を背負い、白足袋に草鞋《わらじ》を履いてやって来るという。家の中には裏口か裏のほうにある窓からスーッと入ってくるのだという。

柳田国男の『山の人生』によれば、この夜道怪は中世において高野聖《こうやひじり》と名乗って諸国を修行して歩いた法師のことだという。

夕方になると村の辻に立ち、宿を貸してくれという意味で「ヤドウカ」と大声で叫んだ。誰も宿を提供してくれないと、また次の村に行って同じことを行うのである。

「高野聖に宿貸すな、娘取られて恥かくな」と

夜道怪

いう諺《ことわざ》があったそうで、なかには修行僧らしからぬふるまいをする者もいたようである。そういう者が来なくなった頃、子供を脅す想像上の化け物のように語られ、時間の経過とともに子供を攫《さら》う妖怪としてとらえられたのではないかと、柳田国男は考察している。

ちなみに十返舎一九《じっぺんしゃいっく》の『列国怪談聞書帖』には、高野聖は数珠《じゅず》を商いながら旅をした修行僧で、民戸《みんこ》に立っては宿を借りたり米銭を乞う。俗にこれを宿借というとある。

あるいは道可《どうか》という僧がこうした修行をはじめたので、すべての高野聖を野道可《やどうか》とよんだという説もあるとしている。

『山の人生』柳田国男『埼玉県伝説集成　下』韮塚一三郎編著『十返舎一九集』棚橋正博校訂　高田衛・原道生編

ヤナ　埼玉県川越市川越城趾でいう怪異。『十方菴遊歴雑記』にあるもの。

川越城の三芳野天神下にある外堀は伊佐沼と下で繋《つな》がっていて、この堀の主《ぬし》は詳しくは分からないが、ヤナという怪物であるという。

　川越城が攻められて敵兵がこの堀まで来ると、たちまち霧を吹いて雲を起こし、魔風を吹かせて四方を暗夜のごとくにしてしまう。

　また、洪水を起こして、敵兵の方向感覚を狂わせてしまう。ヤナを防衛として利用したのは、この城を築いた太田道灌《どうかん》だという。

『山東民譚集』柳田国男

柳女〔やなぎおんな〕『絵本百物語　桃山人夜話』にあるもの。子供を抱いた女性が柳の下に立っている様が描かれ、その讃には次のようにある。

　子供を抱いた若い女が、ある風の強い日に柳の下を通ったところ、枝が咽《のど》にかかって死んでしまった。その一念が柳に止《とど》まり、夜な夜な現れては「口惜しや、恨めしやの柳や」といいながら泣くという。

『竹原春泉　絵本百物語　桃山人夜話』多田克己編

柳婆〔やなぎばばあ〕『絵本百物語　桃山人夜

柳婆

話』にあるもの。

昔、常陸《ひたち》の鹿島（茨城県鹿島郡）に千年を経た柳があり、美女となって人を惑わした。あるときは老婆に化けて往来の人に詞《ことば》をかけたと『奇談類抄』に出ている。

「金陵の絮柳《くだやなぎ》は人を招く」と『盧全茶話』にあり、「島原の柳は客を化かす」と『契情買談』に載っている。油断すべきではない、などと記されている。

これには齢《とし》を経た柳は怪しいことをなすという意味の他に、水商売の女性は人を化かすということも含まれているようで、最後の油断すべきではないというくだりは、その両方にうまく掛けているものと思われる。

『竹原春泉　絵本百物語　桃山人夜話』多田克己編

家鳴り〔やなり〕　家鳴りは鳥山石燕の『画図百鬼夜行』に描かれたものだが（石燕は鳴屋と表記）、とくに解説はつけられていない。

石燕はかなりの数の妖怪を創作しているが、

家鳴り

初期の『画図百鬼夜行』では、過去の怪談本や民間でいう妖怪などを選んで描いており、家鳴りも巷《ちまた》に知られた妖怪だったようである。

昔は何でもないのに突然家が軋《きし》むことがあると、家鳴りのような妖怪のしわざだと考えたようである。

小泉八雲は「化け物の歌」の中で、【ヤナリといふ語の…それは地震中、家屋の震動する音を意味するとだけ我々に語って…その薄気味悪い意義を近時の字書は無視して居る。しかし此語はもと化け物が動かす家の震動の音を意味して居たもので、眼には見えぬ、その震動者も亦《また》ヤナリと呼んで居たのである。判然たる原因無くして或る家が夜中震ひ軋り唸ると、超自然な悪心が外から揺り動かすのだと想像してゐたものである】と述べ、『狂歌百物語』に記載された【床の間に活《い》けし立ち木も倒れけり　やなりに山の動く掛物】という歌を紹介している。

『鳥山石燕　画図百鬼夜行』高田衛監修・稲田篤信・田中直日編　『小泉八雲全集』第7巻

弥彦婆〔やひこばばあ〕

↓弥三郎婆

藪神〔やぶがみ〕　各地で祀られる民間神で、祟《たた》りやすい神とされている。

『民俗学辞典』によれば、藪神は祭りを要求する小神で村落の一郭に祀られるとあり、旅人や下働きの者を殺した後の祟りを恐れ、民間宗教者の勧めにより祠《ほこら》を設けて、一定の期日に供え物をするというのが多いという。

祟りとまではいかなくとも、奈良県南部の藪神は、藪から出てきて子供を驚かせる、と妖怪っぽい特徴が伝えられている。

『民俗学辞典』民俗学研究所編　『民間信仰辞典』桜井徳太郎編

ヤマアラシ　熊本県八代市の松井家に伝わる『百鬼夜行絵巻』に描かれている。モモンガのように平たく、全身が棘《とげ》で覆われた妖怪。解説はないので詳細は不明だが、どうやらこれは妖怪ではなく、齧歯類《げっしるい》の動物であるヤマアラシのことのようである。

山嵐《やまあらし》（ヤマアラシ）

『和漢三才図会』では豪豬と書いてヤマアラシと読ませ、深山に群れをなす猪のような動物で、頭から背にかけて棘のような長い毛があり、怒ると棘が激しく動いて矢のように人を射ると解説し、外国のものだとしている。

　この他にもヤマアラシとよばれる妖怪は各地に伝わり、和歌山県有田郡広村（広川町）でいうヤマアラシは牛が恐れる獣で、俗にシイともよばれる。前に進めと牛に命令するとき、「シイシイ」というのは、お前の後ろにシイがいるぞという意味だという。

　また、奈良県吉野郡大塔村でいうヤマアラシは山中で木《き》を伐る音をたてる怪物だという。

参シイ

『別冊太陽　日本の妖怪』『和漢三才図会』寺島良安編・島田勇雄・竹島淳夫・樋口元巳訳注『民間伝承』通巻39号「牛のツジ」浜口彰太『綜合日本民俗語彙』民俗学研究所編

病田［やまいだ］　主に東日本に広く分布する田んぼの怪異。静岡県富士郡や駿東郡では病田《やみだ》ともいう。その田で農作物を作ると、田の持ち主が凶事に見舞われるというもの。

青森県上北郡六戸町鶴喰のシマッ田、長野県南部のケチ田なども同じものである。

『綜合日本民俗語彙』民俗学研究所編 『静岡県伝説昔話集』静岡県女子師範学校郷土研究会編 『青森の伝説』森山泰太郎・北彰介

山犬〔やまいぬ〕 東北から九州まで、狼のことを意味する言葉として広く使われ、各地にさまざまな話が残されている。

静岡県の伊豆では山犬を神様だとし、深山にいてけっして人前に姿を現さないが、たまたま病気に罹《かか》った山犬は人里に下りてきて人に噛《か》みつくようになるという。

病気にかかった山犬は神としての山犬の資格を失ったもので、病犬《やまいぬ》とよぶそうである。

また、伊豆の猟師の話によれば、山犬とよばれているものには、狼とは別にノイヌというものがいるという。山の動物や人家で飼っている犬を襲うのはこのノイヌのほうで、獰猛《どうもう》な性質だが、人を襲うことはないとされる。要は山に入った野犬のことなのだろう。

この他、山犬の話は別項目の送り犬、送り狼にもあるので、そちらも参照してほしい。

㊂送り犬、送り狼

『民間信仰辞典』桜井徳太郎編 『日本民俗誌大系 十一 未刊資料 二』「伊豆内浦雑記」早川孝太郎

山姥〔やまうば〕 山婆、野婆、山姑とも表記される。各地の民俗資料や怪談集、随筆などに多くみられる山中の妖婆。

山中に来た者を襲って食らうという恐ろしい存在である反面、民家にやって来ては糸紡《いとつむ》ぎを手伝ったりする優しい性質も語られる。

山姥は暮の市に姿を現すという地方も多く、山姥が支払った金には特に福があるとか、山姥が持ってきた徳利《とっくり》に酒を売った者が、これにあやかって金持ちになったなどと、山姥は福を与えてくれるとも信じられていた。

こうした二面性は山神《さんじん》信仰の影響があるとさ

れ、山姥は山神あるいは山神に仕える老女ともいう。民間伝承でも、人を襲う恐ろしい山姥は多くの場合は昔話に登場する。「牛方山姥」や「飯食わぬ女房」、「三枚のお札」などが恐ろしい山姥が出てくる昔話である。

『日本民俗事典』大塚民俗学会編　『民間信仰辞典』桜井徳太郎編　『日本昔話事典』稲田浩二・大島建彦・川端豊彦・福田晃・三原幸久編

山オサキ〔やまおさき〕　群馬県多野郡上野村でいう憑き物。

オコジョのことを山オサキとよび、よく人の歩いた跡を走るもので、いじめると祟《たた》られるという。

また、群馬県の某村では、オサキには山オサキと里オサキがあり、山オサキは人に憑くことはないが、里オサキは人に憑くといわれていたという。

㊫オサキ

『日本民俗文化資料集成　七　憑きもの』「憑きものと社会構造」吉田禎吾・板橋作美　『日本民俗文化資料集成　七　憑きもの』「群馬の憑きもの」後藤忠夫

山オジ〔やまおじ〕　鹿児島県八女《やめ》郡星野村でいう山童《やまわろ》。しゃがむと頭よりも膝小僧が上にくるほど、足が長いという。

これと同じ特徴が鹿児島県悪石島のガラッパでも語られている。

㊫山童、ガラッパ

『日本妖怪変化語彙』日野巌・日野綏彦　『綜合日本民俗語彙』民俗学研究所編

山男〔やまおとこ〕　山丈とも表記される。各地の山中に現れる妖怪。山人《やまひと》、大人《おおひと》ともいわれる。

半裸で毛深い大男とする地方が多く、土地により、言葉を話すとか、まったく話さないが人語は理解するなどといわれる。

人を襲う、出会った人を病気にするなど有害な者もあるが、だいたいは気立ての優しい性質のようで、人に出会うと煙草《たばこ》や食べ物をねだり、礼として大量の薪《たきぎ》を運んでくれたり、木の皮を

山男

剝《は》ぐのを手伝ったりと、少しの報酬で大きな労働力を提供してくれるという。

　山中で山男に出会ったという話は、中世以降の怪談集、随筆や、各地方の民俗資料などに数多く見られる。

『北越奇談』には、人間と親しく交流した山男の話がある。この山男は髪が赤く灰黒色をした裸身で、身長は六尺（約1m80cm）あまり、腰に草木の葉を着ていたという。声は牛のようだったが、人の言語は聞き分けた。

　ときおり山小屋の焚火《たきび》にあたりにくるので、山小屋にいた者が、獣の皮を着物にすることを教えてやると、大いに笑って喜んだという。

㊀山人、大人

『神話伝説辞典』朝倉治彦・井之口章次・岡野弘彦・松前健編　『北越奇談』崑崙橘茂世　『日本怪談集　妖怪篇』今野円輔編著

山おなご〔やまおなご〕

↓山女

山鬼〔やまおに〕

↓覚《さとり》

山オラビ〔やまおらび〕　福岡県八女郡星野村仁田原などでいう怪異。

　山に入って「ヤイヤイ」というと、山オラビも負けずに「ヤイヤイ」とおらび返し、ついには人をおらび殺すと伝えられている。

　このときに破《わ》れ鐘を叩くと山オラビのほうが負けるといわれる。

㊜山彦

『妖怪談義』柳田国男　『綜合日本民俗語彙』民俗学研究所編

ヤマオロ

↓山童《やまわろ》

山颪〔やまおろし〕　鳥山石燕の『画図百器徒然袋』に、下《お》ろし金《がね》の妖怪として描かれたもので、【豪猪といへる獣あり。山おやじと言ひて、そう身の毛はりめぐらし、此妖怪も名とかたちの似たるゆへにかく言ふならんと、夢心におもひぬ】とある。

『和漢三才図会』によれば、豪猪とは猪のよう

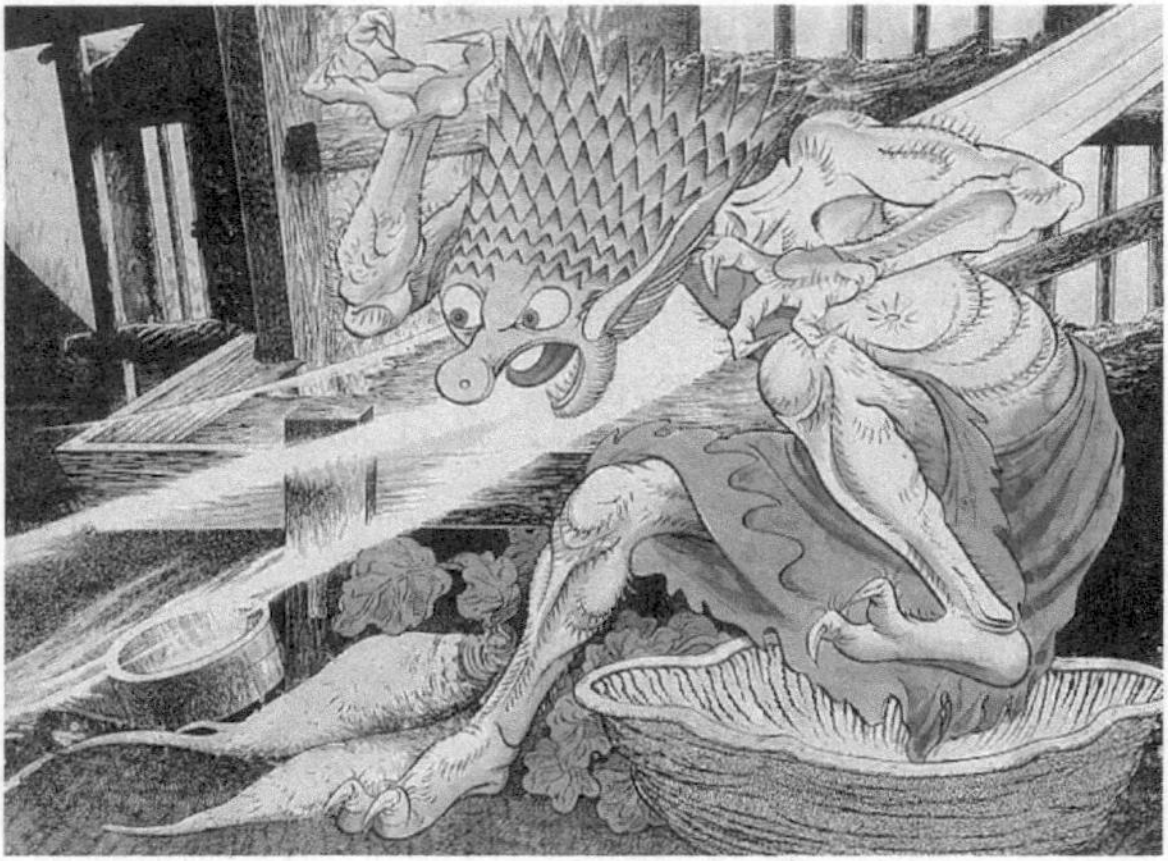

山颪

で、背中には一尺（約30㎝）ほどの針を生やし、ひとたび怒ると、その針が矢のように飛ぶとあり、豪豬と書いてヤマアラシと読ませている。

どうやらこれは齧歯類《げっしるい》の動物であるヤマアラシのことのようである。石燕は下ろし金の突起とヤマアラシの棘《とげ》を掛けて、このような妖怪を描いたものと思われる。

『鳥山石燕 画図百鬼夜行』高田衛監修・稲田篤信・田中直日編 『和漢三才図会』寺島良安編・島田勇雄・竹島淳夫・樋口元巳訳注

山女〔やまおんな〕 山婦とも表記される。各地の民俗資料や中世以降の怪談集、随筆などに見られる山中の妖怪。山姫、山女郎ともいわれる。髪の毛が長く、色白で、美女などといわれるが、山男や山姥などと同様、土地により伝わる性質に違いがある。

腰に草葉の蓑のようなものを着けた半裸の場合や、十二単《じゅうにひとえ》を着ていることもある。

熊本県下益城郡での山女は、髪の毛が地べたにつくほど長く、しかも節《ふし》がある。人に会うとゲラゲラ笑い、血を吸うという。

ある女性が山女に出会い、ゲラゲラと笑いかけられた。そのとき、女性が大声を出したので、山女は逃げていったが、女性は笑われているときに血を吸われたらしく、まもなく死んでしまったという。

大分県直入《なおいり》郡黒岳の麓に現れた山女は山姫とよばれ、絶世の美女だった。山姫とは知らずに2人の旅人が声をかけると、山姫はあかんべえをした。すると、その舌がへらへらと伸びて、地面でとぐろを巻いた。1人は恐ろしくて逃げ出したが、もう1人は血を吸われて全身蒼白となって死んでしまったという。

血を吸われないまでも、高知県幡《は》多郡奥内村篠津坂では、山女に出会っただけで大熱を出して死んでしまったという話もある。

このように恐ろしい山女もいる一方、普通の人間が何らかの事情で山に入ったものを山女だとしている場合もある。

山女

また、山中の妖婆である山姥も、広い意味で山女なのだが、山姥が福をもたらす性質を有しているのに対し、山女とよばれる怪女の話には、そういった話は少ないようである。『宿直草』にある岡山の山姫の記述に、山姫に気に入られると宝をくれるとあるので、まったくないというわけではないが、そうした例はやはり多くない。

㊂山姥、山女郎

『大語園』巌谷小波編　『江戸怪談集（上）』高田衛編／校注　『熊本県民俗事典』「内大臣山のある山師の話」丸山学　『近世土佐妖怪資料』広江清編　『大分の民話〈伝説〉』土屋北彦『日本怪談集　妖怪篇』今野円輔編著

ヤマガロ

↓山童

玃〔やまこ〕『和漢三才図会』や『享和雑記』にある妖怪。

本来は中国の妖怪だが、『享和雑記』では黒ん坊の名で次のような話が記されている。

美濃国根尾（岐阜県本巣《もとす》郡根尾村）の泉除川に善兵衛という樵がいて、黒ん坊というものがよくなついていた。黒ん坊は長い黒毛をした大きな猿のようで、立ち上がって歩く姿は人のようだった。

また、人の言葉を理解するだけでなく、人が思っていることを察する能力を持っていた。

この黒ん坊は害をなすことはなく、善兵衛の山仕事をよく手伝って、いつしか善兵衛の家にも来るようになった。

そんなあるとき、善兵衛の近所に住む子持ちの後家《ごけ》のもとに、夜になると幻のような男がやって来て、しきりに契《ちぎ》ろうとした。

その怪しい者を退治しようと、村人たちが集まって張り込んでいたが、まるでやって来る気配がないので、見張りを止めてしまった。

ところが、見張りがいない夜に限って、その怪しいものはやって来た。仕方なく、後家の女性は鎌を隠して寝ていると、はたしてその夜も怪しいものがやって来た。

そこを後家が鎌で斬りつけると、相手は大いに狼狽して逃げ去った。村人たちを呼んで血の跡を辿《たど》っていくと、それは善兵衛の家の縁の下を通り、山のほうまで続いていた。

このことがあって以来、黒ん坊は二度と善兵衛の家には来なくなり、かの事件は黒ん坊のしわざだということが分かった。

『享和雑記』の著者は、これは『本草綱目』にある玃の類であり、美濃、飛騨の深山に多く棲むものであるなどと結んでいる。

『享和雑記』の最後にある『本草綱目』の件は、『和漢三才図会』を参考にしたものだと思われる。『和漢三才図会』では玃はカクともよぶといい、『本草綱目』を引いて次のように解説している。

玃とは老猿のことで、猿よりも大きく、色は青黒い。人のように歩行し、人や物をよく攫《さら》う。雄ばかりで雌はおらず、そのため、人間の婦女をよく捕らえて子を生ませるという。

思うに、飛騨、美濃の深山にいる動物は黒い

獲

大きな猿のようで、毛が長く、よく立って歩く。人語を理解し、人の意向を予察してあえて害をなさない。山人はこれを黒ん坊とよんでいて、人間も黒ん坊も互いに恐れはしない。もし人がこれを殺そうと思うと、黒ん坊はいち早くそれを察して、早々に逃げてしまう。だからこれを捕らえることはできない。

思うに、これは玃の属だろうか。雌だけしかいないとか、雄だけしかいないとかの是非については よく分からない、と記している。

『享和雑記』の成立は享和3年（一八〇三年）といわれ、『和漢三才図会』はそれよりも古い正徳2年（一七一二年）に成立している。黒ん坊の説明が『和漢三才図会』とまったく同じであるところを見ても、『享和雑記』のほうが『和漢三才図会』を参考にしたのは確かなことと思われる。元になった『和漢三才図会』の「思うに、これは玃の属だろうか」という記述からすれば、黒ん坊と玃が同一のものとは断言できないようである。

ちなみに、鳥山石燕の『今昔画図続百鬼』には覚《さとり》という妖怪が描かれ、【飛騨美濃の深山に玃あり。山人呼んで覚と名づく。色黒く毛長くして、よく人の言をなし、よく人の意を察す。あへて人の害をなさず。人これを殺さんとすれば、先その意をさとりてにげ去と云】とある。

石燕は『和漢三才図会』を参考に玃を覚としてその姿を描いているようだが、その内容は『享和雑記』にもある黒ん坊であり、そこから人の心を悟るという意味のさとりの名をつけたようである。

㊫覚

『和漢三才図会』寺島良安編・島田勇雄・竹島淳夫・樋口元巳訳注『随筆辞典 奇談異聞編』柴田宵曲編『鳥山石燕 画図百鬼夜行』高田衛監修・稲田篤信・田中直日編

山爺〔やまじじ〕高知県を中心にした四国の山中でいう妖怪。山父《やまちち》ともいう。

『近世土佐妖怪資料』が引く『南路志続篇稿本二十三』「怪談抄」によれば、身長三、四尺（約90cm～120cm）ほどの一本足の人のようで、全身鼠色で短い毛がある。眼は2つあるが、片方が大きくて光があり、もう片方は甚《はなは》だ小さくて、一見すると一つ目に見える。

強い顎《あご》を持っていて、猪や猿を大根を食するように食うので、狼でさえこの山爺を恐れるという。そのため猟師たちは、山爺に動物の骨を与えて手なずけ、山小屋に置いてある獣の皮を狼が盗まないように防いだという、などと記されている。

山爺は大声の持ち主で、その声は木の葉を震《ふる》い落とし、石を動かすほどだといわれ、猟師に大声比べを挑むという昔話が各地にある。大声と偽って山爺の耳元で鉄砲をぶっ放したり、八幡菩薩の隠し弾《だま》という特殊な弾を使って山爺をうち負かすというような話である。

また、山姥と同じように、山爺にも富をもたらす力もあるとされている。

『近世土佐妖怪資料』広江清編『旅と伝説』通巻174号「土佐の山村の『妖物と怪異』」桂井

和雄『土佐の妖怪』市原麟一郎

山ジョーロ〔やまじょーろ〕
→山女郎

山ジョロ〔やまじょろ〕
→山女郎

山女郎〔やまじょろう〕　四国に広く分布する山中の怪女。主に山中にいる若い美女とされ、他の地方でいう山女、山姫の類である。

高知県土佐郡本川村辺りでは、山女郎は煙草《たばこ》が好物なので、これに出会ったときは道に煙草を撒《ま》き散らして、山女郎が拾っている隙《すき》に逃げ出せばよいといわれている。

徳島県祖谷《いや》地方では山ジョロとよんでいる。西祖谷山村と三名村（山城町）の間の地蔵のウネ辺りは、金の団扇《うちわ》を持った十二単《じゅうにひとえ》の姫様のような怪女に出会うことがあるという。

東祖谷山村では、深山で娘の姿で現れるのを山ジョロというそうである。また、高知県香美郡上韮生村安丸（物部《ものべ》村）では山ジョーロといって、こんな話がある。

ある者が阿波祖谷に猟に行くと、山奥で美しい女が髪を梳《と》いているのに出会った。女はこちらを見ると、近寄って来ずに、自分の手を伸ばして匂いを嗅《か》ぐような仕草をした。

男が逃げると、追いかけてきて、またもや匂いを嗅ぐ。同じことを繰り返した後に、男はやっとのことで逃れたが、恐ろしさに帰ってから2日～3日は寝込んでしまったという。

ちなみに祖谷山では、行方不明になった女が山女郎になるといわれている。

㊜山女

『自然と文化』一九八四秋季号「讃岐・阿波・伊予の妖怪」武田明『旅と伝説』通巻174号「土佐の山村の『妖物と怪異』」桂井和雄『土佐の伝説』松谷みよ子・市原麟一郎・桂井和雄『日本民俗誌大系　十　未刊資料一』「祖谷山村の民俗」高谷重夫

八岐大蛇〔やまたのおろち〕『古事記』や『日本書紀』にみえる大蛇。高天原《たかまがはら》を追われた素戔嗚尊《すさのおのみこと》が出雲の斐伊《ひい》川の

八岐大蛇

上流に天降《あまくだ》ったとき、そこで出会った足名《あしな》椎《づち》、手《て》名《な》椎《づち》の娘である櫛名《くしな》田《だ》比売《ひめ》が、八岐大蛇の生け贄《にえ》になることを知る。

八岐大蛇とは、苔《こけ》むした身体に檜《ひのき》や杉を生やし、腹は常に血が流れて爛《ただ》れ、その胴体には8つの頭と尾があり、目はほおずきのように赤く、8つの谷、8つの尾根に跨《また》がるほどの大きさの怪物だという。

そこで素戔嗚尊はたくさんの酒槽に酒を満たして八岐大蛇をおびき寄せ、酔って倒れたところを剣で斬り裂いて退治した。

その際に、大蛇の尾から一振《ひとふり》の剣が見つかったが、これこそ三種の神器の一つである草薙《くさなぎ》の剣《つるぎ》なのだという。

斐伊川流域には八岐大蛇が棲んでいた天ヶ淵、8本の首を埋めたとする八本杉など、八岐大蛇にまつわる伝説地がいくつもある。

『日本伝奇伝説大事典』乾克己・小池正胤・志村有広・高橋貢・鳥越文蔵編 『神話伝説辞典』朝倉治彦・井之口章次・岡野弘彦・松前健編

山地乳

ヤマヂイ
↓山爺《やまじじ》

山地乳〔やまちち〕『絵本百物語 桃山人夜話』にあるもの。くちばしのある獣の姿が描かれており、次のように記されている。

山地乳とは、蝙蝠《こうもり》が齢《とし》を経て野衾《のぶすま》となり、それがさらに齢を経てなったもので、山に隠れ棲むのでこの名がある。

深山ではサトリカイといって、人の寝息を窺《うかが》って、その息を吸う。これに吸われているところを誰かに見られれば、その人は長寿になるが、誰も見る人がいなければ翌日になって死ぬという。これによって長生きした人も、また死んだ人もいないけれども、土地によっては山地乳《やまちち》を恐れぬ者はいない、などとある。

また、絵の讃には、山地乳は息を吸った後に、その者の胸を叩く。叩かれた者は死んでしまう。しかし、そこを誰かに見られると、吸われた者は長生きするという。奥州（東北地方）に多くいると伝わっている、などと記されている。

奥州に多くいるとはいうものの、山地乳という妖怪はこの『絵本百物語　桃山人夜話』くらいにしか見あたらないようである。

『竹原春泉　絵本百物語　桃山人夜話』多田克己編

山父〔やまちち〕

→山爺《やまじじ》

山天狗〔やまてんぐ〕　神奈川県津久井郡青根村（津久井町）でいう天狗のこと。

山小屋を揺すったり、木を倒す音をたてるという。そんなときには、鉄砲を３つ撃てばよいといわれているが、そんな罰《ばち》あたりなことをする者は多くはないという。

同地では川に出る天狗を川天狗、山に出るものを山天狗とよんでおり、山天狗のほうは他地方でいう天狗と変わりはないようである。

㊂天狗

『民間伝承』通巻12号「青根村の霊怪」倉田一郎

山猫〔やまねこ〕　宮城県牡鹿郡網地島、島根

山猫

県大田市、島根県隠岐郡、東京都八丈島などでいう猫の怪異。

隠岐島では猫が一貫（約3750g）を超すと、山猫となって怪異を起こすといわれている。昭和15年（一九四〇年）頃、西郷のある病院では、大きな黒猫がロシア軍人の大男に化けて、大きな靴音をたてて歩いたり、部屋を開けて病人の足を引っぱるなどの悪戯《いたずら》をした。

病院のすぐ近くに日露戦争のときに軍艦と一緒に漂着したロシア軍人の遺体を埋めた墓があり、その魂が取り憑いたのかどうかは分からないが、とにかく猫のしわざとされた。

隠岐の猫は人に化けることはもちろん、山中で歌を歌ったり、道に迷わせたり、人に化けて出て相撲を取りたがるという。

八丈島でいう山猫は普通の飼い猫とは違っていたようで、胴は太くて足が短く、尾がとても長いといわれ、頭から尾の先までは五尺（約1m50cm）もあったという。昼夜を問わず人家を覗《のぞ》いてまわり、食べ物や子供をくわえていったそうである。

宮城県牡鹿半島の南に浮かぶ網地島でも山猫の怪異は多く聞かれたという。隠岐の山猫同様に人を騙《だま》すのが巧みで、歌を歌ったり、貧相な男に化けて相撲を取ったりした。

ある漁師は、立派な紳士に田代島から網地島まで渡してほしいと頼まれ、大金を積まれたので悪天候にもかかわらず渡してやったことがあった。しかし、後でその金を見てみると、すべて木の葉に変わっていたという。

こういうことはよくあったそうで、これも山猫のしわざとされている。

㊫化け猫、猫股

『日本伝説叢書　伊豆の巻』藤沢衛彦　『動物界霊異誌』岡田建文　『旅と伝説』通巻15号「網地島の山猫」三原良吉　『現代民話考　十狼・山犬・猫』松谷みよ子　『綜合日本民俗語彙』民俗学研究所編

山のアラシ〔やまのあらし〕　栃木県芳賀郡益子《まし こ》町の昔話にある妖怪。

昔、ある農民が山へ木を取りに行くと、山間で氷を掻《か》いている者に出会った。なにをしているのかと尋ねると、「俺は山のアラシという者だ。この氷を壊して里へ降らすのだ」という。そこで農民が「俺《おら》げの畑へは降らさねえようにしてくれろ」と頼むと、山のアラシは「そんなら畑のへりに印をつけておけば、その畑には降らさない」という。

農民は家に帰ると、自分の畑のへりに御幣《ごへい》を立てて目印とした。

以来、この地方では、雹《ひょう》除けとして畑のへりや煙草代などに御幣を立てるようになったのだという。

『旅と伝説』通巻31号「芳賀郡昔話」高橋勝利

山の神〔やまのかみ〕

↓山神《さんじん》

山の神婆〔やまのかみばばあ〕 岐阜県武儀《むぎ》郡下牧村矢坪（美濃市）でいう山中の怪異。

この地では毎年11月7日に山の講を行ってい

山の神婆

るが、この日は山に行かないことにしていた。入山すると、山の神婆に出会うことがあり、そのとき山の神婆は、自分に出会ったことを誰にも告げるなという。もし約束を破ると、その人は死んでしまうといわれている。

山の神の祭日に山に入ると怪異にあうという伝承は、祭りにともなう物忌みが背景にあるようである。

『民俗学』2巻10号『綜合日本民俗語彙』民俗学研究所編

山囃子〔やまばやし〕　静岡県磐田郡阿多古(天竜市)、熊村(天竜市)でいう音の怪異。人気《ひとけ》のない夜の山中で囃子《はやし》が聞こえるというもので、狸のしわざとされた。熊村では日中でも聞くことがあるという。

㊟狸囃子

『綜合日本民俗語彙』民俗学研究所編

幽谷響〔やまびこ〕

→山彦

山彦〔やまびこ〕　幽谷響《やまびこ》とも表記される。各

幽谷響《やまびこ》(山彦)

地でいう山のこだま現象のこと。

かつては山中にこだま現象を起こす妖怪がいたと信じられていたようで、鳥山石燕の『画図百鬼夜行』には幽谷響という名で猿のような狸のような妖怪が描かれている。

高知県幡《はた》多郡橋上村楠山での山彦《やまひこ》はこだまではなく、昼夜にかかわらず深山で突然聞こえる恐ろしい声のことだとしていた。

『鳥山石燕　画図百鬼夜行』高田衛監修・稲田篤信・田中直日編　『旅と伝説』通巻174号「土佐の山村の『妖物と怪異』」桂井和雄

山人〔やまびと〕　秋田県北部でいう山中の異人。大人《おおひと》ともいう。

青森県との境にあたる田代嶽にいるものといわれ、山人に煙草をあげた礼にマダの木の皮を集めてもらったなどの口碑が残っている。

（参）山男

『山の人生』柳田国男　『綜合日本民俗語彙』民俗学研究所編

山姫〔やまひめ〕　東北地方、岡山県、高知県、大分県、宮崎県、鹿児島県肝属《きもつき》郡牛根村など、各地の山村でいう妖怪。山女の類。

名前の通り、山中にいる美しい女で、宮崎県西諸県《にしもろかた》郡真幸町（えびの市）では洗い髪でよい声で歌を歌うといい、鹿児島県肝属郡牛根村（垂水市）では山中に入ってきた男の生き血を吸うなどと伝わっている。

岡山県勝田郡奈義町日本原の山姫は、明治末期頃～大正初期に広戸や滝周辺に現れたという。髪は赤しゃげてもつれ、青い眼をギロギロとさせ、腰のまわりだけボロをまとっていた。蛇や蛙を生で食し、ときおり民家のまわりをうろついていた。

あるとき、樵《きこり》小屋を覗いたところを樵たちに見つかって殺されたが、調べてみると、付近の村出身の気がふれた娘であることが分かったという。

（参）山女

『綜合日本民俗語彙』民俗学研究所編　『郷土研究』1巻4号「山姫の正体」井上雪下　『日

山ミサキ

本怪談集 妖怪篇』今野円輔編著

山塞がり〔やまふさがり〕

↓海塞《うみふさ》ぎ

山ミサキ〔やまみさき〕 山口県豊浦郡、萩市相島、徳島県三好郡三名村（山城町）などでいう山中の怪異。

山口県豊浦郡の山村では、深山に出る怪物のことで人の生首が落ち葉の上を飛ぶという。その風に人が当たると、大熱を出すと伝わる。

日本海に浮かぶ相島では山ミサキは山に出る恐ろしい亡霊のことだとし、崖から落ちて死んだ者や、海で遭難して死んだ者が、死後8日目まで山ミサキとなるのだという。

あるいは死後、行くところに行けず、風になって迷っている亡霊のことで、それに行きあたると病気になるともいっている。

徳島県三好郡三名村では、川で水死した者の霊が山に入ると山ミサキになり、鳥のように飛ぶものだと伝わっている。

高知県幡多郡昭和村（十和村）では、山ミサキの類をリョウゲといっている。ミサキについては、その項目を参照してほしい。

㊜ミサキ、リョウゲ

『旅と伝説』通巻130号「相島日記」瀬川清子　『日本民俗誌大系　十　未刊資料一』「長門六島村見聞記」桜田勝徳　『綜合日本民俗語彙』民俗学研究所編

山女の怪〔やまめのかい〕

→岩魚《いわな》坊主

ヤマワラワ

→山童《やまわろ》

ヤマワランベ

→山童《やまわろ》

山猱《やまわろ》〔やまわろ〕

→山童

山童〔やまわろ〕各地の山間部でいう妖怪。山中に棲む小童《こわらわ》でヤマワラワ、ヤマワランベともいう。特に九州にその分布が顕著で、河童が山に入ったものが山童だといわれている。

熊本県では、ガラッパが秋の彼岸《ひがん》に山に入ると山童になり、春の彼岸に再び川に入ってガラッパになるという。

また、宮崎県西米良の山童であるセコは、一日サイクルで山と川を行き来するという。すなわち、夕方になると川から山に入り、明け方に山から川に帰ってくるのである。

山童は山の尾根伝いに山と川を行き来するといわれ、彼岸前後の雨の晩には、移動する山童のヒョーヒョーという鳴き声を聞くことがあるという。

また、山童の通り道に小屋などを建てると、さまざまな怪異を起こし、ひどい場合には祟りをおよぼすといわれている。

山童はよく山仕事の手伝いをするといわれ、伐採した木を運んでくれたりする。

熊本県葦北《あしきた》郡では山童のことを山の若い衆とよび、山仕事が一日で終わりそうもないとき、老人たちは「山の若い衆にでも頼むか」などというそうである。

山童

山童と一緒に木を運ぶときは、木を下ろすときに「1、2、3」の3まで数えていると遅いので、2の掛け声と同時に下ろさなければならない。山童が早めに支えている肩を外してしまうからだという。

作業の礼には握り飯でも魚でもいいのだが、最初に約束したものと同じでないといけないという決まりがある。例えば、魚を一荷《いっか》やるからと約束したら、どんなに小さな魚でも2匹を別々にくくって一荷にしないと、山童は怒ってしまうという。

また、山童に仕事を頼むときには、最初に食べ物を与えると食い逃げされるので、仕事が終わってからやるのがコツだそうである。

この他にも、山童は歌を上手に歌うとか、牛馬に悪戯《いたずら》をする、相撲を取る、人の弁当を盗む、家に忍び込んで勝手に風呂を使うなど、さまざまな話が語られている。

よび名も多く、ヤマガロ、ヤマオロ、ヤマンタロウ、ワロドン、オジドン、ヤマセコ、カリコボなどと、九州の山童の語彙《ごい》だけでも枚挙に遑《いとま》がないほどである。

『和漢三才図会』には山𤢖という妖怪が見えるが、こちらは中国の妖怪もしくは人間のことをいっており、日本の山童とは別のものと考えられる。

九州以外の山童については、クサビラ、セコ、カシャンボ、木の子などを参照のこと。

㊫河童、クサビラ、セコ、カシャンボ、木の子
『日本怪談集　妖怪篇』今野円輔編著　『民間信仰辞典』桜井徳太郎編　『河童』大島建彦編「河童の系譜」小野重朗　『河童』大島建彦編「山にのぼる河童」奥野広隆　『綜合日本民俗語彙』民俗学研究所編

ヤマンタロウ
↓山童

ヤマンバ
↓山姥

ヤマンボ　鹿児島県奄美大島でいう山中の妖怪。

ヤマンボ

山中に入った者が「ウーイ」と連れの者をよぶと、すぐ近くで「ウーイ」と人間ではない声で返事が返ることがある。これはヤマンボのしわざだといわれる。

ヤマンボは小さな子供のようで、いつも大木の根元に座っているが、人が近寄ると後ろに隠れて姿を見せないという。

大木の木の実を拾うときは、全部は取らずに少し残しておくものだといわれ、そうしないとヤマンボに道に迷わされて、山から出られなくなるという。奄美大島では山のこだまもヤマンボとよんでいる。

『日本怪談集　妖怪篇』今野円輔編著

病田《やまいだ》［やみだ］
→病田

ヤムボシ
→ヤンボシ

鎗毛長［やりけちょう］鳥山石燕の『画図百器徒然袋』に、虎隠良《こいんりょう》、禅釜尚《ぜんふしょう》とともに、毛玉の頭をした妖怪が木槌《きづち》をふりかぶった姿で描か

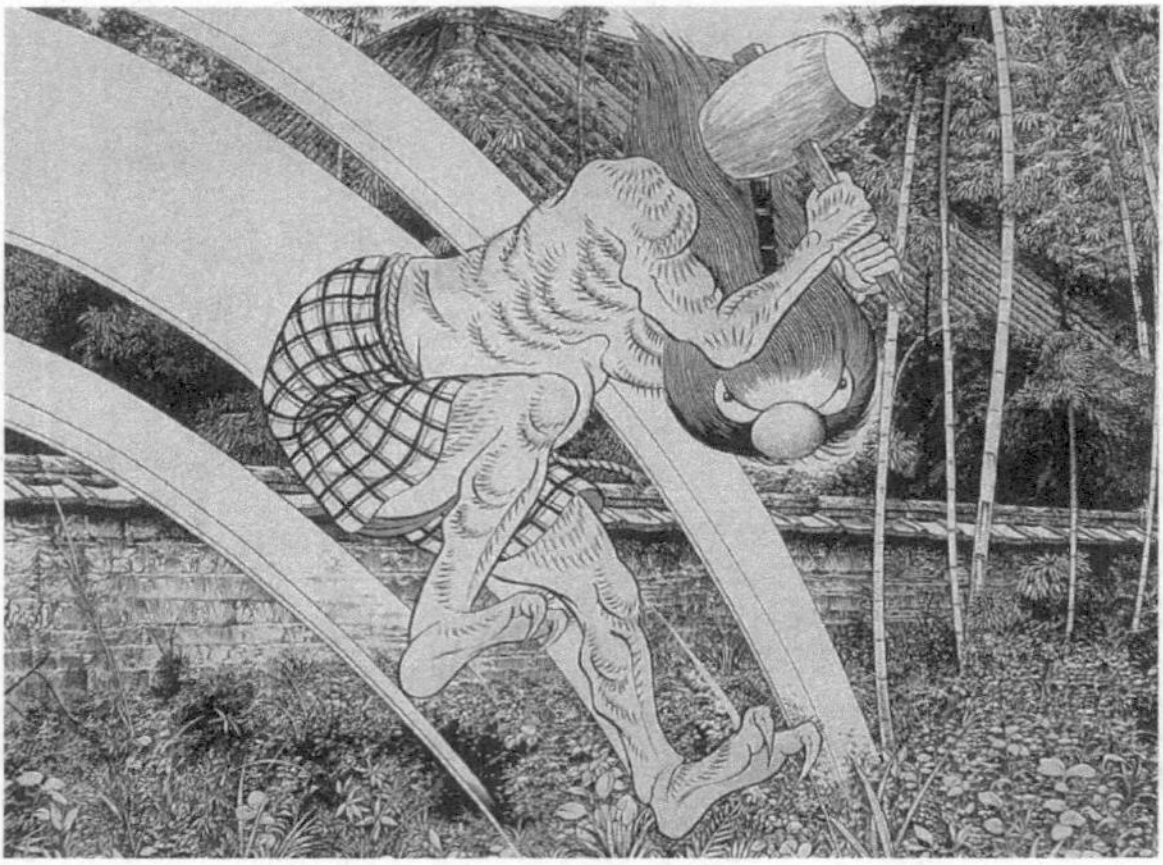

鎗毛長

れ、【日本無双の剛の者の手にふれたりし毛鑓《けやり》にや。怪しみを見てあやしまず。まづ先がけやの手がらをあらはす】とある。

室町時代の『百鬼夜行絵巻』には、木槌をふりあげた妖怪が描かれている。石燕はこれをモデルに、【日本無双の剛の者】の手にした毛鎗の妖怪として描いたようである。

『鳥山石燕 画図百鬼夜行』高田衛監修・稲田篤信・田中直日編

やろか水〔やろかみず〕岐阜県加茂郡太田町(美濃加茂市)、愛知県葉栗郡草井村小淵(江南市)、犬山市などの木曽川流域に伝わる怪異。

雨が降り続いて木曽川の堤防が今にも切れそうになったとき、上流や淵から「やろか、やろか」という声が聞こえてくるというもの。

この声に対して「よこさばよこせ」などと答えると、次第に木曽川が増水して堤防が決壊し、大洪水になってしまう。

犬山町では、貞享4年(一六八七年)8月26日の洪水や、明治6年の洪水のときに、「やろか、やろか」という声が聞こえたという。

『愛知県伝説集』福田祥男『日本伝説名彙』柳田国男監修・日本放送出版協会編『妖怪談義』柳田国男

八幡知らずの森〔やわたしらずのもり〕
→八幡の藪知らず

八幡の藪知らず〔やわたのやぶしらず〕千葉県市川市にある藪の怪異。入ると出てこられなくなるとか、祟《たた》りがあるとされた藪で、禁足地《きんそくち》とされていた。

その由来は諸説あるが、平将門《たいらのまさかど》にまつわるものがよく知られている。

平将門が討たれた後、6人の家来が将門の首級《しるし》を慕ってこの藪に入り、そのまま土人形と化した。

後に、その人形は風雨によって破壊されたが、それ以来、この地に足を踏み入れる者は祟りにあうようになったなどと、『江戸名所図会』に見える。

『日本伝説叢書 下総の巻』藤沢衛彦『江戸

文学俗信辞典』石川一郎編『日本伝奇伝説大事典』乾克己・小池正胤・志村有広・高橋貢・鳥越文蔵編

ヤンブシ
→ヤンボシ

ヤンボシ　鹿児島県肝属《きもつき》郡百引村（曾於《そお》郡輝北町）、宮崎県でいう怪異。

夜の山道を歩いていると、ときおりボウッとした大きな人影を見ることがある。これをヤンボシという。

夜の山に行くと、ヤンボシに攫《さら》われてしまうともいわれていたそうである。

宮崎県内ではヤンブシとよび、坊主が首を括《くく》ったところに現れるものだという。

『方言』5巻4号『民族』2巻3号『綜合日本民俗語彙』民俗学研究所編『日本妖怪変化語彙』日野巌・日野綏彦

ゆ

ユーリー　沖縄県山原地方でいう妖怪。白い着物を着た人間の形をしているが、長い毛髪が顔を覆《おお》っており、身丈《みのたけ》高く、自由自在に低くも高くもなるという。

今帰仁村天底の馬場付近に現れたユーリーは、天に届くほど背が高いものだったという。

出会ったら「シータカ、シータカ」といって高くし、次に「シーヒク、シーヒク」と唱えて低くしておいて、鞭《むち》や小枝で打ちのめしてやるものだという。打ちのめされたユーリーは、蛍火のような青光を四方に散乱させるといわれる。

那覇でユーリーといった場合は、単に人間の死霊という意味になるという。

㊫見越し入道、次第高《しだいだか》、高入道《たかにゅうどう》、高坊主、入道坊主、伸び上がり、乗り越し、見上げ入道

『山原の土俗』島袋源七『郷土研究』5巻2号「琉球妖怪変化種目 一」金城朝永

幽霊毛虫〔ゆうれいけむし〕
→毛虫の怪

幽霊船〔ゆうれいせん〕各地の海上、河川湖沼でいう怪異。幻の船のこと。

水難者の霊のしわざとされ、遭難したときの船が突如として現れる。帆船や漁船、観光船、定期船、軍艦などと、土地や時代によってさまざまな幽霊船の目撃談がある。

普通の船と思っていると、思わぬ事故を起こすという地方が多い。風に逆らって走るとか、右舷と左舷のランプの位置が逆だったり、色が違ったりなど、人間が操る船とは明らかな相違があるという。

船だけが現れたり、船とともに人影が見えたりし、助けを求める声や、船を漕ぐときのかけ声、柄杓《ひしゃく》を貸せなどの声が聞こえることも珍しくない。

本書の編著者が山口県の平群島出身者より聞いた話では、島の近くには大阪丸という幽霊船が出たという。

銅を運んでいた船だったが、あるとき沈没してしまい、以来、その海上を行くと、船の輪郭を象《かたど》るような電飾を煌々《こうこう》と照らした大阪丸が、海中よりスーッと現れるのだという。

これと同じと思われる話が『旅と伝説』に寄せられた宮本常一の「周防大島 二」に見られる。

それによれば、大阪号（丸ではない）が沈んだのは、平群島東南端から4㎞ほどの沖合いで、軍用金や金銀を満載した御用船だったという。

金銀を大阪に運ぶ途中、周防第一の港である室津港で、船長たちが御用金の使い込みをしてしまった。その責任から逃れるため、船を沈没させて証拠隠滅をはかったのである。

船長とともに金を使った者たちは島に逃れたが、他の船員たちは海底に沈んでいった。

以来、大時化《おおしけ》になった晩には、必ずその海域に黒い船が浮かび上がるようになり、大波にも揺れず、どんな闇夜でも船の形がはっきりと分かったという。

船のマストに1つ2つと灯火がともると、やがて船全体が火で一杯になり、暗夜の海を赤々と照らす。しばらくすると、辺りは元の漆黒《しっこく》の海になるのだという。この話は平群島では有名だったらしい。

『旅と伝説』通巻26号「周防大島 二」宮本常一 『日本妖怪変化語彙』日野巌・日野綏彦 『現代民話考 三 偽汽車・船・自動車の笑いと怪談』松谷みよ子 『日本怪談集 幽霊篇』今野円輔編著

ユウレ風〔ゆうれかぜ〕
↓精霊風《しょうろかぜ》

行き逢い神〔ゆきあいがみ〕 四国、中国を中心とした各地でいう怪異。行き逢い神の呼称は主に四国、中国地方でのもので、東日本では通り神、宮城県ではカミアイなどという。

野外で急に悪寒《おかん》を感じて発熱することを行き逢い神にあったなどといい、場合によっては牛馬にも憑くことがある。

治すには、四国や岡山県では箕《み》で扇《あお》ぎ、島根県簸川《ひかわ》郡大社町では焙烙《ほうらく》をかぶせるという。牛馬の場合は、尾の先を少し切って血を出せばよいという。

山の神や水神、ミサキ、風などの総称としても行き逢い神の名が使われている。

㊫風、ミサキ
『神話伝説辞典』朝倉治彦・井之口章次・岡野弘彦・松前健編 『綜合日本民俗語彙』民俗学研究所編

雪男〔ゆきおとこ〕 富山県でいう妖怪。雪の降る夜に出る大入道だという。
『日本妖怪変化語彙』日野巌・日野綏彦

雪女子〔ゆきおなご〕
↓雪女

雪女〔ゆきおんな〕 各地でいう雪の妖怪。山形県では雪女郎、新潟県では雪女郎や雪姉サ、宮城県では雪バンバ、長野県諏訪ではシッケンケン、愛媛県宇和では雪婆《ゆきんば》、宮崎県では雪バジョなど、地方ごとのよび名がある。
多くの場合は雪の降る晩や吹雪のときに現れるが、岩手県遠野市では小正月の夜や冬の満月の夜に現れ、青森県西津軽郡では元旦に現れて年のはじめの卯の日に帰るなどと、現れる期日が決まっている場合もある。

雪女

岩手県や宮城県では雪女に出会うと精を抜かれてしまうといわれ、茨城県磐城《いわき》では行き会った旅人に雪女が声をかけ、旅人が返事をせずに後ろ姿を見せると、谷底へ突き落としてしまうという。

新潟県では人を凍死させたり、子供を攫《さら》って生き肝を取ってしまうと伝えられている。

青森県津軽では赤ん坊を抱いてくれといって現れるといい、それに応じると赤ん坊はたちまち天にまで届くほど大きくなる。断ればその人は死んでしまうという。

弘前《ひろさき》のある武士がこの雪女に出会ったとき、短刀を口にくわえて赤ん坊の頭すれすれのところに刃《やいば》がくるようにした。頭の上に刃があるので赤ん坊は大きくなれず、そうこうしてから雪女に赤ん坊を返すと、雪女は子供を抱いてくれたことに感謝して、さまざまな宝物をくれたという。これなどは産女《うぶめ》とほとんど同じものといえる。

雪女の正体についても地方によってさまざま

に伝えられ、雪の精であるとか、吹雪で行き倒れた女の霊、あるいはもともと雪女郎は月世界の姫だったが、天上世界に退屈して雪といっしょに舞い降りてきたという話が山形県に伝わっている。

『日本伝奇伝説大事典』乾克己・小池正胤・志村有広・高橋貢・鳥越文蔵編『民間信仰辞典』桜井徳太郎編『日本昔話事典』稲田浩二・大島建彦・川端豊彦・福田晃・三原幸久編『津軽口碑集』内田邦彦『日本未確認生物事典』笹間良彦『動物妖怪譚』日野巌『羽前小国郷の伝承』佐藤義則編

雪おんば〔ゆきおんば〕

↓雪女

雪女郎〔ゆきじょろう〕

↓雪女

雪ノドウ〔ゆきのどう〕岐阜県揖斐《いび》郡揖斐川町坂内川上、藤橋地区でいう雪の怪異。

本来は目に見えぬもので、昼夜を問わずに女や雪玉の形となって現れる。山小屋に水をくれといって来ることがあり、そういうときは水をやらずに熱いお茶を出すものだという。水をやると殺されてしまう。

撃退する呪文というものがあり、「先クロモジに後ボーシ、あめうじがわ（黄牛の皮）の八つ緒ばえ、締めつけ履いたら、如何《いか》なるものも、かなうまい」と唱えればよいという。

この呪文は、この地方で作られる輪《わ》カンジキの製法に関係したものだといわれている。

『山と人と生活』高橋文太郎『旅と伝説』通巻149号「美濃揖斐郡徳山村郷土誌」国枝春一・広瀬貫之『綜合日本民俗語彙』民俗学研究所編

雪バジョ〔ゆきばじょ〕

↓雪女

雪バンバ〔ゆきばんば〕

↓雪女

雪降り婆〔ゆきふりばばあ〕長野県諏訪郡上諏訪町（諏訪市）でいう妖怪。

雪の降った日に現れる妖怪で、常に持っている紐《ひも》で出会った人を縛っていくという。

『民間伝承』通巻35号「妖怪の名前」佐伯隆治

雪婆〔ゆきんば〕愛媛県北宇和郡吉田町（松野町）でいう妖怪。雪が降る頃には、雪婆が来るといって子供を外に出さないよう注意する。雪上に一本足の足跡を残すともいう。
㊜一本足
『綜合日本民俗語彙』民俗学研究所編　『旅と伝説』通巻1号「スキーと雪と雪の怪」藤沢衛彦

雪坊〔ゆきんぼ〕和歌山県伊都郡見好村（かつらぎ町）でいう妖怪。
降雪の翌日、樹下に円形の窪みがあるのは、雪坊の足跡だという。雪の夜に一本足で跳び歩くのだという。
㊜一本足
『綜合日本民俗語彙』民俗学研究所編　『旅と伝説』通巻1号「スキーと雪と雪の怪」藤沢衛彦

ユナーメー　沖縄県でいう髪の毛がぼうぼうの妖怪。

那覇上泉町地蔵前の某家が蔵する面のことだともいい、この面を被って「メーメー、ワーワー」と脅すと、夜泣きする子供がマブイ（魂）を落とさずに夜泣きの癖《くせ》が治るという。

『郷土研究』5巻2号「琉球妖怪変化種目一」金城朝永　『全国妖怪事典』千葉幹夫編

ユナワ　鹿児島県徳之島でいう妖怪。

夜、群れをなして歩く豚の妖怪で、人の股をしきりに潜《くぐ》ろうとする。潜られた者は死んでしまうという。

名前は〝夜なウヮー〟からきているらしく、「夜の豚」という意味になる。

茂野幽考の「南西諸島の伝説　上」では、名前は伝えられていないが、同じ徳之島での子豚の妖怪を紹介している。

母間と花徳の間に陸川という小さな川があり、夜間、その川を渡るときに口笛を吹くと、必ず豚の子が飛び出してくるといわれていた。

ユナワ

ある夜、花徳の農民が川海老をとりに、網を持って出かけたが、その晩に限って川海老が一匹もとれなかった。農民は退屈まぎれに口笛をピーと吹いた。

すると、川上から一匹の豚の子が流れて来たので、網を張って生捕りにした。その瞬間、豚の子は網目から幾千にも小さく千切れて飛び出したので、農民は吃驚《びっくり》して逃げ出した。

農民は無我夢中で自分の家に逃げこんだが、一群をなして追いかけてきた豚の子は、家の中へまで入ってきた。とうとう逃げ場を失った農民が豚小屋の中に隠れ、寝ている大きな豚の傍《かたわら》に伏していると、豚の子の一群はまもなくその場を引き揚げたという。

㊫カタキラウヮ、ミンキラウヮー

『徳之島民俗誌』徳之島民俗研究学会編　『旅と伝説』通巻7号「南西諸島の伝説　上」茂野幽考『日本怪談集　妖怪篇』今野円輔編著

よ

よいよい船〔よいよいぶね〕福岡県宗像郡福間町でいう海上の怪異。船幽霊の類。

よいよいとは船を漕ぐときの掛け声で、盆の16日に漁に出るとこの船に出会うという。

隣の遠賀《おんが》郡でいう迷い船と同じものらしい。

㊫船幽霊、迷い船
『筑前の伝説集』佐々木滋覚 『綜合日本民俗語彙』民俗学研究所編

妖怪宅地〔ようかいたくち〕
→池袋の女

ヨウカゾウ
→ミカリ婆

養法寺狢〔ようほうじむじな〕
→坊主狸

夜釜焚〔よがまたき〕『北越奇談』にある妖怪。新潟県頸《くびき》城郡高津村（上越市）に伝わる。

ある夜、夜遊びから帰ってきた男が、道の真ん中に座り込んでいる男を見た。ひそかに見ていると、胡座《あぐら》をかいてうつむいているその男の足の間から、一尺（約30㎝）ほどの青白い火がとろとろと立ち上った。

見ていた男がアッと声をあげると、怪しい男は痩せこけた顔を向けてにっこり笑い、消えていった。

翌朝、男が草取りをしていると、夕べの怪しい男がやって来て、「昨日のことは誰にもいうな」といって去っていった。目撃した男はそのまま病に臥《ふ》したという。

この怪にあった人は3年以内に死ぬともいわれる。

『北越奇談』崑崙橘茂世 『越後佐渡の伝説』小山直嗣

横川覚海坊〔よかわかくかいぼう〕密教系の祈禱秘経『天狗経』にある全国代表四十八天狗の一つ。高野《こうや》山の覚海法印が、生きながらにして天狗になったものだという。
『天狗経』では、対立的立場であるはずの比叡山横川《よかわ》に祀られていることになっている。しかし、天狗の研究家である知切光歳は、横川覚海坊は比叡山横川の護法としての天狗ではなく、あくまでも高野山側の天狗であり、対立する比叡山に対していやがらせをするために祀られた天狗ではなかったかとしている。

㊜天狗

『天狗考　上』知切光歳　『図集天狗列伝　西日本編』知切光歳

横槌〔よこつち〕

↓槌《つち》の子

横槌蛇〔よこづつへんび〕

↓槌の子

横山狐〔よこやまぎつね〕『諸国里人談』にある名狐。伯耆《ほうき》国大山《だいせん》の大智明神の使者で、願いごとを頼んで祈ると成就するという。

例えば、盗人にあった者が祈ると、狐が出てきて盗人の家まで道案内するなどという。

㊜狐

『日本随筆大成』日本随筆大成編集部編　『日本妖怪変化語彙』日野巌・日野綏彦

吉野皆杉小桜坊〔よしのみなすぎこざくらぼう〕　密教系の祈禱秘経『天狗経』にある全国

夜雀

代表四十八天狗の一つ。奈良県吉野山塊に棲むという天狗。

㊟天狗

『天狗考 上』知切光歳 『図集天狗列伝 西日本編』知切光歳

夜雀〔よすずめ〕 高知県幡多《はた》郡田ノ口村（大方町）、富山村（中村市）、安芸郡北川村、愛媛県南宇和郡、和歌山県東牟婁《ひがしむろ》郡本宮町などでいう怪異。

夜の山道を歩いていると、ときおり、その前後をチッチッチあるいはチンチンチンと鳴いてついてくるものがあるという。

高知県幡多郡田ノ口村や富山村では、夜雀に憑かれるのは不吉だといわれ、これを除けるために「チッチッチと鳴く鳥は、シチギの棒か恋しいか、恋しくばパンと一撃ち」とか、「チッチッチと鳴く鳥をはよ吹き給え伊勢の神風」という呪文が伝わっている。

安芸郡北川村で夜雀にあった人の話では、黒い蛾《が》のようなものがチャッチャッと鳴きながら笠や懐《ふところ》の中にまで入ってくるので、進むに進めなくなってしまうが、気を鎮《しず》めて歩くうちに自然と消えてしまったと伝えている。

愛媛県南宇和郡でも、夜雀は一種の蛾だといっており、夜道を行くと歩けないほどに飛んでくることがあるという。これは山犬の出る前触《まえぶ》れだといわれている。

和歌山県東牟婁郡本宮町では、奈良県との県境にある旧道によく出たそうで、チンチン、チンチンといってついてくるという。しかし、こちらでは不吉のものとはしておらず、逆に夜雀が憑いている間は、送り狼が山の魔物から守ってくれている証であるという。これと似たものに袂雀《たもとすずめ》、送り雀がある。

『旅と伝説』通巻174号「土佐の山村の『妖物と怪異』」桂井和雄 『宇和地帯の民俗』和歌森太郎編 『熊野・本宮の民話』和歌山県民話の会編 『現代民話考 十 狼・山犬・猫』松谷みよ子 『土佐の妖怪』市原麟一郎 『綜合日本民俗語彙』民俗学研究所編

夜泣石（夜泣き石）

夜泣き石［よなきいし］　全国各地でいう怪石。夜になると泣き声や唸《うな》り声を発するとか、祈願すれば子供の夜泣きが治るといわれているもの。

なかでも東海道にあった小夜《さよ》の中山夜泣き石がよく知られている。『東海道名所図絵』よりその由来を紹介しておく。

昔、日坂《にっさか》（静岡県掛川市）に身重の女があって、金谷（静岡県榛原郡金谷町）の宿《しゅく》の夫の許《もと》へ通っていた。するとある夜のこと、小夜の中山に山賊が現れてこの女を斬り殺し、衣服を剥《は》ぎ取って逃げ失せた。

ところが女は日頃から観世音《かんぜおん》を信心していたので、そのとき観世音が僧となって現れ、亡婦の腹から赤児を取り出すと近所の女に預け、飴をもって養育させた。

この子が成長すると口癖のように、「命なりけり小夜の中山」といい続け、諸国巡歴の末、池田の宿で親の仇《かたき》を討ち取ったという。

小夜の中山夜泣き石は、この殺された女の霊が乗り移っていた石で、夜な夜な悲しい泣き声をあげたというものである。

各地でいう夜泣き石は、人の霊が乗り移って泣くほか、何者かのしわざとはせずに、石そのものが怪音を発するものも多い。

『大語園』巌谷小波編　『日本伝奇伝説大事典』乾克己・小池正胤・志村有広・高橋貢・鳥越文蔵編　『石の伝説』石上堅

夜泣き婆〔よなきばばあ〕『蕪村妖怪絵巻』にあるもの。

遠州見付《みつけ》宿（静岡県磐田市）で、憂いのある家の前に現れては泣き、その声につられて人々が涙するという。

『蕪村妖怪絵巻解説』乾猷平　『別冊太陽　日本の妖怪』

夜半人〔よはしと〕　鹿児島県奄美大島でいう妖怪。侍の幽霊が首無し馬に乗って夜半に現れ、クイナがその先触れをする。

家に灯《あかり》がともっていると家の中に入ってくるが、爪を隠していれば助かるという。

泣き婆（夜泣き婆）

『現行全国妖怪辞典』佐藤清明

ヨバシリ　山口県阿武郡相島（萩市）でいう海上の怪異。船幽霊の類。

白帆を捲《ま》いてこっちが海上を走れば、向こうも走って惑わすものだという。灰を撒《ま》いて音をたてると逃げて消えるそうである。ヨバシリとは夜走りという意味だろうか。

㊫船幽霊

『旅と伝説』通巻130号「相島日記」瀬川清子

『綜合日本民俗語彙』民俗学研究所編

呼子〔よぶこ〕　鳥取市でいう怪異。山彦の類。呼子鳥ともいう。

山中に呼子という者がいて、山彦を起こすと信じられていたという。

『妖怪談義』柳田国男

呼子鳥〔よぶこどり〕

↓呼子

夜の楽屋〔よるのがくや〕『絵本百物語　桃山人夜話』にみえる人形にまつわる怪異。

人形を跨《また》いで通った者が瘧《おこり》を患い、人形に詫《わ》

呼子

雷獣

びを入れて病が癒《い》えた話や、夜中に人形を使う舞台の楽屋に行くと、高師直《こうのもろなお》と塩谷判官《えんやはんがん》の人形が争っていることがあるといった話が記されている。

　夜の楽屋とは妖怪の名前ではなく、こうした人形の怪異を記した絵と文章の題名である。

『竹原春泉　絵本百物語　桃山人夜話』多田克己編

ヨロヅナセノ
↓磯女

ら

雷獣〔らいじゅう〕　雷と一緒に天から駆け下りてくるといわれた動物で、爪跡が落雷した立ち木に残っているといい伝えられている。

　雷獣については江戸時代の随筆や各地方の民俗資料に見られ、落雷とともに落ちてきた雷獣のミイラを伝える寺院もある。

　特徴は文献によってまちまちで、『玄同放言』では形は狼のようで前脚が2本、後ろ脚が4本あるとか、『駿国雑誌』では後ろ脚に水掻《みずか》きがついているなどとある。

『信濃奇勝録』には、立科山《たてしな》（蓼科山）は雷獣が棲むので雷岳ともいうとあり、雷獣の形は小犬のようで、毛は狢《むじな》に似ており、5本の爪は鋭く鷲《わし》のようである。冬は穴を穿《うが》って土中に入る。故《ゆえ》に千年鼹《せんねんもぐら》ともいうとある。

『斉諧俗談』では、下野国烏山（栃木県那須郡烏山町）の雷獣は鼬《いたち》より大きな鼠のようで、4本足の爪はとても鋭いとある。

夏の頃、山のあちこちに自然に穴があき、その穴から雷獣が首を出して空を見ている。雷獣は夕立ち雲を見ていて、自分が乗れる雲を見つけると、たちまち雲に飛び移るが、そのときは必ず雷が鳴るなどと記されている。

これら雷獣の特徴を簡単にまとめるならば、二尺前後（約60㎝）の小犬、または狸に似て、尾が七、八寸（約21㎝～24㎝）、鋭い爪を有する動物ということになるだろうか。

『動物妖怪譚』日野巌　『随筆辞典　奇談異聞編』柴田宵曲編

羅生門の鬼〔らしょうもんのおに〕平安京の正門である羅城門（文芸作品では羅生門として知られるが、本来は羅城門が正しい）に巣食っていたという鬼。

謡曲『羅生門』では、坂田金時、碓井貞光、卜部季武、渡辺綱ら四天王と平井保昌とが、源頼光の屋敷で酒宴を開いているときに、平井が羅生門に鬼がいるといいだすことから話ははじまる。

渡辺綱が王地の総門に鬼が住むいわれはないと、事実を確かめるために単身羅生門へと向かうが、綱はそこで鬼に遭遇する。

綱が鬼の腕を斬り落とすと、腕を奪われた鬼は「時節を待ちて、取り返すべし」と叫びながら大空の黒い雲間に消えていった。これがおおまかな内容である。

これは室町時代に創作された謡曲であり、これのモデルとなった話は『平家物語』「剣の巻」にある一条戻橋《もどりばし》の鬼とされている。以下、要約して紹介してみる。

源頼光の使いで渡辺綱が一条大宮に行ったのだが、その帰りは、すでに夜も更《ふ》けていた。綱が一人で馬に乗って一条堀川の戻橋を渡ったとき、路傍にいた若い女が、五条辺りまで送ってくれないかと声をかけてきた。

綱は了承し、女を乗せて五条に向かうと、やがて女は恐ろしい形相の鬼と化し、綱の髻《もとどり》をつかんで空を飛んだ。

しかし、綱はまったく慌《あわ》てず、空を飛びながらも名刀髭切丸《ひげきりまる》を抜き、鬼の腕を斬り落とした。鬼は悲鳴をあげながら愛宕山《あたごやま》のほうへと逃げて行き、綱は北野神社の回廊に落ちた。

その後、綱は何事もなかったかのように、鬼の腕を持って頼光の屋敷に出向いた。頼光は白銀のような剛毛が生えた鬼の腕を見て、後難があるといけないので、安倍晴明《あべのせいめい》に見てもらったほうがよいと、さっそく晴明を呼び出して相談した。

晴明の占いでは、綱は七日間の物忌《ものいみ》と仁王経の読誦《どくしょう》が必要で、鬼の腕は櫃《ひつ》に封じておくようにとのことだった。

綱は晴明の言葉通りに自宅に籠《こも》っていたが、綱の乳母に化けた鬼によって、腕は奪い返されてしまったという。

古典芸能の世界では、この話の前半を謡曲『羅生門』、続きの部分を歌舞伎・長唄『茨木』として別の作品とし、乳母に化けて腕を取り返しにくる鬼を茨木童子としている。

戻橋の鬼の話から2つの違う鬼の話ができたわけだが、これにより羅生門の鬼と茨木童子は同一視されるようになり、さらに元となる戻橋の鬼も混同されるようになった。

茨木童子は酒呑童子《しゅてんどうじ》の子分としても知られるが、もともと大阪府茨木市に古くから伝わる鬼であり、これを羅生門の鬼とするのは間違いのようである。

㊫鬼、酒呑童子

『日本伝奇伝説大事典』乾克己・小池正胤・志村有広・高橋貢・鳥越文蔵編 『神話伝説辞典』

龍

朝倉治彦・井之口章次・岡野弘彦・松前健編『鬼の研究』馬場あき子

ラプウシオヤウ
→ホヤウ

ラプシヌプルクル
→ホヤウ

り

龍〔りゅう〕河川や湖沼、海に棲むものとされ、全国各地にその伝説が残る。

その姿は、頭は駱駝《らくだ》、角は鹿、眼は鬼、耳は牛、項《うなじ》は蛇、腹は大蛇（蜃《しん》）、鱗《うろこ》は鯉、爪は鷹、掌《てのひら》は虎に似ているという。

口髭《くちひげ》があり、喉の下に一枚だけ逆さになった逆鱗《げきりん》がある。声は銅鑼《どら》を打ったような音に似ている、などと『和漢三才図会』は中国の『本草綱目』を引いて説明している。

もともと龍は古代中国で発生したものといわれ、紀元前五〇〇〇年の新石器時代の遺跡から龍とおぼしき文様《もんよう》が発見されているという。

漢の時代には龍に雨乞いの祈禱をしたという記録があり、その頃にはすでに水神としての性質を有していた。

日本へは弥生時代には伝わっていたようで、大阪府和泉市と泉大津市にまたがる池上曾根遺跡から龍の文様がある土器が出土している。

日本においての龍は、中国産の龍に日本古来の蛇神信仰や土着の水神信仰が結びついたものとされている。

『和漢三才図会』寺島良安編・島田勇雄・竹島淳夫・樋口元巳訳注 『日本未確認生物事典』笹間良彦 『動物妖怪譚』日野巌 『龍の話』林巳奈夫

龍灯〔りゅうとう〕 龍神が棲むとされる海や河川などの水辺から現れる火。

『諸国里人談』には各地の龍灯がいくつか紹介されている。

例えば、周防国《すおうのくに》（山口県）野上庄熊野権現には、毎年12月晦日《みそか》の丑《うし》の刻に龍灯が現れるとあり、また、丹後国（京都府北部）与謝《よさ》郡天橋《あまのはし》立《だて》では、毎月16日の夜半になると、丑寅《うしとら》（東北）の方角の沖から龍灯が現れ、文珠堂のほうに近寄ってくるなどとある。

龍灯は龍神が神社や寺に献じた神火といわれ、各地に見られる龍灯松、龍灯杉、灯明松といったものは、そうした神火が灯《とも》る樹木とされていた。

『日本伝奇伝説大事典』乾克己・小池正胤・志村有広・高橋貢・鳥越文蔵編 『神話伝説辞典』朝倉治彦・井之口章次・岡野弘彦・松前健編 『随筆辞典 奇談異聞編』柴田宵曲編

リョウゲ 高知県幡多《はた》郡昭和村（十和《とおわ》村）でいう怪異。

山ミサキの類をリョウゲとよび、これに憑かれることをリョウゲ憑きという。

安芸郡室戸町（室戸市）では、不慮の事故にあって死んだ者の霊が取り憑くことをリョウゲの行き逢いという。

『綜合日本民俗語彙』では、リョウゲとは霊怪という意味かとある。

㊂山ミサキ、ミサキ、行き逢い神
『土佐民俗記』桂井和雄『旅と伝説』通巻182号「七人みさきに就て」桂井和雄『綜合日本民俗語彙』民俗学研究所編

る

累〔るい〕
↓累《かさね》

ルルコシンプ
↓コシンプ

れ

レイラボッチ
↓ダイダラボッチ

レブンエカシ アイヌ語で沖の長老という意味。内浦湾（噴火湾）に棲み、鯨を8頭も呑んでしまうほど大きな化け物だという。
　昔、2人の漁師がレブンエカシに呑み込まれたが、腹の中で火を焚《た》いたので吐き出され、生還できたという昔話がある。

老人火

『人類学雑誌』29巻10号「アイヌの妖怪説話続」吉田巌『昔話北海道第一集』森野正子

ろ

老人火〔ろうじんび〕『絵本百物語　桃山人夜話』に、老人とともに現れる怪火として描かれており、次のように記されている。

　信州（長野県）と遠州（静岡県西部）の境にあたる山間で、雨夜によく現れたという。人に障《さわ》ることはないものの、一本道でこれに出会ったとき、履物《はきもの》を頭に載せて行き過ぎれば火は自然と脇に逸《そ》れるが、慌《あわ》てて逃げ出したりすると、どこまでもついてくる。俗にこの火を天狗の御《みあ》灯《かし》とか、老人の火とかいう。

　その他、山気とも奇鳥の息とも昔からさまざまにいわれており、里人も確かなことは知らないのである、などと説明されている。

『竹原春泉　絵本百物語　桃山人夜話』多田克己編

六右衛門狸〔ろくえもんだぬき〕徳島県名東郡津田浦でいう化け狸。日開野の金長狸《きんちょうたぬき》と合戦して傷を受けて死んだという。

㊜狸、金長狸

『日本妖怪変化語彙』日野巌・日野綏彦

轆轤首〔ろくろくび〕抜け首、飛頭蛮《ひとうばん》ともいう。身体から首が完全に分離して活動するものと、細紐《ほそひも》のような首で身体と頭が繋《つな》がっているものの二形態があるようである。

　日本の文献には江戸時代から多くみえはじめ、『古今百物語評判』『太平百物語』『新説百物語』などの怪談集や、『甲子夜話』『耳嚢』『北窓瑣談』『蕉斎筆記』『閑田耕筆』といった随筆の他、石燕の『画図百鬼夜行』に代表される妖怪画にも多く描かれた。

　一般的な轆轤首の話としては、夜中に首が抜け出たところを誰かに目撃されたとする内容がほとんどで、下働きの女や遊女、女房、娘などと女性である場合が多い。

　男の轆轤首は『蕉斎筆記』にみえる。

ある夜、増上寺《ぞうじょうじ》の和尚の胸の辺りに人の首が

飛頭蛮《ろくろくび》(轆轤首)

来たので、そのまま取って投げつけると、どこかへいってしまった。

翌朝、気分が悪いと訴えて寝ていた下総出身の下働きの男が、昼過ぎに起き出して、和尚に暇を乞うた。

その理由《わけ》を問えば、「昨夜お部屋に首が参りませんでしたか」と妙なことを訊《き》く。確かに来たと答えると、「私には抜け首の病があります。昨日、手水鉢《ちょうずばち》に水を入れるのが遅いとお叱りを受けましたが、そんなにお叱りになることもないのにと思っていると、夜中に首が抜けてしまったのです」といって、これ以上は奉公に差支えがあるからと里に帰ってしまった。

下総国にはこの病が多いそうだと、『蕉斎筆記』は記している。

轆轤首を飛頭蛮と表記する文献があるが、これはもともと中国由来のものである。

『和漢三才図会』では、『三才図会』『南方異物誌』『太平広記』『捜神記』といった中国の書籍を引いて、飛頭蛮が大闍波国(ジャワ)や嶺南

（広東、広西、ベトナム）、竜城（熱洞省朝陽県の西南の地）の西南に出没したことを述べている。

昼間は人間と変わらないが、夜になると首が分離し、耳を翼にして飛び回る。虫、蟹《かに》、ミミズなどを捕食して、朝になると元通りの身体になる。この種族は首の周囲に赤い糸のような傷跡がある、などの特徴を記している。

中国南部や東南アジアには、古くから首だけの妖怪が伝わっており、マレーシアのポンティアナやペナンガルなどは、現在でもその存在が信じられている。

日本の轆轤首は、こうした中国、東南アジアの妖怪がその原型になっているようである。

また、離魂病《りこんびょう》とでもいうのだろうか、睡眠中に魂が抜け出てしまう怪異譚《かいいたん》がある。

例えば『曾呂利物語』に「女の妄念迷い歩く事」という話がある。

ある女の魂が睡眠中に身体から抜け出て、野外で鶏になったり女の首になったりしているところを旅人に目撃される。

旅人は刀を抜いてその首を追いかけていくと、首はある家に入っていく。

すると、その家から女房らしき声が聞こえ、「ああ恐ろしい夢を見た。刀を抜いた男が追いかけてきて、家まで逃げてきたところで目が醒めた」などといっていたという話である。

これの類話は現代の民俗資料にも見え、抜け出た魂は火の玉や首となって目撃されている。先に紹介した『蕉斎筆記』の男の轆轤首も、これと同じように遊離する魂ということで説明ができるだろう。

轆轤首という妖怪は、中国や東南アジア由来の首の妖怪や、離魂病の怪異譚、見世物に出た作りものの轆轤首などが影響しあって、日本独自の妖怪となっていったようである。

『和漢三才図会』寺島良安編・島田勇雄・竹島淳夫・樋口元巳訳注『江戸怪談集（中）』高田衛編／校注『妖異博物館』柴田宵曲『随筆辞典 奇談異聞編』柴田宵曲編『日本怪談集

妖怪篇』今野円輔編著『大語園』巌谷小波編

ロンコロオヤシ

→キムナイヌ

わ

わいら 鳥山石燕の『画図百鬼夜行』に、鎌のような一本爪を持った怪獣の姿として描かれたもの。石燕の他にも『化物づくし』に「はいら」として描かれているが、説明は一切なく、どのような妖怪なのかは不明。

茨城県の野田元斎という医者がモグラを食しているわいらを見たという話をよく妖怪を紹介した本でみるが、これは山田野理夫の『ぬらりひょん』にあるもので、子供向けに作られた話のようである。

『鳥山石燕 画図百鬼夜行』高田衛監修・稲田篤信・田中直日編

ワクド憑き〔わくどつき〕 福岡県久留米でいう憑き物。

ワクドとは蝦蟇《がま》のことで、無闇に殺せば祟《たた》り

わいら

があるとか、取り憑かれるとかいう。

蝦蟇に取り憑かれた者は耳をくすぐられたり、耳の中で甘酒を醸《かも》されたり、頭の毛を毟《むし》り取られたりするといわれ、蝦蟇の形となって死ぬともいわれた。

また、白い蝦蟇は荒神《こうじん》さんの使いで、これに憑かれると目や耳が不自由になるといわれたという。

㊂蝦蟇
『憑物』「久留米地方の憑物と祟り」及川儀右衛門

渡り柄杓〔わたりびしゃく〕 京都府北桑田郡知井村（美山町）でいう怪火。

この地方では光り物には3種類あるといわれ、テンビ、ヒトダマと、3つめがこの渡り柄杓だという。

これは形状より名づけられた光り物であり、柄杓《ひしゃく》のような青白い光り物が、ふわふわと飛ぶ（渡る）といわれている。

『綜合日本民俗語彙』民俗学研究所編

わちんの火〔わちんのひ〕 広島県佐伯郡大野町蛭ヶ崎の沖合いでいう怪火。

宮島と蛭ヶ崎との間に現れる火で、毛利氏に疑われて果てた和知弾正の怨霊の火という。

また、厳島《いつくしま》合戦で敗れた陶晴賢《すえはるかた》の亡霊ともいう。

『広島の伝説』若林慧・村岡浅夫

輪入道〔わにゅうどう〕 鳥山石燕の『今昔画図続百鬼』に、牛車の車輪に入道の顔がついた妖怪として描かれているもので、【車の轂に大なる入道の首つきたるが、かた輪にてをのれとめぐりありくあり。これを見る者魂を失う。此所勝母の里と紙にかきて、家の出入の戸におせば、あへてちかづく事なしとぞ】とある。
石燕の描いた輪入道は、『諸国百物語』「京東洞院、かたわ車の事」の車輪の中央に入道の顔がある片輪車の挿絵がもとになっているようで、『諸国百物語』では京都の東洞院通り（烏丸通りと高倉通りの中間を南北に走る通り）に現れた話になっている。

輪入道

「此所勝母の里」という呪符については、『鳥山石燕 画図百鬼夜行』によれば、孔子の門人の曾子は、母に勝つ名を嫌って勝母の里に足を踏み入れなかったというとあり、これが呪符として使われているとある。

しかし、なぜこの呪文が輪入道に関係してくるのかは不明のようである。

㊜片輪車

『鳥山石燕 画図百鬼夜行』高田衛監修・稲田篤信・田中直日編 『江戸怪談集（下）』高田衛編／校注

笑い男［わらいおとこ］ 高知県香美郡香我美町東光山でいう妖怪。

昔、知行三百石の船奉行を務める樋口関太夫という者がいた。

あるとき山北（高知県香美郡香我美町）に猟に出かけようとすると、地元の農民たちが「月の1日、9日、17日に山へ入れば、必ず笑い男にあい、半死半生になってしまう」という。

関太夫はその話を聞いて、何の遠慮があるかと、家来を連れて山に登った。山腹を往来して雉《きじ》を狙っていると、一町（約109m）ほど離れた松林の端で、15歳〜16歳の子供が関太夫を指さして笑っていた。

しだいにその声は高くなり、子供の近くの山も石も草木もみな笑うように見え、しまいには風の音、水の音までもが大笑いしているように響いたので、関太夫と家来は坂を下りて逃げ帰った。その声は麓《ふもと》にまで聞こえたという。

農民たちが迎えに来て無事に帰ることができたが、その年が過ぎて、関太夫が病死するまで、耳の底にはその笑い声が残っていて、そのことを思い出すときは、耳の傍《そば》で鉄砲を打つような音が聞こえたという。

『近世土佐妖怪資料』広江清編

笑い女〔わらいおんな〕　高知県幡多《はた》郡橋上村（宿毛《すくも》市）、土佐郡土佐山村でいう妖怪。

夜の深山で、げらげらと笑い声が聞こえるもので、姿は見せないという。

『旅と伝説』通巻174号「土佐の山村の『妖物と怪異』」桂井和雄

悪い風〔わるいかぜ〕

→風

ワロドン　鹿児島県肝属《きもつき》郡百引村（曾於《そお》郡輝北町）でいう山童。

山に入った河童のことで、オジドンともいう。馬の足跡に溜まった水の中に、1000匹も隠れ棲むことができるといい、これがいる水は濁っていて犬も逃げ出すという。

ワロドンはバラバラに切り刻んでも死なず、いつしか元の身体に戻るが、そのうちの一切れを呑んでしまえば復活することはない。嫌いなものは河童と同じく金物だという。

㊂山童

『日本妖怪変化語彙』日野巌・日野綏彦　『綜合日本民俗語彙』民俗学研究所編

索引

あ

か

き

く

け

こ

さ

す

せ

そ

た

ち

つ

て

と

ふ

ゆ

よ

夜雀《よすずめ》……671
夜泣《よな》き石《いし》……672
夜泣《よな》き婆《ばばあ》……673
夜半人《よはしと》……673
ヨバシリ……674
呼子《よぶこ》……674
呼子鳥《よぶこどり》……674
夜《よる》の楽屋《がくや》……674
ヨロヅナセノ……675

ら

雷獣《らいじゅう》……675
羅生門《らしょうもん》の鬼《おに》……676
ラプウシオヤウ……678
ラプシヌプルクル……678

り

龍《りゅう》……678
龍灯《りゅうとう》……679
リョウゲ……679

る

累《るい》……680
ルルコシンプ……680

れ

レイラボッチ……680
レブンエカシ……680

ろ

老人火《ろうじんび》……681
六右衛門狸《ろくえもんだぬき》……681
轆轤首《ろくろくび》……681
ロンコロオヤシ……684

わ

わいら……684
ワクド憑《つ》き……684
渡《わた》り柄杓《びしゃく》……685
わちんの火《ひ》……685
輪入道《わにゅうどう》……685
笑《わら》い男《おとこ》……686
笑《わら》い女《おんな》……687
悪《わる》い風《かぜ》……687
ワロドン……687

本書は、二〇〇五年七月に小社より刊行された単行本を
加筆・修正し、索引を加えて文庫化したものです。

改訂《かいてい》・携帯版《けいたいばん》

日本《にほん》妖怪《ようかい》大事典《だいじてん》

水木《みずき》しげる＝画　村上健司《むらかみけんじ》＝編著

平成27年 4月25日　初版発行
令和 7 年 10月10日　9 版発行

発行者●山下直久

発行●株式会社KADOKAWA
〒102-8177　東京都千代田区富士見2-13-3
電話　0570-002-301（ナビダイヤル）

角川文庫 19075

印刷所●株式会社KADOKAWA
製本所●株式会社KADOKAWA

表紙画●和田三造

●お問い合わせ
https://www.kadokawa.co.jp/（「お問い合わせ」へお進みください）
※内容によっては、お答えできない場合があります。
※サポートは日本国内のみとさせていただきます。
※Japanese text only

ISBN978-4-04-102932-9　C0195

◆◇◇

角川文庫発刊に際して

角川源義

第二次世界大戦の敗北は、軍事力の敗北であった以上に、私たちの若い文化力の敗退であった。私たちの文化が戦争に対して如何に無力であり、単なるあだ花に過ぎなかったかを、私たちは身を以て体験し痛感した。西洋近代文化の摂取にとって、明治以後八十年の歳月は決して短かすぎたとは言えない。にもかかわらず、近代文化の伝統を確立し、自由な批判と柔軟な良識に富む文化層として自らを形成することに私たちは失敗して来た。そしてこれは、各層への文化の普及滲透を任務とする出版人の責任でもあった。

一九四五年以来、私たちは再び振出しに戻り、第一歩から踏み出すことを余儀なくされた。これは大きな不幸ではあるが、反面、これまでの混沌・未熟・歪曲の中にあった我が国の文化に秩序と確たる基礎を齎らすためには絶好の機会でもある。角川書店は、このような祖国の文化的危機にあたり、微力をも顧みず再建の礎石たるべき抱負と決意とをもって出発したが、ここに創立以来の念願を果すべく角川文庫を発刊する。これまで刊行されたあらゆる全集叢書文庫類の長所と短所とを検討し、古今東西の不朽の典籍を、良心的編集のもとに、廉価に、そして書架にふさわしい美本として、多くのひとびとに提供しようとする。しかし私たちは徒らに百科全書的な知識のジレッタントを作ることを目的とせず、あくまで祖国の文化に秩序と再建への道を示し、この文庫を角川書店の栄ある事業として、今後永久に継続発展せしめ、学芸と教養との殿堂として大成せんことを期したい。多くの読書子の愛情ある忠言と支持とによって、この希望と抱負とを完遂せしめられんことを願う。

一九四九年五月三日

角川文庫ベストセラー

墓場鬼太郎 全六巻
貸本まんが復刻版
水木しげる

日本に妖怪ブームを巻き起こした『ゲゲゲの鬼太郎』の原点が全六巻で文庫化。貸本時代の原稿を、カラー原稿も含めて完全収録。もっとも妖怪らしい鬼太郎に出会える、貸本まんが『墓場鬼太郎』の復刻文庫！

悪魔くん
貸本まんが復刻版
水木しげる

天才的頭脳を持つ「悪魔くん」こと松下一郎少年が、人類が平等に幸せな生活ができる理想社会『千年王国』の樹立を目指し、現代社会に戦いを挑む！ 著者の貸本時代を代表する大傑作！

河童の三平 (上)(中)(下)
貸本まんが復刻版
水木しげる

河童にそっくりな人間の子ども河原三平は、ひょんなことから河童の世界に迷い込む。それをきっかけに、河童の長老の息子が人間世界へ留学することに……水木しげるが生と死、友情を描いた大傑作長編！

ゲゲゲの鬼太郎
青春時代
水木しげる

「墓の下高校」に通うことになった鬼太郎。階下に住む貧乏劇画家に家宝のペン先を渡すと、描いたお化けが飛び出した！「続ゲゲゲの鬼太郎」を当時の漫画誌掲載順に収録した、完全保存版！

ゲゲゲの鬼太郎
スポーツ狂時代
水木しげる

成績が悪い上に学費もなく生活を追われ山中にくらす鬼太郎。叔母と名乗る人の元に身を寄せるがなんと超能力を奪われてしまう！「新ゲゲゲの鬼太郎 スポーツ狂時代」を連載当時の掲載順で収録した完全版！

角川文庫ベストセラー

畏悦録　水木しげるの世界
水木しげる

霊界の女に魅入られた男の不気味な恋の行方を描く「終電車の女」、吸血鬼に憧れる少年の悲劇的な結末を描く「血太郎奇談」など、妖しげな触感がとめどない幻惑を誘う十三の水木ワールド！

日本妖怪散歩
村上健司

全国に点在する妖怪伝承地をコースごとに紹介したガイドブック。地方の伝承地を日帰りで、または泊りがけで探索できる。文字を大きくし、シニアでも楽しめる一冊。

嗤う伊右衛門
京極夏彦

鶴屋南北「東海道四谷怪談」と実録小説「四谷雑談集」を下敷きに、伊右衛門とお岩夫婦の物語を怪しく美しく、新たによみがえらせる。愛憎、美と醜、正気と狂気……全ての境界をゆるがせる著者渾身の傑作怪談。

覘き小平次
京極夏彦

幽霊役者の木幡小平次、女房お塚、そして二人の周りでうごめく者たちの、愛憎、欲望、悲嘆、執着……人間たちの哀しい愛の華が咲き誇る、これぞ文芸の極み。第16回山本周五郎賞受賞作!!

数えずの井戸
京極夏彦

数えるから、足りなくなる――。冷たく暗い井戸の縁で、「菊」は何を見たのか。それは、はかなくも美しい、もうひとつの「皿屋敷」。怪談となった江戸の「事件」を独自の解釈で語り直す、大人気シリーズ！

角川文庫ベストセラー

遠野物語 remix
京極夏彦
柳田國男

山で高笑いする女、赤い顔の河童、天井にぴたりと張り付く人……岩手県遠野の郷にいにしえより伝えられし怪異の数々。柳田國男の『遠野物語』を京極夏彦が深く読み解き、新たに結ぶ。新釈〝遠野物語〟。

対談集 妖怪大談義
京極夏彦

学者、小説家、漫画家などなどと妖しいことにまつわる様々を、いろんな視点で語り合う。間口は広く、敷居は低く、奥が深い、怪異と妖怪の世界に対するあふれんばかりの思いが込められた、充実の一冊！

文庫版 妖怪の理 妖怪の檻
京極夏彦

知っているようで、何だかよくわからない存在、妖怪。それはいつ、どうやってこの世に現れたのだろう。妖怪について深く愉しく考察し、ついに辿り着いた答えとは。全ての妖怪好きに贈る、画期的妖怪解体新書。

あやし
宮部みゆき

木綿問屋の大黒屋の跡取り、藤一郎に縁談が持ち上がったが、女中のおはるのお腹にその子供がいることが判明する。店を出されたおはるを、藤一郎の遣いで訪ねた小僧が見たものは……江戸のふしぎ噺9編。

お文《ふみ》の影
宮部みゆき

月光の下、影踏みをして遊ぶ子どもたちのなかにぽつんと女の子の影が現れる。影の正体と、その因縁とは。「ぼんくら」シリーズの政五郎親分とおでこの活躍する表題作をはじめとする、全6編のあやしの世界。